Sie erreichen London um 16.50 Uhr an der Paddington Station. Der fast 70jährige Leonard Vernim und seine amerikanische Lebensgefährtin Maud. Leonard ist schwerkrank – und Maud ist besorgt. Und zwar mehr, als es die Lage sowieso schon erfordern würde. Irgendetwas Geheimnisvolles geht vor sich, irgendetwas verschweigt ihr Leonard. Ein großes, wahrscheinlich letztes Geburtstagsfest hat er geplant. Auch ihre beiden Kinder aus erster Ehe sind eingeladen – die neurotische Irina, der ständig an Geldmangel leidende Gregorius. Sowie zwei mysteriöse Gäste, deren Namen sie nicht kennt. Gleichzeitig geht ein Serienmörder in der Stadt um – es braut sich etwas zusammen unter dem Himmel von London …

HÅKAN NESSER, geboren 1950, ist einer der interessantesten und aufregendsten Krimiautoren Schwedens. Für seine Kriminalromane um Kommissar Van Veeteren und Inspektor Barbarotti erhielt er zahlreiche Auszeichnungen, sie sind in mehrere Sprachen übersetzt und wurden erfolgreich verfilmt. Daneben schreibt er Psychothriller, die in ihrer Intensität und atmosphärischen Dichte an die besten Bücher von Georges Simenon und Patricia Highsmith erinnern. »Kim Novak badete nie im See von Genezareth« oder »Und Piccadilly Circus liegt nicht in Kumla« gelten inzwischen als Klassiker in Schweden, werden als Schullektüre eingesetzt und haben seinen Ruf als großartiger Stilist nachhaltig begründet. Håkan Nesser lebt mit seiner Frau in Stockholm und auf Gotland.

HÅKAN NESSER
Himmel über London

Roman

Aus dem Schwedischen
von Christel Hildebrandt

btb

Die schwedische Originalausgabe erschien 2011
unter dem Titel »Himmel över London«
bei Albert Bonniers, Stockholm.

Verlagsgruppe Random House FSC® N001967
Das für dieses Buch verwendete FSC®-zertifizierte
Papier *Lux Cream* liefert Stora Enso, Finnland.

1. Auflage
Genehmigte Taschenbuchausgabe Mai 2015
Copyright © der Originalausgabe 2011 by Håkan Nesser
Copyright © der deutschsprachigen Ausgabe 2013 by btb Verlag
in der Verlagsgruppe Random House GmbH, München
Umschlaggestaltung: semper smile, München
Umschlagmotiv: © plainpicture / donkeysoho;
© Shutterstock
Druck und Einband: CPI – Clausen & Bosse, Leck
SL · Herstellung: sc
Printed in Germany
ISBN 978-3-442-74381-0

www.btb-verlag.de
www.facebook.com/btbverlag
Besuchen Sie auch unseren LiteraturBlog www.transatlantik.de!

»Bei uns ist das so: Wenn man Bücher nicht in der Zeit erzählen kann, die eine Rasur dauert, dann sind sie Literatur. Und die ist nichts für uns. Lesen Sie?«

ALESSANDRO BARICCO: *Diese Geschichte*

I.

1

Leonard

Wir kamen um 16.50 Uhr mit dem Heathrow Express in Paddington an.

Ich nahm den *Evening Standard* von einem Zeitungsjungen entgegen, und während wir in der Taxischlange warteten, schaffte ich es noch, etwas über einen Messermord draußen in Wimbledon Common zu lesen – ausgeübt von einem, den der Journalist »The Watch Killer« nannte, da er offenbar die Angewohnheit hatte, eine kaputte Armbanduhr bei seinen Opfern zu hinterlassen. Ich erwähnte Maud gegenüber nichts davon; wir hatten uns während der Reise überhaupt wenig unterhalten, und sie wird nicht gern an den Zustand der Welt erinnert.

Ich mag mich an meinen Zustand auch nicht erinnern, wenn man es genau nimmt, obwohl ich mir schließlich genau das vorgenommen habe.

Ernsthaft. In erster Linie, was die Gedanken angeht; nicht in diesen üblichen, irritierenden Zweifel zu verfallen, sondern in den nächsten zwölf Tagen so klar im Kopf wie möglich zu sein. Es geht doch vor allem darum, dass alles klappt, zu einer Lösung kommt, aber in schwachen Momenten habe ich das Gefühl, dass mein ganzes Leben nur eine Palette von Kompromissen und Entscheidungen war, die mir durch die Finger rannen. Was besonders deutlich kurz vor Toresschluss wird, wo man gezwungenermaßen eher in den Rückspiegel schaut, weil es nicht mehr viele andere Richtungen gibt, in die man blicken kann, und das soll mir nicht mehr passieren. Weg mit dieser verdammten Ambivalenz, denke ich; das Finale soll in einer anderen Tonart erklingen als die Symphonie selbst. Ein wenig Händel, warum nicht?

Ich gratulierte mir selbst zu diesen zusammenfassenden Gedanken, die sich ausgerechnet in so musikalischen Termini zeigten, und spürte diesen inneren, klaren Schimmer, der sich ab und zu in meinem Schädel zeigt, förmlich. Nur flüchtig und wahrscheinlich trügerisch, aber dennoch als überraschendes Aufblitzen von etwas Hellem und sicher Gutartigem. Ich weiß nicht, um was es sich dabei handelt und ob es überhaupt eine Rolle spielt. Ich warf die Zeitung in einen Abfalleimer und zündete mir eine Zigarette an, es standen mindestens noch zwanzig Leute vor uns in der Schlange, ich würde sie in aller Ruhe rauchen können.

»Du solltest doch nicht …«

Sie versuchte vergebens, sich zurückzuhalten. Es ist nicht diese Art von Krebs, die mich umbringen wird, auch wenn jede einzelne Zigarette wahrscheinlich dazu beiträgt, die Sache zu beschleunigen. Werner hatte das bei unserer letzten Begegnung unterstrichen, aber so etwas zu betonen, dafür werden Ärzte bezahlt, das wissen wir beide. Ich rauche seit mehr als fünfzig Jahren, warum sollte ich jetzt damit aufhören, wo die Zeit knapp wird?

Über das natürliche Enddatum brauchen wir nicht zu spekulieren, aber es wird sich unter keinen Umständen um mehr als ein halbes Jahr handeln. Nun ist es eine Frage von Tagen, ich habe es selbst in der Hand, und ich bin überzeugt davon, dass ich es auf jeden Fall begrenzen werde. Knapp zwei Wochen; wir schreiben heute den 13. September, der 25. ist das entscheidende Datum, und ich erwarte, dass ich an diesem Tag mit einem deutlichen Gefühl von Trost und Zufriedenheit erwache. Ich könnte auch schreiben Triumph – Händel, wie gesagt –, aber Demut ist eine Tugend.

Das Taxi brachte uns durch den dichten Verkehr und einen gelblichen Nieselregen die Bishop's Bridge Road und die West-bourne Grove entlang zur Chepstow Road. *The Commander* liegt auf der Grenze zwischen Bayswater und Notting Hill, einen Moment lang wurde ich von einem Gefühl der Erinnerung überwältigt. Das ganze Gebiet nach Portobello hin hatte sich in den letzten Jahren verändert, besonders Westbourne Grove, wo sich neugegründete Restaurants, Möbelgeschäfte, Galerien und italienische Cafés mit den alten nützlichen Geschäften drängel-ten: Waschsalons, Eisenwarenhandlungen, Maler und Tapezie-rer, Friseure und Obstläden. Die viktorianischen Überbleibsel nicht zu vergessen, die immer noch wie leicht betagte Prima-donnen ihr Dasein fristen: Kildare Terrace, Kensington Gar-dens Square, Pembridge Villas. Es ist insgesamt eine schöne Mischung, und ich denke, ich hätte mein ganzes Erwachsenen-leben hier verbringen können. Warum bin ich jemals von hier fortgezogen? Alles wäre anders gekommen.

The Commander hat zehn oder zwölf Jahre auf dem Buckel. Ich habe hier früher schon einmal übernachtet, ein paar Tage im Zusammenhang mit Christophers Beerdigung, und wir be-kommen dieselbe kleine Suite, die ich damals hatte. Ich hatte darum gebeten, als ich anrief, um das Zimmer zu buchen, und es hatte dem nichts im Wege gestanden. Ein großer Raum mit einem geräumigen Balkon nach Westen hin, auf Portobello und Notting Hill zu. Während wir eincheckten, hatte der Regen auf-gehört, ich schlug ein Glas Sherry draußen an der frischen Luft vor, und Maud willigte ein. Sie wischte den Tisch und die Stühle mit einem Handtuch ab, während ich Gläser und die Flasche heraussuchte, die wir im Taxfreeladen gekauft hatten.

Schade, dachte ich, während wir die Gläser hoben und un-sere Blicke einander begegneten. Schade, dass du deine Karten nicht besser gespielt hast.

Aber darum geht oder ging es natürlich nicht; dies ist nur

eine dieser hohlen Formulierungen, die man in Ermangelung präziserer Worte benutzt.

Während wir draußen auf dem Balkon saßen, schluckte ich auch meine Medikamente – nach ihrer Ermahnung. Da ist sie sehr gewissenhaft. Zwei weiße, zwei rote, eine graue Tablette mit einem blauen Streifen. Dreimal am Tag, ärztlich verordnet. Es gefällt ihr, mich daran zu erinnern, da es sie in ein gutes Licht rückt. Sie erhält mich am Leben. Achtet darauf, dass ich keine Schmerzen habe, ich bin viel zu zerstreut, um mich um diese Sachen selbst zu kümmern.

Was sicher Quatsch ist, aber ich habe sie es genau in diesen Worten beschreiben gehört, sowohl Gertrud als auch Tom gegenüber. Das Problem mit den Medikamenten ist ein anderes, nicht, dass ich vergesse, sie zu nehmen; sie stumpfen mich ab. Nicht viel, aber ein wenig. Wenn ich einen klaren Kopf haben will, muss ich auf diese Pillen verzichten, aber der Schmerz stellt sich statt ihrer so sicher ein wie das Amen in der Kirche, dennoch entscheide ich mich manchmal für diese Alternative. Es ist ein verzwicktes Spiel, ich bin der Erste, der das zugeben würde, aber zwischen der Müdigkeit und den Schmerzen liegen einige erstrebenswerte Stunden – eine oder anderthalb zumindest –, und in Anbetracht dessen, was ich mir auferlegt habe, ist es wichtig, dass ich diese kurzen Zeitabschnitte jeden Tag nutzen kann. Siebzig, achtzig Minuten, in denen ich weder müde noch abgestumpft bin, noch von Schmerzen dominiert werde, ja, ich schätze, dass dies eine Art tägliche Notwendigkeit ist. Der späte Morgen und der frühe Abend, das sind die besten Zeiten.

»Wie fühlst du dich?«

»Ausgezeichnet, danke.«

»Schmerzen?«

»Nein.«

»Müde?«

»Nicht sehr. Wenn ich ein Nickerchen mache, können wir später essen gehen.«

»Dir gefällt dieses Viertel hier, oder?«

»Ja, es gefällt mir sehr.«

Sie zuckte mit den Schultern. Eine Weile blieben wir schweigend beieinander sitzen und betrachteten den westlichen Himmel über Wembley und Ealing, wo die untergehende Sonne gerade durch die Wolkendecke brach. Ich rauchte noch eine Zigarette und stellte fest, dass wir das erste Mal zusammen in London waren. Gewiss auch das letzte Mal. Die Stadt bedeutete Maud gar nichts. Sie hatte keine Beziehung zu Covent Garden, Little Venice oder Chalk Farm. War nie mit zwei Sterling in der Tasche in der Dämmerung über die Hungerford Bridge gegangen, hatte nie im *The Elgin* gesessen, Minuten bevor die Fußballbilder von Highbury eintrudelten. Highbury gab es nicht mehr, zumindest trägt Arsenal seine Spiele heutzutage woanders aus, ich sehe das als ein Zeichen, dass es Zeit zum Sterben sein könnte. Covent Garden sieht auch nicht mehr aus wie in den Sechzigern, als ich zum ersten Mal herkam, aber mein Gott, denke ich, das ist jetzt mehr als vierzig Jahre her. Fünfundvierzig genau genommen, aber nun spüre ich, dass mich der Schlaf am Wickel hat, und ich trinke die letzten Sherrytropfen. Es ist natürlich nicht die Stadt, die diese große Veränderung durchgemacht hat; was im Laufe eines knappen halben Jahrhunderts an Bau-, Entwicklungs- und Modernisierungsmaßnahmen getätigt wurde, ist reine Kosmetik zu der Veränderung und dem Absturz, der in mir selbst stattgefunden hat.

So ist es nun einmal. Es ist nicht die Welt, die altert, sie wird nur immer neuer und neuer, erfindet sich an jedem modernen Morgen und zu jedem jungfräulichen Krieg wieder aufs Neue. Es ist der Blick des Betrachters, der alt wird; unschön verpackt liegen uns all die Tage und Jahre in einem immer undurchlässiger werdenden Filter vor Augen, das ist eine von tausend denkbaren Arten, die Sache auszudrücken, und es ist nicht wirklich neu.

»Geh rein und leg dich hin, bevor du vom Stuhl kippst.«

Ich richte mich auf und lasse mich widerstrebend brummend in das Halbdunkel des Raumes führen.

»Während du schläfst, werde ich einen kleinen Spaziergang im Viertel machen. All right?«

All right. All right. Mögen die Engel dich in den Schlaf singen, Leonard Vermin.

Worte, Worte.

Bevor wir den 25. erreicht haben, habe ich noch einiges zu erledigen, das ist klar, aber an diesem ersten Abend begnügten wir uns mit einem einfachen Essen im Viertel. *Bloody French*, ein kleines Gasthaus an der Westbourne Grove, fast menschenleer, obwohl sie ein ausgezeichnetes Bœuf bourguignon und einen äußerst trinkbaren Merlot servierten. Maud drückte ihre Zufriedenheit mit dem Essen aus, war aber ansonsten ziemlich still. Ich versuchte sie mit der Geschichte vom abgetrennten Ohr und wie Portobello seinen Namen bekam zu unterhalten – und mit der Geschichte vom Mord an Whiteley; der weniger als hundert Meter von dort stattgefunden hatte, wo wir uns gerade befanden. Im Januar 1907, wenn ich mich nicht irre, der Mörder hieß Horace Rayner und behauptete, er wäre Whiteleys unehelicher Sohn, er entging um Haaresbreite dem Galgen, nachdem 180 000 Menschen eine Petition unterschrieben, in der sie darum baten, sein Leben zu verschonen – aber ich sah Maud an, dass nichts davon auch nur einen Funken von Interesse in ihr erwecken konnte. Eigentlich hatten wir in den letzten zehn Jahren keine Themen, über die wir uns hätten unterhalten können, und während wir auf den Käseteller warteten, den wir uns teilen wollten, kam mir in den Sinn, dass es nie, auch nicht in der ersten Zeit, irgendwelche tragfähigen Brücken zwischen uns gegeben hatte. Den Willen, sie zu bauen, den schon, diese positivistische Krankheit, aber wenn man lange genug auf einer Seite des Flusses gestanden hat, dann begreift man, dass es keinen Sinn hat, weiter zu rufen. Dann hält man lieber den Mund, dreht sich um und geht. Für einen Moment überlegte ich, ob ich ihr dieses Bild präsentieren sollte, manchmal habe ich das Gefühl, dass ich ihr so kurz vor dem Ende ein gewisses Maß an Aufrichtigkeit schuldig bin – aber ich ließ es bleiben. Die Aussichten, mich verständlich zu machen, sind gering, und es würde keinem anderen Zweck dienen als einer selbstgerechten Ehrlichkeit.

Auch Alexander Herzen und Bakunin, die beide einige Jahre in diesem Viertel gelebt hatten, erwähnte ich mit keinem Wort. Maud hat sich nie für diese frühen Revolutionäre interessiert.

Es ist ziemlich genau zwanzig Jahre her, seit wir uns das erste Mal begegneten, ich spreche jetzt von Maud und nicht von Herzen und Bakunin. Damals herrschte eine Niedrigwasserperiode in meinem Leben; ich hatte Michelle verloren, eine Frau, mit der ich den Rest meiner Tage zu verbringen nur zu gerne bereit gewesen wäre – und der Nächte natürlich auch (ganz besonders die Nächte, das gebe ich unumwunden zu). Ich war von ihrem Ehemann schwer verletzt worden, hatte zwei Monate im Krankenhaus gelegen, und auf Anraten des verantwortlichen Arztes (der mit zwei meiner guten Freunde, Justin und Tom, offenbar unter einer Decke steckte) willigte ich ein, mich in eine Therapie zu begeben. Es gab außerdem eine gewisse Suchtproblematik, ich stand kurz vor dem fünfzigsten Geburtstag, und es war wohl an der Zeit, einzusehen, dass das Leben nicht ewig währen würde.

Maud war vierunddreißig Jahre alt, als ich an einem verregneten Montagnachmittag Mitte August ihre Praxis betrat. Ihre Methode nannte sich *Kognitive Verhaltenstherapie,* und als wir uns zur Begrüßung die Hände schüttelten, bekam ich einen Eindruck von ihr, wie ich ihn noch nie zuvor von einer Frau gehabt hatte. Ich kann dieses Gefühl nur schwer beschreiben, auch jetzt, nach zwanzig Jahren, nicht, aber mittlerweile denke ich, dass es seinen Grund in ihrer Mütterlichkeit haben muss. Da stand ich plötzlich einer Frau gegenüber, die mir anbot, sich um mich zu kümmern. Meine eigene Mutter, es ist mir klar, dass ich bisher noch kein Wort über meine Eltern oder meine Kindheit verloren habe, vielleicht hätte ich lieber damit anfangen sollen, aber ich habe nicht die Zeit, alles immer wieder neu zu strukturieren – meine eigene Mutter also, sie starb an Tuberkulose, als ich erst vier Jahre alt war, und das ist eine Tatsache, die zumindest von einer gewissen Bedeutung für meine Beziehung zu Maud gewesen sein muss. Sie füllte ein altes Vakuum, es wäre idiotisch, sich etwas anderes einzureden.

Aber vielleicht komme ich noch darauf zurück. Es ist nicht die Begegnung mit Maud, die das Zentrum meiner Geschichte bildet; um diesen Punkt, diese imaginäre Nabe, zu finden, müssen wir noch weitere zwanzig Jahre in der Zeit zurückgehen, ja, genau genommen zweiundzwanzig. Zum September 1968, damals traf ich Carla, und jetzt, wo ich vor dem definitiven Ende des Buches stehe, weiß ich genauso klar und sicher wie die Herbsthimmel über Montana oder die Raben am Tower, dass es sich dabei um das alles überschattende Ereignis meiner Wanderung in diesem Jammertal handelt.

Die bald ihr Ende finden wird, aber jetzt fällt mir der Stift aus der Hand und die Gedanken schweifen ab, ich sehe, dass Maud bereits das Licht in ihrem Alkoven gelöscht hat und es höchste Zeit für mich ist, es ihr gleichzutun. Auf jeden Fall bin ich dankbar dafür, dass wir so weit gekommen sind, bis ins Grenzland zwischen Bayswater und Notting Hill. Und ein anderes Grenzland, das deutlich häufiger besungen wurde, winkt um die Ecke.

Keine Schmerzen, nur Müdigkeit und ein gewisser Druck auf der Brust.

2

Das gelbe Notizbuch

Trafalgar Square.

Es war der 5. September 1968. Ich hatte den Tag mit Umziehen verbracht – aus einem engen Verschlag in Shoreditch, ein paar Straßen von der Liverpool Street Station entfernt, in einen nicht ganz so engen Verschlag (und mit besseren Kochmöglichkeiten) in der Nähe von Earl's Court –, und ich weiß nicht, was mich dazu bewogen hatte, zum Trafalgar Square zu gehen. Wahrscheinlich wollte ich dort jemanden treffen. Jemanden, der jedenfalls nie auftauchte, vielleicht hatte auch der Umzug, das Schleppen von Reisetaschen und Pappkartons drei steile Treppen hinauf längere Zeit in Anspruch genommen als gedacht, und ich hatte mich verspätet; vielleicht war jemand des Wartens müde geworden, ich kann mich nicht mehr erinnern. Auf jeden Fall saß ich dort auf der Balustrade, rauchte eine Zigarette, während ich die Tauben und Menschen betrachtete und den Lord oben auf seiner Säule. Es war ein schöner, angenehm warmer Herbstabend, kurz vor halb sieben.

Lassen Sie mich auch feststellen, bevor das Schicksal seinen Lauf nimmt und nicht mehr aufzuhalten ist, dass ich achtundzwanzig Jahre alt war. Ich wohnte zu diesem Zeitpunkt bereits seit drei Jahren in London; war das erste Mal – nach abgebrochenen akademischen Studien und abgeleistetem Militärdienst – im Juni 1965 hierhergekommen, und bis dato war es mir nicht gelungen, wieder fortzugehen. Es hatte kein Anlass dafür bestanden. London war in diesen späten Jahren der Sechziger die Weltmetropole überhaupt, daran bestand kein Zweifel. Ich wurde von ihr angezogen wie ein willenloses Insekt von einer herbstlichen Petroleumlampe, fing an, auf freiberuflicher Basis zu fotografieren und Artikel zu schreiben: Musik, Mode, Jugendrevolte, Politik, Pop-Art und was mir sonst so einfiel. Ein dreiseitiges Interview mit Arthur Brown für die *International Times* war bis jetzt der Höhepunkt gewesen, vielleicht in Konkurrenz zu einem zweiseitigen mit Bertrand Russell über den Vietnamkrieg für eine amerikanische Zeitschrift. Im Oktober 1967 hatte ich gemeinsam mit drei Gleichgesinnten, Christopher, Mary und Fjodor, so ein Undergroundkäseblatt gegründet, *The Spiff*, das entgegen allen Erwartungen bereits acht Nummern hinter sich hatte und bald sein einjähriges Jubiläum feiern sollte. Vielleicht war es sogar einer der anderen Spiffer, die ich an diesem Abend treffen sollte, wenn ich nicht zu spät gekommen wäre, aber noch einmal: das ist von untergeordneter Bedeutung. In wenigen Minuten sollte mein Leben sich von Grund auf verändern, ich drückte meine Zigarette aus und dachte an gar nichts. Oder vielleicht an die Beziehung zwischen Mary und Fjodor, das tat ich häufiger, ob es nicht bald an der Zeit war, dass sie ihn verließ und stattdessen mir eine Chance gab.

Was in vielerlei Hinsicht eine Gnade wäre, aber kaum eine glückliche Wendung, was Spiffs Zukunft betraf. Vielleicht Marys auch nicht, ich weiß es nicht.

Ein langbärtiger Jesusjünger mit runder blauer Lennonbrille und einem Kaftan, der nach Pferd roch, verließ seinen Platz auf der Balustrade gleich rechts von mir, nachdem er seine Bhagavad Gita zugeklappt hatte. Ich spürte, dass ich Hunger hatte, mir fiel ein, dass ich den ganzen Tag noch nichts gegessen hatte, und ich wühlte in meinen Taschen, um den Kassenstand zu überprüfen.

Aber so weit kam ich gar nicht, denn jetzt ging es los. Eine Frau kam schräg die Treppen herauf und blieb zwei Meter vor mir stehen. Sie schien in den Dreißigern zu sein, trug ein einfaches rotes Kleid und einen dünnen Mantel gleicher Farbe. Ihr Haar war dunkel, zu einem Pagenkopf geschnitten, und sie gehörte ebenso wenig in die Hippiewelt am Trafalgar Square wie ein Rubin in eine Shepard's pie.

Aber es war nicht ihre Schönheit, die mir den Atem raubte, sondern ihr Zögern und ihre offensichtliche Unschlüssigkeit. Sie war mitten im Gehen stehen geblieben, und jetzt schaute sie auf ihre Armbanduhr. Warf einen Blick zurück, auf die Löwen und den Springbrunnen, als wollte sie sich vergewissern, dass sie nicht verfolgt wurde. Oder dass sie verfolgt wurde. Einige Sekunden lang blieb sie stehen, suchte etwas in ihrer Handtasche, zuckte dann mit den Schultern und entdeckte den halben Meter Sitzplatz, der soeben neben mir frei geworden war. Sie begegnete meinem Blick.

Ich nickte. Oder ich glaube, dass ich nickte. Auf jeden Fall versuchte ich sie auf irgendeine telepathische Art und Weise dazu zu bringen, herzukommen und sich zu setzen, ungefähr so interpretiere ich meine hochnervöse Passivität in diesen entscheidenden Sekunden. Dieses blanken, schicksalsträchtigen Augenblicks, zu dem es so selten im Laufe eines Lebens kommt, aber wenn doch, dann birgt er eine Art Schlüssel für alle vagen Fragen, die wir in uns tragen. Es passiert *genau hier*. Es passiert *genau jetzt*. Sie schaute sich erneut über die Schulter um, dann huschte ein kurzes, unsicheres Lächeln über ihr Gesicht, bevor sie sich auf dem von dem Jesusjünger geräumten Platz niederließ.

»Hallo. Ich heiße Leonard.«

Wie sonst hätte ich anfangen sollen? Als meine Identität zu präsentieren, frank und frei, dass ich ein selbstständiges Individuum in diesem Wirrwarr diffuser Existenzen war, es scharten sich wirklich ungewöhnlich viele Leute an diesem Abend um Trafalgar und Charing Cross… alles andere, ja, jeder andere Auftakt, jedes Preludium hätte in die falsche Richtung geführt. Das habe ich mir jedenfalls selbst eingeredet.

»I am Carla.«

Der Akzent. Osteuropa, soweit ich beurteilen konnte, aber es waren ja nur drei Worte. Ich streckte ihr meine Hand entgegen. Sie ergriff sie, ohne zu zögern, hielt sie einige Sekunden lang fest, während sie mich mit offenem Blick ansah. Der eigentlich nichts anderes als eine einzige Frage enthielt: *Kann ich dir trauen?*

Ich bot ihr eine Zigarette an. Sie nahm sie entgegen, und ich gab uns beiden Feuer. Bis jetzt hatten wir einander nicht mehr als unsere Namen verraten. Unsere Vornamen. Leonard und Carla. Schweigend rauchten wir. Sie saß so dicht neben mir auf der Steintreppe, dass ich ihre Körperwärme an meinem rechten Arm spüren konnte. Während wir rauchten, hielten wir unsere Blicke auf die Menschen und die Tauben gerichtet. Der weite offene Platz und das Menschengewimmel boten an diesem angenehmen Spätsommerabend wirklich ein Schauspiel. Ein buckliger junger Mann spielte ein Stück von uns entfernt Gitarre und sang ein Donovan-Lied. Der Duft von Haschisch und anderen brennenden Gräsern kam und ging. Ein Mädchen in orangefarbener langer Hose und mit nacktem Oberkörper ging auf den Händen. Carla schaute erneut auf ihre Armbanduhr.

»Will you help me?«

Ich nickte. »Ich helfe dir gern. Was soll ich tun?«

Sie schob die Hand in die Handtasche. Zog einen kleinen, hellgrauen Umschlag heraus. Hielt ihn einen kurzen Moment lang zwischen Daumen und Zeigefinger, dann reichte sie ihn mir. Ich nahm ihn entgegen und schaute sie fragend an. Sie holte tief Luft und betrachtete mich mit ernster Miene.

»Please go.«

Ich verstand nicht. Wie hätte ich es auch verstehen können? Ihre Augen wechselten zwischen grün und braun, wie ich jetzt sah, das rechte grüner als das linke. Ihren Mund hielt sie ein wenig geöffnet, nur wenige Millimeter, ich wartete, dass sie mehr erklären würde. Warf einen Blick auf den Umschlag, er war dünn und wog fast nichts.

»Wobei soll ich dir helfen?«

Mit einem Kopfnicken zum Umschlag hin wiederholte sie: »Please go.«

Dann machte sie diese versiegelnde Geste, die auf gewisse Weise alles entschied. Sie drückte sich einen Zeigefinger auf die Lippen, legte ihn anschließend auf meine. Eine Berührung nur für den Bruchteil einer Sekunde, und trotzdem konnte ich diesen Finger am nächsten Morgen, als ich aufwachte, immer noch spüren. Sie hüpfte von der Balustrade hinunter. Richtete ihre Kleidung mit einer einfachen Handbewegung und eilte die Treppen hinunter, ohne sich umzuschauen.

Auf dem Umschlag selbst stand nichts. Kein Adressat, kein Absender. Ich zog die Lasche heraus. Holte eine Eintrittskarte heraus. Einfach gedruckt auf blassgelbes Papier, es ging um ein Konzert.

Musik von Bach, Vivaldi, Pachelbel und Telemann, aufgeführt von einem deutschen Barockensemble. *Die Wiedermeirische Sieben.*

Ort: die Kirche St. Martin-in-the-Fields, Trafalgar Square.

Ich drehte den Kopf und schaute hinüber. Sie lag weniger als hundert Meter von dem Platz entfernt, an dem ich mich befand.

Zeit: Donnerstag, der 5. September, 7.00 pm.

Ich schaute auf die Uhr. Es sollte in zehn Minuten anfangen.

Ich schreibe diese Aufzeichnungen fast zwölf Jahre später nieder, und vieles aus der Zeit, die einzufangen ich beschlossen habe, bevor es zu spät ist, erscheint mir in verschiedenster Weise als ein Hirngespinst und verschwommen. Doch dieser erste Abend, auf dem Trafalgar Square und später in der Kirche, steht mir wirklich immer noch detailgenau vor Augen. Wie die einführende Szene eines Films, währenddessen man noch hellwach und erwartungsvoll ist – oder wie die ersten Seiten eines Buches, von dem man nicht weiß, ob es überhaupt die Aufmerksamkeit wert ist, dem man jedoch anfangs seine volle Konzentration schenkt. Gerade um dem Ganzen eine Chance zu geben, nicht vorschnell zu urteilen. Oder etwas in der Art; es ist natürlich nicht wichtig, es ist eher so, dass ich über diese Klarheit selbst verwundert bin. Hier in einer ganz anderen Stadt so viele Jahre später.

Doch genug davon. Der Kirchenraum war gut gefüllt, aber nicht vollbesetzt. Mein Platz befand sich ganz hinten rechts. Q 15, zwei Schritte in den Mittelgang hinein. Q 16, 17 und 18 waren von drei perfekt ondulierten Damen in den Siebzigern besetzt – während Q 14, der Platz direkt am Gang, leer war. Ich ließ mich in dem Moment auf der harten Holzbank nieder, als die Musiker hereinkamen und das Publikum ihnen verhalten applaudierte. Ein Kirchendiener schloss die Türen ganz hinten, aber ich konnte hören, dass der Verkehrslärm nicht vollkommen ausgesperrt wurde. Das Licht über den Zuschauern wurde ein wenig gedimmt, und die Musiker fingen an, ihre Instrumente zu stimmen.

Ich hatte St. Martin-in-the-Fields schon früher besucht, aber hier noch nie ein Konzert gehört. Überhaupt war ich nicht besonders bewandert in klassischer Musik, aber auch kein absoluter Ignorant. Ein dünnes Programmheft verriet, dass sechs Werke aufgeführt werden sollten, von denen mir die Hälfte bekannt war: Bachs Brandenburgische Konzerte (Nummer zwei und Nummer vier) sowie eine von Vivaldis Jahreszeiten (der Sommer). Die Werke von Telemann und Pachelbel kannte ich nicht.

Es begann mit einem der Brandenburgischen, ich weiß nicht, welchem, und bald befand ich mich in einem eigentümlich gespaltenen Zustand zwischen Schlaf und extremer Wachheit. Das Schlingernde, Kontrapunktische des Barock kann ja jeden schläfrig machen, ich habe mir manchmal eingebildet, dass genau das sowohl das Geheimnis als auch die Absicht dieser Musik ist – aber im Zusammenhang mit dem, was mir gerade eben draußen auf dem Trafalgar Square passiert war, erhielt die Schläfrigkeit einen fast surrealistischen Unterton. Ich hatte das Gefühl, in einem alten Schwarzweißfilm zu sitzen oder genauer gesagt in der Einspielung eines solchen Films – wieder so eine billige cineastische Assoziation, aber sie muss genügen –, eine Aufnahme, bei der der Regisseur seine Arbeit unterbrochen hat, um auf Toilette zu gehen, sich Zigaretten zu kaufen oder was auch immer, während die Kamera weiterläuft, obwohl das Skript ungelesen und unbearbeitet in den geräumigen Taschen des Meisters liegt, ja, Bilder dieser Art drängten sich mir tatsächlich auf, während ich auf der harten Bank saß, mit der Müdigkeit kämpfte und versuchte, mich an jedes Detail von Carla zu erinnern; die wenigen Details, die sie preisgegeben hatte, und dabei war zweifellos eines am stärksten: die leichte Berührung meiner Lippen durch ihren Zeigefinger. Ich weiß außerdem, dass ich während dieser ersten halben Stunde in der Kirche – bereits in dem Moment – begriff, was sie so radikal von meiner bisherigen Erfahrenswelt unterschied. Sie war die erste Frau. Alle meine früheren Beziehungen, es waren nicht so überwältigend viele gewesen, aber zumindest ein halbes Dutzend, die hatte ich mit Mädchen gehabt. Genau genommen wusste ich nichts über Carla, aber wer immer sie auch war, sie war kein Mädchen.

Auf den Applaus nach dem ersten Werk folgte eine kurze Pause, der Cembalospieler verließ das Ensemble, erneut wurde gestimmt, und kurz bevor das mir unbekannte Werk von Telemann begann, kam ein Herr und setzte sich auf den leeren Platz links von mir.

Q 14. Er war lang und dünn. Dunkler, abgetragener Anzug, braungetönte Brille und zurückgekämmtes, leicht lockiges, graumeliertes Haar. Weißes Hemd ohne Krawatte. So zwischen fünfzig und sechzig. Was sein Aussehen betraf, war das alles, was ich mitbekam. Der leichte Duft eines einfacheren Rasierwassers umgab ihn, und er hatte eine kleine schwarze Aktentasche dabei, die er zwischen seine Füße auf den Boden stellte.

Das ist alles, was ich über ihn sagen kann.

Bei Telemann schlief ich ein. Ich wünschte, dem wäre nicht so gewesen, doch trotz der frischen Erinnerung an das Treffen mit Carla und meinem bohrenden Gefühl von Hyperrealismus war es mir unmöglich, die Augen offen zu halten. Ich erwachte vom Applaus, und es dauerte eine Sekunde, bis mir einfiel, wo ich mich befand. Der Cembalospieler kam in Begleitung eines Flötisten zurück. Ein erneuter, etwas matterer Applaus hieß die beiden willkommen. Ich schaute mich um. Die drei Frauen auf Q 16, 17 und 18 saßen noch da, kerzengerade, eine bot den anderen gerade Halstabletten aus einer Schachtel an, es handelte sich wohl um Fisherman's Friend.

Der Platz links von mir war leer. Q 14, der Mann mit dem abgetragenen Anzug und den grauen Locken, hatte seinen Platz verlassen. Er hatte auch seine Aktentasche verlassen. Sie lag flach auf der Bank, dort, wo er gesessen hatte, eine schwarze Ledergeschichte mit einigen Jahren auf dem Buckel, wie es aussah. Glänzende Metallbeschläge.

Bei Vivaldis Sommer war er immer noch nicht zurück. Auch nicht in der folgenden Pause, und kurz bevor Pachelbel den zweiten Akt eröffnen sollte, fasste ich einen Entschluss. Ich nahm die Aktentasche und eilte aus der Kirche. Über den Trafalgar Square hatte sich bereits Dunkelheit gesenkt, aber das

Menschengewimmel war möglicherweise noch dichter geworden, als es eine Stunde vorher gewesen war. Touristen, Hippies, eine Gruppe berittener Polizisten und der eine oder andere verirrte Londoner.

Bevor ich mich zu meinem neuen Wohnsitz am Earl's Court begab, hielt ich mich noch eine Weile in der Nähe des Platzes auf, an dem ich vorher gesessen hatte. Lauschte verschiedenen Straßenmusikanten und rauchte drei oder vier Zigaretten, aber keine Spur von Carla.

Auch nicht von Q 14, und ich ahnte, dass ich ein Steinchen in einem Spiel war, von dem ich mir überhaupt keine Vorstellung machen konnte.

3

Ich frühstückte allein. Ich hatte Maud aufgefordert, einen Spaziergang in Kensington Gardens und im Hyde Park zu machen, wo doch das Wetter so schön war, und sie war meiner Empfehlung gefolgt. Aber erst nachdem sie kontrolliert hatte, ob ich auch meine Medizin genommen hatte, manchmal verstehe ich ihre Beharrlichkeit in diesem Punkt nicht, ich habe nicht die Absicht, fahrlässig mit meiner verbleibenden Zeit umzugehen, indem ich bei den Tabletten nachlässig bin, in der Beziehung hat sie falsche Vorstellungen, aber in gewisser Weise gereicht ihr das auch zur Ehre.

Ich verließ das Hotel kurz nach halb elf. Ging die Westbourne Grove Richtung Queensway entlang und kaufte mir eine *Independent* an einem Zeitungskiosk. Dann gönnte ich mir einen Cappuccino an einem Tisch auf dem Bürgersteig vor einem neuen italienischen Café an der Ecke zur Garway Road, während ich die Zeitung durchblätterte und eine Zigarette rauchte. Nur gut zwanzig Meter von dem Restaurant entfernt, in dem ich ein anderes Mal zu einer anderen Zeit gesessen hatte, es gibt es noch immer, doch darüber wird im Notizbuch berichtet, und ich schob den Gedanken beiseite. An diesem Morgen las ich stattdessen wieder über den »Uhrenmörder«; das Opfer draußen in Wimbledon Common war aller Wahrscheinlichkeit nach sein drittes gewesen, und in allen Fällen hatte die Polizei eine kaputte Armbanduhr am Handgelenk des Toten gefunden, es gab Anzeichen, die darauf hindeuteten, dass die Tatzeit identisch war mit dem Zeitpunkt, an dem die Uhr stehen geblieben war. Ich dachte, dass ich genau das vermissen würde: einen Kaffee, eine Zigarette und eine neue, interessante Tageszeitung – vormittags an einem Cafétisch auf einem Bürgersteig in einer Großstadt. Gibt es solche Winkel im Himmel? Können wir damit rechnen? Andernfalls können wir uns wohl die Mühe sparen, uns dorthin aufzumachen; nun ja, was mich betrifft, soll's mir egal sein, aber ich bin überzeugt davon, dass mindestens sieben von zehn Menschen verstehen, wovon ich rede. Es den restlichen dreien zu erklären, dazu fehlt mir die Zeit. Meine Tage sind gezählt.

Pünktlich um halb zwölf betrat ich das Bad im Porchester Center. Es rühmt sich, Londons ältestes Spa zu sein, und es gibt nichts, was diese Behauptung Lügen strafen würde; Anfang der Siebziger kam ich häufiger hierher, und bereits damals wirkte es ziemlich antik.

Nichts schien sich verändert zu haben. Dieselben cremefarbenen Kacheln. Dieselben Säulenkapitelle und bleieingefassten, nebelgrauen Fenstergewölbe. Dieselben dunklen Holzbänke und kleinen Tischchen für Getränke, mitgebrachte Lektüre und anderes. Aber die Aschenbecher waren konfisziert. Es war Mittwochvormittag und nur spärlich besucht. Ich entdeckte Fjodor fast sofort; er lag unter ein paar weißen Handtüchern und einer karierten Decke auf einer der Pritschen in dem Raum, der *Frigidarium* genannt wurde. Nur der Kopf und seine dicken Füße ragten heraus. Ich hatte ihn seit Christophers Beerdigung nicht mehr gesehen, aber damals war er natürlich angezogen gewesen. Er war noch weiter aufgegangen, wie ich feststellen konnte; sein Bauch erhob sich wie ein militärischer Sperrballon unter den Textilien, und ich hätte ihn fast gefragt, wie viel er wiege. Doch dann erinnerte ich mich daran, dass er etwas launisch sein konnte, und ließ es lieber bleiben.

Stattdessen begrüßten wir uns artig, er fragte nach meinem Befinden, und ich erklärte, dass ich mit Sicherheit keinen weiteren Sommer mehr erleben würde. Er nickte bekümmert, und ich hatte den Eindruck, dass er seinerseits bereits tot war und genau wusste, wovon ich sprach.

Ich zog mich aus, wickelte mich in Decken und Handtücher in der üblichen Art und Weise und schlug vor, in die Saunalandschaft hinunterzugehen. Es gelang ihm mit einiger Mühe, sich von der Pritsche zu erheben, und gemeinsam schritten wir die Treppen hinunter. Verbrachten eine Weile im Dampfbad, bis wir uns im Fünfzig-Grad-Ruheraum erneut auf Holzpritschen ausstreckten.

»Hast du getan, worum ich dich gebeten habe?«, fragte ich. Wir waren allein in dem kahlen, grün gekachelten Raum und konnten ungestört reden.

»Du bekommst es am Montag. Es ging nicht früher.«

»Montag?«

»Ja.«

»Und warum war es heute nicht möglich? Es ist ein Monat vergangen, seit ich dich darum gebeten habe.«

»Du brauchst es doch am fünfundzwanzigsten, oder?«

»Stimmt. Montag reicht.«

»Und dann sind wir quitt?«

»Dann sind wir quitt. Du hast mein Wort.«

Fjodor war mir seit Ende der Siebziger noch zweitausend Pfund schuldig. Es war ein Kredit um der alten Freundschaft willen, ich hatte angefangen, mir ein Vermögen anzusammeln, und Fjodor war nach der Scheidung von Mary in der Klemme gewesen. Wozu genau er das Geld brauchte, habe ich nie gefragt, und ich habe ihn auch nie an den Kredit erinnert. Das heißt, bis jetzt nicht – bis vor einem Monat nicht, als ich mich an seinen späteren Beruf erinnerte und dass es tatsächlich an der Zeit sein könnte, die Außenstände einzufordern. Wobei ich nicht in erster Linie von den finanziellen Außenständen rede.

»Ich werde dich nicht nach deinen Plänen fragen«, stellte er jetzt fest. »Aber soweit ich es verstanden habe, kannst du dich nicht damit abfinden, einfach so zu sterben wie normale Leute.«

»Vollkommen richtig«, antwortete ich. »Damit kann ich mich nicht abfinden. Aber du hast nie den wirklichen Wert des Lebens verstanden, deshalb werde ich es gar nicht mit irgendwelchen Erklärungen versuchen.«

»Sag ich doch«, erwiderte Fjodor. »Du bist schon immer ein verschrobener Kerl gewesen. Das habe ich früher schon gedacht, es aber nie so recht verstanden. Es gab zu der Zeit viele, die verschroben waren. Gewisse Dinge brauchen ein paar Jahre, um deutlich zu werden.«

»Willst du mich jetzt ärgern?«, fragte ich und legte mir ein kaltes, feuchtes Handtuch über Stirn und Augen. »Ist das deine alte Eifersucht, oder worum geht es? Die Sache mit Mary und mir? Da war nie etwas zwischen uns, das weißt du. Nicht in dieser Form.«

»Ach, halt einfach den Mund«, bat Fjodor. »Ich habe doch kein Wort über dich und Mary gesagt. Außerdem habe ich sie seit fünfzehn Jahren nicht mehr gesehen und seit Februar nicht mehr an sie gedacht.«

»Februar?«, wunderte ich mich. »Warum hast du im Februar an sie gedacht?«

»Na, da hatte sie doch Geburtstag«, konstatierte Fjodor mit einem schweren Seufzer. »Genau siebzig. Scheiße, wie die Zeit vergeht.«

»Das stimmt, das tut sie«, stimmte ich ihm zu. »Aber du selbst bist doch erst achtundsechzig, oder? Obwohl du älter wirkst.«

»Vielen Dank«, sagte Fjodor. »Weißt du, es ist mir scheißegal, wie alt ich bin. Ob ich lebe oder tot bin, das ist mir auch vollkommen gleich. Aber Christina behauptet, sie könnte nicht ohne mich leben, deshalb versuche ich mich so gut es geht weiterzuschleppen. Uns geht es gar nicht so schlecht, zumindest wenn man bedenkt, wie sehr ich mich verausgabt habe.«

»Gebrannt an beiden Enden?«

»An jedem verdammten Ende, das es gab«, seufzte Fjodor. »Aber kannst du dir vorstellen, dass sie in den alten Räumen immer noch Zeitungen produzieren? Hinten in Camden, wo wir *The Spiff* herausgegeben haben. Das ist doch merkwürdig.«

»Äußerst merkwürdig«, stimmte ich zu, und plötzlich war die Müdigkeit da. Wie üblich. Es geschieht innerhalb von Sekunden, manchmal kann das lästig sein, oder es wäre für eine Person lästig, die dazu eine Veranlagung hat. Aber da wir uns an diesem bestimmten Ort befanden, in einem wohltemperierten Ruheraum in Londons ältestem Bad, erklärte ich Fjodor, dass ich eine Weile Ruhe brauchte und momentan keine Lust hatte, weiter mit ihm zu reden.

»Ist das die Krankheit?«, fragte er nach, aber ich gab mir gar nicht erst die Mühe, ihm zu antworten.

»Montag also?«, vergewisserte ich mich stattdessen, bevor der Schlaf mich übermannte.

»Montag«, bestätigte Fjodor.

4

Mir war gar nicht der Gedanke gekommen, dass diese Mütterlichkeit irgendwohin führen könnte, natürlich nicht. Maud war meine Therapeutin, da war es nur natürlich, dass ich sie mit Gefühlen überschüttete. Auch mit Gedanken darüber, wer ich war. Außerdem möchte ich betonen, dass es kaum die Aufgabe des Patienten sein kann, dafür zu sorgen, dass die Grenzen aufrechterhalten bleiben, das ist einzig und allein Aufgabe der Therapeutin. Von ihr wird erwartet, dass sie gesund ist, und sie ist diejenige, die dafür bezahlt wird, ihren Job zu machen.

In diesem Fall bestand der Job aus einem neunundvierzigjährigen Mann mit gestörtem Realitätsempfinden und Anzeichen einer Persönlichkeitsstörung. Das war die vorläufige Diagnose, die ich aus dem Krankenhaus mitbrachte. Dort hatte ich zwei Monate verbracht, nachdem ich vom Ehemann einer Frau, mit der ich jahrelang ein heimliches Verhältnis gehabt hatte, schwer zusammengeschlagen worden war. Ein heftiges und relativ zeitintensives Verhältnis, darüber stand nichts in den Krankenakten, aber ich erzählte es dennoch bei unserer ersten Begegnung. Wobei ich den Eindruck gewann, dass sie bereits informiert war.

Das war also im August 1989. Dragutin, Michelles bärenstarker und heißblütiger Ehemann, hatte seine achtzehnmonatige Haftstrafe ungefähr zum selben Zeitpunkt angetreten. Michelle war zu ihrer Schwester nach Perth in Australien gezogen. Weiter weg ging's nicht.

»Was meinen Sie, wo sollen wir anfangen?«

Das war ihre erste Frage, und es dauerte eine Weile, bis ich eine Antwort fand.

»Jedenfalls nicht beim Anfang.«

Worüber sie lachte. Kurz, aber zustimmend.

»Dann machen wir es umgekehrt. Vielleicht können Sie mir erzählen, was für Sie momentan am problematischsten ist?«

Wieder musste ich eine Weile überlegen. Dachte, dass ich auf keinen Fall etwas sagen wollte, nur um die Konversation am Laufen zu halten. Das war eine Strategie, der ich in den letzten zehn, fünfzehn Jahren oft verfallen war und die mich nicht einen Zentimeter im Leben weitergebracht hatte.

»Ich bin ein amoralischer Dreckskerl.«

Sie faltete die Hände und betrachtete mich mit ernster Miene.

»Wenn das stimmt, dann stimme ich Ihnen zu, dass das ein großes Problem ist. Was hat Sie zu dieser Überzeugung kommen lassen?«

Wieder dachte ich nach.

»Nichts Spezielles. Ich habe den ganzen Sommer im Krankenhaus verbracht. Ich hätte ebenso gut sterben können, da denkt man über so einiges nach.«

»Können Sie mir erzählen, was passiert ist?«

»Das steht ja wohl in den Unterlagen?«

»Ich würde es aber gern von Ihnen hören.«

Ich zuckte mit den Schultern und fragte, ob ich rauchen dürfe. Das durfte ich nicht.

»Na gut. Er ist uns auf die Schliche gekommen. Nicht… wie heißt das? In fla…?«

»In flagranti?«

»Genau. So nicht, aber eines Abends stand er vor meiner Tür und klingelte. Soll ich weitererzählen?«

»Ja, bitte.«

»Ich machte die Tür auf, weil ich nicht wusste, wer da war,

und er war innerhalb einer Sekunde in der Wohnung. Fing sofort an, auf mich einzuprügeln. Ich habe versucht, mich zu verteidigen, hatte aber keine Chance. Er wiegt hundert Kilo und hat bei der Olympiade in München eine Medaille im Ringen gewonnen. Griechisch-römischer Stil, Michelle hatte es mir erzählt. Zehn Jahre jünger als ich und gut durchtrainiert. Nachdem er mich bewusstlos geschlagen hatte, warf er mich vom Balkon.«

Ich sah, dass meine Schilderung sie berührte. Möglicherweise übel, aber sie berührte sie. Ich bildete mir ein, dass das wichtig und grundlegend für unsere zukünftige Beziehung wäre, und konnte spüren, wie diese warme Mütterlichkeit mir entgegenströmte.

»Der Staatsanwalt plädierte für Mordversuch beziehungsweise versuchten Totschlag«, fügte ich hinzu. »Aber es blieb dann bei schwerer Körperverletzung.«

»Welches Stockwerk?«, fragte sie.

»Viertes. Ich bin in einem Gebüsch gelandet. Sonst würde ich nicht hier sitzen.«

Sie notierte sich etwas. Ich überlegte, was das wohl sein konnte, fragte aber nicht.

»Aber jetzt sind Sie wieder gesund?«

»Im Großen und Ganzen, ja. Nur um meine psychische Verfassung ist es schlechter bestellt.«

»Können Sie mir das erklären?«

Das konnte ich, ich hatte es morgens bereits einstudiert.

»Ich verhalte mich anderen Menschen gegenüber nicht so, wie man das tun sollte. Wenn ich Frauen kennen lerne, dann verliebe ich mich leidenschaftlich in sie oder aber sie bedeuten mir gar nichts. Ich habe keine Freunde. Ich habe keine Familie und habe nie eine gehabt.«

»Aber haben Sie nicht gesagt, dass es zwei gute Freunde waren, die Sie dazu gebracht haben, hierherzukommen?«

»Zwei Geschäftsfreunde. Das war ungenau ausgedrückt. Aber vor allem lag es an diesem Hirnklempner.«

Sie las etwas von einem Zettel ab. »Justin und Tom?«

»Ja.«

»Wenn wir jetzt ein wenig weiter in die Vergangenheit gehen. Wie war Ihre Kindheit?«

Ich saß einige Sekunden lang schweigend da und versuchte einen treffenden Ausdruck zu finden.

»Gefühlsarm«, sagte ich.

»Führen Sie das bitte aus.«

Ich seufzte und führte es aus. »Meine Mutter starb an Tuberkulose, als ich vier Jahre alt war. Mein Vater war Pfarrer und heiratete nie wieder. Ich kann mich nicht daran erinnern, dass er jemals gelacht oder mich berührt hätte. Nach dem Abitur bin ich zu Hause ausgezogen. Er starb ungefähr zwanzig Jahre später. Das ist alles.«

»Das klingt traurig.«

»Nur wenn man dran denkt.«

»Und das tun Sie nicht?«

»Nein.«

»Und wie ist es mit dem Sohn des Pfarrers? Hat er eine längere Beziehung gehabt?«

»Nein.«

»Eine Zeitlang mit einer Frau zusammengelebt?«

»Nein.«

»Nur kürzere Affären?«

»Ja.«

»Viele?«

»Ja.«

»Was glauben Sie, woran das liegt?«

»Ich bin ein amoralischer Dreckskerl. Ich trinke zu viel und habe keine empathischen Fähigkeiten.«

»Das klingt, als würden Sie aus einem Buch vorlesen.«

34

»Ich kann nichts dafür, wenn es so klingt.«

»Okay. Sie sagen, Sie haben ein Alkoholproblem?«

»So langsam glaube ich das.«

»Wieso?«

»Als ich im Krankenhaus lag, habe ich zwei Monate lang nicht einen Tropfen getrunken, aber das Erste, was ich getan habe, als ich nach Hause kam, war, mich besinnungslos zu besaufen. Und zwei Abende später habe ich es noch einmal gemacht. Das war vorgestern.«

»Ganz allein?«

»Ganz allein.«

»Warum?«

»Ich weiß es nicht.«

»Aber sicher wissen Sie es.«

»Ja, sicher weiß ich es.«

So machten wir weiter. Zwei Stunden die Woche. August, September, Oktober, November, Dezember. Mitte Januar beschlossen wir, die Therapiesitzungen abzubrechen. Zwei Monate später, also im März 1991, willigte sie zum ersten Mal ein, mit mir essen zu gehen. Um Mittsommer herum begann unsere Beziehung, und im August verbrachten wir eine Woche zusammen in Griechenland. Ihr ehemaliger Mann kümmerte sich um die beiden Kinder. Ich war nicht leidenschaftlich verliebt, und das fand ich äußerst angenehm.

5

Milos

Als Jaroslav Skrupka schließlich starb, widmete sein einziger Sohn zehn Tage dem Versuch, zu trauern.

Das war im Herbst 2002, ein Jahr, nachdem das World Trade Center in Schutt und Asche gelegt worden war und die Welt ein hässlicheres Gesicht bekommen hatte. Milos war siebenundzwanzig Jahre alt und hatte soeben sein Studium an der NYU beendet. Seine Fächer waren Internationale Ökonomie mit Schwerpunkt auf Asien, Wirtschaftsgeschichte (ohne besonderen Schwerpunkt) sowie etwas, das unter dem Begriff »Strategien zur Versorgung der Dritten Welt« lief, und in Erwartung, dass jemand sich an seiner Kompetenz interessiert zeigen würde, arbeitete er in einer Autowerkstatt in East Village. Dort hatte er bereits während seiner Studienzeit gearbeitet; der Besitzer, ein gewisser Mr. Jan Kopper, war ein alter Freund seines Vaters, geboren in Bratislava, aber mehr als zwanzig Jahre vor dem Fall der Mauer in die USA emigriert. Während des Prager Frühlings 1968, genauer gesagt, Milos hatte als Kind bei jedem kleineren oder größeren Familientreffen ständig über diese Zeit Geschichte gehört.

Was ihn selbst betraf, so hatte Milos die Tschechoslowakei (wie sie von den meisten in seinem Bekanntenkreis immer noch genannt wurde) im Sommer 1990 verlassen, zusammen mit seinen Eltern und seinen beiden deutlich jüngeren Schwestern Marta und Helka – und es war genau jene Familie Kopper, Mr. Jan und Mrs. Priscilla (ehemalige Schönheitskönigin und Cheerleader aus Cleveland im Staate Ohio), die ihnen bei allem geholfen hatten, was in der ersten komplizierten Zeit in der spannendsten und lukrativsten Stadt der Welt vonnöten ist: New York City an der Mündung des Hudsonriver. Es ging ums Wohnen, es ging um Arbeit, es ging um Kontakte, Schulen, Aufenthaltsgenehmigung, erforderliche zinsfreie Kredite, Sozialversicherungsnummer, ja, buchstäblich gesprochen um alles. Und als Herrn Jaroslavs Arztkostenrechnungen immer weiter in die Höhe stiegen, war es auch Mr. Jan Kopper, der die Sache regelte.

Und als er starb, war es Kopper, der wusste, an welches Beerdigungsinstitut man sich wenden sollte und wie man auf die geschickteste Art eine Grabstätte bekam (während Mrs. Priscilla in ihrem Salon an der Atlantic Avenue für die richtigen Beerdigungsfrisuren von Milos' beiden Schwestern und seiner Mutter sorgte). Die Beisetzung fand auf dem St. Michael's Friedhof in Queens statt, acht Blocks von der Wohnung der Familie Skrupka entfernt, und als sie überstanden war, gab Milos seinen Versuch zu trauern auf. Helka und Marta hatten während der gesamten Zeremonie ein wahres Meer von Tränen vergossen, seine Mutter hatte leidend und gebrochen ausgesehen, aber er selbst hatte in erster Linie ein großes Loch von Gleichgültigkeit verspürt.

Mein Vater, so hatte er draußen auf dem windigen Friedhof gedacht. Du musst der Ursprung meiner Tage gewesen sein, aber du bist immer wie ein Fremder für mich gewesen. Ein Fremder und ein Quälgeist.

Er wünschte, es wäre nur Einbildung, doch dem war nicht so. Der Unterschied zwischen der Art, wie der Vater sich seinen kleinen Schwestern gegenüber verhalten und wie er versucht hatte, seinen Sohn zu erziehen, war himmelschreiend gewesen. Milos war ein Mann, und er sollte wie ein Mann angefasst werden. Von Anfang an, das war eine Art Credo gewesen; wen man liebt, den züchtigt man. Und wenn man ihn nicht züchtigt, dann stutzt man ihn zumindest zurecht. Die sechs und acht Jahre jüngeren Mädchen waren Puppen, sie waren immer schon Puppen gewesen, dachte Milos, amerikanische, verwöhnte, alberne Barbiepuppen – zumindest von seinem eigenen, erklärtermaßen subjektiven Standpunkt aus gesehen –, doch das war eine Wut, über die er nicht gern sprach und die er nicht loswurde. Schon gar nicht, wenn die Ursache sechs Fuß unter der Erde auf dem St. Michael's Friedhof lag und es zu spät war, etwas daran zu ändern.

Es gab auch eine Wut, die sich gegen Mr. Jan Kopper richtete, doch die war anders, von eher allgemeiner Art. Und wenn er etwas bei den Tischgesprächen in der Küche in der Burns Street und später in der Roosevelt Avenue gelernt hatte, dann, dass man die Hand nicht beißt, die einen füttert. Das galt in Bratislava, genau wie es in New York City galt.

Gut sieben Jahre später, im Dezember 2009, arbeitete Milos Skrupka immer noch bei Kopper Car Splendid Service and Wash, doch da die Firma gewachsen war und er trotz allem eine solide betriebswirtschaftliche Ausbildung im Gepäck hatte, kümmerte er sich nun um die Bücher. Er saß in einem kleinen Büro über dem ersten KCSSW, in der East 3rd Street, nur fünf Straßen von der Wohnung von 350 Quadratfeet entfernt, in die er vor ein paar Jahren gezogen war, und da er inzwischen vierunddreißig Jahre alt war, hatte er langsam das Gefühl, dass ihm das Leben durch die Finger rann. Seit er geschlechtsreif geworden war, war er mit drei verschiedenen jungen Frauen zusammengewesen, einer Weißen, einer Gelben und einer Schwarzen, hatte aber nie mit einer von ihnen unter einem Dach gewohnt. Die letzte Affäre, mit Maureen aus Botswana und Brooklyn, hatte ihr Ende im Mai des letzten Jahres gefunden. Er ging mit guten Freunden aus (Zlatan und Phil, beide genauso hoffnungslos alleinstehend wie er selbst, beide Computernerds, was zu werden er selbst zu vermeiden versuchte) und trank sich einmal die Woche um den Verstand. Normalerweise in irgendeiner Bar in Lower East oder East Village. Ging einmal im Monat zum Basketball oder Eishockey in den Madison Square (in derselben Besetzung), guckte durchschnittlich fünfzehn DVD-Filme die Woche, und nachdem das lockere Verhältnis zu Maureen überstanden war, ging er davon aus, dass das Leben vermutlich nicht mehr viel besser werden würde.

Was sich – zumindest bis dato, anderthalb Jahre später – als größtenteils richtige Einschätzung herausgestellt hatte. Und dann rief an einem Donnerstag zwischen Thanksgiving und Weihnachten seine Schwester Marta von ihrer Arbeit in Upper West Side an und berichtete ihm, dass ihre Mutter ins St. Vincent's Hospital in der siebten Avenue eingeliefert worden war und dass es ernst war.

Krebs in der Bauchspeicheldrüse, das erfuhr er, als er dort ankam. Inoperabel, diese Information bekam er außerdem. Es war nur noch eine Frage von Wochen.

Dieses Mal trauerte er. Er begriff, dass er sich seine Mutter als unsterblich vorgestellt hatte, was sie natürlich nicht war. Sie war neunundsechzig Jahre alt, und er begriff auch, dass sie das einzige Wesen auf dieser Erde war, das er jemals geliebt hatte, das einzige, das ihm etwas bedeutete, und er brach dort im Krankenhaus zusammen. Seine Schwestern fanden das beide peinlich, aber ihre Mutter erklärte, dass der Kummer, den man spürt, die Privatsache jedes Einzelnen sei und nichts, worüber andere sich ein Urteil erlauben durften.

Die Mutter blieb im St. Vincent's, es war nur noch so wenig Zeit, dass es als sinnlos angesehen wurde, sie irgendwo anders hinzuschaffen. In den Tagen nach ihrer Einweisung verschlechterte ihr Zustand sich stetig, und es war fraglich, ob sie es überhaupt bis zum Jahreswechsel schaffen würde.

Am 23. Dezember, zwei Tage vor Weihnachten, rief eine Krankenschwester an, um ihm zu sagen, er solle ins Krankenhaus kommen. Sie erklärte ihm, dass seine Mutter ihm etwas Wichtiges mitzuteilen habe. Sie hatte der Schwester erklärt, dass es sich um ein Geheimnis handele und sie umgehend ihren Sohn sehen müsse. Milos fragte, ob er dafür sorgen solle, dass seine Schwestern auch kämen, aber die Krankenschwester zitierte seine Mutter mit den Worten, diese dürften unter keinen Umständen dabei sein.

Er nahm ein Taxi quer durch Manhattan, schloss die Augen vor allen Staus und jeglicher Weihnachtsdekoration, die ihn höhnisch aus allen Schaufenstern und von jeder Straßenecke aus anzugrinsen schien, während er sich vorzustellen versuchte, worüber seine Mutter wohl mit ihm sprechen wollte. Was es sein konnte, was so wichtig war, dass sie es ihm unbedingt mitteilen musste, bevor sie starb. Ein Geheimnis?

Als er auf der Station ankam, wurde er von derselben Schwester empfangen, mit der er am Telefon gesprochen hatte. Sie bat ihn, sich auf einen hellgrünen Plastikstuhl zu setzen, legte ihm eine Hand auf den Arm und teilte ihm mit, dass seine Mutter vor nur zwanzig Minuten gestorben sei. Es war unbegreiflich schnell gegangen, man hatte noch versucht, ihn über sein Handy zu erreichen, doch als er in seinen Jackentaschen suchte, wurde ihm klar, dass es zu Hause auf dem Küchentisch lag.

Die Schwestern waren bereits auf dem Weg.

6

Den Brief bekam er sieben Monate später. Am 23. Juli 2010.

Es war ein Freitag. Genau genommen war es sein letzter Arbeitstag vor einem zweiwöchigen Urlaub. Am nächsten Morgen wollte er zusammen mit Zlatan und Phil den Zug von der Grand Central Station nehmen, sie hatten eine Blockhütte oben in den Adirondacks gemietet; angeln, Wanderungen, Computerspiele, Bier, Single Malt Whisky, Lagerfeuer und zwei Dutzend DVD-Filme standen auf dem Programm. Es war der dritte Sommer in Folge, in dem sie sich diese Art von Arrangement gönnten. Der klebrigen Sommerhitze Manhattans für eine Weile zu entgehen, das war etwas, nach dem alle vernunftbegabten Menschen strebten. Als er mit dem Umschlag in der Hand dastand, war es halb sechs Uhr abends, und das Thermometer vor seinem Fenster zeigte einhundertunddrei Grad Fahrenheit.

In dem Umschlag lagen eine Nachricht und ein elektronisches Flugticket. Die Nachricht war nur wenige Zeilen lang, das Ticket war auf seinen Namen ausgestellt und betraf einen Flug mit British Airways vom Kennedy Airport am 22. September. Business Class nach London Heathrow, Rückreise am 27. Bevor er den Brief las, inspizierte er den Preis. 1380 Englische Pfund, er rechnete sie im Kopf um, das waren ungefähr 2000 Dollar.

Sehr geehrter Mr. Milos Skrupka,
Bitte machen Sie mir die große Freude, an meinem 70.
Geburtstag am 25. September dieses Jahres mein Gast zu
sein. Für Sie ist ein Zimmer für vier Nächte reserviert im
Hotel The Rembrandt, 11 Thurloe Place, Knightsbridge,
SW7 2RS London.
Weitere Informationen erwarten Sie bei Ihrer Ankunft.
Mit vorzüglicher Hochachtung
Leonard V, ein Freund und Gönner
U.A.w.g. spätestens bis zum 15. August
an leonard1940@cellnet.com

Er las den Text drei Mal, ging alle Informationen auf dem Flugticket noch einmal durch und stellte sich dann unter die Dusche.

Es ließ ihm keine Ruhe. Während der Woche in den Adirondacks war er mehrere Male kurz davor, Zlatan und Phil von dem Brief zu erzählen, doch irgendetwas hielt ihn zurück. Nach seiner Rückkehr nach New York fragte er sowohl seine Schwestern als auch Mr. und Mrs. Kopper, inwieweit sie jemanden namens Leonard kannten, bekam aber überall nur negative Antworten. Er versuchte zu googeln, doch da er nur den Vornamen und das Initial des Nachnamens hatte, war das sinnlos.

Am 14. August schickte er eine E-Mail, in der er erklärte, dass er die Einladung dankend annehme, aber gern weitere Informationen hätte, bevor er sich ins Flugzeug setzte.

Er bekam keine Antwort, schickte eine Erinnerung am 21., doch auch die ohne Erfolg.

Freund und Gönner?

Er drehte und wendete diese Worte. Dachte, dass es sich vielleicht um einen Scherz handeln könnte. Dass es sich gar nicht um ein richtiges Flugticket handelte, sondern nur um etwas, das so aussah wie ein Ticket. Konnte es ein übler Scherz sein, von Zlatan und Phil in Szene gesetzt? Würden die beiden da draußen auf dem JFK stehen, wenn er versuchte einzuchecken, und sich totlachen? Das sah ihnen zwar nicht ähnlich, war aber dennoch nicht vollkommen ausgeschlossen.

Am 25. August rief er bei British Airways an und vergewisserte sich, dass er auf der Passagierliste stand. Eine freundliche Frau mit einem Akzent, der so britisch war, dass er fast nicht verstand, was sie sagte, teilte ihm mit, dass dem gewiss so sei, *oh, yes indeed, Mr. Scroopcar!* – und am folgenden Tag erklärte er Mr. Jan Kopper, dass er Anfang September eine Woche wegen einer speziellen Angelegenheit frei nehmen müsse. Mr. Jan Kopper erklärte ihm seinerseits, das sei das Lächerlichste, was er seit vielen Jahren gehört habe. Milos hatte ja nun for fuck's sake gerade einen langen, unverdienten Urlaub gehabt, und er tue gut daran, sich diese Woche in irgendein zur Verfügung stehendes Loch zu stecken. Milos entgegnete, dass er sich in diesem Fall wohl von Kopper Car Splendid Service and Wash verabschieden müsse. Es gebe genügend Jobs für Leute mit seiner Qualifikation in dieser erfolgsverwöhnten Metropole.

Mr. Jan Kopper starrte ihn mit rot unterlaufenen Augen an und sagte, what the fuck, aber die Arbeit holst du nach, und glaub ja nicht, dass du nicht zu ersetzen bist.

Er konnte nicht sagen, wann der Gedanke an Leya aufgetaucht war. Ob vor oder nach den Adirondacks; vielleicht hatte sie sich wie ein kaum wahrzunehmender Same bereits in seinem Kopf eingenistet, als er mit dem Brief in der Hand dastand. Ein Same, der in seinem Unterbewusstsein bis zu der Nacht heranwuchs, in der er von ihr träumte, knapp zwei Wochen vor der Abreise. Es war nicht so abwegig, das anzunehmen. Auf jeden Fall hatte er weder mit Zlatan noch mit Phil über sie gesprochen, und auch sonst mit niemandem.

Als ob es jemand anderen gäbe, mit dem er hätte reden können, dachte er verbissen, während er an seinem dreibeinigen Küchentisch saß, Cornflakes mit Buttermilch in sich hineinschaufelte und auf die Uhr schaute, um sich zu vergewissern, dass er keine Zeit verschwendete. Wenn er demnächst von seiner verantwortungsvollen Arbeit bei Kopper Car Splendid Service and Wash frei nehmen wollte, würde ein verspätetes Erscheinen zweifellos seinem generösen Arbeitgeber und Gönner bis an die Grenze des Tolerierbaren missfallen.

Gönner? Nein, das Wort gehörte in einen anderen Zusammenhang.

Das tat Leya auch, und deshalb hatte er von ihr geträumt. Genauer gesagt waren sie in London zu Hause, alle beide. Sein Gönner und Leya.

Sie war die zweite der drei Frauen, mit denen er während seiner ungefähr achtzehn Jahre, die er nunmehr schon geschlechtsreif war, zusammen gewesen war; die Gelbe, und wie man die Sache auch drehte und wendete, sie war diejenige, die er am meisten vermisste. Sie waren fast ein Jahr zusammen gewesen, mehr oder minder, auf jeden Fall aber von August 1999 bis Juli 2000, und der Grund für ihre Trennung war nicht, dass sie Schluss gemacht hätten oder einander überdrüssig geworden wären, wie in dem weißen und in dem schwarzen Fall. Leya, die vom Ursprung her koreanisch war, aber in Philadelphia geboren, war nach London gezogen, ganz einfach. Die Bank, in der sie im Financial District gearbeitet hatte, hatte qualifizierte Leute für ihre Niederlassung in England gebraucht, und Leya war die Qualifizierteste, die sich ihre Chefs denken konnten.

Was ihre Qualifikationen betraf, so konnte Milos diese Beurteilung nur unterschreiben, auch wenn er dabei andere Arten von Qualifikationen im Auge hatte. Auf jeden Fall hatten sie, als vernünftige Menschen, die sie nun einmal waren, klein beigegeben und sich ohne übertriebene Dramatik getrennt – nach einem langen, teuren und traurigen Essen in einem kleinen französischen Restaurant in der Bedford Street in Greenwich Village. Das war am 20. Juli 2000 gewesen, in derselben Nacht hatten sie sich ein letztes Mal in der 27. Straße, in Leyas kleiner Wohnung, geliebt – die bis auf eine Matratze, eine Decke und zwei Kissen bereits leer war –, und am folgenden Nachmittag hatte Leya sich am JFK in ein Flugzeug gesetzt.

Sie hatten sich nie wiedergesehen. Hatten einige Jahre lang vereinzelt E-Mails ausgetauscht, doch wenn Milos sich recht erinnerte, dann hatte er nach dem elften September nichts mehr von ihr gehört.

Und jetzt wollte er sich demnächst in ein Flugzeug mit demselben Ziel setzen. Kein Wunder, dass sie in seinen Träumen auftauchte. Kein Wunder, dass er allmählich wieder an sie dachte.

Inzwischen waren zwar fast zehn Jahre vergangen, und London war eine große, lebendige Stadt, das wusste er, auch wenn er noch nie seinen Fuß in sie gesetzt hatte. Aber er hatte eine Telefonnummer und eine Adresse. Ob beides nach so langer Zeit noch aktuell sein konnte – und ob sie immer noch allein lebte oder überhaupt noch in London lebte –, das waren natürlich Fragen, die nicht zu beantworten waren. Aber wer nicht zu träumen wagt, der wagt auch nicht zu leben.

Als eine Konsequenz aus diesen Überlegungen vermied er es, ihr eine E-Mail zu schicken. Ich bin fünfunddreißig Jahre alt, dachte er. Ich kriege langsam eine Glatze und bin fast übergewichtig. Es ist an der Zeit, dass ich etwas aus meinem Leben mache.

7

Irina

Irina Miller litt unter einer Zwangsneurose.

Das war schlimm, aber es hätte noch schlimmer sein können. Wenn man bedachte, dass ihre Mutter Therapeutin und ihr leiblicher Vater Psychiater waren, dann dachte sie jedes Mal, dass sie doch noch glimpflich davongekommen war. Deutlich schlimmer hatte es ihren Zwillingsbruder getroffen. Seit Gregorius in die Pubertät gekommen war, war er total verrückt, und es gab nicht viel, was darauf hindeutete, dass es irgendwann besser werden könnte.

Aber er lief trotz allem immer noch frei herum. Ein verwegener Psychopath, der sich mit allen Tricks und Täuschungen durchs Leben schlug, ebenso geschickt wie ein professioneller Slalomfahrer einen steilen Abhang hinunter – so hatte er es selbst vor ein paar Jahren einmal beschrieben, als sie gemeinsam gegessen und sich etwas betrunken hatten, und sie fand, das war ein ziemlich treffendes Bild. Und das fand sie immer noch, die Frage war eigentlich nur, wann die Geschwindigkeit so hoch sein würde, dass er ein Tor verfehlte und aus dem Rennen flog. Sie hatte das Gefühl, dass der Tag kommen würde, und sie war sich sicher, dass auch Gregorius dieses Gefühl hatte. Der lag wahrscheinlich in gar nicht so weiter Ferne, aber genau genommen war das ja nun nicht ihr Problem.

Das – ihr eigenes Problem – hatte einzig und allein mit Sauberkeit und Ordnung zu tun. Genau wie bei ihrem Bruder hatten sich die Symptome in der Pubertät gezeigt, wahrscheinlich im Zusammenhang mit ihrer ersten Menstruation. Das Bedürfnis, sich zu waschen, war während ihrer gesamten Jugendjahre immer stärker geworden, aber es war ihr gelungen, es geheim zu halten, sowohl ihrer Familie als auch ihren Freunden gegenüber. Gregorius wie auch ihre Mutter Maud und ihr Stiefvater waren zwar genervt davon, dass sie anscheinend ständig im Bad war, wenn sie hineinwollten, daran erinnerte sie sich noch, aber sie waren im Grunde genommen alle genauso sehr mit sich selbst beschäftigt wie sie, und dass junge Mädchen viel Zeit vor dem Spiegel verbrachten, das war ja vollkommen normal. Bereits als Fünfzehnjährige achtete sie darauf, dreimal am Tag zu duschen, morgens, nachmittags und abends, aber sie versuchte immer einen Zeitpunkt zu finden, der nicht mit den Gewohnheiten der anderen kollidierte. Beispielsweise vor sechs Uhr morgens – und gleich nachdem sie aus der Schule nach Hause kam, da war normalerweise die Luft rein. Außerdem war die Wohnung am Barins Park, in der sie aufwuchs (und in der Maud und Leonard immer noch wohnten), groß genug, und es gab dort eigentlich auch zwei Badezimmer, aber alle benutzten nur das neue, das italienische.

Nachdem sie zu Hause ausgezogen war, wurde es einfacher, sowohl mit der Körperhygiene als auch mit dem Essen. Wenn man nur auf die eigene Person Rücksicht nehmen muss, lässt sich das Leben getreu dem Muster einrichten, das man sich selbst sucht; sie erinnerte sich noch, wie es in der ersten Zeit in der Broomstraat in ihrem Inneren vor Glück und Zufriedenheit geprickelt hatte, wenn sie sich frisch geduscht und sauber an den Tisch setzen konnte, auf dem ein Teller ausschließlich mit makrobiotischen Produkten stand, die sie selbst im Planet Organic eingekauft hatte und dann in einer glänzend sauberen Küche gewaschen, geschnitten und zubereitet hatte. Eine einsame Kerze stand auf dem Tisch, in genau dieser Sekunde, bevor sie anfing zu essen, während der sie die Serviette auf ihren Knien zurechtschob und Messer und Gabel ergriff, ja, da hatte sie das Gefühl, als würde sich ihr die Ewigkeit öffnen.

Das lag inzwischen ein Jahrzehnt zurück. Damals war sie eine junge Jurastudentin gewesen, inzwischen hatte sie die Ausbildung beendet. Sie arbeitete bei einer renommierten Anwaltskanzlei und half Menschen und Firmen, belastende Steuern zu vermeiden. Es gab auch andere Aufgaben auf ihrem gut organisierten Schreibtisch, Testamentsfragen, Sorgerechtsstreitigkeiten und Ähnliches, aber hauptsächlich kümmerte sie sich um Steuerproblematiken. *Lübke, Schröder & Dollmeyer* beschäftigten sechs Juristen mit unterschiedlichen Schwerpunkten und Kompetenzen, aber je nach Arbeitsbelastung musste man ab und zu auch mal Kollegen helfen. Was kein großes Problem war. Sie arbeitete jetzt seit mehr als drei Jahren bei LS&D, und es gefiel ihr ausgezeichnet. Dass die Firma nicht weniger als zwei solide, gut gepflegte Badezimmer für die Angestellten bereithielt, machte die Sache noch besser. Das Büro lag in einer alten Prachtwohnung aus dem späten neunzehnten Jahrhundert, und als die Brüder Lübke es Mitte der Neunzigerjahre kauften und renovierten, achteten sie darauf, so viel wie möglich von seinem alten Stil und Charme zu erhalten. Irina Miller dachte ab und zu, dass sie eigentlich nichts dagegen hätte, bis zu ihrer Pensionierung an diesem Arbeitsplatz zu bleiben.

Heute war der 10. September im Jahr des Herrn 2010. Zwei Tage zuvor hatte sie ihren einunddreißigsten Geburtstag begangen, ausnahmsweise hatte sie ihn zusammen mit Gregorius gefeiert, schließlich waren sie ja am selben Tag geboren. Sie hatten bei ihr zu Hause gemeinsam in aller Schlichtheit gegessen; ein wenig Hummer, ein wenig Fisch, ein wenig Weißwein, aber Gregorius war nicht besonders gut gelaunt gewesen und hatte sie nach dem Dessert, einem einfachen Obstsalat, verlassen. Sie nahm an, dass eine neue Frauengeschichte sein Dasein trübte, aber wie üblich vermied sie es zu fragen. Vielleicht waren es auch finanzielle Probleme, in dem Fall hatte er diese aber noch unter Kontrolle, da er sie nicht um einen Kredit bat. Vermutlich eine Kombination aus beidem, zu dem Schluss war sie gekommen, als sie anschließend unter der Dusche stand – versäumte Beziehungen, versäumte Ökonomie, versäumtes Leben –, sie wusste, dass er zu ihr kommen und ihr alles erzählen würde, falls es wirklich ernst wurde. *Sobald,* genauer gesagt, nicht *falls.* Zu gegebener Zeit, auch das war wie üblich.

Aber am heutigen Tag waren es nicht der erst vor kurzem überstandene Geburtstag oder ihr haltloser Bruder, die ihre Gedanken beschäftigten. Es war Leonard.

Leonard Vermin war in ihr Leben getreten, als die Zwillinge elf Jahre alt waren. Damals war ihr leiblicher Vater, der Oberarzt der klinischen Psychiatrie am Gemejnte Hospital, Ralph deLuca, bereits seit Langem in dieser Rolle nicht mehr vorhanden gewesen. Irina hatte keinerlei Erinnerung daran, dass er überhaupt jemals mit seiner ersten Familie unter einem Dach gewohnt hätte, doch ihre Mutter Maud behauptete immer wieder hartnäckig, dass dem natürlich so gewesen sei. Doch da sie es nie genauer präzisieren wollte, gingen die Geschwister davon aus, dass es sich höchstens um ihr erstes oder vielleicht noch zweites Lebensjahr gehandelt haben könnte. Maud hielt normalerweise mit den Dingen und ihren Ansichten nicht hinter dem Berg, doch in diesem Fall hatte sie es getan. Freundlich, aber entschieden, sicher gab es einen Grund dafür.

Auf jeden Fall waren Irina und Gregorius es schon seit langer Zeit gewohnt gewesen, ohne Vater und Vaterbild zu leben, als Leonard Vermin an einem warmen, vielversprechenden Juliabend 1990 an der Tür klingelte. Er war sonnengebräunt, lächelte und hatte die Arme voll mit Wein und Rosen für Maud sowie sicher einigen Kilos an ekliger Schokolade für die Kinder. Er hatte ihrer Mutter einen Kuss gegeben, sie hatte ihn an die Hand genommen und gesagt, dass Leonard und sie sehr, sehr gute Freunde seien. Ein paar Wochen später hatte er ihre Mutter mit in die griechische Inselwelt genommen, während Irina und Gregorius ins Fegefeuer zu ihrem Psychopapa Ralph kamen, auf ein Segelboot, das für vier Personen gedacht war, aber auch dessen neue Ehefrau Bella und die drei Halbgeschwister im Alter von zwei bis sechs Jahren beherbergte. Mitte Oktober war Leonard in die Wohnung am Barins Park eingezogen.

Zu der Zeit war er gerade fünfzig geworden. Jetzt stand er im Begriff, die siebzig zu erreichen. Und das war das Problem.

Zumindest war es für Irina ein Problem. Aus irgendwelchen unerklärlichen Gründen sollte eine Siebzigjahrfeier veranstaltet werden – oder zumindest ein Geburtstagsessen. Und das auch noch in London.

Irina mochte nicht verreisen. Sich in ein vollbesetztes Flugzeug zu setzen, inmitten einer Unmenge von unbekannten Ansteckungsherden, die mit kontaminiertem, in Massenproduktion hergestelltem und im Mikroofen erhitztem Junkfood herumsauten, anschließend dann in einem fremden Land zu landen, von neuen Bazillenträgern bedrängt zu werden und schließlich in irgendeinem mehr oder weniger ungepflegten Hotel einzuchecken, das war ganz einfach das Dreckigste, was man überhaupt über sich ergehen lassen konnte. Mahlzeiten zu sich zu nehmen, die jemand anderes in klebrigen Bars und pestverseuchten Restaurants zubereitet hatte – Irina hatte nur ein einziges Mal in ihrem Leben eine derartige Reise mitgemacht, mit ihrer High-School-Klasse, als sie achtzehn Jahre alt war. Man hatte für eine Woche eine billige Charterreise nach Rom gebucht, und es war eine schreckliche Erfahrung gewesen, sie hatte es nur mit Mühe und Not überstanden und bekam noch heute Albträume davon.

Mittlerweile ging sie nur einmal im Jahr auf Reisen, zusammen mit Herbert, der sozusagen ihr Freund war, auch wenn sie selten miteinander Kontakt hatten und nie auf die Idee gekommen wären, beim anderen zu übernachten. Sie pflegten sich während des Urlaubs, Anfang August, ein fabrikneues Auto zu mieten und nach Lindau am Bodensee zu fahren. Dort verbrachten sie drei Tage und drei Nächte in der Pension Kraus, ein Hochglanzhotel der Fünfsternekategorie, das sie im Internet gefunden hatten. Sie wohnten jedes Mal in derselben Suite, Nummer 312, mit getrennten Schlafzimmern und Blick auf den See und die Schweizer Alpen. Herbert war acht Jahre älter als sie, in der zweiten Nacht schliefen sie miteinander, er war der schüchternste Mensch, den sie jemals getroffen hatte, ihre Mutter war ihm durch ein Versehen einmal begegnet und hatte sofort massiven Asperger diagnostiziert. Was Irina ausgezeichnet passte. Nach dem jährlichen Beischlaf verbrachte sie gern eine Stunde in Abgeschiedenheit in der Badewanne der Suite. Sie war aus schwarzem Marmor, und sie hatte sie bereits vor dem Ereignis mit Karbolspiritus gereinigt, den sie immer in einer braunen Apothekerflasche in ihrer Handtasche bei sich trug.

Sie hatte gehört, dass London eine große, lärmende und schmutzige Stadt war. Die Reinigungskräfte streikten dort in regelmäßigen Abständen. Man heizte dort vorwiegend immer noch mit Steinkohle, und sie hatte ihren Dickens gelesen.

Und ausgerechnet dort wollte Leonard also seinen siebzigsten Geburtstag feiern. Dorthin hatte er sich mit Maud bereits begeben, und es wurde erwartet, dass Gregorius und sie sich in einer Woche ebenfalls dort einfanden.

Ins Bild passte, dass Leonard am Sterben war. Ihre Mutter hatte es nicht so deutlich ausgedrückt, aber Irina war es gewohnt, zwischen den Zeilen zu lesen, und wusste, dass es so war.

Ins Bild gehörte außerdem, dass Leonard und ihre Mutter

zwar seit zwanzig Jahren zusammenlebten, aber nie geheiratet hatten. Und er hatte Mauds Kinder auch niemals adoptiert.

Und schließlich zu guter Letzt: Er besaß ein Vermögen.

Wie groß dieses Vermögen war, das wusste niemand so genau, aber es war nicht gerade klein. Leonard hatte keine Nachkommen, ihm gehörten auf jeden Fall zwei Mietshäuser im Zentrum von Aarlach sowie eine landesweite Tageszeitung. Außerdem besaß er bedeutende Aktienanteile an diversen Fernsehsendern und einer Filmgesellschaft. Unter anderem.

Alle, die ihn kannten, wussten außerdem, dass er in den letzten Jahren immer unberechenbarer und launenhafter geworden war. Es gab einige, die der Meinung waren, dass er nicht mehr so ganz bei Sinnen sei.

Auf jeden Fall hatte Gregorius ihr dieses Bild in allen Farben gemalt, und im Prinzip musste sie ihm zustimmen. Leonard Vermin war ebenso launisch wie steinreich.

Und am Sterben.

8

Zum Teufel, Irina. Ich schaff das nicht allein. Wenn du nicht mitkommst, dann weiß ich nicht, was ich anrichten werde.«

»Natürlich schaffst du das. Was ist denn aus dem unbekümmerten Psychopathen geworden?«

»Seine guten Seiten laufen Gefahr, die Überhand zu gewinnen. Ich überlege, ob ich nicht für eine Weile zum Mönch werden soll. Verdammte Scheiße, Schwesterherz, begreifst du denn nicht, worum es hier geht?«

»Es geht um ein Geburtstagsessen.«

»Ja, genau. Und was ist dabei das Problem?!«

Sie sprachen am Telefon miteinander. Es war Mitternacht zwischen Freitag und Samstag. Gregorius hatte angerufen, und er war nicht mehr nüchtern. Sie dachte, dass sie selber schuld war. Sie hätte ihm von ihrer Zwangsneurose erzählen sollen, schon vor langer Zeit hätte sie das tun sollen, und eines Tages würde sie es vielleicht auch tun. Vielleicht hoffte sie, dass er auch so wusste, wie es um sie stand – und wenn er das tat, wenn er auch nur die leiseste Andeutung dahingehend machen würde, dass etwas mit ihr nicht stimmte, dann würde sie wahrscheinlich nicht zögern. Sie würde alles erklären, und hinterher würde sie eine genauso offene und ehrliche Geschwisterbeziehung haben wie bisher auch.

Leider war es nur so, dass er keinen blassen Schimmer hatte. Und es auch nie haben würde, das war ihr allmählich klar geworden. Gregorius war viel zu sehr mit seiner eigenen fantastischen Persönlichkeit beschäftigt, als dass er Zeit gehabt hätte, sich um die anderer zu kümmern. Und wenn man ihn mit der Nase darauf stoßen würde.

Sie versuchte es mit einer anderen Taktik. »Ich habe Flugangst, Greg. Das habe ich dir doch schon gesagt, das weißt du. Ich weigere mich, mich in so eine Todesfalle zu setzen. Außerdem mag ich überhaupt nicht gern verreisen, das weißt du auch.«

»Es gibt Whisky«, erklärte ihr Bruder ernsthaft. »Nichts ist einfacher, als Flugangst zu kurieren. Und ich bin dabei, ich werde dafür sorgen, dass du so besoffen bist, dass du gar nicht merkst, dass du in einem Flugzeug sitzt.«

»Vielen Dank. Aber ich glaube nicht, dass das eine gute Lösung ist. Ich kannst doch sagen, dass ich plötzlich krank geworden bin oder so. Ich kann Mama auch am selben Tag anrufen.«

»Verdammte Scheiße, Irina. Es geht um Millionen. Eine verdammte Menge von Millionen. Sollen wir auf die verzichten, nur weil du keine Lust hast, dich in ein Flugzeug zu setzen? Ich brauche Geld, ich stecke momentan etwas in der Klemme. Und er stirbt bestimmt noch vor Weihnachten. Bist du nun meine Schwester oder nicht?«

»Greg, es spricht nichts dafür, dass sein siebzigster Geburtstag in dieser Beziehung eine Rolle spielt. Oder dass es davon abhängt, dass wir in irgend so einem Zwölfsternerestaurant in London sitzen und ihn hochleben lassen.«

»Ganz im Gegenteil. Es spricht alles genau dafür. Deine und meine Anwesenheit, die machen den Unterschied aus zwischen … ja, zwischen null und der Ewigkeit, oder was auch immer du willst, Irina! Vertrau mir, auch wenn du dieses Fingerspitzengefühl nicht hast.«

Sie seufzte. Die Fingerspitzen ihres Bruders waren etwas, über das man weiß Gott geteilter Meinung sein konnte. Oft er-

innerte einen das besagte Gefühl eher an einen Parlamentsabge-
ordneten in einem Pornoclub, aber hinterher gab es immer unglückliche Umstände oder unvorhersehbare Details, denen die
Schuld gegeben werden konnte.

»Ich hab's«, sagte er jetzt. »Verdammt, wenn du so eine
Scheißangst hast, dich in ein Flugzeug zu setzen, dann mieten
wir eben ein Auto, ganz einfach. Gar kein Thema, wir nehmen
eine Fähre über den Kanal ... oder diesen Tunnel da. Saugeil, so
machen wir es.«

»Das sind achthundert Kilometer.«

»Papperlapapp. Nicht mehr als sechs oder sieben.«

»Außerdem habe ich so viel Arbeit ...«, versuchte sie es wieder, hörte aber selbst, wie lahm das klang.

»Meine Güte, was ist denn mit dir los? Er bezahlt uns Reise,
Hotel und den ganzen Mist. Es geht um nicht einmal eine
Woche, aber es geht um Millionen. Ich ... ich reiße dich in Stü-
cke, wenn du mit dem Mist nicht aufhörst. Und zwar mit den
Zähnen.«

»Vor einer Weile hast du noch gesagt, dass du überlegst,
Mönch zu werden.«

»Das war vor einer Weile.«

Er lachte, und sie hörte, wie er einen Schluck trank. Jetzt
hatte er die Charmeoffensive gestartet und machte außerdem
auf Geschwisterliebe, und sie wusste, dass es sinnlos war, sich
länger zu sträuben. Sicher, sie könnte weitermachen und mit
ihm noch eine Stunde diskutieren, hin und her argumentieren,
aber dabei würde es sich nur um ein Scheingefecht handeln.
Das übliche Scheingefecht. Gregorius war zwanzig Minuten
älter als sie, und wenn es hart auf hart kam, dann war er der
Stärkere. Das war schon immer so gewesen; wenn sie gewinnen
wollte, musste sie dafür sorgen, dass es gar nicht erst zu einer
Auseinandersetzung kam. Und dieses Mal war diese Möglichkeit einfach nicht gegeben gewesen.

»Okay«, sagte sie. »Aber du musst das mit dem Auto und so weiter regeln. Und es muss ein neuer Wagen sein. Ich fahre nur unter Protest.«

»Zauberhaft«, sagte er. »Ich liebe dich, Schwesterherz. Gib mir nur deine Kontonummer, dann werde ich morgen alles in die Wege leiten. Er wird ja sowieso hinterher alles bezahlen, und mit meiner stimmt etwas nicht. Weißt du, diese blöde Bank, die kann einfach nicht…«

»Ich verstehe«, unterbrach sie ihn. Suchte ihre Visakarte heraus und nannte ihm die Nummer.

»Wie geht es Anna?«, fragte sie, nachdem er alle Ziffern wiederholt hatte.

»Anna geht es richtig gut.«

»Wie oft hast du sie besucht?«

»Ein paar Mal«, sagte Gregorius, und dann legten sie auf.

Anna war Gregorius' Tochter. Er war mit ihrer Mutter gut ein Jahr lang verheiratet gewesen, sechs Monate vor und sechs Monate nach Annas Geburt, so ungefähr. Die Mutter hieß Judith, und Irina hielt weiterhin Kontakt zu ihr; vor allem wegen Anna natürlich, aber sie hatte auch nichts gegen Judith. In keiner Weise.

Und sie liebte ihre Nichte. Das tat ihre Großmutter Maud auch, und obwohl sie nicht mehr in derselben Stadt lebten, kam es vor, dass Anna sie besuchte und ein paar Stunden bei ihnen blieb, wenn ihre Mutter irgendetwas zu erledigen hatte. Bei der Oma oder bei der Tante.

Zumindest war es vorgekommen: in den ersten Jahren nach der Scheidung. Anna war inzwischen fünf Jahre alt, würde in ein paar Wochen sechs werden, und als Irina das letzte Mal mit Judith gesprochen hatte – Anfang August –, hatte sie begriffen, dass Judith einen neuen Mann kennen gelernt hatte, mit dem es ernst werden könnte.

Sie war sich nicht sicher, ob Gregorius Anna wirklich ein

paar Mal getroffen hatte, so wie er behauptete. Von Judiths Seite hatte es sich eher so angehört, als hätten sie sich den ganzen Sommer über so gut wie gar nicht gesehen. Das ist nicht gerecht, dachte Irina. Wenn ich diese widerliche Reise antrete, dann muss er zumindest zusehen, dass er sich zusammenreißt. Schließlich ist Anna meine Nichte. Ich will nicht, dass sie einfach so aus meinem Leben verschwindet.

Plötzlich erschien in ihrer Erinnerung ein Bild von Leonard und Anna. *Das Erinnerungsbild*, es war wohl das einzige Mal, dass sie die beiden zusammen gesehen hatte. Sie hatte etwas bei ihrer Mutter zu erledigen gehabt und war in die Wohnung am Barins Park gekommen, doch Maud war nicht zu Hause gewesen. Stattdessen hatte sie dort Leonard und die kleine Anna angetroffen, die damals nicht mehr als sieben oder acht Monate alt gewesen war. Er saß im Schaukelstuhl mit ihr und schaukelte, sie lag auf dem Rücken auf seinen Beinen und lachte ihn an. Er machte Grimassen, streckte die Zunge heraus und verdrehte die Augen, es war so ein zärtliches Bild, dass Irina die Tränen in die Augen stiegen. Nicht nur, weil es so schön war; der ältere Mann und der Säugling und das Sonnenlicht, das schräg durch die Jalousien hereinsickerte – sondern weil es gerade die beiden waren. Anna und Leonard. Sie hatte sie nie bewusst zusammengebracht, sie lebten in ihrer Vorstellung in getrennten Welten, doch jetzt sah sie, dass es auch anders sein konnte. In diesem Moment, an diesem Ort, waren sie füreinander Wirklichkeit, und etwas, von dem sie zugeben musste, dass es Eifersucht war, stieg in ihr auf.

Es stieg auch jetzt wieder in ihr auf, das schöne Bild und der Neid darauf. Und die Scham darüber, dass sie diesen Neid empfunden hatte.

Sehne ich mich nach einem eigenen Kind?, dachte sie. Ist das wirklich möglich? Mit meinem Sauberkeitswahn, meinen Macken und allem?

Doch der Gedanke, diese Sache mit Herbert zu diskutieren, erschien so absurd, dass sie ihn sofort begrub und an etwas anderes dachte.

London, beispielsweise. Schmutzige Taxis. Die Essensfrage. Hotelzimmer mit Teppichböden! Mein Gott, sie musste Gregorius erklären, dass sie unter keinen Umständen in einem Zimmer mit Teppichboden zu schlafen gedachte.

Aber vielleicht hatten Leonard und Maud das mit der Unterkunft ja bereits geregelt? Und dann? Wie viele Nächte und in was für einem Hotel? Sie schaute auf die Uhr. Es war zehn Minuten vor eins. Sie beschloss, diese Frage sogleich am folgenden Morgen in Angriff zu nehmen.

9

Maud

Ich wittere etwas.

Manchmal habe ich das Gefühl, als wäre das schon mein ganzes Leben lang so gewesen. Dass ich versuche zu verstehen, was sich da zusammenbraut. Zumindest – wie jetzt –, *dass* ich etwas wittere. Auch wenn ich nicht besonders gut darin bin, so beschäftige ich mich wenigstens damit.

Die Zeichen zu deuten. Zu registrieren. Zwischen den Zeilen zu lesen.

Vor allem habe ich zugehört. Ich habe hinter meinem Schreibtisch gesessen und meine Klienten empfangen. Hunderte und Aberhunderte; ich habe ihren Geschichten zugehört, ihren Versäumnissen gelauscht. Genickt und zustimmend gebrummt und versucht, sie auf einen Weg zu bringen. In meinem eigenen Inneren nach dem Kern und den Verletzungen in ihrem Inneren gesucht.

Zuhören, interpretieren, abwägen, das ist mein Leben gewesen. Den Weg weisen, unterstützen, helfen. Nach all diesen Jahren und all diesen Gesprächen kann ich ein neutrales »Guten Tag« nicht mehr entgegennehmen, ohne es in etwas anderes zu verwandeln. Wenn jemand »Bitte schön« oder »Danke« sagt, dann registriere ich den Tonfall, den Blick und die Körperhaltung und übersetze es in meine eigene Sprache: die therapeutische.

In schwachen Stunden habe ich mir gewünscht, ein Hund zu sein.

Aber wenn ich es genauer bedenke, dann ist mir klar, dass dieser Wunsch danebenliegt: Wenn sich unsere vierbeinigen Freunde auf etwas verstehen, dann ja wohl darauf, dass sie etwas wittern. Das dazu.

Aber nun zu der Stadt hier. Ich kann sie nicht interpretieren und weiß nicht, was es zu bedeuten hat, dass wir uns hier befinden. Leonard ist irgendwie verwurzelt hier, das hat er mir ja erzählt, er hat in seiner Jugend eine längere Zeitlang hier gelebt, und ich kann spüren, wie erfüllt er davon ist, wieder hierher zurückzukehren. Zumindest zeitweise. Als wäre er in eine Wirklichkeit zurückgekehrt, die er verloren glaubte – und das, wo er gleichzeitig seinem Ende so nahe ist, es erscheint paradox und vollkommen natürlich zugleich.

Zehn Jahre seines Lebens haben sich hier abgespielt, und nachdem er damals wegging, kam er nur noch ein einziges Mal Mitte der Siebziger wieder her. Dann eine Beerdigung vor ein paar Jahren, zwei oder drei Tage nur. Ich weiß nicht, warum er nicht häufiger hier war, und wenn ich gefragt habe, bekam ich keine Antwort. Früher nicht und auch heute nicht. Seit zwei Tagen habe ich keinen richtigen Kontakt mehr zu ihm, seit wir angekommen sind. London ist verführerisch, damit kann ich es nicht aufnehmen.

Ich biete aber auch keinen Widerstand, es ist mir klar, dass es Zeit braucht. Es ist noch gut eine Woche bis zum großen Ereignis, doch bis es so weit ist, muss ich ihn unter meine Fittiche nehmen. Sonst kann es schiefgehen, das spüre ich. Was brütet er nur aus?

Was mich betrifft, ich bin noch nie hier gewesen. Ich bin in meinem Leben überhaupt nur wenig gereist. Jetzt spaziere ich durch die Parks, genau wie er es mir geraten hat. Kensington Gardens und Hyde Park mit der netten Kurve, »der Serpentine«, dazwischen. Green Park und St. James's, ich genieße es, das will ich gar nicht leugnen, genau wie den Fluss und all die Brücken. Es liegt eine lässige, etwas abgenutzte Schönheit über allem. Obwohl der Kulturpalast, der unten am Südufer des Flusses liegt, natürlich jüngeren Datums ist; Royal Festival Hall, National Theatre, Tate Modern und was es da alles gibt, es gefällt mir, dort herumzuspazieren. Dann die elegante Fußgängerbrücke hinüber zur St.-Paul's-Kathedrale, ja, ich bin an den ersten Tagen wirklich gewandert, wie der schlimmste Tourist. Habe mich in Soho schubsen und im Covent Garden quetschen lassen, Leonard sagt, dass es nicht mehr so aussieht wie früher, ich glaube, es gefällt ihm gar nicht, dass die Stadt sich verändert hat. Es erinnert ihn an sein eigenes Alter, und ich kann mir vorstellen, wie schmerzhaft das ist. Auch wenn es natürlich nun einmal nicht zu ändern ist.

Uns trennen fünfzehn Jahre, und manchmal – vielleicht ganz besonders in diesen Tagen – fällt es mir schwer zu begreifen, dass wir seit zwei Jahrzehnten zusammen sind. Wenn ich ihn anschaue – in einem unbeobachteten Moment am Mittagstisch oder wenn er seine Zeitung liest –, habe ich manchmal den Eindruck, einem mir vollkommen Fremden gegenüberzusitzen. Trotz all meiner emphatischen und therapeutischen Fähigkeiten – oder vielleicht gerade deshalb?

Wer bist du eigentlich, Leonard Vermin? Der Gedanke kommt mir dann. Was weiß ich über deine innersten, deine tiefsten Beweggründe? Was sprudelt aus deinem Lebensbrunnen kurz vor dem Schluss noch nach oben? Die Zeit wird ja häufig knapp, so in der letzten Stunde.

Andererseits, denke ich dann. Was weiß ich über einen von diesen meinen geringsten Brüdern? Sind wir nicht alle Fremde für den anderen? Das sind Fragen, die in gewisser Weise mein gesamtes Berufsleben untergraben, und ich versuche sie abzuschütteln.

Auf meinen Spaziergängen gehe ich auch in einige Kirchen.

Weil ich mich hinsetzen und die Füße ausruhen muss natürlich, aber nicht nur deshalb. Mir gefallen die Räume und die Nähe. Wenn ich »Nähe« schreibe, dann meine ich wahrscheinlich »Die Möglichkeit einer Nähe«. Doch diese Möglichkeit reicht ein gutes Stück, und wenn die Grenze überschritten ist, und es kommt vor, dass sie es ist, dann bemerke ich es nie genau in dem Moment, in dem es geschieht, plötzlich begreife ich nur, dass ich zurück auf der Erde bin und dasitze und an meine schmerzenden Füße denke. Es ist, als bekämen gewisse Dinge einfach nicht ihren richtigen Platz in der Zeit. Sie verstecken sich in einer Falte der Zeit, und diese Falten kommen nur an ganz sorgfältig ausgewählten Plätzen zum Vorschein. Beispielsweise in Kirchen, einigen Kirchen. Ich bin mir nicht sicher, ob ich selbst verstehe, wovon ich rede.

Ich ruhe die Füße auch in einigen Cafés aus, zweifellos. Heute Nachmittag saß ich in einem Straßencafé ganz in der Nähe der St.-Paul's-Kathedrale und las in einem Gratisblättchen, das ich kurz zuvor von einem Zeitungsboten auf der Straße bekommen hatte, über einen eigenartigen Mord. Oder eher über eine ganze Reihe von Morden. Der Mörder bindet seinem Opfer, nachdem er es getötet hat, eine Armbanduhr um – eine Armbanduhr, die offenbar immer genau dann stehen bleibt, wenn der Mord geschieht. Alle Taten – vier Stück – wurden in London begangen, die letzte in der vergangenen Nacht in Hampstead Heath. Während ich meinen Cappuccino trinke, denke ich darüber nach, welch finsteres Motiv im Kopf eines solchen Menschen zu finden sein muss, komme aber nicht sehr weit mit meinen Überlegungen. Wobei ich denke, dass ich – mit meiner Klientenerfahrung – es eigentlich sollte.

Als wir am dritten Abend zusammen essen waren – im *Harlem*, einem kleinen Restaurant an der Westbourne Grove gleich um die Ecke des Hotels mit einem Jazzclub im Keller –, bemerkte ich, dass Leonard etwas bedrückt aussah. Ich fragte ihn – wie immer, fürchte ich –, ob er seine Medikamente auch ordentlich genommen habe und ob er Schmerzen habe, und er antwortete, dass es ihm ausgezeichnet gehe. Dann sagte er etwas, was ich nicht so recht deuten konnte. *Wenn man kurz vor dem Ende steht, gibt es viel, um das man sich kümmern muss, aber das wirst du eines Tages auch noch bemerken.*

Es klang zweifellos ein wenig anklagend, und ich überlegte, ob er dabei war, die Orientierung zu verlieren. Den Sinn für die Wirklichkeit, Doktor Sobotka sprach mit mir unter vier Augen über diese Problematik, bevor wir uns hierher aufmachten, und er bat mich, darauf zu achten. Für eine Person mit Leonards Temperament und Neigungen wäre es gut möglich, in so einer Lage einen mentalen Absturz zu erleiden. Genau so drückte er sich aus: *einen mentalen Absturz.* Ich bin mir nicht sicher, was genau er damit gemeint hat, es ist kein anerkannter psychiatrischer oder therapeutischer Begriff, aber ich habe Sobotka nie darum gebeten, es zu präzisieren. Er ist ein Psychiater der mehr oder weniger selben Schule wie mein erster Mann, und ich entferne mich immer mehr von derartigen dynamischen Vorstellungen.

Dennoch beunruhigt es mich. Ein mentaler Absturz, das klingt irgendwie ziemlich ungut, und dass Leonard mit etwas hinter dem Berg hält, das wird immer offensichtlicher. Aber ich habe beschlossen, es dabei bewenden zu lassen, trotz allem sind wir noch nicht am Ziel unserer Reise angekommen. Nachdem wir an diesem dritten Abend ins Bett gegangen waren und ich hörte, wie er in seinem Alkoven anfing zu schnarchen, da dachte ich stattdessen über meine eigene Lage nach. Ich habe das Gefühl, als würden diese Tage – diese fremde Umgebung und die leicht surreale Situation, von der hier trotz allem die Rede ist – zur Reflexion einladen. Ich fühle mich, als stünde ich auf einer Anhöhe und könnte mich selbst und mein Leben von einem

neuen und in irgendeiner Weise klärenden Blickwinkel aus sehen. In Anbetracht von Leonards Zustand weiß ich schließlich
genau, dass sich innerhalb der nächsten Monate oder des kommenden halben Jahres vieles verändern wird – vielleicht auch
noch früher –, also ist es wahrscheinlich höchste Zeit.

Auch wenn ich selbst nicht vor dem definitiven Ende stehe,
sondern mein geliebter Gatte.

Mein Gatte? Wieso benutze ich plötzlich dieses Wort?

10

Ich beschloss, Therapeutin zu werden, nachdem ich vergewaltigt worden war, als ich sechzehn Jahre alt war.

So ist es dazu gekommen. Keiner der Männer, mit denen ich zusammen war, und keines meiner Kinder weiß davon. Es passierte nach einer Schulfeier an einem Herbstabend in Kaalbringen, wo ich mit meinen Eltern und meinem drei Jahre älteren Bruder aufwuchs. Die Täter, denn es waren zwei, waren betrunkene Jugendliche aus der Nachbarstadt Oostwerdingen, und die Polizei konnte sie bereits am nächsten Tag festnehmen. Sie gestanden alles, sagten, dass sie es heftig bereuten, und saßen acht Monate im Gefängnis als Strafe für das, was sie getan hatten.

Was mich betraf, dauerte es länger, um wieder auf die Beine zu kommen. Direkt nachdem es passiert war, sprach ich mit vielen wohlwollenden und verständnisvollen Erwachsenen – oder besser gesagt, sie sprachen mit mir –, aber erst ein halbes Jahr später kam ich in Kontakt mit einer richtig guten Therapeutin. Sie hieß Brigitte Clausen, sie war klein, rothaarig, und es war etwas an ihrem Blick und ihrer Art zu sprechen und zuzuhören, was mich faszinierte. Später begriff ich, dass ich mich wohl in sie verliebt hatte, aber eine derartige Liebe war nichts, was ich mir zu jener Zeit hätte vorstellen können. Wir trafen uns zweimal in der Woche nach der Schule, sie hatte ihre Praxis im ersten Stock eines alten gelben Holzhauses unten am Hafen, und ich erinnere mich, dass ich oft das Gefühl hatte, ich säße in einem Vogelkäfig, wenn ich bei ihr war. Ich war ein Vogeljunges, das verloren gegangen war und nun wieder heimkehrte, das war natürlich ein kindisches Bild und ein ebensolcher Gedanke, doch es half mir beim Gesundwerden.

Und während der Jahre, in denen ich zu Brigitte ging, traf ich meine Berufswahl. Ich wollte werden wie sie, wenn ich erwachsen war. Das tun, was sie tat. Helfen, heilen, retten, es war ein einfacher, naheliegender Entschluss. Dass die Wirklichkeit später dann aus bedeutend komplizierteren Prozessen bestand, als sich um grob behandelte Vogeljunge zu kümmern, war eine andere Sache. Aber Unwissenheit ist wichtig als Schutz; wenn wir von Anfang an wüssten, was es tatsächlich bedeutet zu leben, dann würden die meisten von uns sich dieser Aufgabe gar nicht erst stellen. Es nie wagen, zum Tanz anzutreten.

Nach dem Gymnasium fing ich an Psychologie an der Universität von Saaren zu studieren, und dort traf ich meinen ersten Freund. Er war Däne, hieß Sören, und ihm war es zu verdanken, dass ich eine einigermaßen gesunde Einstellung zur Sexualität bekam, trotz meiner finsteren Erfahrungen vier Jahre zuvor. Wir blieben einige Semester lang zusammen, immer loser, und dann wurde ich von der großen Leidenschaft überwältigt. Es geschah in meinem letzten Semester, und das Objekt stand am Katheder des Hörsaals: der junge Psychiatrieprofessor Ralph deLuca.

Ich war 23, er war 31. Um eine kurze Geschichte noch kürzer zu machen; wir gingen ein Verhältnis ein, ich wurde schwanger, und wir heirateten einen Monat, nachdem ich mein Examen abgelegt hatte, einen Monat, bevor ich gebären sollte. Zu dem Zeitpunkt war die Leidenschaft schon vergangen.

Ich bekam Zwillinge. Gregorius und Irina. Es sind meine einzigen Kinder, und ich liebe sie mehr als alles andere auf der Welt.

Aber die Ehe mit Ralph war eine Katastrophe. Ich kann es

nicht anders beschreiben. Er hatte eine psycho-dynamische Ansicht, was seelische Fragen betraf, er hatte eine Weile mit Laing verkehrt und Janov getroffen; wenn wir uns liebten, war es eher eine Frage von Primärtherapie als sonst etwas. Wir sollten uns zurück zu Affen regredieren, zu dem ungeborenen Kind in uns und Gott weiß was. Nach nicht einmal einem Jahr erklärte ich, dass ich es nicht mehr aushielt, dass wir uns gegenseitig wahnsinnig machten, und aus irgendeinem Grund stimmte er mir zu. Es ging nicht mehr mit uns beiden, ich glaube, es war das erste Mal seit unserer Hochzeit, dass wir tatsächlich in einem Punkt einer Meinung waren.

Ich behielt die Kinder und die Wohnung; er zog aus, und nach ein paar Monaten hatte er eine neue Studentin gefunden. Vielleicht hatte er sie auch schon früher gefunden, was weiß ich.

Wenn ich an all das zurückdenke, erscheint es mir so unglaublich weit weg. Wie etwas, das in einem anderen Leben stattgefunden hat oder mit jemand anderem als mir in der Hauptrolle. Doch das betrifft nur mein Privatleben. In meinem Berufsleben, in der Rolle der Therapeutin, habe ich mich immer zu Hause gefühlt und die Hauptrolle eingenommen. Nein, das stimmt so nicht ganz: Es sind natürlich die Klienten, die diese Position einnehmen, er oder sie ist es, der ganz vorn auf der Bühne steht, dieser Antibühne, die das therapeutische Sprechzimmer bei jeder Sitzung darstellt. Der einzige Platz im Leben, an dem von uns nicht erwartet wird, dass wir irgendeine Rolle spielen. Ich merke, dass ich mich in schlecht gewählten Bildern verirre.

Leonard Vermin war wohl kaum ein Vogeljunges, als er in meiner Praxis auftauchte, doch unsanft behandelt worden, das war er. Ich lebte zu dem Zeitpunkt seit fast zehn Jahren allein, mein Leben, das waren meine Arbeit und meine Kinder. Dass ich ihn in mein Dasein ließ, kann als leichtsinnig gedeutet werden, ich wäre die Erste, die das unterschreibt, aber wenn wir uns wirklich die Zeit nehmen würden, unsere Entscheidungen ordentlich vorzubereiten, dann würden viele von uns wahrscheinlich an der Wegkreuzung stehen bleiben, bis es zu spät ist. Viel zu spät. Antreten zum Tanz, wie gesagt.

Nun gut, meine therapeutische Seite erscheint immer stumpfer, und worin dieser Londonbesuch münden wird, davon habe ich immer noch nicht die geringste Ahnung.

Ich spüre nur eine schleichende Unruhe.

11

Leonard

Das gelbe Notizbuch

Als ich nach Hause nach Earl's Court kam, war mein erster Gedanke, dass ich die Tasche öffnen und den Inhalt überprüfen sollte. Doch aus dieser überaus logischen Aktion wurde nichts, als sich herausstellte, dass sie sich nicht unauffällig durchführen ließ. Nicht ohne eine Beschädigung. Nachdem ich es eine Weile vorsichtig mit einem Küchenmesser und auseinandergebogenen Büroklammern versucht hatte, musste ich mir eingestehen, dass es so war; es wäre sicher möglich gewesen, dem Schloss mit irgendeiner Form von Gewalt beizukommen, aber dann würde man zweifellos bemerken, dass ich es getan hatte. Mein Instinkt sagte mir, dass ich mit so einer Entwicklung nichts gewinnen würde.

Meine Neugierde siedelte natürlich gleich neben dem Instinkt, und den ganzen Abend über kamen und gingen sie abwechselnd. Ja, da ich nicht vor drei Uhr einschlafen konnte, kann man mit Fug und Recht behaupten, dass sie mir die Nacht hindurch auch noch Gesellschaft leisteten. Auf der eher praktischen Ebene widmete ich diese späten Stunden meiner Wohnung, richtete sie ein, soweit das möglich war. Ich legte Kleidung und diverse Dinge in Schränke und Schubladen. Putzte die Küche und das Bad einigermaßen sauber. Stellte Bücher in einen alten, klapprigen, aber schönen Bücherschrank, ein Überbleibsel des vorherigen Mieters, eines Holländers namens van der Vraak, das er zwar hatte stehen lassen, aber nur unter der Androhung, zurückzukommen und es abzuholen, sobald er die Möglichkeit dazu habe – ich machte mir in dieser Beziehung keine großen Gedanken, und ganz richtig stand es immer noch da, als ich acht Monate später wieder auszog.

Ich trank Tee, rauchte zehn bis fünfzehn Zigaretten, spürte eine zunehmende nervöse Unruhe, installierte meine Stereoanlage und versuchte mich im Großen und Ganzen einzurichten. Irgendwann kurz nach Mitternacht konnte ich ein bis dato noch unbekanntes sich liebendes Paar auf der anderen Seite der Küchenwand hören, insbesondere sie (sie hieß Ruth, wie sich herausstellen sollte, war die rothaarigste Frau, die ich jemals getroffen habe, und arbeitete als Kassiererin bei Marks & Spencer unten an der Old Brompton Road, ihr Ehemann Benny starb ein halbes Jahr später bei einem Verkehrsunfall, aber Ruth fand nur wenige Wochen nach der Beerdigung einen neuen Kerl, dessen Namen ich aber nie erfuhr), und ich dachte, dass ich mich auch unter dieser Adresse würde arrangieren können. Wenn ich nachrechnete, kam ich zu dem Schluss, dass es meine neunte war, seit ich vor drei Jahren nach London gekommen war.

Aber zurück zur Aktentasche. Und meiner nervösen Unruhe.

Geld?, fragte ich mich. Konnte es sein, dass ich mit einer Aktentasche, prall gefüllt mit Bargeld, dasaß? Dollars oder Schweizer Franken oder was auch immer? Dass mir aus irgendwelchen unergründlichen Zufällen eine größere Geldsumme anvertraut worden war, in der Erwartung, dass sie dem rechtmäßigen Adressaten ausgeliefert werden sollte? Der höchstwahrscheinlich ein Schurke oder etwas anderes in der Art sein musste. Konnte es sich so verhalten? Und wenn ja, warum? Wie konnte ein derartiges Szenario im Detail aussehen?

Was wäre sonst möglich? Drogen? Geheimdokumente irgendwelcher Art? Ich konnte nicht anders, ich musste diesen

Gedanken weiterspinnen, schließlich hatte ich im letzten Jahr zwei von le Carrés Spionageromanen gelesen und war ja gerade zu dem Schluss gekommen, dass Carla irgendwo im Ostblock beheimatet sein musste. Bei einer weiteren Tasse Tee und zwei oder drei Zigaretten präzisierte ich diese Annahme dahingehend, dass sie mit an Sicherheit grenzender Wahrscheinlichkeit tschechoslowakischer Herkunft war. Hießen Frauen im alten Böhmen und Mähren nicht alle Carla oder Karla? Der sowjetische Einmarsch in die Tschechoslowakei, diese schreckliche sozialistische Heimtücke, die immer noch die Schlagzeilen dominierte, lag erst zwei Wochen zurück. Im Rundfunk und Fernsehen wurde täglich und stündlich darüber berichtet, wie der sogenannte Prager Frühling und der befreite lebensfrohe linke Optimismus, der das ganze Jahr 1968 prägte – die Pariser Unruhen im Mai nicht zu vergessen, ich hatte einen langen, spekulativen Artikel darüber in der *Spiff* geschrieben –, wie alle diese hoffnungsvollen Tendenzen auf brutalste Art und Weise vernichtet worden waren. Die sowjetischen Panzer in den Straßen von Prag waren eine Katastrophe für die gesamte Glaubwürdigkeit der Linken, für das sozialistische Experiment an sich, in dieser Beurteilung war sich der Westen einig, aber in allererster Linie war es natürlich eine Katastrophe für das Volk der Tschechoslowakei.

Ja, so waren ungefähr die Gedanken, die mir in der Nacht nach meiner ersten Begegnung mit Carla durch den Kopf gingen, aber um bei der Wahrheit zu bleiben, so war es eher Carla, die mein Bewusstsein beschäftigte, als die möglichen politischen Implikationen.

Die erste Frau?

Dazu muss man wissen, dass ich an einem Wendepunkt stand. Oder zumindest das Gefühl hatte, dort zu stehen. Da war nicht nur meine neue Wohnung, es gab noch andere Indizien. Mein

Vater war im Sommer verstorben (meine Mutter starb früh, ich glaube, diese Tatsache habe ich bereits erwähnt), meine Freundin Alison, mit der ich sieben Monate lang zusammen gewesen war (möglicherweise in Erwartung, dass Mary Fjodor den Laufpass geben würde, wie schon gesagt), hatte nur vierzehn Tage vor meinem Umzug nach Earl's Court Schluss gemacht, und der Verlag, der ein halbes Jahr über dem, was mein Debütroman werden sollte, gebrütet hatte, hatte sich entschlossen, ihn abzulehnen. Ihr einziger Kommentar zu dem zurückgeschickten Manuskript war: »naiv, geschmacklos«. Eines Tages hatte ich in den späten Abendstunden ganz allein in einer Ecke von Hampstead Heath gehockt und eine Seite nach der anderen in einem alten Benzinfass verbrannt. Es fiel mir schwer, mir mit achtundzwanzig Jahren vorzustellen, dass mein weiterer Lebensweg sehr viel mehr beinhalten würde als eine ziemlich dunkle und trostlose Wanderung.

Zumindest neigte ich in der ersten Zeit in Earl's Court, der ersten Woche dort, zu einer derartigen Analyse. Was möglicherweise in der anderen Waagschale zu finden war, das war Carla. Wenn ich später hin und wieder zurückschaute, so war mein Verhalten in diesem merkwürdigen Herbst nie etwas, was mich verwundert hätte. Ich hatte ganz einfach nicht besonders viel zu verlieren gehabt.

Es vergingen acht Tage. Die Aktentasche lag hinter einem Stapel Pullover in meinem Schrank im Schlafzimmer versteckt. Nach einem Abend im *Roundhouse* in Chalk Farm zusammen mit Christopher und einigen weniger bekannten, mittelmäßigen Bluesbands, kam ich ziemlich spät heim; auf jeden Fall nach Mitternacht, und auf dem Flurfußboden, offenbar durch den Spalt unter der Tür geschoben, lag eine einfache Mitteilung auf einer Ansichtskarte, die einen traurigen Clown zeigte:

Pub Prince Edward, Dawson Place, 14. Sept. 8 pm. C

Ich hatte einige Pints im *Roundhouse* getrunken, vielleicht auch ein oder zwei Whisky, fühlte mich aber augenblicklich stocknüchtern. Der 14., das war der folgende Tag, und ich kam überhaupt nicht auf die Idee, dass sich hinter der Signatur C etwas anderes als Carla verbergen könnte.

Ich verbrachte eine weitere schlaflose Nacht mit der Aktentasche vor mir auf dem Küchentisch; Tee und Zigaretten und eine Wolke unstrukturierter Gedanken im Kopf. Kurz bevor ich ins Bett kroch, hatte ich eigentlich nur zwei Dinge entschieden: dass ich ins *Prince Edward* gehen würde und dass Spekulationen sinnlos waren.

Doch eine Frage musste ich dennoch beantworten: Sollte ich die Aktentasche mitnehmen oder nicht? Das ging aus dem kurzen Text auf der Clownskarte nicht hervor, aber vielleicht setzte sie ja voraus, dass ich es tat. Ich konnte diese Frage nicht beantworten, bevor ich einschlief.

Im hellen Morgenlicht – als ich irgendwann gegen halb zehn Uhr aufstand – war es jedoch einfacher, einen Entschluss zu fassen. Ich würde die Aktentasche daheim im Schrank lassen, und der Grund war ganz einfach: Sie war meine einzige Verbindung zu Carla. Wenn ich einfach in den Pub ginge und sie ihr überreichte, dann war das Risiko groß, dass sie aus meinem Leben verschwand. Das war die schrecklichste aller denkbaren Fortsetzungen der Geschichte.

Also trat ich ein paar Minuten vor acht Uhr mit leeren Händen in den *Prince Edward Pub* direkt an der Ecke zum Prince's Square auf der Grenze zwischen Bayswater und Notting Hill. Sofort wurde mir klar, dass ich hier schon früher gewesen war, vor ein paar Jahren, vermutlich in Gesellschaft von Fjodor und Mary. An diesem Abend hingen so um die zehn Gäste an der Bar herum, und weitere zehn saßen verteilt an den kleinen Tischen im Lokal. Ungefähr fünfzehn Männer insgesamt, fünf Frauen. Keine der Frauen war Carla. Ich bestellte mein Pint und setzte mich an einen freien Tisch gleich beim Eingang.

Zündete eine Zigarette an und wartete.

Nach ungefähr zwanzig Minuten, ich hatte gerade den ersten Schluck meines zweiten Pints genommen, kam ein Mann herein und ließ sich an meinem Tisch nieder. Vorher deutete er auf den freien Stuhl, und ich nickte.

Er war groß und ziemlich kräftig. In den Vierzigern, soweit ich das beurteilen konnte, trug einen dunklen Anzug und einen dünnen Mantel. Bevor er sich setzte, zog er den Mantel aus und legte ihn sich ordentlich zusammengefaltet über die Knie. Er trug ein aufgeknöpftes Hemd, hatte dunkles Haar, etwas schütter, mit Hilfe irgendwelcher Pomade nach hinten gekämmt. Tiefliegende Augen, eine kräftige, markante Nase und ein schmaler, gepflegter Schnurrbart. Ich dachte, dass er aussah wie die Inkarnation eines Botschaftssekretärs irgendeines Ostblockstaates.

Oder wie ein Berufsverbrecher. Statt Bier trank er Wein, ein Glas Weißwein, an dem er zunächst schnupperte und es dann mit einer gewissen Akkuratesse auf den Pappdeckel auf dem Tisch stellte. Er holte eine Zigarette aus einem Etui heraus, klopfte das eine Ende zweimal auf den Etuideckel und fragte mich, ob ich Feuer habe. Während ich ihm Feuer gab, schob er mir ein zweimal gefaltetes Stück Papier zu, nicht größer als eine Taxiquittung. Ich war gerade im Begriff, es mir zu nehmen, als er mir mit dem Zeigefinger bedeutete, dass ich das sein lassen solle.

Dann wandte er den Blick von mir ab, holte ein kleines Notizbuch aus der Jackeninnentasche, eine Brille ohne Fassung aus der Brusttasche und begann zu lesen. Ich trank einen Schluck Bier und räusperte mich.

Er zuckte nicht mit der Wimper.

Du liest nicht, dachte ich. Du spielst Theater, ich bin doch kein Idiot.

»Entschuldigen Sie…«

Er reagierte nicht. Spielte weiterhin Theater. Ich zündete mir ebenfalls eine Zigarette an und stopfte den Zettel in die Tasche. Zehn Minuten lang blieben wir schweigend sitzen, ich trank mein Bier aus, er nippte an seinem Weinglas. Dann schaute er auf die Uhr, steckte Notizbuch und Brille ein, stand auf und verließ das Lokal.

Ich blieb noch einige Minuten lang sitzen. Versuchte herauszubekommen, ob es jemanden im Pub gab, der mich beobachtete, konnte aber nichts entdecken, was einen derartigen Verdacht bestätigt hätte. Trotzdem hatte ich das Gefühl, beobachtet zu werden, als ich auf die Straße trat. Ich dachte in erster Linie, dass es wohl an den ungewöhnlichen Umständen lag, und versuchte es abzuschütteln. Es war inzwischen sichtbar dunkler geworden, und Nieselregen hatte eingesetzt. Ich ging die Hereford Road Richtung Norden, und im Lichtschein eines kleinen indischen Restaurants zog ich das Papier heraus und las es.

Es war eine Telefonnummer.

Sonst nichts. Ich steckte den Zettel wieder in die Tasche und schaute mich um. Konnte keinen Verfolger entdecken. Also bog ich rechts in die Westbourne Grove ein, ging schnellen Schrittes Richtung Paddington, und an der Ecke zur Porchester Terrace fand ich eine freie Telefonzelle. Ich trat ein, wühlte nach Münzen und wählte die Nummer.

Es waren mehrfach Freizeichen zu hören, bevor jemand antwortete.

»Yes?«

Es war eine dunkle Männerstimme. Eine Sekunde lang zögerte ich.

»Ich möchte Carla sprechen.«

»Einen Augenblick.«

Ich hörte, wie er den Hörer hinlegte. Wie eine Tür geöffnet und geschlossen wurde. Wieder geöffnet, Schritte auf einem knarrenden Fußboden.

»Hast du einen Stift?«

Der östliche Akzent war fast überdeutlich, wie gewollt; ein schlechter englischer Schauspieler, der einen Russen darstellen will.

Ich zog einen Stift heraus. »Ja?«

»Sie ist unter folgender Nummer zu erreichen. Du musst gleich anrufen.«

Er las die Nummer vor, und ich schrieb sie auf. Wir legten auf, ich suchte erneut ein Threepence-Stück und wählte von Neuem.

Wieder Freizeichen, und dann, endlich:

»Hello?«

Ich wusste sofort, dass sie es war. Ich hätte ihre Stimme unter tausend anderen erkannt, obwohl ich vor neun Tagen nur ein paar Worte von ihr gehört hatte, länger war es tatsächlich noch nicht her.

»Am Long Acre, zwischen Mercer und Garrick, gibt es eine Wimpy Bar. Meinst du, du findest sie?«

Ich versicherte, dass das kein Problem sei.

»Triff mich dort in genau einer halben Stunde. Geh nicht hinein, übrigens ist sie zu dieser Uhrzeit sowieso geschlossen.«

»Ja?«

»Bleib nur davor stehen und warte.«

»Ja?«

»Wenn ich komme, folgst du mir. Aber nicht zu dicht, mindestens mit zehn Metern Abstand. Hast du verstanden?«

Ich erklärte, dass ich verstanden hätte.

»Es tut mir leid«, sagte sie. »Es tut mir leid, dass ich dich in all das hineingezogen habe.«

Dann legte sie auf.

Ich nahm die Untergrundbahn von Paddington und kam rechtzeitig am Covent Garden an. Die Wimpy-Bar war tatsächlich geschlossen, genau wie sie vermutet hatte, und ich stellte mich vor den Eingang, über dem ein kleines Glasdach Schutz gegen den Regen bot, der weiterhin wie ein trauriges Flüstern über die Stadt rieselte. Ein typischer London-Regen. Es waren nicht viele Menschen unterwegs, doch nur hundert Meter entfernt, wo das Licht vom Leicester Square und all den Theatern einsetzte, war es anders. Ich fragte mich, warum sie ausgerechnet diesen Platz ausgesucht hatte. Wohnte sie in der Nähe? Sollten wir den Mann treffen, der die Aktentasche in St. Martin-in-the-Fields zurückgelassen hatte? Was würde sie sagen, wenn sie bemerkte, dass ich mit leeren Händen kam? Worum ging es hier eigentlich?

Aber alle Fragen waren natürlich sinnlos, nur etwas, das mir durch den Kopf schoss, da er trotz allem wach war und arbeitete. Eigenartig war, das wurde mir erst später klar, dass ich keinerlei Angst verspürte. Nur eine Art diffuser Erwartung, und ich wusste ja, dass dies einzig und allein auf dem Eindruck beruhte, den sie mir bei unserer ersten kurzen Begegnung auf dem Trafalgar Square vermittelt hatte. Hätte es sich stattdessen um einen älteren Herren gehandelt, der mir die Karten zugesteckt hätte, dann wäre ich wahrscheinlich gar nicht ins Konzert gegangen und würde auch nicht hier draußen im Regen vor einer geschlossenen Wimpy-Bar stehen und versuchen, mich ein wenig warmzuhalten.

Sie kam vom Leicester Square. Ging an mir vorbei, ohne mich auch nur eines Blickes zu würdigen, und lief weiter Richtung Obstviertel im Covent Garden. Bog dann nach rechts ab, es muss die Bow Street gewesen sein, wir befanden uns also ganz in der Nähe der Oper, und dann nach links in den Broad Court. Dort blieb sie vor einem Hauseingang stehen, schaute sich in der menschenleeren Gasse in beide Richtungen um, bevor sie einen Schlüssel aus ihrer Manteltasche zog und hineinschlüpfte. Ich folgte ihr, sie hatte die Tür angelehnt gelassen und wartete auf mich gleich dahinter. Mein erster Impuls war, sie fest in die Arme zu nehmen und zu küssen. Das Ganze ähnelte so sehr einem heimlichen Rendezvous, dass ich mich kaum zurückhalten konnte.

Doch ich beherrschte mich. Sie trug dasselbe rote Kleid wie beim letzten Mal, einen hellen Mantel darüber, und bevor ich etwas sagen konnte, legte sie mir einen Zeigefinger auf die Lippen, denselben Finger, dieselben Lippen, und gab mir zu verstehen, dass wir erst die Treppen hinaufgehen sollten.

Das taten wir. Im dritten Stockwerk schloss sie eine weitere Tür auf und ließ mich in eine dunkle Wohnung hinein. Es roch muffig und unsauber, ein kleiner, vollgestopfter Raum und eine Küche mit einem Tisch und zwei Stühlen, mehr nicht; sie machte Licht in der Küche, ein Rollo war bereits heruntergezogen, wir setzten uns an den Tisch.

»Entschuldige«, wiederholte sie. »Entschuldigung für alles, ich wusste nur nicht, was ich machen sollte.«

Ich nickte und ergriff ihre Hände auf dem Tisch. Sie hatten ja sowieso nichts anderes zu tun, unsere Hände.

12

Ich verbringe den Morgen mit den alten Aufzeichnungen, und die Zeit dreht und wendet sich, während ich auf dem Sessel direkt vor der Balkontür sitze. Wie heißt das... wie eine Möbiusschleife? So eine dreidimensionale Acht, bei der auf irgendeine Art und Weise alles gleichzeitig gegenwärtig ist, bei der sich die Rückseite und die Vorderseite, das Verflossene und das Neue miteinander ohne Hemmungen oder Komplikationen verbinden. Eine Sache, die einen verwundert, wenn man dem Tod so nahe steht, ist, wie viele all dieser Tage, die man gelebt hat, so vollkommen leer waren. So sinnlos und bar jeden Inhalts. Und, im umgekehrten Maße, wie wenige es von den anderen gab, den Tagen und Nächten, in denen die Feuer brannten. An denen etwas Bedeutungsvolles geschah und das Dasein von Blut und Aktionen erfüllt war. Kann sein, dass das eine matte Reflektion ist, dennoch erfüllt es mich mit Zuversicht, dass ich auf meinem Weg immer noch ein klein wenig auszurichten vermag, noch ein kleines Feuer entfachen werde und hoffentlich hinter mein Leben, das zu neun Zehnteln in Unwürdigkeit gelebt wurde, einen würdigen Punkt setzen kann.

Oder wie immer man das ausdrücken will. Ich bin es weiß Gott müde, dauernd nach Ausdrücken zu suchen. Maud hat nach dem Frühstück ein Taxi zum British Museum genommen, natürlich auf mein Anraten hin. Ich erwarte sie erst in einigen Stunden zurück, sie ist eine zielbewusste Museumsmaus, geht immer gewissenhaft und gründlich von einem Saal zum nächsten, nichts ist zu unwichtig, als dass sie ihm nicht zumindest eine oder zwei Sekunden Aufmerksamkeit schenkt, und in Anbetracht dessen, wie es dort in Bloomsbury aussieht, bei dem größten Schatz an Diebesgut der Welt, wird das seine Zeit dauern. Was mich betrifft, so werde ich mich am Nachmittag in dieses Restaurant begeben, ich will sehen, wie es aussieht. Eine einfache Inspektion des Ortes, nur darum dreht es sich, aber nichts darf dem Zufall überlassen werden, und ich vertraue einzig und allein meinem eigenen Auge und meiner Einschätzung.

Als ich zum Rauchen auf den Balkon gehe, sehe ich unten auf der Straße junge Männer. Ein halbes Dutzend, sie watscheln wie Enten kurz vor dem Eierlegen breitbeinig auf dem Bürgersteig entlang. Sie rauchen und spielen mit ihren Handys, ein Schauspiel, wie ich es schon früher gesehen habe, eigentlich jedes Mal, wenn ich auf dem Balkon stand.

Rauchen und mit ihren Handys flirten, ja, das ist das Einzige, womit sie sich zu beschäftigen scheinen. Manchmal ruft einer dem anderen etwas zu, ein wenig guttural, in einer Sprache, die ich nicht verstehe, ein anderer ruft zurück, und dann zünden sie sich neue Zigaretten an und beeilen sich, auf ihre Handydisplays zu schauen, um die Sekunden wiederzugewinnen, die ihnen gerade verloren gegangen sind. Ich weiß nicht, warum ich diese Beobachtung mache, aber ich bin froh darüber, dass ich nicht einer dieser jungen Männer bin. Wie anders war es doch noch vor nur dreißig, vierzig Jahren. Es geht abwärts mit dem Menschengeschlecht, nur gut, dass ich es bald verlassen werde.

Ich drücke meine Zigarette aus und beschließe, ein leichtes Mahl auf dem Zimmer zu mir zu nehmen, vielleicht eine Suppe, wenn es sie im Roomservice gibt, mein Hunger wiegt in diesen Tagen nicht mehr als eine Feder. Dann ein leichter Schlummer und anschließend also *Le Barquante*. Nur eine kurze Reflektion über Carla, bevor ich mich dem Leiblichen widme, da ich mich momentan einigermaßen klar im Kopf fühle. Oder eher ein Nachdenken über totalitäre Systeme und was sie mit den Menschen und ihrer Bewusstseinslage und ihrem Verstand machen. Mit denen, die gezwungen sind, in so einer Gesellschaft zu leben, und die sich in die Reihen einfügen, die brauchen ja praktisch nie einen einzigen Beschluss zu fassen. Alle Entscheidungen sind bereits getroffen, alles ist bereits entschieden und berechnet, weit über die Köpfe der prächtigen Mitbürger und ihres vorgeblichen Fassungsvermögens hinweg. Die Zukunft jedes Einzelnen ist bereits im Plan festgelegt. Das Denken selbst, diese Sartresche *Wahlfreiheit*, wenn man so will – ja, ich habe ihn tatsächlich gelesen, im allerletzten Jahr in London, wenn ich mich nicht irre –, ist auf der individuellen Ebene nicht mehr nötig. Sie ist auf dem historischen Müllhaufen gelandet. So ist es, so war es. Doch für denjenigen, der sich *nicht* in die Reihen fügt, der sich entscheidet, auf die eine oder andere Weise zum Dissidenten zu werden, sind die Verhältnisse genau umgekehrt. Er muss jeden Schritt, jede noch so kleine Bewegung berechnen. Die kleinste falsche Entscheidung bedeutet, dass er in den Graben rutscht, dass der Große Bruder ihn sieht, dass er eines schönen Tages hinter Gittern landet. Ja, von dem Moment an, wenn er morgens die Augen öffnet, muss er auf der Hut sein. Vom ersten wachen Atemzug an muss er Entscheidungen treffen und nachdenken. Über die Schulter schauen, Angriffe erwarten und einem geschenkten Gaul ins Maul schauen, Wachsamkeit, Wachsamkeit, sie macht den diametralen Unterschied aus.

Carla war seit vielen Jahren nicht mehr in Reih und Glied gegangen, darauf will ich hinaus, bevor ich einschlafe, aber sie lief in gewisser Weise parallel dazu, genau diese Worte benutzte sie an diesem ersten Abend. *Parallel,* ich verstand, was das bedeutete, und verstand es gleichzeitig nicht. Besonders seit dem 21. August hatte sie in Hochspannung gelebt, aufgrund der neuen Lage, in der sich ihr Heimatland plötzlich befand. Sie ging nicht darauf ein, was das beinhaltete, was ihre neue Wanderung genau mit sich brachte oder womit sie eigentlich an der tschechoslowakischen Botschaft beschäftigt war, im Licht und im Schatten, andererseits ging sie sowieso auf nichts ein, was ihre Arbeit betraf. Diese Dinge vermutete ich vielmehr und meinte einiges eingekreist zu haben, und nachdem sich die ersten romantischen Nebelwände langsam zerstreuten, wurde mir klar, dass diese alerte Schärfe mit das Attraktivste und Bewundernswerteste an ihr war.

Die durch das System und die Wachsamkeit ihm gegenüber erst so richtig geschliffen worden war. Es gab nie irgendeine Schlaffheit, keine Lethargie oder Gleichgültigkeit, nicht eine Sekunde lang. Alles musste genau bedacht werden, und alles, was getan wurde, wurde voll und ganz getan. Bewusst und mit vollständiger Konzentration; ungefähr wie in Ibsens *Brand*, den ich mit großem Interesse las, aber erst später, Ende der Siebziger, nicht im selben Jahr wie Sartre.

Wir befinden uns hier und jetzt, in diesem Zimmer. Leonard und Carla. Carla und Leonard. Für die kommenden drei Stunden sind wir in Sicherheit. Lass uns das nutzen. Lass uns von ganzem Herzen präsent sein. Du und ich in diesem Moment.

Ja, so war es in etwa. Aber jetzt muss ich mich hinlegen, ich beschließe, trotz allem die Suppe zu überspringen.

»Willkommen, Monsieur Vermin.«

Der Oberkellner vom *Le Barquante* ist ein unterernährter Pinguin mit berechnendem französischem Akzent. Er könnte problemlos ein Schauspieler aus Wales oder Ipswich sein. Der Kellner, der ihn aus dem Schatten hervorholte, verlässt uns, und ich erkläre ihm mein Anliegen.

»Ja, natürlich«, sagt der Pinguin. »Alles ist notiert. Eine Gesellschaft von sechs Personen, am Donnerstag nächster

Woche. Aus einem besonderen Anlass, wenn ich mich nicht irre ...?«

Ich bestätige, dass alles seine Richtigkeit hat, auch das mit dem Anlass.

»Es ist notwendig, dass wir etwas für uns sitzen.«

Er verneigt sich und weist mir den Weg.

»Ich habe an diesen Tisch gedacht. Wenn er Ihren Erwartungen entspricht?«

Ich schaue mich um und stelle fest, dass er wirklich meinen Erwartungen entspricht. Der ovale Tisch mit sechs hochlehnigen Stühlen steht in einem eigenen Alkoven des nicht besonders großen Lokals, wenn man sitzt, befindet sich kein einziger anderer Tisch im Blickfeld. Ich nicke und erkläre, dass er sich ausgezeichnet eignet. Frage, ob es möglich ist, bereits jetzt eine Speisekarte mitzunehmen, damit ich ein paar Tage vorher anrufen und meine Bestellung abgeben kann.

»Das Einzige, was ich nicht garantieren kann, das ist der Fisch«, erklärt er und überreicht mir zwei in Leder gebundene Speisekarten, die eine schwarz, die andere rot. »Wir bekommen ihn täglich frisch geliefert, und es lässt sich nicht voraussagen, welcher Fisch es genau werden wird. Aber er ist immer von höchster Qualität, Seeteufel oder Meeresbarsch sind das Übliche, aber es kommt auch vor, dass wir Seezunge anbieten können. Austern und andere Schalentiere haben wir zu dieser Jahreszeit natürlich auch. Das Rote ist die Weinliste.«

Ich wiederhole, dass alles zu meiner Zufriedenheit ist, er fragt, ob ich ein Glas Champagner probieren möchte, wo ich schon einmal hier bin, doch ich lehne dankend ab. Verlasse ihn und trete wieder hinaus auf die Great Portland Street.

Winke mir ein Taxi heran und bitte den Fahrer, mich nach Knightsbridge zu fahren. Wenn ich schon dabei bin, kann ich das Hotel auch gleich inspizieren.

Doch während wir die Edgware Road entlangschleichen,

übermannen mich die Schmerzen; ich habe meine Tabletten vergessen und gebe dem Fahrer die Anweisung, mich stattdessen zur Chepstow Road zu bringen.

Es dauert eine Ewigkeit, wie mir scheint, ich beiße die Zähne zusammen und verfluche meinen Zustand, meinen Krebs und mein Leben. Vielleicht hätte ich trotz allem das Glas Champagner annehmen sollen. Vielleicht hätte es alles erleichtert. Als ich endlich wieder auf meinem Zimmer bin, gelingt es mir nur noch mit größter Mühe, die segensreichen Tabletten zu schlucken und ins Bett zu kriechen. Der verführerische Nebel breitet sich wie ein angenehmer Vorgeschmack auf den Tod in meinem Kopf aus, ich fühle mich bereit für was auch immer.

13

Milos

In der Nacht vor seiner Abreise schlief Milos Skrupka nicht eine Sekunde lang. Doch das fand er nicht schlimm; das Flugzeug sollte abends starten, da war es nur gut, übermüdet zu sein, so konnte er die sechs Stunden schlafen und war dann ausgeruht, wenn er am folgenden Morgen in London ankam. Es war das zweite Mal, dass er wieder zurück über den Atlantik flog, seit er als Fünfzehnjähriger in die USA eingereist war. Einmal, Ende der Neunziger, hatte die Familie noch einmal einen Besuch in Tschechien und der Slowakei gemacht. Nur zehn Tage, sie hatten bei Bekannten in Prag und in Bratislava gewohnt, und er hatte keine besonders guten Erinnerungen daran, weder an die Reise noch an den Aufenthalt.

Als er im Bus hinaus zum JFK saß, fiel ihm ein, dass er niemandem erzählt hatte, wohin er unterwegs war. Nicht einer Menschenseele, weder Zlatan noch Phil oder Mr. Jan Kopper. Sollte beispielsweise das Flugzeug abstürzen, würden sie zweifellos ziemlich überrascht sein, wenn sie erführen, dass er umgekommen war.

Zunächst war der Gedanke nur ein makabrer Scherz, doch bald spürte er, dass er ihn nicht mehr loswurde. Schließlich rief er bei seinen beiden Schwestern an, erreichte jedoch keine von ihnen, hinterließ aber auf Helkas Anrufbeantworter eine Nachricht. Erklärte kurz, dass er auf dem Weg nach London sei und in einer Woche wieder zurückkomme. Das erschien ihm wie eine Absicherung, er wusste nur nicht genau, wogegen.

Insgesamt war Milos in seinem Leben erst zehn, zwölf Mal geflogen, und es war das erste Mal, dass er in der Businessclass reiste. Als er sich auf dem bequemen Sessel ausstreckte und von einer lächelnden, blau kostümierten Stewardess ein Glas Champagner entgegennahm, meinte er plötzlich, den Sinn des Lebens zu verstehen. Nach fünfunddreißig Jahren, es war wahrlich höchste Zeit. Gleichzeitig bedauerte er, dass er so müde war, ihm war klar, dass er fast den ganzen Flug über schlafen würde, dabei wäre es doch viel interessanter gewesen, wach zu bleiben und sich von der lächelnden Blauen Drinks und diverse andere Dinge servieren zu lassen. Aber so war es nun einmal, nach dem Essen, einer richtigen Dreigängemahlzeit mit weißem und rotem Wein und einem echten französischen Cognac zum Kaffee, schlummerte er ein und wachte erst wieder auf, als ihm jemand vorsichtig auf die Schulter klopfte und fragte, ob er Frühstück wünsche. Wieder das gleiche schöne Lächeln, wie schaffte sie das nur? Er richtete die Sessellehne auf und schaute aus dem Kabinenfenster. Draußen herrschte ein funkelnd strahlender klarer Morgen, er konnte sogar die Schiffe auf dem leicht gekräuselten Atlantik dreitausend Fuß unter sich sehen.

Mein Leben ist in neue Bahnen gekommen, dachte Milos Skrupka. Ich weiß nicht, was mich erwartet, aber alles deutet darauf hin, dass es etwas Gutes ist.

The Rembrandt Hotel half zweifellos dabei, diesen Eindruck zu verstärken. Ein goldbetresster Piccolo nahm ihm sein Gepäck ab, zwei Frauen in der Rezeption, die problemlos Cousinen seiner Stewardess hätten sein können, hießen ihn willkommen – als hätten sie einzig und allein hinter dem schwarzen Marmortresen gestanden, um auf ihn zu warten, darauf, dass Mr. Skrupka aus New York endlich auftauchte. In seinem Zimmer stand eine Obstschale mit einer Karte vom Hoteldirektor zwischen den Mandarinen und Weintrauben. Er wollte auf diese einfache Art den Gast persönlich willkommen heißen, und er drückte den frommen Wunsch aus, dass Mr. Skrupkas Aufenthalt in jeder Hinsicht angenehm sein möge.

Milos schlüpfte aus seinen Schuhen, ohne sie aufzuschnüren, und testete das großzügig bemessene Bett. Es war ein Gefühl, wie in eine Wolke geschlagener Sahne zu sinken. Es war unvermeidlich, dass er wieder einschlief, doch eine Stunde später stand er unter der Dusche und sang: *On the Sunny Side of the Street,* sein absoluter Lieblingssong in allen Kategorien, obwohl er in einer ganz anderen Zeit beheimatet war als er selbst.

Er zog sich saubere Kleidung an, suchte Leyas Telefonnummer aus seinem Taschenkalender und dachte, er könne sie ebenso gut gleich anrufen – solange er noch auf einer Woge aus Optimismus und Tatendrang surfte. Die Chance, dass sie tatsächlich dranging oder nach all diesen Jahren noch unter derselben Nummer zu finden war, war nicht besonders groß, das wusste er selbst, aber er hatte es sich in den Kopf gesetzt, sie aufzuspüren. Wobei er selbst nicht so recht daran glaubte, dass es so einfach sein könnte, einfach nur ihre Nummer zu wählen.

Sie antwortete nach zwei Freizeichen.

»Leya?«

»Ja, am Apparat.«

»Hallo. Hier ist Milos.«

Er verspürte kurz ein Schwindelgefühl. Hoffentlich sagt sie etwas. Ich habe keine Ahnung, was ich sagen soll.

»Milos?«

»Ja. Du hast mich doch nicht vergessen? Ich bin in London.«

»Milos! Bist du das?«

Gott sei Dank, dachte er, und plötzlich erinnerte er sich daran, dass sie immer so geklungen hatte. Fröhlich und voller Begeisterung, auch wenn es nicht viel gab, wovon man begeistert sein konnte. Irgendwie spritzig. Und es schien ihr nichts auszumachen, dass er sie anrief, nicht das Geringste.

»Ja, sicher«, sagte er. »Ich bin vor zwei Stunden angekommen. Ich dachte...«

Er wusste nicht, was er dachte, doch das machte nichts, denn Leya übernahm und ergänzte den angefangenen Satz.

»Wir müssen uns sehen. Was für ein Glück, dass du mich erwischst, ich hatte vergessen, das Handy auszuschalten. Normalerweise habe ich es nie an, wenn ich arbeite. Was machst du hier?«

»Äh... Geschäfte«, sagte Milos.

»Und wo wohnst du?«

»Ich weiß nicht genau. Ich bin mit einem Zug bis Paddington gefahren und habe von dort ein Taxi genommen. Das Hotel heißt *Rembrandt*... Knightsbridge, glaube ich.«

Leya lachte. »Weißt du was, kannst du nicht herausfinden, wo du bist? Und dann könnten wir uns treffen, wenn ich mit der Arbeit fertig bin?«

»Wo... wo arbeitest du? Bist du immer noch bei dieser Bank?«

»Genau«, bestätigte Leya. »HSBC in der Kensington High Street, das kann nicht weit von deinem Hotel entfernt sein... wenn es denn tatsächlich in Knightsbridge liegt. Weißt du was, ruf mich doch so gegen drei Uhr an, dann habe ich mir überlegt, was wir machen können. Aber jetzt wartet ein ungeduldiger Kunde vor meiner Tür.«

»Okay«, sagte Milos.

»Meine Güte, es ist toll, dass du einfach so anrufst. Ich freue mich riesig, dich wiederzusehen. Wir hören dann heute Nachmittag voneinander.«

Ja, dachte Milos Skrupka, nachdem er aufgelegt hatte. Heute habe ich die Götter auf meiner Seite. Aber jetzt muss ich erst mal raus und mich mit der Stadt bekannt machen. Mir einen

Stadtplan besorgen. Er schaute aus dem Fenster, die Sonne strahlte da draußen an einem hellblauen Himmel.

»Geschäfte? Was für Geschäfte?«

Es war halb fünf. Sie saßen in einem Espressocafé an der Kensington Church Street. Draußen auf dem Bürgersteig, das Wetter war immer noch herrlich, so war es den ganzen Tag gewesen.

»Ich weiß nicht, ob man es Geschäfte nennen kann«, sagte Milos.

»Wie meinst du das?«

Während er in der Stadt herumgelaufen war, hatte er darüber nachgedacht. Kensington Gardens und Hyde Park. Oxford Street von Marble Arch bis nach Soho. Piccadilly Circus und Leicester Square. Was sollte er Leya sagen, warum er in London war? Das mit den Geschäften klang ja gut, aber wenn er es präzisieren musste, und das musste er natürlich früher oder später, dann war er gezwungen, sie anzulügen. Er erinnerte sich daran, dass sie keine Lügner mochte und dass sie außerdem ziemlich gut darin war, sie zu entlarven.

»Es ist etwas merkwürdig«, sagte er. »Ich weiß selbst nicht so genau, warum ich hier bin.«

Sie lehnte sich zurück und betrachtete ihn mit einer Falte auf der Stirn. Auch an diese Falte erinnerte er sich. Da konnte er ebenso gut gleich die Karten auf den Tisch legen, und warum eigentlich auch nicht? Er hatte doch wohl kaum etwas zu verbergen.

»Ich habe eine Einladung bekommen«, sagte er.

»Was?«

»Ja. Von einem Gönner.«

»Eine Einladung von einem Gönner?«

»Ja.«

Sie machte eine kurze Pause, wischte sich den Mund mit einer Serviette ab.

89

»Milos, über was redest du da eigentlich? Willst du mich auf den Arm nehmen?«

»Nein, nein«, versicherte er und gratulierte sich dazu, den Brief eingesteckt zu haben. »Guck hier. Lies selbst.«

Er überreichte ihn ihr, und sie las ihn. Die Falte auf der Stirn wurde tiefer.

»Wer ist Leonard?«

»Keine Ahnung.«

»Du weißt es nicht?«

»Nein.«

Sie las den Brief noch einmal, dann saß sie schweigend da und betrachtete Milos, während sie sich auf die Unterlippe biss.

»Das ist ja total merkwürdig.«

»Finde ich auch. Aber Flugticket und Hotel sind bezahlt.«

»Und du weißt wirklich nicht, wer das ist?«

»Nein.«

»Ein alter Verwandter oder so?«

»Ich habe keine Ahnung«, versicherte Milos. »Meine Schwestern haben beide noch nie etwas von einem Leonard gehört. Und ich habe in meinem ganzen Leben noch keinen Leonard getroffen.«

»Ich auch nicht«, stellte Leya fest. »Vor ein paar Jahren war ich auf einem Leonard-Cohen-Konzert, aber das ist alles, was ich mit dem Namen verbinde. Und was haben deine Schwestern dazu gesagt? Und deine Mutter? Ich mochte deine Mutter richtig gern, erinnerst du dich?«

»Sie ist letztes Jahr gestorben«, sagte Milos. »Nein, ich habe eigentlich niemandem etwas davon erzählt. Habe Marta und Helka nur gefragt, ob sie einen Leonard kennen. Aber nie gesagt, worum es eigentlich geht.«

»Wieso nicht? Warum hast du dich nicht näher erkundigt?«

»Das kann ich nicht sagen. Es ist so ein Gefühl... nein, ich weiß es nicht. Als würde es sich um eine Art Scherz handeln.«

Leya hob die Augenbrauen und schüttelte ungläubig den Kopf. »Aber was glaubst du? Wirklich? Das kann doch nicht einfach ein Scherz sein?«

Milos zuckte mit den Schultern. »Mir fällt nichts dazu ein. Da steht ja, dass ich bei der Feier zu seinem siebzigsten Geburtstag dabei sein soll. Das ist übermorgen, aber ich weiß nicht einmal, wo die Feier stattfinden soll.«

»Und wie sollst du das erfahren?«

»Ich weiß es nicht. Ich nehme an, dass eine Nachricht ins Hotel kommt.«

Sie überlegte einen Moment lang. Während er dachte, dass sie, wenn sie so dasaß und über etwas grübelte, süßer war als jemals zuvor. Er erinnerte sich, dass er das bereits gedacht hatte, als sie noch zusammen gewesen waren.

Und dass seitdem zehn Jahre vergangen sein sollten, war unfassbar.

»Wie lange ist es her, seit du die Einladung gekriegt hast?«

»Ungefähr zwei Monate.«

»Und du hast keine Ahnung?«

Er breitete die Arme aus. »Ich habe ja alles Mögliche überlegt. Aber ich weiß einfach nicht, wie ich es anfangen soll, mehr über diese Sache zu erfahren.«

Sie dachte nach, nickte dann. »Und es ist sicher, dass du mich nicht auf den Arm nimmst?«

»Natürlich tue ich das nicht. Warum sollte ich so etwas machen, wenn wir uns nach zehn Jahren das erste Mal wiedersehen? Aber vielleicht nimmt mich irgendjemand auf den Arm. Nein, jetzt lass uns damit aufhören. Erzähl mir lieber, wie es dir geht. Du bist sicher verheiratet und hast drei Kinder?«

Ein Hauch von Traurigkeit huschte über ihr Gesicht, zumindest interpretierte er es so. Doch dann lachte sie. »Nein, nein. Weder das eine noch das andere. Und du?«

Er schüttelte den Kopf. »Allein wie ein Himmelskörper. Aber ich begreife nicht, dass du es auch bist.«

»Es ist noch ziemlich frisch«, sagte sie. »Dass ich wieder Single bin, meine ich. Ich habe fünf Jahre lang mit einem Mann zusammengelebt. Richard. Im Frühling war damit Schluss.«

»Das tut mir leid«, sagte Milos. Was natürlich eine Lüge war, doch keine von der Art, die sie gern entlarvt hätte.

»Mir auch«, sagte sie. »Aber lassen wir das. Du bist also für vier Tage hier?«

»Stimmt«, nickte Milos. »Die Feier ist am Donnerstag. Das Flugzeug geht am Samstagmorgen. Vielleicht könnten wir…«

»Aber natürlich«, rief Leya aus. »Ich werde dir London zeigen. Können wir nicht damit anfangen, dass ich dich heute Abend zum Essen einlade? Bei mir zu Hause, meine ich. Wir haben ja jede Menge nachzuholen und zu bereden.«

Milos seufzte und dachte, dass er vermutlich tot war, aber aufgrund irgendeines Buchungsirrtums im Himmel gelandet war.

14

Am ersten Morgen im Hotel *Rembrandt* wachte er um halb fünf Uhr auf und konnte nicht wieder einschlafen. Er nahm an, dass es an dem Phänomen lag, das die Leute Jetlag nannten. Nach einer halben Stunde gab er auf, stieg unter die Dusche und kochte sich einen Kaffee mit der Maschine, die auf der Minibar stand. Setzte sich in den Sessel an dem Fenster, das bis zum Boden ging, und schaute auf die Vielmillionenstadt, über der der Ansatz eines Morgengrauens zu erahnen war. Es war eine andere Art von Stadt als New York, dachte er. Nicht so viele Hochhäuser, fast keine nennenswerte Skyline, zumindest nicht in der Richtung, in die das Fenster zeigte. Obwohl London mindestens tausend Jahre älter war, das hatte er im Flugzeug in einer Broschüre gelesen, während er den französischen Cognac genossen hatte. Ob ich hier leben könnte?, überlegte er. Warum nicht? Was hält mich eigentlich in New York? Kopper Car Splendid Service and Wash jedenfalls nicht.

Er dachte an den gestrigen Abend zurück. Konnte sich nicht daran erinnern, es jemals so schön gehabt zu haben. Leya hatte natürlich zu irgendetwas Asiatischem geladen, Krabben und kunterbuntes Gemüse in einem Topf, er erinnerte sich, dass er während ihrer gemeinsamen Zeit in New York häufig ihre Kochkünste genossen hatte. Sie tranken einige Gläser Wein und redeten über alte Zeiten. Auch über neue Zeiten natürlich, Leyas Familie war mehr oder weniger über die ganze Welt verteilt, aber sie selbst war nur ein einziges Mal wieder in den USA gewesen, seit sie über den Atlantik gezogen war. Als Milos sich etwas enttäuscht darüber wunderte, warum sie da nicht von sich hatte hören lassen, erklärte sie, dass sie damals nicht einmal einen Fuß auf New Yorks Straßen gesetzt hatte. Sie war über Chicago nach Los Angeles geflogen und hatte dort drei Wochen mit ihrer Mutter und der Familie ihres Bruders verbracht.

Sie behauptete, dass sie sich in London wohl fühle, zumindest hatte sie das bis zum Frühling, als es mit Richard vorbei war. Er arbeitete auch bei der Bank, aber inzwischen in Edinburgh; sie hatten sich vor sechs Jahren auf einer Party kennen gelernt, die einer ihrer Chefs veranstaltet hatte, als er in Pension ging.

Ich finde es fantastisch, dass du mit diesem Richard Schluss gemacht hast, hatte Milos gedacht. Er war wirklich nicht dein Typ.

Leya hatte nach der Trennung die Wohnung behalten, da der Mietvertrag auf ihren Namen lief. Sie lag draußen in Ravenscourt, Milos war mit der U-Bahn hinausgefahren, und wenn er sie mit seinem eigenen Verschlag in East Village verglich, war es der reine Luxus. Drei große Zimmer mit Küche, ein Balkon mit Blick auf einen Park. Was konnte man sich mehr wünschen? Auch geschmackvoll eingerichtet, genau wie sie es schon in New York gehabt hatte. Dunkel möbliert mit großen Farbtupfern, die hier und da aufblitzten. Nachdem sie die Mahlzeit beendet hatten, tranken sie Tee und ein Glas Portwein – es war nur Milos, der Portwein trank, da Leya Alkohol in größeren Mengen nicht vertrug –, und er dachte, dass er sich nicht die Bohne nach New York zurücksehnte. Ganz und gar nicht.

Er hatte versucht, auch von seinem Leben zu berichten, aber obwohl er sein Bestes gab, nützte es nichts, es erschien einfach etwas dürftig – und dann hatten sie der Diskussion seines Aufenthalts in London viel Zeit gewidmet. Wer dieser Leonard V sein könnte. Und was das Ziel der Einladung wohl war. Leya fragte sich erneut, ob es sich nicht um einen alten Verwandten handeln könnte, und Milos versicherte ihr, dass er getan hatte, was er tun konnte, um diese Frage zu klären. Doch weder seine Schwestern noch Mr. Jan Kopper, der ja ein alter Freund der Familie war, hatten jemals von einem Leonard gehört. Wer möglicherweise Bescheid gewusst haben könnte, das war seine Mutter, aber die war ja vor fast einem Jahr verstorben.

Und plötzlich hatte er sich an das Gespräch erinnert, das nie zustande gekommen war. Als seine Mutter ihn auf ihrem Sterbelager zu sich gerufen hatte, um ihm etwas Wichtiges mitzuteilen, und wie er dann zu spät gekommen war. Er hatte nie erfahren, was sie auf dem Herzen gehabt hatte. Als er das Leya erzählte, bekam sie wieder diese grüblerische Falte auf der Stirn.

»Sie wollte also nur mit dir sprechen?«

»Ja.«

»Nicht mit deinen Schwestern?«

»Nein, im Gegenteil, sie hat …«

»Ja?«

»Sie hat ausdrücklich betont, dass Marta und Helka nicht dabei sein sollten.«

»Und du bist zu spät gekommen?«

»Ja. Als ich im Krankenhaus ankam, war sie bereits tot.«

»Was glaubst du denn, was sie wollte?«

»Keine Ahnung.«

»So ein Mist!«

Milos fuhr zusammen. Leya fluchte sonst nie, zumindest hatte sie es früher nie getan, und er glaubte nicht, dass sie sich neue Gewohnheiten zugelegt hatte. Zumindest nicht in dieser Hinsicht.

»Entschuldige«, sagte sie, »aber kapierst du nicht?«

»Was?«, fragte Milos. »Was soll ich kapieren?«

Leya seufzte. »Dir ist nie der Gedanke gekommen, das könnte zusammenhängen?«

»Was denn? Was soll zusammenhängen?«

»Das, was deine Mutter dir erzählen wollte, und das hier natürlich. Dein Gönner und die Geburtstagsfeier.«

Milos dachte nach. Ihm wurde klar, dass er tatsächlich nie einen Zusammenhang gesehen hatte. Aber andererseits: warum hätte er auch?

»Ich höre mir an, was du sagst«, meinte er, »aber ehrlich gesagt glaube ich nicht, dass das zusammenhängt. Warum sollte es? Als ich den Brief erhalten habe, war meine Mutter schon mehr als ein halbes Jahr tot.«

Leya überlegte wieder. »Kann sein«, sagte sie. »Nein, vielleicht spricht gar nicht so viel dafür. Ich werde nur verrückt, wenn ich für Dinge keine Erklärung finde.«

»Doch, ja, daran erinnere ich mich«, erklärte Milos lachend. »Du hast dich überhaupt nicht verändert.«

Da musste sie auch lachen. Doch dann wurde sie wieder ernst. »Aber da ist etwas anderes, was mich noch beunruhigt. Es ist so ein Gefühl… ja, ich weiß nicht so recht, wie ich es sagen soll. Etwas Bedrohliches vielleicht? Fühlst du das nicht auch?«

»Nein«, widersprach Milos. »Das fühle ich überhaupt nicht.«

Doch in dem Moment, als er es sagte, konnte er einen Hauch von etwas Dunklem, Beunruhigendem spüren, das durch sein Bewusstsein strich. Wie ein Schatten, es ging ganz schnell, und es verschwand fast augenblicklich, ließ aber dennoch etwas zurück. Etwas… Bitteres?

Er trank die letzten Tropfen seines Portweins, der alles andere als bitter war, und spürte plötzlich, wie müde er war.

»Mein Gott«, sagte er, »weißt du, Leya, ich kann kaum noch die Augen offen halten. Ich weiß nicht, was mit mir los ist.«

Sie lächelte ihm zu. »So ist das, wenn man in dieser Richtung über den Atlantik fliegt. Man braucht ein paar Tage, um sich auf den Tagesrhythmus einzustellen. Weißt du was, ich komme mit dir runter auf die Straße, und da winken wir dir ein Taxi.«

Das taten sie. Doch bevor sie sich draußen auf der Ravenscourt Road trennten, verabredeten sie ein Treffen am folgenden Tag. Zuerst ein Lunch irgendwo in Kensington, in der Nähe von Leyas Bank. Dann wollte sie sich nachmittags frei nehmen und sein persönlicher Guide sein.

Sie hatten sich den ganzen Abend über kein einziges Mal geküsst, aber lange in den Arm genommen, bevor er ins Taxi stieg, und jetzt, acht Stunden später, meinte er immer noch diese Umarmung spüren zu können. Bevor er nach Ravenscourt gefahren war, hatte er ein wenig darüber fantasiert, dass sie möglicherweise zusammen ins Bett gehen könnten, doch jetzt im Nachhinein war er froh, dass sie nicht so weit gegangen waren. Es war immer noch erst Mittwoch, sein Flugzeug zurück zum Kennedy Airport ging nicht vor Samstag. Es gab Zeit. Unmengen von Zeit.

Er schaute auf die Uhr. Punkt sieben. Zeit, sich in den Speisesaal zu begeben und zu frühstücken. Heute sollte ich wirklich erfahren, wo diese Feier nun stattfinden soll, dachte er, während er im Fahrstuhl stand. Schließlich ist es morgen schon so weit.

Doch als er fünfundvierzig Minuten später, nachdem er das mächtigste Frühstück seines Lebens zu sich genommen hatte, bei den lächelnden Mädchen an der Rezeption nachfragte, gab es dort keine Nachricht für ihn. Er bedankte sich dennoch artig und entschied sich für ein kleines Nickerchen auf seinem Zimmer. Dieser Jetlag kam und ging offenbar, wie er wollte, er war nicht zu kontrollieren. Andererseits war er jetzt bereits seit halb fünf Uhr wach, da war eine Stunde Vormittagsruhe, bevor er in die Kensington High Street ging, um Leya zu treffen, sicher keine schlechte Idee.

Er hatte eine *Times* aus dem Frühstücksraum mit nach oben genommen, und nachdem er sich aufs Bett gelegt hatte, blätterte er einige Minuten lang in ihr herum. Auf Seite fünf las er über jemanden, der »The Watch Killer« genannt wurde, ein Messerstecher, der in London sein Unwesen trieb und der sich offensichtlich damit amüsierte, den Menschen, denen er das Leben nahm, eine kaputte Armbanduhr umzubinden. Das fünfte Opfer war am vergangenen Abend irgendwo in der Nähe vom Richmond Park gefunden worden, es war ein 45-jähriger Mann, einer der Obdachlosen der Stadt laut Zeitung, und wenn die Zeiger der Armbanduhr die Wahrheit sagten, dann war er seinem Mörder genau um 6.35 Uhr begegnet. Ob abends oder morgens, das war nicht auszumachen, da eine Armbanduhr ja nun einmal nichts weiter als eine Armbanduhr ist.

Wie merkwürdig, dachte Milos Skrupka, kurz bevor er einschlief. Es gibt schlimmere Verrückte hier in der Stadt als in New York. Das hätte ich nicht gedacht.

15

Irina & Gregorius

Sie wollten sich beim Fahren abwechseln, und ihr wurde klar, dass das ein Fehler war.

Zumindest war es ein Fehler, Gregorius das erste Stück zu überlassen, die vier Stunden bis zur Pause auf dem Rastplatz vor Antwerpen. Sobald er fertig getankt und sich auf den Beifahrersitz gesetzt hatte, kurbelte er den Sitz nach hinten und holte einen Flachmann mit Whisky heraus.

»Schön«, sagte er, »jetzt werde ich mich ein wenig besaufen und die Fahrt genießen.«

Innerhalb einer Stunde hatte er den Flachmann geleert, und je mehr sich der Alkohol in seinem Blutkreislauf ausbreitete, umso intensiver begann er mit seiner Schwester über die wesentlichen Dinge zu sprechen. So nannte er es. *Die wesentlichen Dinge.* Es war nicht das erste Mal, und auch wenn sie ihren Bruder liebte, so zog sie es doch vor, *die unwesentlichen Dinge* mit ihm zu besprechen. Wenn er sich wenigstens darauf beschränkt hätte; es war ein Drehbuch, das ihrer Meinung nach deutlich besser zu ihm passte. Wenn Gregorius das, was er als wichtig im Leben betrachtete, besprechen wollte, diese Dinge, die ein wenig tiefsinnig und ein bisschen kompliziert waren, dann lief es stets darauf hinaus, dass er derjenige war, der seine Weisheit an sie weitergab. Eine Weisheit, die seiner Meinung nach einzig und allein er besaß, da er zwanzig Minuten älter war. Vielleicht auch kraft seiner Männlichkeit. In nüchternem

Zustand pflegte er dies nie zu tun, und jedes Mal war es wieder gleich pathetisch. Was sie selbst möglicherweise antwortete oder beizutragen hatte, das hörte er gar nicht. Er hatte genug damit zu tun, seine eigenen Gedanken auf der Spur zu halten.

Wenn er nicht mein Bruder wäre, sondern mein Ehemann, dann würde ich mich noch morgen von ihm scheiden lassen, dachte sie dann immer – und das dachte sie auch jetzt. Was auch immer Gregorius war, er war kein Mann. Er war ein 31-jähriger Junge, und wenn sie ehrlich sein wollte, dann gab es nicht viel, was eine Veränderung verhieß. Mit der Zeit würde er sich – mit schlafwandlerischer Sicherheit – zu einem 41-jährigen – und einem 51-jährigen – Jungen entwickeln. Wenn es seine Gesundheit zuließ. Das war traurig, aber wahr.

»Man macht sich so seine Gedanken«, erklärte er, während sie hinter einem weißen Mercedes bremsen musste. Auf allen drei Spuren stand der Verkehr plötzlich, und sie sprach ein leises Gebet, dass sie nicht auch noch einen Stau auf der Autobahn haben würden. »Oder nicht, Schwesterherz? Das Leben ist nicht immer so, wie man es sich gedacht hat.«

Sie drehte den Kopf in die andere Richtung und betrachtete eine ältere, übergewichtige Frau, die auf dem Beifahrersitz des Nachbarautos saß, zwei Meter von ihr entfernt. Strohgefärbtes Haar, rote Bäckchen, silberner Toyota. Offener Mund, vielleicht hatte sie ja Asthma.

»Es läuft nicht immer nach Plan, was auch immer mit Plan gemeint ist, haha, ja, da kann man sich wirklich fragen … und da muss man ein wenig tolerant sein. Anpassungsfähig.«

»Was du nicht sagst«, bemerkte sie und sah zu, wie der Toyota fünf Meter vorrollte. Ein Audi füllte die Lücke. Einsamer Mann mit schütterem Haar in den Fünfzigern, der sich in der Nase bohrte. Sie wandte den Blick ab.

»Genau«, nickte Gregorius. »Das sage ich. Die meisten bleiben doch in ihren alten Mustern stecken … wie nennt man die?

Stereotype? Bist du meiner Meinung? Na, ist ja auch egal, wie die heißen. Die Leute kapieren es einfach nicht, wenn sich eine Tür öffnet und das Leben ihnen neue Möglichkeiten bietet. Sie haben Angst vor dem Neuen, ganz einfach. Vor dem Fremden.«

Irina antwortete nicht. Sie bereute, dass sie ihre Ohrstöpsel nicht dabeihatte, sie hätte sie leicht unter den Haaren verstecken können. Ein bisschen Monteverdi oder Bach statt Gregorius' Gebrabbel. Aber die Stöpsel und der iPod lagen in ihrer Tasche auf dem Rücksitz, und sie hätte sie nicht unbemerkt herausfischen können.

»Wie jetzt beispielsweise«, fuhr er fort. »Was erwartet uns, Irina, Schwesterherz? Sag es mir! *Was erwartet uns?* Nein, ich sage es dir lieber, damit du dich auf das Fahren konzentrieren kannst… aber es geht ja verflucht langsam voran, meinst du nicht, wir sollten die Spur wechseln? Na, jedenfalls erwartet uns eine vollkommen neue Lage, so einfach ist das. Das musst du doch auch begriffen haben?«

»Ich weiß nicht«, sagte sie.

»Aber das ist doch glasklar!«, rief Gregorius aus und schlug mit der flachen Hand auf das Armaturenbrett. »Und wenn du es jetzt noch nicht begreifen willst, dann wirst du es begreifen, wenn wir die Strecke wieder zurückfahren. In vier Tagen… oder wann auch immer es so weit ist… in vier Tagen werden wir unabhängig sein. Denk an meine Worte.«

»Unabhängig wovon?« Diese Frage konnte sie sich nicht verkneifen.

»Von Geld«, antwortete Gregorius mit feierlichem Ernst in der Stimme. »Ich rede von Geld, Irina.«

Sie seufzte und wechselte die Spur. Nicht, dass es dadurch schneller zu gehen schien, aber um überhaupt etwas zu tun. Sie kannte Gregorius' Theorie in- und auswendig: die Absicht hinter Leonards Geburtstagsfeier in London bestand darin, ein Testament zu verkünden. Er hatte vermutlich nicht mehr lange zu leben, und jetzt wollte er die Gelegenheit nutzen, sein eigenes vortreffliches Leben auf dieser Erde feierlich zu würdigen, indem er seine Nächsten um sich versammelte und ihnen verkündete, wie er sie dafür belohnen wollte, dass... ja, dass sie halt seine Nächsten waren. Seine Lebensgefährtin Maud und seine beiden Stiefkinder, Gregorius und Irina. Er würde eine lange Rede halten, blablabla... es würde genügend Spitzen in die eine und andere Richtung geben, besonders in Bezug auf den missratenen Stiefsohn, der seit vielen Jahren wahrlich keinen Anlass zur Freude gegeben hatte, aber da man nun einmal hier versammelt war, um ihn, Leonard, zu feiern, blablabla... so wolle er Gnade vor Recht ergehen lassen und dafür sorgen, dass jeder von ihnen seinen mehr oder weniger berechtigten Anteil von Leonards beträchtlichem Vermögen erhalte.

Gregorius malte auch jetzt das gesamte Szenario aus, und mit jedem Mal schmückte er es noch ein wenig breiter und bunter aus, aber das Ganze endete immer wieder damit, dass Leonard Vermin ihnen, in der Abendsonne seines abwechslungsreichen Lebens, sein Vermögen und sein Testament präsentierte. Und da alle so freundlich gewesen waren zu erscheinen, sollten sie sich doch nicht vergebens die Mühe gemacht haben.

»Fünfzig Millionen Euro«, fasste Gregorius zusammen und ließ einen tiefen, zufriedenen Seufzer vernehmen. »Meiner Einschätzung nach kann es sich nicht um weniger handeln. Vermutlich eher um mehr. Wenn wir annehmen, dass Mama die Hälfte kriegt, dann bedeutet das, dass du und ich jeder zwölfeinhalb Mille einsacken. Hörst du, was ich sage, Schwesterherz. Zwölfeinhalb Millionen Euro! Mindestens!«

Irina gähnte. Nicht, weil sie müde war, sondern weil sie gelesen hatte, dass Hunde das taten, wenn sie gelangweilt waren und etwas abschütteln wollten. Sie sehnte sich nach einer Dusche. Bis jetzt war es nur ein vorsichtiges Sehnen, und sie wusste, dass sie nicht zu früh daran denken durfte. Die Fahrt bis zur Raststätte war gut verlaufen. Das Fahrzeug war ein BMW, der noch nie vermietet gewesen war, das hatte der Mann vom Autoverleih garantiert, und er roch wirklich klinisch neu. Während Gregorius sich seinen Hamburger reingewürgt hatte, oder um was es sich da auf der Raststätte auch immer gehandelt haben mochte, war sie selbst ein Stück zur Seite gegangen, hatte sich unter einen Baum gestellt, ihren selbst zusammengestellten Salat gegessen und ihr Mineralwasser getrunken. Sie hatte die leere Flasche, das Besteck und den neuen Plastikbehälter, in dem der Salat gewesen war, anschließend weggeworfen. Sich mit Hilfe eines halben Dutzends Feuchttücher gesäubert, war zum Auto zurückgegangen und hatte darin auf ihren Bruder gewartet. Da hätte sie ihren iPod herausholen sollen, doch das hatte sie wie gesagt vergessen.

Doch das mit der Dusche im Hotelzimmer war ihr den ganzen Tag wie eine Fata Morgana erschienen. Seit sie losgefahren waren, sie repräsentierte das Licht im Tunnel, und Irina hoffte inständig, das Hotel möge dem Standard entsprechen, den es vorgab zu haben. Es gab jedenfalls keinen Teppichboden im Zimmer, das hatte sie überprüft.

»Ich glaube, du musst beim nächsten Rastplatz anhalten«, unterbrach Gregorius ihre Gedanken. »Ich muss mal pinkeln.«

Irina drehte sich der Magen um. Pinkeln? Sie hoffte, es ohne das zu schaffen, bis sie in London angekommen waren, aber ob das klappen würde, war natürlich nicht sicher. Allein der Gedanke, eine Toilette auf einer Autobahnraststätte benutzen zu müssen, war fast unerträglich. In einer erbärmlichen, stinkenden Abseite auf einem Toilettensitz zu hocken, den schon jede Menge unbekannte Menschen… nein, sie mochte es sich nicht einmal vorstellen. Dann war es besser, ins Gebüsch zu gehen, sollte Gregorius doch denken, was er wollte.

Doch bis jetzt kamen keine Signale von der Blase, Gott sei Dank, und sie hatte bei der letzten Rast auch nur zwei Deziliter Wasser getrunken. Nur so viel, dass es reichte, den Wasserhaushalt im Gleichgewicht zu halten. Überhaupt lief ihr ganzes Leben genau darauf hinaus, dachte sie: das Gleichgewicht zu halten. Auf einem Seil über einem Abgrund zu balancieren, das war ein Bild, das ihr immer wieder einfiel, wenn sie eine Illustration für ihre Wirklichkeit brauchte – aber die Kunst des Seiltanzes war nicht zu verachten, und Übung machte den Meister. Manchmal konnte sie selbst darüber lachen, aber heute nicht; nicht in einem fast auf der Stelle stehenden Mietauto auf einer Autobahn zusammen mit ihrem betrunkenen Zwillingsbruder. Sie wusste, dass sie die kommenden vier Tage ihres Lebens am liebsten übersprungen hätte, aber fast im selben Moment, als sie das dachte, begann der Verkehr wieder zu fließen, und eine leise Hoffnung, dass sie es doch noch bis nach London schaffen würde, stieg in ihr auf.

Kurz vor fünf Uhr erreichten sie den Eurotunnel vor Calais. Gregorius hatte sich auf einem Rastplatz zwischen Gent und Ostende erleichtert und bei der Gelegenheit gleich an der Tankstelle noch eine neue Flasche Whisky gekauft. Irina fragte sich, ob er ernsthaft zum Alkoholiker wurde oder ob er nur die Gelegenheit nutzte. Sie beschloss, das einmal mit ihm zu diskutieren, aber nicht jetzt. Alles hat seine Zeit, und heute ging es darum, das *Hotel Rembrandt* in Knightsbridge zu erreichen, mit noch einigermaßen intaktem Verstand.

Sie hatte nicht daran gedacht, dass man per Zug unter dem Ärmelkanal hindurchtransportiert wurde, aber alles lief wie geschmiert, und als sie fünfundvierzig Minuten später auf der englischen Seite an Land rollten, spürte sie, dass dieses Hotelzimmer und die Dusche sich trotz allem in Reichweite befanden. Gregorius war neben ihr eingeschlafen, und sie hatte nicht die Absicht, ihn aufzuwecken. Sie kontrollierte noch einmal, dass sie sich auch auf der linken Straßenseite befand – und auf dem GPS, dass sie auf dem richtigen Kurs war. Dann scrollte sie auf dem iPod Chopin herunter, einige Klavierpräludien, was würde an einem Abend wie diesem besser passen?

Und da sie jetzt ihr Ziel sozusagen vor Augen hatte, konnte sie auch darüber nachdenken, was eigentlich der Sinn dieser Reise war. Sie hatte Gregorius' oberflächliche Überlegung hinsichtlich des Testaments nicht so recht geschluckt, zumindest nicht ohne weiteres. Natürlich konnte es sich um eine ganz gewöhnliche Geburtstagsfeier handeln. Es war nichts Besonderes dabei, seine Nächsten um sich zu versammeln, wenn man einen runden Geburtstag hatte und außerdem wusste, dass der Tod hinter der nächsten Ecke lauerte. Absolut nicht, es würde wahrscheinlich das letzte Mal sein, dass Leonard sie alle traf: seine Lebensgefährtin und seine beiden Stiefkinder. Ja, Maud sah er natürlich täglich und stündlich, aber der Kontakt zu Irina und Gregorius hatte mit den Jahren sehr abgenommen.

Andererseits, dachte Irina, andererseits war Leonard nun einmal so. Sie war sich selbst nicht ganz sicher, was das zu bedeuten hatte, aber zu glauben, man wüsste, wer er war, man könnte ihn durchschauen, das war meistens ein Irrtum. Das hatten Gregorius und sie während ihrer Kindheit und Jugend gelernt. Fast zehn Jahre lang hatten sie wie eine Familie in der Wohnung am Barins Park gelebt, sie hatte ihn nie als ihren Vater angesehen – das hatte Gregorius auch nicht, absolut nicht –, aber sie hatten natürlich eine ganz besondere Beziehung zu ihm gehabt. »Er ist ein Patient, den Mama mit nach Hause gebracht hat und den sie einfach nicht wieder loswird«, so hatte sie Gregorius die Sache einem Freund gegenüber beschreiben hören, da war er um die fünfzehn; damals hatte sie darüber gelacht, aber Tatsache war: das war keine schlechte Beschreibung. Das Problem, ihr Problem und das von Gregorius, bestand darin, dass ihr richtiger Vater noch verrückter war als Leonard. »Wenn ich gezwungen wäre, mit einem von ihnen ein Jahr auf einer einsamen

Insel zu verbringen, dann würde ich mich nicht für Ralph de-Luca entscheiden«, hatte Gregorius bei einer anderen Gelegenheit festgestellt. Nein, mit den Männern, die Irina in ihrem Gepäck hatte, war kein großer Staat zu machen. Sie nahm an, dass sie deshalb auf so einen Sonderling wie Herbert gestoßen war. Er war bis zur Strumpffarbe vorhersehbar.

Grau, bei feierlicheren Anlässen möglicherweise beige.

Auf jeden Fall war es eigentlich gleich, was der siebzigste Geburtstag mit sich bringen würde. Es waren nur noch zwei Tage bis dahin, und was dann passierte, das würde sich zu gegebener Zeit herausstellen, es gab keinen Grund, vorher darüber zu spekulieren. Sie wollte ihre Mutter am kommenden Tag treffen, so hatten sie es vereinbart, und wenn es etwas gab, was sie vor der Feier wissen musste, dann würde sie es bestimmt spätestens dann von ihr erfahren.

Morgen also. Heute Abend wollte sie sich in ihr Zimmer einschließen, eine Stunde lang duschen und mit einem Buch ins Bett gehen. Was Gregorius geplant hatte, das war ihr vollkommen gleichgültig.

Dachte Irina Miller in dem Moment, als die M20 in die A20 überging und sie sich in die vor Leben vibrierende Zehnmillionenstadt London begab.

16

Sie hatte auf ihrem Zimmer gefrühstückt. Ein Buffet mit einer Unmenge fremder, erkälteter und unsauberer Menschen zu teilen, das würde ihr im Leben nicht einfallen. In obskurem Rührei herumbohren, in dem vorher jemand anderes herumgesaut hatte – oder getoastetes Brot aus demselben Toaster nehmen, den Kreti und Pleti mit ihren ungewaschenen Fingern und Schuppen und Schorf und Gott weiß welchen Bakterienherden benutzt hatten, nein, genau solchen Schreckensszenarien wollte sie sich nicht unnötig aussetzen. Sonst würde sie diese Tage nicht überstehen. Welche Entstehungsgeschichte das Frühstückstablett genau hinter sich hatte, das von einem artig knicksenden Mädchen gerade hereingebracht worden war, darüber konnte man natürlich nur spekulieren, aber es war zumindest möglich, sich einzubilden, dass es gewissen hygienischen Anforderungen Genüge tat.

Und sie war nicht nach London gekommen, um zu verhungern. Mit einigermaßen gutem Appetit verzehrte sie den Joghurt – er kam in geschlossener Verpackung, das war ausgezeichnet, sie wollte sich merken, in Zukunft gleich zwei zu bestellen – wie auch den Kaffee, etwas Obst und ein Glas Saft. Sie stellte das Tablett auf den Flur, machte das Bett, hängte ein Schild an die Türklinke, dass sie nicht gestört werden wollte, und stellte sich unter die Dusche. Eine Stunde später war sie angezogen und bereit und rief ihre Mutter auf dem Handy an.

Sie erhielt keine Antwort, was sie ein wenig verwunderte. Es war ungewöhnlich, dass Maud nicht nach dem zweiten oder dritten Freizeichen abnahm – wenn sie nicht mit irgendeinem Patienten beschäftigt war, und das konnte an diesem Morgen ja wohl kaum der Fall sein. Irina versuchte es ein paar Minuten später noch einmal, erreichte aber wieder nur die Mobilbox. Sie hinterließ eine Nachricht, in der sie erklärte, dass die Fahrt gut verlaufen sei und Gregorius und sie im *Hotel Rembrandt* zu finden waren. Informierte ihre Mutter weiterhin darüber, dass sie jetzt einen Spaziergang machen wolle und sie ja wohl im Laufe des Tages voneinander hören würden.

Bevor sie das Hotel verließ, überlegte sie einen Augenblick, ob sie an der Tür ihres Bruders klopfen sollte, entschied sich dann jedoch lieber dagegen. Sie hatten am vergangenen Abend nichts ausgemacht, und sie nahm an, dass er wohl einen Vormittag in Ruhe und Frieden brauchte, um den Whisky aus dem Blut zu kriegen.

Das Wetter schien akzeptabel zu sein. Um die fünfzehn Grad bei einem fast weißen Himmel, der weder Sonne noch Regen zu versprechen schien. Sie lenkte ihre Schritte westwärts, denn sie hatte einen Plan. London war ein neues Erlebnis für sie. Aufgrund ihrer Reinlichkeitsanforderungen war sie in ihrem Leben nicht oft gereist, aber sie hatte im Hotel gegoogelt und den Stadtplan genau studiert, bevor sie losging. Auf der Cromwell Road ging sie am Natural History Museum vorbei, bog nach rechts in die Gloucester Road ab und gelangte an der Ecke des Parks auf die Kensington High Street. Ging dann weiter zu *The Barkers Building* und auf den Wholefood Market, Londons bestes Lebensmittelgeschäft laut der Kundenbewertungen, die sie studiert hatte.

Nach einer Stunde konnte sie diese Beurteilung bestätigen. Sie hatte einen Korb gefüllt nur mit biologischen Produkten, die sie zweifellos für den Rest ihres Aufenthalts ernähren würden. Sie bezahlte an der Kasse, drückte ihre Zufriedenheit über das Sortiment aus und begab sich auf demselben Weg, den sie gekommen war, zurück zum *Rembrandt*.

Das Portemonnaie lag vor einem Laternenpfahl an der Ecke Gloucester Road und Cornwall Gardens. Es war schwarz, sah nagelneu aus und war von normaler Größe, acht mal zehn Zentimeter ungefähr. Und ziemlich dünn, wie es schien. Sie blieb stehen und schaute sich um, bevor sie es aufhob. Blieb eine Weile mit dem Portemonnaie in der Hand stehen, wobei sie eine plötzliche Unsicherheit verspürte. Es wäre zweifellos besser gewesen, wenn jemand anderes als ausgerechnet sie es gefunden hätte; ein gebürtiger Londoner beispielsweise, der nicht unter Bazillenpanik litt und wusste, wo die nächste Polizeistation gelegen war. Kurz überlegte sie, das Teil wieder auf den Bürgersteig zurückzulegen, begriff aber, dass man so etwas nicht tat. Hatte man ein Portemonnaie gefunden und es auch noch aufgehoben, dann musste man die Verantwortung übernehmen.

Noch einmal schaute sie sich um, aber niemand schien auch nur die geringste Notiz von ihr zu nehmen. Niemand hatte gesehen, dass sie das Portemonnaie aufgehoben hatte. Sie stopfte es in die Manteltasche, wischte sich die Hände an einem Feuchttuch ab und setzte ihren Weg zum Thurloe Place und ihrem Hotel fort.

Als sie zurück auf ihrem Zimmer war, war es halb zwölf, alles war genau, wie sie es hinterlassen hatte, da sie die *Please don't disturb*-Ermahnung an der Tür hatte hängen lassen. Es gab auch keine Nachricht auf dem Computer oder Handy, weder von ihrer Mutter noch von ihrem Bruder, sie fand es äußerst merkwürdig, dass Maud nicht von sich hören ließ, dachte sich jedoch, dass es dafür gewiss eine ganz natürliche Erklärung gab. Vielleicht war sie mit Blick auf den morgigen Tag zum Friseur gegangen, und das pflegte einige Stunden zu dauern. Irina wusste immer noch nicht, wo das anberaumte Essen stattfinden sollte, aber vielleicht war auch das etwas, worüber man sich nicht wundern sollte. Leonard konnte einen Hang zum Geheimnisvollen haben.

Oder sogar zum Obskuren, wenn man ehrlich sein wollte.

Womit Gregorius sich beschäftigte, das interessierte sie nicht. Ganz im Gegenteil, je weniger sie mit ihm zu tun haben musste, umso besser. Zumindest, solange er sich in dem gleichen Zustand befand wie während der Autofahrt. Eine gewisse Unruhe hinsichtlich ihres Bruders spürte sie wohl, aber es war nun einmal, wie es war, und sie hatte gelernt, sie zu ignorieren.

Sie nahm alle kleinen Fläschchen aus der Minibar, säuberte den Innenraum und stellte stattdessen ihre Lebensmittel hinein. Sie passten nur mit Mühe und Not hinein, aber sie passten. Anschließend wusch sie sich die Hände, zog ein Paar dünne Plastikhandschuhe über und nahm das Portemonnaie aus der Manteltasche.

Der Gedanke, es an der Rezeption abzugeben, war ihr schon gekommen, doch als sie dort vorbeiging, war das Foyer voll mit Gästen gewesen, die einchecken wollten, also musste es jetzt so gehen. Natürlich musste es irgendwo Informationen über den Besitzer geben, und wenn sie keine Telefonnummer fand, dann musste sie wohl die Polizei anrufen, ganz einfach.

Fünfundsechzig Pfund in Scheinen. Drei verschiedene Kreditkarten, davon eine mit MasterCard-Funktion, und ein Ausweis. Sie nahm ihn heraus und betrachtete ihn. Der Mann auf dem Foto schien um die fünfundfünfzig zu sein, sein Gesicht war blass und schmal – ohne eigentliche Charakterzüge, wie ihr schien, und er starrte sie mit tiefliegenden, etwas verkniffenen Augen an. Sie dachte, das Bild sieht aus wie so ein Foto von der Polizei, wenn die jemanden festnehmen, und sie verfluchte sich selbst, dass sie das Portemonnaie nicht einfach hatte liegen lassen und sein weiteres Schicksal anderen, besser geeigneten Mitmenschen überlassen hatte.

Aber passiert war passiert. Der Ausweis war schwedisch, und der Mann auf dem Foto war nach allem zu urteilen auch schwedisch. Er hieß Lars Gustav Selén, war am 21. Februar 1948 an einem Ort geboren, der mit K begann. Irina Miller hatte noch nie einen Fuß auf schwedischen Boden gesetzt und konnte weder Namen noch Geburtsort aussprechen. Seufzend schob sie den Ausweis zu den anderen Plastikkarten. Untersuchte vier weitere kleine Fächer, drei von ihnen waren leer, doch in dem vierten fand sie ein zusammengefaltetes Stück Papier mit einer Telefonnummer. Die war handgeschrieben, mit großen, deutlichen Ziffern, als hätte ein Kind das getan, und unter der Nummer stand noch einmal der Name, in großen, eckigen Versalien: LARS GUSTAV SELÉN.

Sie schrieb Namen und Nummer auf das Hotelbriefpapier, packte wieder alles ins Portemonnaie und stopfte dieses in eine Plastiktüte. Legte dann die Plastiktüte auf den Zimmerflur vor ihre Schuhe und holte ihr Handy heraus. Dann warf sie die Handschuhe in den Papierkorb, setzte sich auf den Sessel vor dem bodentiefen Fenster und wählte die Nummer.

»Hallo?«

Es war sofort zu hören, dass es sich um den Mann auf dem Ausweis handelte. Eine schwere, müde Stimme mit einem ziemlich begrenzten Wortschatz. Zumindest auf Englisch. Sie nahm an, dass es ja wohl die Sprache war, die sie benutzen mussten, und fragte, wie er heiße.

Der Mann räusperte sich und erklärte, dass er Lars Gustav Selén hieß.

»I am Lars Gustav Selén.«

»My name is Irina. I believe I have found your wallet.«

»Wallet?«

»Yes.«

»Good.«

Vielleicht war das auch ein schwedisches Wort, dessen war sie sich nicht sicher. Vielleicht hieß es ja das Gleiche in beiden Sprachen. Offenbar war er zufrieden, dass sie sich seines Portemonnaies angenommen hatte. Sie wartete, dass er mehr sagen würde, doch es kam nichts. Nur sein Atmen im Hörer, ein wenig angestrengt, als hätte er Asthma oder wäre ein starker Raucher.

»Well?«, sagte sie, um das Gespräch am Laufen zu halten.

»Good«, wiederholte er. »Wait.«

Sie wartete. Hörte, wie etwas raschelte. Dann räusperte er sich, tief und nachdrücklich.

»My address is: *Lords Hotel,* Leinster Square, Bayswater.«

Zumindest interpretierte sie ihn so. Aber was meinte er damit? Warum erzählte er ihr, wo er wohnte? Er war sicher als Tourist in London, da er im Hotel wohnte, aber erwartete er tatsächlich, dass… ja, was eigentlich? Dass sie mit seinem blöden Portemonnaie zu ihm käme? Dass sie es nicht nur für ihn gefunden hatte, sondern auch noch bei seinem Hotel abgäbe? Die Verärgerung stieg wie ein Schweißausbruch in ihr auf, und sie wollte gerade das Gespräch wegdrücken, als er sagte:

»Thank you very, very much.«

Mein Gott, dachte sie mit einem ebenso plötzlich auftauchenden Schamgefühl. Vielleicht ist er geistig behindert? Der arme Mensch, warum werde ich gleich so wütend auf ihn?

»My English are not good. I am sorry.«

All right, dachte sie. Das werde ich zu Ende bringen.

Es dauerte eine Weile, etwas zu vereinbaren. Lars Gustav Selén trug eigentlich nur mit drei Ingredienzien dazu bei – *good, I am sorry* und *thank you very, very much*; sie registrierte etwas verblüfft, dass er sich nie mit nur einem *very* zufriedengab oder einfach nur *thank you* sagte – aber sie verabredeten jedenfalls, dass sie im Laufe des Nachmittags zum *Lords Hotel* am Leinster Square kommen und sein Portemonnaie an der Rezeption abgeben würde.

»Room two hundred and eleven«, präzisierte Lars Gustav Selén.

»Reception«, erklärte Irina Miller und drückte ihn weg.

Sie lehnte sich im Sessel zurück und seufzte schwer. Zwar hatte sie noch keine Pläne für den Tag, außer so viel Zeit wie möglich in ihrem Zimmer zu verbringen und ihre Mutter zu dem verabredeten Essen am Abend zu treffen – aber eine Tour zum Leinster Square in Bayswater, wo immer das nun auch liegen mochte, erschien wahrlich nicht sehr verlockend.

Nun ja, dachte sie. Ich werde es auf dem Stadtplan nachschauen, und wenn es nicht zu weit ist, dann kann ich hin und zurück ein Taxi nehmen. Den Fahrer bitten, zu warten, während ich schnell ins Hotel laufe. Ich sollte eigentlich einen Zwanzig-Pfund-Schein aus dem Portemonnaie nehmen, für die Mühe und das Taxi ... ja, das sollte ich wirklich.

Aber dann müsste sie diesen Selén wahrscheinlich treffen und es ihm erklären, und dazu hatte sie noch viel weniger Lust.

Als sie feststellte, dass Bayswater trotz allem auf der anderen Seite des Hyde Parks lag, beschloss sie, das Taxi selbst zu bezahlen. Zumindest konnte sie sich dann einer guten Tat rühmen.

Gerade als sie diesen schönen Gedanken gehabt hatte, klingelte ihr Handy.

Es war ihre Mutter Maud, und man konnte ihrer Stimme anhören, dass sie nicht im Gleichgewicht war. Was man übrigens auch aus ihren Worten schließen konnte.

»Liebe Irina, ich weiß nicht, was ich machen soll. Ich glaube, wir sind dabei, die Kontrolle zu verlieren.«

Wir?, dachte Irina Miller. Warum sagt sie *wir*?

17

Gregorius Miller saß in einem Pub in der Nähe von Charing Cross, mit einem Guinness vor sich.

Es war noch halb voll, und es war sein drittes. Seit einer Stunde saß er hier, und als er eingetreten war, hatte er nur ein Pint trinken wollen. Das war der Vorteil, wenn man Guinness trank, man stillte nicht nur den Durst, man wurde auch noch satt davon. Anfangs hatte er dieses Thema mit einem dänischen Touristen erörtert, er hieß Mikkel und hatte seine Frau irgendwo bei Embankment verloren, aber Mikkel hatte ihn nach einem Glas und einem kleinen Whisky verlassen. Um nach eigenen Worten zum Hotel zurückzugehen und nachzuschauen, ob seine Frau inzwischen vielleicht aufgetaucht war. Gregorius hatte ihm viel Glück gewünscht und ihm für alle Fälle seine Handynummer gegeben, falls sie tatsächlich verschwunden sein sollte und der Däne Gesellschaft brauchte.

Was ihn betraf, so war er sich nicht sicher, ob er Gesellschaft brauchte. Vielleicht war es das Beste, hier in *splendid isolation* zu sitzen und die Lage zu analysieren. Sie war ein wenig kompliziert, geradezu ein wenig *angestrengt*, nicht einmal mit fast anderthalb Liter Bier im Leib konnte er irgendwelche mildernden Umstände finden. Obwohl es ganz schön war, für ein paar Tage in London zu sein, schön, ein wenig Abstand von *der Lage* zu bekommen. Die Distanz an sich konnte bereits nützlich für die Analyse sein, ja, wenn er die Sache genauer überlegte, so war es tatsächlich so. Am allerbesten wäre es natürlich gewesen, wenn er für alle Zeiten von daheim wegbleiben könnte, die Identität ändern und den Rest seines Lebens an einem geheimen Ort verbringen. Beispielsweise in London, das war zweifellos eine Stadt, die groß genug war, um sich in ihr zu verstecken. Beim Gedanken daran musste er lächeln und trank einen Schluck. Ja, verflucht noch mal, sagte er sich, als er sein Glas auf dem Tisch abstellte; ein neues Leben in einer neuen Umgebung, genau das würde das Problem lösen.

Die Probleme, genauer gesagt, denn es waren mehrere, auch das musste er sich leider eingestehen. Obwohl sie miteinander verwandt waren.

Zunächst einmal war da die Sache mit Sylvia. Sylvia Perhovens. Sie war im dritten Monat schwanger, und Gregorius war der Vater des zu erwartenden Kindes. Sylvia war eine sowohl intelligente als auch attraktive Frau, da war Gregorius der Erste, der dem zustimmte. Zur Zeit der Empfängnis war er auch heftig verliebt in sie gewesen, doch in den letzten Wochen hatte er immer mehr gemerkt, dass sie nicht zueinanderpassten. Sie hatte sich beharrlich geweigert, abzutreiben, und außerdem hatte sie angefangen, Ansprüche an ihn zu stellen – Ansprüche, die ihn eigentlich nicht verwunderten, die aber trotz allem auf eine Dominanzsituation hindeuteten. Er erkannte diese Tendenzen wieder, bei Judith, der Mutter seiner Tochter Anna, war es das Gleiche gewesen und bei ein paar anderen Frauen auch, mit denen er um Haaresbreite zusammengezogen wäre. Es fiel ihm schwer, sich vorzustellen, wie es zwischen ihm und Sylvia in ein paar Jahren aussehen würde, wenn es wirklich so weit käme.

Zu dem Bild gehörte, dass sie verheiratet war. Ihr Ehemann hieß Eric Perhovens, und er war Gregorius' Chef. Er besaß eine Restaurantkette, in der Gregorius seit zwei Jahren als Vertriebsleiter arbeitete. Es war keine größere Kette, insgesamt fünf Lokale in ebenso vielen Städten, aber diese waren von hoher

Qualität, und es war Gregorius' Job, dafür zu sorgen, dass die Leute sich für *Earnest Eric* entschieden, wie die Restaurants in allen fünf Städten hießen.

Und bis jetzt taten die Leute das – sowohl mittags als auch abends. Mit einer einfachen, aber ehrlichen Speisekarte und einer ehrlichen, aber nicht zu teuren Weinkarte konnte man weit kommen, das war Perhovens Philosophie. Er plante, seine Kette innerhalb der nächsten fünf Jahre von fünf auf sieben Lokale auszuweiten, mit Neugründungen in Kaalbringen und Saaren, und unter normalen Umständen war das keine Situation, in der man sich seines Vertriebsleiters entledigte. Bis vor drei Wochen war das auch nie ein Thema gewesen, in keinerlei Hinsicht, doch bei einer routinemäßigen Überprüfung der Bücher war ans Licht gekommen, dass rund fünfzigtausend Euro in der Kasse fehlten. Einige Stunden später war außerdem klar, dass es der Vertriebsleiter gewesen war, der sich einen Kredit genehmigt hatte, ohne jemandem etwas davon zu sagen.

Eric Perhovens und Gregorius Miller hatten darüber ein langes Gespräch geführt, Perhovens war kein unmöglicher Mistkerl, und er hatte Verständnis dafür, dass man ab und zu mal in die Bredouille geriet. Das war ihm früher im Leben auch schon einige Male passiert – aber man musste immer hinter sich aufräumen. *Verdammter Scheiß, Miller, du bist doch kein Idiot? Du kapierst doch wohl, dass ich keine Leute beschäftigen kann, die ihre Pfoten nicht von der Bonbondose lassen können?* Und dann hatte er Gnade vor Recht walten lassen und Gregorius einen Monat Zeit gegeben, um die Dinge wieder geradezubiegen. Wenn das Geld – plus angemessene Zinsen – nicht vor dem ersten Oktober wieder an Ort und Stelle war, dann war es ein anderes *Geradebiegen,* das ihn erwartete. So einfach war die Sache, und da gab es kein Wenn und Aber, denn für Perhovens gab es kein Wenn und Aber.

Gregorius hatte ihm versichert, dass es sich nie um etwas

anderes als einen Kredit gehandelt habe und dass er selbstverständlich die fehlende Summe wieder beschaffen werde. Inklusive angemessener Zinsen. Er hatte das Geld gebraucht, um eine Krankenhausrechnung für seine an Parkinson erkrankte Cousine in San Diego zu bezahlen, so war es nun einmal, man ist ja auch nur ein Mensch, und Blut ist dicker als Wasser.

Und nach dem Ersten hast du keinen Job mehr, das ist ja wohl klar, hatte Perhovens hinzugefügt, das brauche ich einem gewitzten Kerl wie dir wohl nicht zu erklären? Wenn du wider Erwarten vergisst, die Kohle zurückzulegen, meine ich. Vielleicht hat diese Cousine ja noch andere Verwandte?

Gregorius hatte sich bei seinem Chef für seinen grundsoliden Humanismus bedankt und gedacht, dass – abgesehen von Perhovens' so schnell fällig gewordenem Kredit – noch rund zehntausend fehlten, um einen gewissen Kokainlieferanten auf sicherem Abstand zu halten. Vor drei Monaten hatte er mit dem Kokain aufgehört, ein für alle Mal, aber das waren alte Schulden, und da war halt eins zum anderen gekommen. Plus die eine oder andere Pokerpartie, an der er nicht hätte teilnehmen sollen – ganz besonders konnte er sich an eine erinnern, bei der er einen Pott von mehr als sechstausend Euro verloren hatte, obwohl er mit einem Full House mit Königen und Zehnern in der Hand dagesessen hatte. Es stieß ihm heute noch sauer auf, wenn er daran zurückdachte, und er hatte sich jetzt vom Poker fast genauso lange ferngehalten wie vom Kokain.

Auf jeden Fall hatte Gregorius große Probleme, sich vorzustellen, dass der besagte Humanismus seines Arbeitgebers an dem Tag große Triumphe feiern würde, an dem er erfuhr, dass seine Sylvia ein Kind von seinem Vertriebsleiter erwartete.

An dem Tag, der sicher nicht viel weiter entfernt lag als der erste Oktober, an dem die Buchhaltung wieder in bester Ordnung sein sollte.

Ansonsten winkte das Gericht, wie gesagt.

Bonbondose hin, Bonbondose her, dachte Gregorius und leerte sein drittes Guinness. *Der Tag der Abrechnung.* In gut einer Woche. Was zum Teufel soll ich nur machen?

Er beschloss, die Kneipe zu wechseln. Das war immerhin ein Anfang.

Die neue hieß *The Deer Hunter* und lag zum Ufer hin. Er bestellte sich einen kleinen Whisky und ein Pint London Pride, jetzt nach dem Mittag war es an der Zeit für etwas leichtere Getränke. Während er an einem Fenstertisch saß und teilnahmslos den Verkehr und die vorbeieilenden Menschen betrachtete, fiel ihm der Plan, die Identität zu ändern, wieder ein. Wie kompliziert war so eine Operation eigentlich? Er nahm an, dass es vermutlich nicht so schwierig sein konnte, wenn man nur Geld hatte. Geld öffnete jede Tür, es war müßig, das zu konstatieren, aber wenn es darauf ankam, dann waren Menschen ziemlich simple Tiere. Man muss die Dinge nur richtig anpacken, dachte Gregorius Miller, ohne richtig zu verstehen, was er eigentlich damit meinte, aber das Privileg des simplen Tieres war es doch, dass es sich den Gegebenheiten anpassen konnte, oder etwa nicht? Dank dieser Eigenschaft war es zum ungekrönten König der Welt geworden.

Wie genau diese Schlussfolgerung mit seiner eigenen momentanen Situation zusammenhing, das verlor er aus den Augen, während er die Toilette aufsuchen musste – doch dass Leonard Vermin, der bald sterbende Stiefvater, eine entscheidende Rolle in diesem Zusammenhang spielte, daran herrschte kein Zweifel. Im weiteren Verlauf, während er Whisky Nummer zwei und Bier Nummer zwei (fünf, wenn man die Vorgeschichte mit einbezog) trank, widmete er sich der Berechnung der möglichen Ausbeute der Feier am folgenden Tag.

Er erinnerte sich, dass er Irina gegenüber im Auto von fünfzig Millionen gesprochen hatte – zwölfeinhalb für jeden, wenn man ihre Mutter Maud abzog –, und er fragte sich, wie nahe diese Schätzung wohl der Wahrheit kam. Er hatte keine weitergehenden Untersuchungen angestellt, wie er es möglicherweise Irina gegenüber angedeutet hatte, und vielleicht war das sogar eine zu niedrige Summe. Vielleicht saß Leonard auf noch viel mehr Geld? Er besaß zwei Zeitungen, eine große und eine kleine, er war Teilhaber an verschiedenen Medienkonzernen, und er besaß Häuser. Zum Teufel, dachte Gregorius, der Kerl könnte für hundert Millionen gut sein! Eines Tages werde ich darüber lachen, dass ich hier gesessen und mir Sorgen gemacht habe!

Er beschloss, sich auf diese Zukunft zu konzentrieren, goldumrahmte Tage, in denen er eine feste Adresse in Primrose Hill oder Holland Park oder oben in Hampstead hätte... jedenfalls sollte es genau hier in London sein, und wenn er nicht mehr Gregorius Miller hieß, sondern... ja, wie sollte er dann heißen? Er nahm einen großen Schluck und begann über passende Namen nachzudenken, und bald merkte er, dass diese Überlegungen viel amüsanter waren, als dazusitzen und über Sylvia und Eric Perhovens zu grübeln.

David S. Mulholland?

Eugen G. Brahms?

Er war sich sicher, dass er ein Initial haben wollte, irgendwie hob das den Namen aus der Menge heraus. Selbst John W. Smith klang gut. Oder warum nicht Smythe? John W. Smythe?

Aber vielleicht sollte es weniger englisch klingen. Wäre es nicht besser mit einem eher kontinentalen Klang? Ein Name, der nicht ohne weiteres auf ein bestimmtes Land zurückzuleiten war?

Er nickte entschlossen. Genau. Ein Name ohne Heimatland! Das war es genau, was er brauchte. Es war noch ein London Pride nötig – doch dieses Mal ohne Whisky, er wollte ja nicht betrunken werden –, damit es ihm einfiel.

Paul F. Kerran.

Er rülpste zufrieden. Paul F. Kerran war perfekt.

Leben Sie wohl, Mr. Miller, willkommen, Mr. Kerran. Plötzlich erinnerte er sich an eine alte Geschichte, die er einmal gelesen hatte, sie handelte von zwei Männern, die sich zufällig in einem kleinen Ort irgendwo in Texas oder Oklahoma trafen. Man folgt den Gedanken und Überlegungen des einen Mannes; er ist auf der Flucht vor einer schrecklichen Ehe, vor Schulden, Elend und einem verpfuschten Leben im Allgemeinen, und als er in einer verstaubten Bar auf den Fremden stößt, da beginnt er seine Lage zu beschreiben, und im Laufe des Gesprächs kommt er auf die Idee, einfach das Leben des anderen zu stehlen. Sie sind sich ziemlich ähnlich, im selben Alter, haben die gleiche Statur und so weiter. Die Idee beißt sich in ihm fest. Aus seinem alten, tristen Dasein auszusteigen und in ein neues umzuziehen.

Die beiden machen einen Spaziergang außerhalb der Stadt, unser Held zieht seinen Revolver und tötet den Fremden. Er übernimmt dessen Sachen und verbrennt die eigenen. Reitet dann mit einer neuen Identität und einem neuen Leben in die nächste kleine Westernstadt. Einfach und schmerzlos.

Das Problem ist nur, dass sich herausstellt, dass der Fremde wegen Mord und Eisenbahnüberfällen und anderer Dinge gesucht wird, und als unser Held in den Saloon einmarschiert, landet er direkt in den Armen einer Truppe, die hinter ihm her ist. Der Prozess ist kurz, und vor der Abenddämmerung baumelt er am Galgen.

Hm, dachte Gregorius und trank einen vorsichtigen Schluck. Vielleicht doch nicht ganz so. Aber was ihn betraf, so wollte er zwar seine alte Identität loswerden, ohne jedoch unbedingt eine neue zu stehlen. Besser, eine zu erfinden. Irgendwie zu verschwinden, ohne wiedergefunden zu werden. Als Paul F. Kerran wiederauferstehen.

Er zündete sich eine Zigarette an und dachte, dass es zweifellos nicht schlecht war, für tot erklärt zu werden. Mit einem Fahrzeug zu versinken beispielsweise oder sich ganz einfach von einer Großstadt schlucken zu lassen... beispielsweise London. Er konnte ja irgendeiner osteuropäischen Mafia zum Opfer fallen oder wem auch immer. Mit einem Klumpen Zement an den Füßen in der Themse landen. Verschwunden, nie wiedergefunden. Nach angemessener Zeit für tot erklärt.

Doch zunächst... zunächst musste er natürlich sein Erbe antreten. Was auch immer in Leonard Vermins verfluchtem Testament stand, so gab es kein Vermächtnis für Paul F. Kerran, das war klar. Sich also in Geduld üben. Es gab keinen anderen Ausweg. Abwarten und die Daumen drücken, dass Leonards letzte Tage hier auf Erden gezählt sein mochten.

Aber dass er so rechtzeitig sterben würde, dass Gregorius nicht zurückkehren und mit Herrn und Frau Perhovens konfrontiert wurde, ja, von so einer komfortablen Entwicklung konnte man wohl nicht einmal träumen?

Wenn man nicht ein wenig nachhalf, natürlich.

Als er diesen Gedanken zu Ende dachte, fühlte er sich fast wieder nüchtern. *Nachhelfen?*

Nein, dachte Gregorius Miller, jetzt komme ich aber vollkommen aus dem Konzept. Man darf ja nicht alle Grenzen überschreiten. Er trank einen Schluck und nahm sich eine Zeitung, die zusammengefaltet auf dem Tisch lag. Blätterte gedankenlos in ihr herum, doch dann fiel sein Augenmerk auf einen Artikel auf Seite sieben.

Der handelte von einem Mörder, der offenbar in London sein Unwesen trieb. »The Watch Killer« wurde er von dem Journalisten genannt, und er hatte mindestens fünf Leben auf dem Gewissen. Das Attribut hatte er erhalten, weil er die Angewohnheit besaß, seinen Opfern eine Armbanduhr umzubinden, eine Armbanduhr, die nach allem zu urteilen zum Zeitpunkt des Mordes stehen blieb.

Verrückt, dachte Gregorius. Was zum Teufel war das für ein krankes Gehirn, das hinter so etwas steckte? Er las weiter. Die Polizei sah keine unmittelbare Verbindung zwischen den Menschen, die durch diesen Wahnsinnigen ihr Leben verloren hatten, und man bat die Allgemeinheit um Hilfe. Alle Opfer waren im sogenannten Groß-London gefunden worden. Die Armbanduhren an ihren Handgelenken waren einfachster Art, aber es gab unterschiedliche Modelle. Ansonsten hatte man keine Spur, keinen Verdacht.

Das war im Großen und Ganzen alles. Gregorius gähnte. Er fühlte, wie sich ein müder, wohlvertrauter Ekel in ihm festsetzte, höchstwahrscheinlich lag das an dem sinkenden Alkoholgehalt seines Blutes, dieses Phänomen war ihm nicht unbekannt. Aber er konnte nicht die ganze Zeit weiter Bier und Whisky trinken, es war erst früher Nachmittag, und wahrscheinlich war es besser, eine gewisse Gedankenschärfe zu behalten.

Er konnte nicht so recht sagen, wozu das nötig sein sollte, schob aber dennoch das erst zur Hälfte geleerte Bierglas von sich und verließ den Pub. In der Türöffnung kam ihm die Identitätsfrage wieder in den Sinn. Auch wenn die Sache in Erwartung von Leonards baldigem Dahinscheiden erst einmal ruhen musste, so konnte man ja vielleicht schon einiges vorbereiten? Sich beispielsweise einen Packen Visitenkarten besorgen. Das würde doch sicher von Nutzen sein, noch bevor der definitive Schritt gemacht worden war.

Zufrieden mit diesem einfachen Beschluss lenkte Gregorius seine Schritte Richtung Soho, wo es doch sicher von Läden nur so wimmelte, die einen derartigen Auftrag auf der Stelle erledigen konnten.

Danach war es an der Zeit, sich vor dem Essen eine Stunde im Hotel auszuruhen, er nahm an, dass seine Schwester für das Abendessen bereits Pläne gemacht hatte. Vielleicht seine Mutter auch, aber Leonard ganz gewiss nicht. Der große

Abend war morgen, es gab keinen Grund, den Ereignissen vorzugreifen.

So weit in seiner rudimentären Planung gediehen, kollidierte er genau in dem Moment, als er an St.Martin-in-the-Fields vorbeikam und der Leicester Square in sein Blickfeld kam, mit einer langbeinigen Frau, wodurch die Dinge einen anderen Lauf nahmen.

18

Leonard

Das gelbe Notizbuch

Doch nach einer Weile überfiel unsere Hände eine Art Ratlosigkeit, ich kann mich noch mit trauriger Deutlichkeit daran erinnern. Wir ließen einander los, wir zündeten uns eine Zigarette an, und die Erotik des Schweigens zerplatzte.

»Wo hast du die Aktentasche?«

»An einem sicheren Ort.«

Sie nickte, irgendwie anklagend und doch wieder nicht. Nahm einen Zug, überlegte ein paar Sekunden lang.

»Auch gut. Es tut mir leid, dass ich dich da hineingezogen habe. Aber es war eine Situation entstanden, in der ich schnell eine Lösung finden musste.«

»Ich verstehe«, sagte ich.

Was ich ganz und gar nicht tat. Aber ich hatte keine Lust, irgendwelchen Erklärungen hinterherzujagen. Sie um das eine oder andere zu bitten; es war ihre Sache, inwieweit sie mir ihr Vertrauen schenken wollte. Zu entscheiden, auf welchem Niveau es angemessen war, inwieweit sie mir vertrauen wollte. Ich wusste ja nicht, hatte keine Ahnung, inwieweit sie meine Hilfe noch weiterhin benötigte oder ob es nur darum ging, die Aktentasche in die richtigen Hände zu befördern. Mein Unwissen darüber, worum es sich eigentlich drehte, war immer noch absolut. Es vergingen weitere Schweigeminuten, während sie möglicherweise die Lage beurteilte, dann beugte sie sich über den Tisch und betrachtete mich mit einem blinzelnden, leicht schielenden Blick. Ja, das war eine Musterung, ein entscheidender Augenblick, daran bestand kein Zweifel.

»Du kannst mir vertrauen«, sagte ich, »auch weiterhin.«

Sie nickte. Zog wieder an ihrer Zigarette und blies den Rauch in einem dünnen, nachdenklichen blauen Streifen aus; es ruhte sowieso eine Bläue über dem Raum, in dem wir saßen, sie wurde mir erst jetzt bewusst, durch diesen Rauchstreifen, ein Farbton, der die Spiegelung irgendeines Lichts draußen auf der Gasse sein musste, aber heute, viele Jahre später, nachdem dieses einleitende Kapitel schon lange vorüber ist, war es genau dieses bläuliche Bild, das mir in Erinnerung blieb, natürlich eines von vielen Bildern, aber es schien, als hätte dieser Blauton selbst etwas über die Geschichte zu berichten, über das, wovon alles handelte und handeln wird. *Blues,* eine Vorahnung, gefühlsmäßig begründet, oder ein verdichtetes Temperament, durch das alles betrachtet werden muss, um voll und ganz verstanden zu werden und sein richtiges Gewicht und seine Bedeutung zu erhalten. Nein, ich sehe ein, es lässt sich nicht beschreiben. Ich sitze in einem Café in Berlin und versuche Worte zu finden, und es gelingt mir nicht.

»Ich befinde mich in Gefahr«, sagte sie. »Man überwacht mich. Natürlich nicht offen, aber ich weiß trotzdem, dass es so ist.«

Ich erwiderte nichts.

»Es gibt eine kleine Gruppe von Personen, denen ich vertrauen kann, aber auch sie befinden sich in schwierigen Positionen. Ihre Existenz wie auch meine hängt an einem seidenen Faden. Deshalb…«

Sie brach ab. Ich dachte, dass ihre Sprache sehr genau war, auch wenn ihr Akzent jetzt deutlicher als zuvor zu hören war. Außerdem war offensichtlich, dass sie ihre Worte äußerst sorgfältig wählte; sie war bereit, mir gewisse Informationen zu geben, aber nicht mehr als notwendig, natürlich aus Sicherheitsgründen, aber auch – wie ich mir einbildete – aus Rücksicht. Je weniger ich wusste, umso besser, auch diesen Aspekt schnitt sie an, während wir in diesem Zimmer in Broad Court saßen, wenn auch nicht explizit, so doch zumindest indirekt.

»Die Dinge haben sich seit dem Einundzwanzigsten verändert«, sagte sie. »Quellen sind verschwunden, andere haben ihr Mäntelchen nach dem Wind gehängt. Das hat meine Arbeit ungemein kompliziert gemacht. Am liebsten würde ich untertauchen oder nach Prag zurückkehren, aber das ist nicht möglich. Aus bestimmten Gründen, ich möchte nicht näher darauf eingehen. Auch auf persönlicher Ebene ist die Situation prekär.«

»Auf persönlicher Ebene?«, wunderte ich mich.

Erneut zögerte sie. Wägte ab.

»Meine Familie ist noch in Prag. Mein Vater und meine Mutter. Meine Schwester und deren Familie, ich habe einen wunderbaren Neffen. Wenn ich einen Fehler mache, mangelt es nicht an … Möglichkeiten, Druck auszuüben. Es gibt immer eine persönliche Ebene.«

Letzteres sagte sie in einem Ton, als bedauerte sie, dass dem so war. Dass es überhaupt eine persönliche Ebene gab, aber vielleicht verstand ich sie auch falsch.

»Ehemann?«

»Nein.«

»Fester Freund?«

Sie betrachtete mich mit einem kurzen Lächeln.

»War mal. Hat den Ansprüchen nicht genügt. Das stellte sich heraus, als die russischen Panzer durch unsere Straßen rollten, ja, in jenen Tagen wurde vieles auf den Kopf gestellt. Vieles kam ans Tageslicht. Nein, ich habe keinen festen Freund mehr. Weder dort noch hier.«

»Entschuldige, ich wollte nicht neugierig sein.«

126

Sie zuckte mit den Schultern. »Es ist im Augenblick nicht so wichtig. Wichtig ist nur, dass die Aktionen weiter stattfinden, auch unter dem Druck, der momentan herrscht. Sie abzubrechen, wäre gleichbedeutend mit einem Geständnis, und die Konsequenzen würden dieselben sein, wie wenn wir wirklich erwischt würden. Mir ist selbst klar, dass alles, was ich sage, nicht viel Licht auf die Lage wirft, aber du kannst dich natürlich entscheiden, ob du dich zurückziehen willst oder nicht. Ich will niemanden unnötigen Gefahren aussetzen.«

Plötzlich spürte ich Wut darüber, auf *niemanden* reduziert zu werden, ein gewöhnliches Objekt, etwas Austauschbares. Ich weiß nicht, ob sie das bedacht hatte; ich dachte darüber nach, kam aber zu keinem Schluss. Natürlich nicht.

»Ich habe bereits gesagt, dass du dich auf mich verlassen kannst. Was soll ich tun?«

Sie zögerte eine Sekunde lang.

»Zunächst einmal nichts. Außer Instruktionen abzuwarten.«

»Und die Aktentasche?«

»Hast du reingeschaut?«

»Nein.«

»Gut.«

»Lass sie bis auf weiteres an einem sicheren Ort. Man wird Kontakt mit dir aufnehmen. Aber wir brauchen eine Möglichkeit, um dich zu erreichen. Hör zu. Ein paar Straßen von deiner Wohnung in Earl's Court entfernt liegt ein Antiquariat. In der Hogarth Road, kennst du die Straße?«

»Ich denke schon.«

»Gut. Der Buchladen heißt Bramstoke and Partners, es gibt ihn seit mehr als hundert Jahren. Im ersten Stock haben sie ein Regal mit alten deutschen Philosophen. Unter anderem Leibniz' gesammelte Werke, die werden in absehbarer Zeit keinen Käufer finden, der Preis ist entsprechend angesetzt. Vierter Band, Seite 444 und folgende, hier hast du den Schlüssel.«

Sie holte ein zusammengefaltetes Stück Papier hervor. Schob es über den Tisch. Ich entfaltete es und schaute es an. Eine Reihe zwei- und dreiziffriger Zahlen, mit Bindestrich verbunden.

Ich versuchte so zu tun, als verstünde ich es, offenbar ohne Erfolg, denn sie lächelte wieder kurz.

»Du wirst es schaffen. Das Wichtige dabei ist nur, dass du jeden Donnerstagnachmittag hingehst. Am besten nach Mittag, sie schließen um fünf Uhr, und es kann sein, dass du ein paar Stunden brauchst. Nicht immer, aber es ist möglich. Ist dir das möglich?«

»Ja, das lässt sich einrichten.«

»Ausgezeichnet.«

»Leibniz' gesammelte Werke, vierter Band?«

»Seite 444 folgende, soweit es notwendig ist. Und du kannst dem Ladenbesitzer blind vertrauen.«

Ich faltete das Blatt Papier zusammen und legte es in meine Brieftasche.

»Ich verstehe.«

»Es ist besser, wenn du das nicht tust. Jetzt musst du gehen.«

»Können wir nicht zusammen gehen?«

»Nein.«

»Wann werde ich dich wieder treffen?«

»Schauen wir mal. Aber das hat mit dem Ganzen nichts zu tun.«

»Natürlich nicht. Ich würde gern wissen, wo du wohnst.«

»Dazu ist es noch zu früh.«

»Ich möchte überhaupt mehr über dich wissen.«

»Wenn es so sein soll, wirst du das. Wir müssen Geduld haben. Wir leben in schweren Zeiten.«

»Und es ist sicher, dass du keinen Freund hast?«

»Das Leben ist zu kurz, um es für sinnlose Lügen zu vergeuden.«

»Dann meinst du, dass es auch sinnvolle Lügen gibt?«

»Ja, sicher. Aber jetzt müssen wir uns trennen.«

Ich ergriff ihre Hände, und wir blieben noch eine Weile so sitzen, Hand in Hand. Dann gab sie mir einen Umschlag und erklärte, das sei für meine Auslagen. Anschließend verließ ich sie.

Zu Hause öffnete ich den Umschlag. Er enthielt dreihundert Pfund. Mir war klar, worin immer diese Aktionen bestanden, sie wurden zumindest finanziert.

Eine gute Woche später, an einem Mittwoch, erhielt ich einen Brief mit der Post. Er trug keinen Absender und enthielt nur ein Blatt kariertes Papier, offenbar aus einem gewöhnlichen Collegeblock herausgerissen. Auf dem Papier standen einige Ziffern zwischen 1 und 26, verbunden mit Bindestrichen. Ich zählte nach, es waren einhundertsechzehn.

Mir war klar, dass es sich um einen Test handelte, und am folgenden Tag begab ich mich gegen halb zwei zu Bramstoke and Partners in der Hogarth Road. Der Besitzer saß hinter einem alten amerikanischen Schreibtisch gleich neben der Eingangstür. Ich konnte ihn kaum zwischen den Buchstapeln erkennen, er schien in den Sechzigern zu sein, hatte dichtes graues Haar, einen Bart in der gleichen Farbe und trug eine randlose Brille ganz vorn auf der Nasenspitze. Er telefonierte, und abgesehen von dieser modernen Errungenschaft schien er einem Roman von Dickens oder Thackeray entsprungen zu sein. Nach einem kurzen Blick nickte er mir zu, ich erwiderte seinen Gruß und ging die Wendeltreppe zum ersten Stock hinauf.

Dort war es eng und verstaubt, Bücher standen vom Boden bis zur Decke dicht an dicht auf wackligen Regalen, an den Wänden und in einer Doppelreihe Rücken an Rücken mitten im langgestreckten Raum. Hier und da lagen Bücherstapel auf dem Boden, aber es gab sogar noch Platz für zwei kleine Arbeitstische, einen an jedem Giebel, unter metallumrahmten

Fenstern, die nur widerstrebend ein wenig Tageslicht durch das staubige Glas ließen. Kleine gelbe, handbeschriebene Karten informierten darüber, welche Art von Literatur man in den jeweiligen Regalen finden konnte. Der Raum nahm das gesamte obere Stockwerk des Hauses ein, zehn, zwölf Meter in der Länge und ungefähr fünf Meter in der Breite, und abgesehen von einer großen mehrfarbigen Katze, die auf einem gepolsterten Hocker schlief, war ich der einzige Besucher.

Nach einigem Suchen fand ich das Regal mit den deutschen Philosophen aus dem achtzehnten Jahrhundert, und kurz unter Kniehöhe fand ich Leibniz' gesammelte Schriften. Ich nahm Band vier heraus, stellte fest, dass er staubig und unberührt zu sein schien, und ließ mich an einem der Arbeitstische nieder. Die Katze wachte auf, kam zu mir, streckte sich und kehrte dann auf ihren Hocker zurück. Ich schob einen vertrockneten Kaktus beiseite, ein Flaschenschiff, wahrscheinlich die Miniaturausgabe der Cutty Sark, und schlug die Seiten 444 und 445 auf.

Es dauerte eine Weile, bis ich den Code geknackt hatte, das muss ich zugeben, der Schlüssel war etwas komplizierter, als ich gedacht hatte, aber nach gut einer Stunde hatte ich die Nachricht entschlüsselt.

speakers corner Sonntag elf nullnull höre einem indischen mann zu der über stalin redet nimm die aktentasche in einer anderen tasche mit einem einarmigen herrn überreichen codewort stalin hatte auch eine mutter nimm dann von einer jungen frau in roten gummistiefeln einen umschlag entgegen codewort können sie einen pfundschein wechseln nimm münzen mit damit du wechseln kannst

Als ich das Antiquariat verließ, saß der Besitzer immer noch an derselben Stelle und telefonierte, er erwiderte meinen Blick, aber ich konnte seinem nicht entnehmen, ob er wusste, was ich da im ersten Stock getrieben hatte. Vielleicht ja, vielleicht auch nicht.

Und als ich mich drei Tage später zum Speakers' Corner aufmachte, lief alles wie in der verschlüsselten Mitteilung beschrieben ab. Bis auf den i-Punkt; ich überreichte meine billige Plastiktüte von Marks & Spencer, in der die Aktentasche war –, über deren Inhalt ich immer noch nichts wusste – einem mageren älteren Herrn mit einem leeren Jackettärmel, den er in die rechte Tasche gestopft hatte, nachdem wir beide einem kleinen indischen Kommunisten zugehört hatten, der sich eine ganze Weile lang und breit über Stalins fundamentalen Humanismus ergangen hatte – und nachdem er sich mit einem leisen Lächeln mir zugewandt und festgestellt hatte, dass *Stalin ja wohl trotz allem auch eine Mutter gehabt hatte?* Ein paar Minuten später wechselte ich einen Pfundschein in diverse Halfcrowns und Florins und nahm von einer dunklen jungen Frau in den vorgeschriebenen Gummistiefeln einen ziemlich dicken A4-Umschlag entgegen.

Etwas später verbrachte ich daheim eine halbe Stunde am Küchentisch, den Umschlag vor mir, bevor ich mich endlich dazu entschließen konnte, ihn nicht zu öffnen. Ich legte ihn in eine Schublade unter meine Strümpfe und Unterwäsche in Erwartung weiterer Instruktionen.

Außerdem meine ich mich zu erinnern, dass ich beschloss, der ganzen Sache einen Monat Zeit zu geben. Wenn innerhalb dieses Zeitraums in dem, was Carla als *persönliche Ebene* bezeichnet hatte, kein Fortschritt gemacht worden war, dann wollte ich die ganze Sache fallen lassen. Ja, ich bin mir ganz sicher, dass ich diesen Entschluss an diesem besagten Sonntagabend fasste.

Doch das Schicksal ging andere Wege, weshalb ich nicht garantieren kann, dass ich unter allen Umständen bei meinem Versprechen geblieben wäre. Aber wie dem auch sei, es ist von untergeordneter Bedeutung.

19

Ich spüre, dass das Ende naht.

Schneller als erwartet, es ist irritierend und möglicherweise fast so etwas wie eine persönliche Kränkung. Dass mir diese letzte Zeit nicht mehr vergönnt sein soll – oder nicht mehr in vollem Besitz meiner geistigen Kräfte vergönnt sein soll, muss ich wohl eher sagen, denn das ist es, was mich beunruhigt – ja, ich laufe Gefahr, dadurch sowohl niedergeschlagen als auch verbittert zu werden. Es sollte einen Vertrag geben, in dem mein Recht auf diese Tage und die letztendliche Lösung schriftlich festgelegt wäre, doch den gibt es nun einmal nicht. Offensichtlich nicht, keine Abschlussbilanz und kein Versprechen. Willkür macht den Kern des Lebens aus. Ich bitte um nicht viel mehr als vierundzwanzig Stunden, einen einzigen Tag.

Außerdem habe ich Angst, aber das gebe ich nicht einmal mir selbst gegenüber zu. Die Schmerzen kommen in immer kürzeren Abständen, und es wird immer schwerer, sich nicht von den betäubenden Medikamenten verführen zu lassen. Und jetzt scheint es mir, als würden sie mich außerdem verwirrt machen. Zumindest behauptet Maud, dass ich verwirrt bin, ich ignoriere das und schnaube nur verächtlich dazu, aber in meinem tiefsten Inneren ahne ich, dass sie Recht hat. Was gestern Abend passiert ist, spricht eine deutliche Sprache.

Wir haben oben in der Talbot Road in einem kleinen Restaurant gegessen, und nachdem ich kurz bei den Herren vorbeigeschaut hatte, zwischen Hauptgericht und Dessert, fand ich einfach nicht mehr zurück an unseren Tisch. Ich konnte Maud nirgends in dem ziemlich großen Lokal entdecken, wie sehr ich auch nach ihr Ausschau hielt, so dass ich mich schließlich dazu entschloss, das ganze Etablissement zu verlassen. Ich nahm an, es müsste sich um ein Missverständnis irgendeiner Art handeln, auf der Straße geriet ich in einen leichten Nieselregen und musste mir eingestehen, dass ich nicht die geringste Ahnung hatte, wo unser Hotel lag. Es war kein Taxi zu entdecken, also begann ich auf gut Glück einen holprigen Bürgersteig entlangzugehen, doch bevor ich es auch nur zwei Häuserzeilen geschafft hatte, wurde ich von Schmerzen übermannt; sie waren so heftig, dass ich gezwungen war, mich hinzusetzen. Was kein Problem gewesen wäre, wenn es eine Bank oder etwas Ähnliches gegeben hätte, doch dem war nicht so, und als Maud mich eine ganze Weile später fand – sie behauptete, es wäre mehr als eine Stunde vergangen, seit ich sie am Tisch verlassen hatte –, saß ich durchnässt und jammernd auf dem Bürgersteig, gegen irgendwelche Betonblöcke gelehnt, die anscheinend zu irgendwelchen Reparaturarbeiten in dem Gebäude hinter mir gehörten. Ich konnte mich zudem nicht daran erinnern, warum ich dort saß, wie ich in so eine prekäre Situation geraten war, es fiel mir erst wieder ein, als sie mich an den Restaurantbesuch erinnerte.

Das war natürlich ein schreckliches Erlebnis, aber der Traum während meines Nickerchens heute Vormittag erschien mir noch unheilschwangerer. Ich verstehe nicht, was er bedeutet und wie es überhaupt möglich ist, dass das Unterbewusstsein derartig eklige Phantasmagorien hervorbringt. Was sind das für schwarze Löcher, die ich in mir trage, und wozu soll es gut sein, sie hier so kurz vor dem Ende freizulegen?

Ich war jemand anderes, ganz einfach, und ich möchte behaupten, dass ich nie einen deutlicheren und detaillierteren

Traum in meinem Leben geträumt habe. Kurzgefasst war es folgendermaßen.

Ich war einundsechzig Jahre alt und Junggeselle. Ich wohnte in einer Dreizimmerwohnung an einem kleineren Ort, über dessen Namen ich nur wusste, dass er mit K begann. Ich weiß nicht, in welchem Land, vielleicht Deutschland, aber irgendwie auch nicht. Ich war ein sehr einsamer Mensch, verschlossen und schwer zugänglich. Ich war seit zwei Jahren in Frührente, hatte einen älteren Bruder, meine Eltern waren seit vielen Jahren tot. Früher in meinem Leben hatte ich als Taxifahrer gearbeitet, und durch diese Arbeit hatte ich mir das Rückenleiden zugezogen, aufgrund dessen ich früher in Rente gegangen war als üblich. Ein ganzes Arbeitsleben lang zusammengekauert hinter einem Lenkrad zu sitzen, das kann für bestimmte Muskeln in bestimmten Rücken zu viel sein. Mein Name war Lars Gustav Selén. Vielleicht deutsch, aber ich glaube es nicht. Und ich habe keine Ahnung, wie es eigentlich richtig ausgesprochen wird.

Woher ich all diese Informationen im Traum hatte, davon habe ich ebenfalls nicht die geringste Ahnung, aber unmittelbar nachdem ich aufwachte – ich hatte nicht länger als zwanzig Minuten geschlafen –, erinnerte ich mich an jedes Detail. Ja, es dauerte sogar ein paar Sekunden, bis mir bewusst wurde, dass ich nicht mit diesem bis dato unbekannten Menschen identisch war, sondern dass ich immer noch Leonard Vermin war.

Und es gab noch mehr. In Person des besagten Herrn Selén machte ich im Traum einen Spaziergang von meiner Wohnung in einem einfachen Mietshaus am Rande dieser unbekannten und dennoch so vertrauten Gemeinde. Es war ein Herbsttag, relativ kühl, ich ging eine finstere, nur spärlich befahrene Straße zu einem einfachen Einkaufszentrum mit Lebensmittelgeschäft, Bank, Apotheke und zwei, drei anderen Läden entlang. Ich ging in den Supermarkt und kaufte ein paar Lebensmittel: Milch, Butter, Brot, Bananen, Kaffee, eine Art Kekse, die Marie hießen, sowie vier Dosen Bier von einer Marke, die mir im Traum sehr vertraut war, hinterher jedoch nicht mehr.

Dann kehrte ich auf demselben Weg zurück, den ich gekommen war. Ich sprach mit keinem einzigen Menschen, und als ich wieder zu Hause war, setzte ich mich an einen hässlichen kleinen Küchentisch mit karierter Wachsdecke, trank Kaffee mit Zucker und Milch und aß ein paar Kekse, während ich eine dünne Tageszeitung durchblätterte und irgendetwas plante. Anschließend verließ ich die Küche und ging in eines der Zimmer. Ich nahm hinter einem großen Schreibtisch Platz, der vor einem Fenster stand und auf einen blühenden Kastanienbaum zeigte, was natürlich ein Anachronismus war, da es sich ja um einen Herbsttag handelte. Aber Kastanie ist nun einmal Kastanie, dachte ich, bevor ich meinen Computer einschaltete und in einigen der schwarzen dünnen Notizhefte blätterte, die sich zu Dutzenden auf dem Schreibtisch befanden. Auf dem Fensterbrett vor dem Schreibtisch befanden sich drei deutlich sichtbare Dinge: ein gerahmtes Foto mit einer Menge junger Menschen darauf, vielleicht war es das Schulfoto einer Abgangsklasse, es sah so aus, eine altmodische Taschenuhr in Gold sowie ein gerahmter Zeitungsausschnitt, ich konnte nicht erkennen, worum es sich dabei handelte. Die Wände in dem Zimmer waren vom Boden bis zur Decke mit Bücherregalen bedeckt, voll mit Büchern, Akten und Mappen, und alles deutete darauf hin, dass ich die Absicht hatte, mich dem Schreiben zu widmen, das mein raison d'être war.

Genau mit diesem französischen Ausdruck im Kopf wachte ich auf, *raison d'être*, und es dauerte eine Weile, bis ich begriff, dass ich mit Lars Gustav Selén nicht identisch war. Ich fühlte mich schwer erschüttert. Ich war nie auch nur in der Nähe eines ähnlichen Traumes gewesen, ja, ich war sogar bereit zu glauben, dass es sich um etwas anderes als einen Traum gehandelt hatte. Die ungeheure Klarheit und intensive Präsenz, die ich erlebt hatte, während ich mich darin befand, hielten mich – und halten mich noch immer – in einem erschreckenden Eisengriff. Ich hatte Mühe beim Atmen, versuchte dann auf dem Balkon eine Zigarette zu rauchen, aber es war mir einfach nicht möglich, den Rauch zu inhalieren.

Maud befindet sich irgendwo unterwegs, vielleicht ist sie zum Friseur gegangen, vermutlich wird sie erst in ein paar Stunden zurück sein. Ausnahmsweise bedauere ich das; ich befinde mich im Kampf zwischen Gefühlen starker Verlassenheit und, wie gesagt, Angst. Meine Wut und mein Gerechtigkeitsglaube sind meine einzigen Waffen in diesem Kampf, aber sie erscheinen mir stumpf. Und bald werden die Schmerzen wieder auftauchen, das ist so sicher wie das Amen in der Kirche.

Vielleicht sollte ich mir ein paar weitere Stunden Schlaf gönnen, bevor Maud zurück ist, aber irgendetwas sagt mir, dass Lars Gustav Selén mich in diesem Fall nicht in Ruhe lassen würde, und sobald ich diesen Gedanken denke, wächst die Panik wie eine drohende Gewitterwolke in mir. Morgen Abend wird das Geburtstagsessen stattfinden, und ich befinde mich in einem Zustand, der das Risiko beinhaltet, dass alles aus dem Ruder läuft. Alles.

Ich beschließe, die Medikamente zu überspringen. Halte mich stattdessen an ein Glas mit Whisky und setze mich damit auf den Balkon. Kommt doch her, ihr Teufel, denke ich, und wahrscheinlich brumme ich das auch vor mich hin. Leonard Vermin gibt sich in seinem letzten Kampf nicht so einfach geschlagen.

Ja, natürlich ist es das Ende, das naht. Aber es wäre eine schwere Niederlage – meine letzte –, wenn ich es nicht in der eigenen Hand hätte. Noch ein Tag und ein bisschen, wie gesagt. Ist das zu viel verlangt?

Ich trinke einen beträchtlichen Schluck, so groß, dass ich ihn kaum hinunterbekomme, und in dem Moment, als ich das Glas auf den kleinen Plastiktisch stelle, kommt eine weiße Taube angeflogen und lässt sich auf dem Balkongeländer nieder. Sie dreht den Kopf von der einen Seite zur anderen und betrachtet mich abwechselnd jeweils mit einem Auge. Nein, ich lüge nicht, und ich träume nicht. Sie sitzt immer noch dort und hält mich in Schach, während ich die alten Aufzeichnungen heraushole und noch einen Abschnitt lese. Ich will mich nicht länger als notwendig in der Gegenwart aufhalten.

20

Das gelbe Notizbuch

Ich habe meinen Mitarbeitern bei *Spiff* – Christopher, Fjodor und Mary – nie etwas von Carla erzählt. Nicht während der zögerlichen Anfangswochen und auch später nicht. Nach einer Weile deutete ich Fjodor gegenüber an, dass ich wohl eine neue Frau kennen gelernt hatte, aber ich verriet nie ihren Namen, und Fjodor war wie üblich viel zu sehr mit seinen eigenen Sachen beschäftigt, um nachzuhaken. Im Nachhinein kann es einem schon ein wenig merkwürdig erscheinen, dass es mir gelungen ist, Carla in diesem Herbst so hundertprozentig außen vor zu lassen. Ich verbrachte ja trotz allem zwischen fünfzig und sechzig Stunden pro Woche in unseren verrauchten Räumen in Camden Town, ich war mit meinen Spiffern so gut wie jeden Tag zusammen, und wir pflegten zu behaupten, dass wir einander in- und auswendig kannten. Zumindest behauptete Mary das immer.

Aber vielleicht lag es genau daran. In meinem Leben brauchte ich ein Gegengewicht. Einen geschützten Raum, in den sich niemand so einfach traute. Einen Bereich, in dem ich mit mir alleine sein konnte; seit meiner Ankunft in London drei Jahre zuvor hatte ich alle wachen Stunden des Tages mit anderen Menschen verbracht; Menschen aller Sorten, aller Varianten: Journalisten, Fotografen, junge pseudoradikale Abenteurer, Hippies und Wannabes, selbstherrliche Musiker, Weltverbesserer, moderne Nihilisten und Drogenpropheten von fern und nah, die Zeit war so gewesen – *The Swinging London,* ich werde noch darauf zurückkommen, zumindest nehme ich es an, wenn es mir gelingt, diese Aufzeichnungen so weit zu führen, wie ich es hoffe. Aber es waren nicht nur Carlas ansprechende, geheimnisvolle Art und das vage Versprechen, was mich anzog und mich dazu veranlasste, sie aus allem herauszuhalten, es war auch mein privates Bedürfnis nach einer geschützten Zone.

Eine Zone, in der sich anfangs nicht besonders viel ereignete. Die auf meinen Einsatz in der Speakers' Corner folgenden Donnerstagnachmittage verliefen trotz meiner Besuche bei Bramstoke and Partners ergebnislos. Von Carla hörte ich keinen Ton, bekam nicht das kleinste Zeichen, und langsam begann ich zu glauben, dass alles im Sand verrinnen würde. Jeden Morgen betrachtete ich einige Sekunden lang den dicken Umschlag in meiner Unterhosenschublade, und jeden Morgen widerstand ich der Versuchung, ihn zu öffnen.

Als ich am Donnerstag, den 13. Oktober, das Antiquariat betrat, hatte ich keine Nachricht mit der Post erhalten, und ich erwartete erneut eine Niete. Es war leicht, sich diese ganze Geschichte mit Carla wie eine Lotterie vorzustellen; reich an Enttäuschungen und Nieten – wenige Gewinnmöglichkeiten, wenn überhaupt. Und genau wie in einer Lotterie gab es die minimale Chance eines Gewinns, die mich dazu trieb, das Spiel fortzusetzen. Andererseits war der Einsatz nicht besonders hoch, ein paar Stunden in der Woche nur, und außerdem war ich für das Wenige, was ich ausgerichtet hatte, prächtig bezahlt worden. Was der mögliche Hauptgewinn – Carla? – wert sein würde, davon konnte ich mir bis jetzt noch keine Vorstellung machen.

Mr. Levine – so hieß der schwergewichtige Antiquariatsinhaber; bis jetzt hatte ich noch kein Wort mit ihm gewechselt, doch sein Name stand auf einem schwarzweißen Emailschild zu lesen, das am Schreibtisch festgeschraubt war: *Mr. Joshua B. Levine, Inhaber* – er pflegte mich nur mit einem kaum erkennbaren

Kopfnicken zu würdigen, wenn ich durch die Tür trat, doch an diesem Tag hob er die rechte Hand, und mit einem nikotingelben Zeigefinger gab er mir zu verstehen, dass ich zu ihm kommen und mich auf den Hocker vor ihm setzen solle.

Ich folgte seiner Aufforderung, nahm einen Stapel Bücher herunter und ließ mich nieder. Er gab mir ein Zeichen, zu warten, bis er sein Telefongespräch beendet hatte. Dann bat er jemanden, doch so freundlich zu sein und sich an einen weniger gewissenhaften Antiquar zu wenden, erklärte, dass der Betreffende seine kostbare Zeit vergeude, zitierte einige Gedichtzeilen auf Russisch, zumindest klang es so in meinen Ohren, und legte schließlich den Hörer auf.

»Entschuldigen Sie. Das war ein Esel. Ich wollte Ihnen nur mitteilen, das Buch, das Sie bestellt haben, ist gekommen.«

»Aber ich habe …«

Derselbe nikotingelbe Zeigefinger machte deutlich, dass ich die Situation missverstand.

»Sie finden es hinter Schopenhauer.«

Wieder klingelte das Telefon. Unser Gespräch war beendet. Ich stand auf, ging die Wendeltreppe hinauf und dachte, dass Joshua B. Levine ein Mensch mit vorbildlicher, großer Integrität war.

Hinter Schopenhauers *Die Welt als Wille und Vorstellung* fand ich ein flaches Päckchen. Ungefähr fünfzehn mal zwanzig Zentimeter groß, braunes, gewöhnliches Einschlagpapier. Ich setzte mich an den Tisch und riss das Papier auf.

Es war kein Buch, wie ich gedacht und Joshua B. Levine behauptet hatte. Es war ein Stapel Fotos. Schnell blätterte ich sie durch. Alle waren schwarzweiß, alle zeigten Menschen. Einen auf jedem Bild, zum überwiegenden Teil Männer. Ich blätterte sie noch einmal durch, langsamer. Ungefähr die Hälfte davon schien in einem Studio gemacht worden zu sein oder zumindest drinnen und zu einem gegebenen Anlass. Das Objekt war sich bis auf wenige Ausnahmen dessen bewusst, dass er – oder sie – fotografiert wurde.

Meistens Brustbild oder Dreivierteltotale. Meistens war der Blick direkt in die Kamera gerichtet. Nur wenige waren im Freien aufgenommen worden, und hier waren die Bilder wohl heimlich geschossen worden. Mit dem Teleobjektiv quer über eine Straße oder in einem Park. Ein paar Mal waren noch andere Menschen auf dem Foto, oder Teile anderer Menschen, aber es herrschte nie ein Zweifel, wer jeweils im Fokus stand.

Diese Überlegungen machte ich, während ich sorgfältig die Sammlung durchging. Insgesamt handelte es sich um sechsundvierzig Fotos. Auf jedem einzelnen stand ganz unten rechts eine kurze Ziffernfolge, und auf fast allen waren auch auf der Rückseite Ziffern notiert. Bald entdeckte ich, dass die letzte Ziffer auf der Vorderseite eine einfache Ordnungsnummer war, von eins bis sechsundvierzig. Doch die Fotos lagen nicht in dieser Reihenfolge, sondern munter durcheinander. Anfangs achtete ich darauf, diese zufällige Anordnung nicht durcheinanderzubringen, doch als ich entdeckte, dass dieselbe Person auf zwei oder mehreren Fotos auftauchte, begann ich sie in einzelnen Stapeln zu sortieren.

Die Anzahl der Stapel betrug schließlich achtzehn, möglicherweise auch neunzehn, und es stellte sich heraus, dass nur zwei Personen einzig und allein auf einem einzigen Foto auftauchten. Beides Frauen, beide vor demselben Hintergrund fotografiert, einer hellen Tapete mit Blumenrankenmuster. Was eine der Personen betraf, die quer über die Straße fotografiert worden war, so konnte ich nicht ausmachen, ob sie identisch war mit dem Mann mit der Seriennummer 2 und 39; das betreffende Foto hatte die Seriennummer 41, aber bis auf weiteres und der Einfachheit halber beschloss ich, dass es sich um denselben Mann handelte.

Achtzehn Menschen. Dreizehn Männer, fünf Frauen. In unterschiedlichem Alter zwischen fünfundzwanzig und siebzig, soweit ich es beurteilen konnte. Ich lehnte mich zurück und betrachtete ihre Gesichter, wie sie dort ausgebreitet auf der Tischplatte vor mir lagen. Nichts an ihnen erschien mir bekannt, nichts gab mir auch nur den geringsten Anhaltspunkt. Was war der Sinn des Ganzen? Warum waren diese mir unbekannten Menschen mir in diesem obskuren alten Antiquariat in die Hände gegeben worden?

Gab es eine verborgene Mitteilung – oder mehrere Mitteilungen –, die ich mit Hilfe des Schlüssels, den ich von Carla bekommen hatte, herausfinden konnte? Und mit Hilfe des vierten Bandes von Leibniz' gesammelten Werken?

Gab es einen Auftrag, der erledigt werden sollte?

Was erwartete Carla von mir?

Als ich in meinen Überlegungen so weit gekommen war, knarrte die Wendeltreppe hinter meinem Rücken. Ich drehte mich um und erblickte Joshua B. Levines hochrotes Gesicht direkt über dem Fußboden. Er atmete schwer, und ich begriff, dass es ihm große Mühe machte, sich in das erste Stockwerk des Antiquariats hinaufzubegeben.

Deshalb blieb er auch auf der Treppenstufe stehen, die er erreicht hatte, winkte mit einem weißen Umschlag, den er in der Hand hielt, und räusperte sich.

»Da ist auch noch ein kleines Rezept. Stecken Sie es ein.«

Er warf den Brief über den Fußboden in meine Richtung und verschwand. Der Brief wurde von meinem rechten Fuß gestoppt. Ich hob ihn auf, zog die Lasche heraus und holte so ein Blatt von einem karierten Collegeblock hervor wie beim letzten Mal. Handgeschriebene Ziffern zwischen 1 und 26 standen auf der gesamten ersten und der halben Rückseite, und genau wie beim letzten Mal waren sie mit kurzen Gedankenstrichen verbunden.

Ich seufzte, holte den Leibniz und machte mich an die Arbeit.

Es dauerte eine Weile. Das System war etwas anspruchsvoller als beim letzten Mal, doch als ich es durchschaut hatte, bereitete es keine direkten Schwierigkeiten mehr. Die Nachricht lautete:

fünfachtzweiunddreißig muss beschattet werden kontakt wird im holland park aufgenommen eingang am duchess of bedfords walk samstag der fünfzehnte dreizehnnullnull folge ihnen achte darauf wohin sie gehen was sie tun fotografiere wenn du es kannst ohne dich zu verraten ich wiederhole du darfst dich unter keinen umständen verraten c

Ich holte die Fotos mit den Seriennummern 5, 8 und 32 heraus. Tatsächlich handelte es sich um dieselbe Person, einen Mann mit langgezogenem Pferdegesicht und tiefliegenden Augen. Dunkles, schütteres Haar, auf allen drei Fotos trug er dieselbe Kleidung, ein weit aufgeknöpftes Hemd, dunkle Jacke. Auf einem der Fotos gab es die Andeutung eines Lächelns, auf den anderen beiden sah er sehr ernst, fast besorgt aus. Ich dachte, er könnte ein wenig an den Mann erinnern, der die Aktentasche bei dem Konzert in St. Martin-in-the-Fields hatte stehen lassen, aber bald war ich überzeugt davon, dass es sich nicht um dieselbe Person handelte. Es war vor allem das Haar, das anders war, der Mann in der Kirche hatte deutlich kräftigeren Haarwuchs gezeigt – wenn man davon ausging, dass er keine Perücke trug. Alles war möglich in diesen Kreisen, das begriff ich so langsam, auch wenn ich mir absolut noch nicht im Klaren darüber war, um welche Art von Kreisen es sich eigentlich handelte.

Ich stellte Leibniz wieder in sein Regal, sammelte die Fotos zusammen und stopfte sie mit meinen Papieren in die alte Stofftasche der RAF, die ich vor einem halben Jahr spontan in der Portobello Road gekauft hatte – *speziell angefertigt für Depeschen, die Sicherheit des Imperiums betreffend*, wie ein routinierter, rotweinbefleckter Verkäufer behände behauptet hatte, *deshalb der Preis –*, und verließ das Antiquariat. Als ich auf die Hogarth Road hinaustrat, kam mir in den Sinn, dass es garantiert nicht besonders professionell war, alles zusammen zu transportieren: die chiffrierte Nachricht, die entzifferte Nachricht und einen Teil des Chiffreschlüssels an derselben Stelle – Spezialdesign in allen Ehren –, doch ich legte den Weg zur Coleherne Mews trotz allem zurück, ohne von irgendeinem fremden Geheimdienst überfallen zu werden. Wohlbehalten zu Hause angekommen, ließ ich das Rollo in der Küche herunter, verbrannte Carlas Instruktionen im Aschenbecher und dachte, dass ich genau genommen jemandem ähnelte, der die Dinge so langsam ernst nahm.

Oder der auf dem besten Wege war, die Kontrolle zu verlieren.

Zwei Tage später befand ich mich im Regen vor dem Holland Park. Ich hatte auf dem Bürgersteig Ecke Holland Walk und Duchess of Bedfords Walk mit einem scheinbar platten Fahrrad Stellung bezogen, und während ich so tat, als wäre ich mit dem Hinterreifen beschäftigt, hatte ich den Blick frei auf den Parkeingang auf der anderen Straßenseite. Ich ging davon aus, dass das Pferdegesicht und sein Kontakt von draußen zu ihrem Treffpunkt gehen würden, und einige Minuten nach eins wurde meine Annahme bestätigt, als zwei Gentlemen mit Regenschirmen mit einem Zeitabstand von weniger als zehn Sekunden aus verschiedenen Richtungen die Mauer entlanggeschlendert kamen, um dann unbeschwert durch die Pforte zu schlüpfen.

Ich nahm mein Fahrrad und folgte ihnen. Sobald ich im Park war, hatte ich sie wieder im Blickfeld. Der Erste hatte auf den Zweiten gewartet, und das Paar befand sich nun zwanzig Meter vor mir auf einem der Spazierwege, die nördlich auf die Holland Park Avenue zuliefen. Sie spazierten langsam Seite an Seite, vorbei am Holland House und der Jugendherberge – in der ich im ersten Sommer in dieser Stadt selbst ein paar Wochen gewohnt hatte –, und sie waren allem Anschein nach bereits tief in ein Gespräch vertieft. Diskret folgte ich ihnen, mein Fahrrad schiebend. Ab und zu blieben sie stehen, wandten sich einander zu und schienen irgendein Problem zu besprechen. Aufgrund der Regenschirme konnte ich nicht mit Sicherheit ausmachen, ob der eine tatsächlich mit dem Pferdegesicht identisch war, aber aufgrund der Situation an sich und in Ermangelung anderer Menschen in dem alles andere als angenehmen Wetter fühlte ich mich dennoch meiner Sache ziemlich sicher. Ein Problem war natürlich meine eigene Rolle und dass ich gezwungen war, mich hinter ihnen mit der gleichen anormal langsamen Geschwindigkeit zu bewegen, doch da keiner von beiden die Möglichkeit, überwacht zu werden, in Betracht zu ziehen schien – sie drehten sich nie um, um sich abzusichern –, so brauchte ich mir diesbezüglich keine Sorgen zu machen.

Die beiden Herren setzten ihren Spaziergang unter ihren Regenschirmen in langsamem Takt fort, ohne einem einzigen Menschen zu begegnen, und als sie sich dem Teich näherten, bogen sie nach links ab. Ich nutzte die Gelegenheit, ein paar sinnlose Fotos zu machen, da ich ja nun einmal meinen Fotoapparat dabeihatte, aber es war eigentlich nur eine Farce, das Licht reichte nicht aus, und gerade in dem Moment, als sie die Statue von Lord Holland erreicht hatten, da passierte es.

Sie blieben stehen, wandten sich einander zu, und dann – wenn ich es richtig auffasste von dem Punkt aus, an dem ich über mein Fahrrad gebeugt stand –, dann übergab das Pferdegesicht seinem Begleiter etwas. Ein kleines Päckchen irgendeiner Art, der andere machte eine Handbewegung, als stopfte er etwas in eine Innentasche, schaute sich anschließend hastig um – aber nach allem zu urteilen, ohne meine diskrete Anwesenheit in gut dreißig Meter Entfernung zu bemerken – und machte dann einen schnellen Vorstoß mit der rechten Hand.

Das Pferdegesicht verlor seinen Regenschirm und kippte sich krümmend nach vorn, woraufhin der Begleiter erneut zustieß, dieses Mal von oben und ziemlich hoch in den Rücken. Er warf einen Blick zurück, in meine Richtung, und eilte dann weiter auf die Orangerie zu.

Das Pferdegesicht fiel auf den Kiesweg, direkt zu Füßen der Statue, immer noch zusammengekauert, und noch bevor ich bei ihm war, wusste ich, dass er erstochen worden war.

Das Blut floss in Strömen, er stöhnte leise, und sein Körper wurde durch eine kurze Serie von Krämpfen erschüttert. Anschließend streckte er sich ein wenig, wurde ruhig, und auch wenn ich mich noch nie zuvor in einer derartigen Situation befunden hatte, so wusste ich doch, dass er tot war.

Ein paar Sekunden lang war ich vollkommen perplex. Ich weiß nicht, was ich erwartet hatte – vielleicht gar nichts, vielleicht dass alles nur eine Art absurdes Spiel war –, aber das hier auf keinen Fall. Nicht einen soeben getöteten Körper auf einem Kiesweg im Holland Park an einem regnerischen Samstagnachmittag im Oktober.

Nach einiger Zeit wurde mir klar, dass ich nicht bleiben konnte, und zu meiner Schande muss ich sagen, dass ich mich nicht einmal davon überzeugte, ob der Mann zu meinen Füßen wirklich tot war – indem ich den Puls oder die Atmung überprüft hätte oder was immer man in so einer Situation tut. Doch ich sah seinen Kopf, der schräg nach oben gedreht auf den Kieseln lag, ich sah, dass es sich tatsächlich um den Mann auf meinen Fotos 5-8-32 handelte, und etwas weniger Lebendiges als diese Augen, die weit aufgerissen die Füße des Lord Holland anstarrten, hatte ich noch nie gesehen.

Also tat ich es dem Mörder gleich. Schaute mich um, ohne irgendeinen Zeugen zu entdecken, und eilte aus dem Park. Jedoch in entgegengesetzter Richtung, denselben Weg, den wir gekommen waren.

Zehn Minuten später führte ich von einem Telefonapparat oben an der Station Notting Hill Gate ein anonymes Telefongespräch mit The Metropolitan Police und teilte dem Wachhabenden mit, dass im Holland Park ein Toter lag.

21

Das gelbe Notizbuch

Es dauerte eine Woche, bis ich das nächste Lebenszeichen von Carla erhielt.

Bis dahin hatte ich jeden Tag in Dutzenden von Zeitungen über den Mord gelesen, und damit nicht genug. Am Dienstag hatten *Evening Standard* wie auch *Daily Mail* und der ultrakonservative *Guardian* Fotos von einem Quartett tschechoslowakischer Mitbürger publiziert, die wegen Spionage an lebenswichtigen britischen Verteidigungsanlagen angeklagt wurden – vollkommen unabhängig von den Ereignissen im Holland Park, soweit das der normal informierte Leser beurteilen konnte. Allen vieren war es gelungen, aus dem Königreich zu fliehen und sich auf der anderen Seite des Eisernen Vorhangs in Sicherheit zu bringen – beziehungsweise mit gleichem Ziel ausgewiesen zu werden. Es ging aus keinem der Artikel so richtig hervor, wie es sich eigentlich mit dieser Sache verhielt, und wahrscheinlich war das auch gar nicht gewollt.

Drei Männer und eine Frau jedenfalls, alle in der Fotosammlung präsent, die gut eine Woche zuvor im traditionsreichen Antiquariat Bramstoke and Partners in der Hogarth Road bei Earl's Court insgeheim den Besitzer gewechselt hatte.

Vier ausgewiesene Spione und ein Mordopfer. Noch dreizehn übrig. Als ich am Samstag, den 22. Oktober, den Brief mit der vertrauten Ziffernserie erhielt, fand ich, dass es auch höchste Zeit war. Es waren anderthalb Monate vergangen, seit ich an diesem Septemberabend auf dem Trafalgar Square auf Carla gestoßen war – und wenn ich mich bis dato immer mal wieder frustriert darüber gefühlt hatte, dass zwischen uns nicht so viel passierte, so hatte diese Frustration jetzt ihr Gesicht geändert.

Wir trafen uns eines Abends in einem kleinen Café weit draußen in Ealing. Es war derselbe Tag, an dem ich ihre Nachricht erhalten hatte, und als wir an einem Fenstertisch in dem mit Kunststoff eingerichteten, verräucherten Lokal saßen, prasselte der Regen auf Straße und Bürgersteig, als wären alle Himmelspforten geöffnet worden. Ich war eine Viertelstunde früher als Carla gekommen, hatte eine Tasse Tee bestellen und mich ein wenig trocknen können, und ich erinnere mich, dass ich, als ich sie durch die zerkratzte Glastür eintreten sah, kurz die Vorstellung einer alternativen Variante hatte: dass sie wie eine antike Göttin aus dem Meer ans Ufer gespült worden war. Sie hatte keinen Regenschirm, trug nur Jeans und eine kurze rote Regenjacke, und ihr schwarzes Haar klebte wie falsch gefärbtes Seegras an beiden Seiten ihres Gesichts.

Aber schön, so unerhört intensiv schön, dass ich eine Sekunde lang vergaß, warum ich hier saß.

Wir bestellten mehr Tee und warteten schweigend, während eine rundliche, trübsinnige Kellnerin ihn uns servierte und dann wieder in den Schatten zu ihrem Radioapparat verschwand, der eingeschaltet war und irgendwelche Schlagermusik von sich gab. Engelbert Humperdinck, das erinnere ich aus irgendwelchen Gründen auch noch. *Please release me, let me go.* Wir waren die einzigen Gäste in diesem erbärmlichen Café am Rande des Zentrums der Welt, ich hatte den Eindruck, dass Carla schon früher mal hier gewesen war – mit anderen Männern, und dass sie von derselben trübsinnigen Kellnerin bedient worden war –, aber das kann Einbildung gewesen sein. Es gab viel, was Einbildung hätte sein können. Als sie sich über den Tisch beugte, tropfte es immer noch von ihren Haaren, und sie hielt mit beiden Händen ihre Tasse, um sich zu wärmen. Erneut kam mir der Gedanke, dass sie die erste Frau war. Irgendetwas an der Wortkonstellation setzte sich in meinem Kopf fest: *die erste Frau.*

Und viele andere Dinge verloren plötzlich ihre Bedeutung.

»Es tut mir leid. Ich wusste nicht, dass das passieren würde.«

Ich nickte. Wir tranken beide von unserem Tee und zündeten uns Zigaretten an. Eine Regenkaskade schlug gegen das Fenster, und Carla musste auflachen, trocken und rau.

»Was für ein Wetter hier in diesem Land.«

»Ja, ich weiß. Wie ist es in Prag?«

»Das Wetter?«

»Ja.«

Sie zuckte mit den Schultern. »Besser. Warst du schon mal in Prag?«

»Nein. Aber ich habe von den Nebeln über der Karlsbrücke gelesen.«

»Es ist schön. Prag ist eine schöne Stadt. Oder war.«

Ich wusste nichts zu sagen. Wartete darauf, dass sie zur Sache kam. Aber ich hatte auch nichts dagegen, ihr einfach nur gegenüberzusitzen und Gedanken oder sinnlose Phrasen über was auch immer mit ihr auszutauschen. Absolut nicht, ich wusste bereits damals, dass das so ein Augenblick in meinem Leben war, den ich niemals vergessen würde. Genau wie der blaue Rauch im Covent Garden.

Sie sind schwer zu fassen, diese Momente. Als säße man im Auge des Sturms, und man begreift, dass es die Zeit selbst ist, die den Sturm ausmacht. Die Minuten, Tage und Jahre, das Vergangene und das Kommende, alles bis auf den Augenblick selbst. Das Auge des Sturms.

Die Lösung ist, dass es das Kommando übernimmt, das Auge des Sturms, meine ich, und sich zu vollständiger Gegenwart entwickelt, doch so war es noch nicht. Wir saßen weiterhin in einem Café in Ealing. Humperdinck oder irgendein anderer Mittelklasse-Don-Juan lallte weiterhin melodiös und mittelmäßig im Hintergrund, und wir trugen beide unsere nasse Kleidung am Leib.

Und da war so einiges, worüber wir reden mussten.

»Ich hatte keine Ahnung«, wiederholte sie. »Wieweit hast du ihn gesehen?«

»Den Mörder?«

»Ja.«

Ich schüttelte den Kopf. »Fast gar nicht. Es hat geregnet. Sie trugen Regenschirme.«

»Du würdest ihn nicht identifizieren können?«

»Nein.«

»Aber du hast gesehen, wie er den anderen getötet hat?«

»Ja, natürlich. Er hat ihn niedergestochen. Es muss mit einem Messer passiert sein. Nun, das stand ja auch in den Zeitungen.«

»Hat er etwas bekommen? Hat irgendeine Art von Übergabe stattgefunden?«

»Er hat ein dickes Paket bekommen.«

»Wohin ist er gegangen?«

»Ich weiß es nicht. Er ist aus dem Park verschwunden.«

»Du bist bei Istvan geblieben?«

Ich registrierte, wie sie es bereute. Dass sie den Namen erwähnt hatte. Der hatte in keiner Zeitung gestanden.

»Ich, ich bin dort geblieben. Aber nur ganz kurz. Ich dachte …«

»Was dachtest du?«

»Ich dachte, es wäre dumm, darin verwickelt zu werden.«

»Gut. Das hast du richtig eingeschätzt.«

»Danke.«

Sie warf mir einen verwunderten Blick zu. Verwunderung darüber, dass ich mich bedankte. Mir kam in den Sinn, dass sie wohl genauso unsicher über meine Rolle war wie ich selbst. Dass auch sie ein Spiel mit äußerst unberechenbaren Figuren und Regeln spielte.

»Eines möchte ich wissen«, sagte ich.

»Ich auch«, sagte sie, »ich zuerst, es ist wichtig.«

»All right.«

»Hat er dich gesehen?«

»Du meinst, ob der Mörder mich gesehen hat?«

»Ja.« Ich überlegte. Zuckte mit den Schultern.

»Nun?«

»Ich weiß es nicht. Ich glaube nicht, aber es wäre möglich.«

»Erklär mir das.«

»Er hat einen Blick über die Schulter geworfen, nachdem er… Istvan erstochen hatte. Es ist klar, er muss mich gesehen haben. Ich stand ja nur zwanzig Meter entfernt, vielleicht dreißig.«

»Nur ein Blick über die Schulter?«

»Ja.«

»Aber nicht so, dass er dich wiedererkennen könnte?«

Wieder überlegte ich. »Nein. Ich bin mir nicht einmal sicher, dass er registriert hat, dass dort jemand war.«

»Wieso glaubst du das?«

»Seine Reaktion. Er ließ einfach seinen Blick nur so schweifen. Eine halbe Sekunde lang. Dann verließ er den Park.«

»Und es befanden sich keine anderen Menschen in der Nähe?«

»Nein.«

Sie machte eine Pause, trank einen Schluck Tee.

»Dir ist klar, dass das wichtig ist?«

»Was?«

»Dass er dich nicht identifizieren kann.«

»Warum ist das so wichtig?«

»Weil du Zeuge eines Mordes warst.«

Eine Weile saß ich schweigend da und ließ diese Tatsache auf mich wirken.

»Nun gut«, sagte Carla. »Lass uns davon ausgehen, dass du Recht hast. Dass er dich nicht wiedererkennen wird.«

»Ja«, stimmte ich zu. »Lass uns davon ausgehen.«

Sie räusperte sich. »Was wolltest du fragen, was so wichtig war?«

Unruhe in ihrer Stimme. Und da war etwas in ihrem Blick. Ein Zögern, die Suche nach einem Fokus.

»Das ist doch eigentlich ziemlich klar.«

»Ja?«

»Ich will wissen, auf welcher Seite du stehst.«

Sie nickte und zog an ihrer Zigarette. Ich dachte, dass es praktisch ist, Raucher zu sein, wenn man etwas Zeit gewinnen will. Auch wenn es sich nur um eine Sekunde handelt. Ja, ich konnte diese Gedanken denken, manchmal kommen sie ganz schnell.

»Ein gewisses Maß an Geheimhaltung kann ich akzeptieren«, fügte ich hinzu. »Aber ich möchte gern wissen, in wessen Auftrag ich handle.«

»Du brauchst dir keine Sorgen zu machen. Vertraust du mir nicht?«

Ich gab keine Antwort.

»Du glaubst doch wohl nicht, dass mir diese fremden Panzer in den Straßen meiner Heimatstadt gefallen?«

»Ich habe vor einer Woche gesehen, wie ein Mann ermordet wurde.«

Sie seufzte. »Das war nicht beabsichtigt.«

»Heißt das, dass du auf seiner Seite stehst? Oder stehst du auf derselben Seite wie … der andere?«

Einen Moment zögerte sie mit ihrer Antwort. »Ich kann dir das nicht erklären. Momentan ist die Situation kompliziert. Unglaublich kompliziert. Unter normalen Umständen wäre so jemand wie du natürlich nie darin verwickelt worden.«

»So jemand wie ich?«

»Entschuldige. Es steht dir immer noch vollkommen frei, dich herauszuziehen, das konntest du die ganze Zeit. Ich habe nicht versucht, dich hinters Licht zu führen, das kannst du nicht behaupten.«

»Das behaupte ich auch gar nicht. Aber...«

»Aber?«

Ich holte tief Luft und beschloss das Thema zu wechseln.

»Es gibt auch eine persönliche Ebene. Wie schon gesagt.«

Sie rauchte und gewann so erneut Zeit.

»Du hast zugelassen, dass ich deine Hände halte, als wir in dieser Wohnung in Covent Garden saßen. In diesem blauen Licht. Du hast mir Anlass gegeben... ich weiß nicht.«

»Es gibt immer eine persönliche Ebene.«

Ich suchte in meinem Kopf nach Worten, fand jedoch nur durchschaubare Konstruktionen und Banalitäten. Ich betrachtete ihr nacktes Schlüsselbein und dachte, wenn ich das nicht bald berühren darf, dann vergehe ich. Es fällt schwer, so einen idiotischen Gedanken aufzuschreiben, doch ich weiß, dass es ihn gab. Ja, genau genommen würden wir beide vergehen, wenn wir nicht dafür sorgten, vereint zu werden, wir würden in Rauch, Vergessen und Nichtigkeit aufgehen, zusammen mit diesem ganzen heruntergekommenen Café – und dem Stadtteil und der Millionenstadt und allem anderen Sinnlosen und eitel Strebenden und Suchenden in diesem verfluchten Leben. Ost und West und alle Barbaren mit menschlichem Antlitz, ja, so eine dunkle Wolkenwand war es, die sich mir hastig aufdrängte, und ich streckte meine Hände über den klebrigen Tisch, weil das die einzige Handlung war, die ich ausführen konnte.

Und sie strich behutsam, aber irgendwie neutral mit dem Handrücken über meinen Unterarm, und das übergewichtige Mädchen nieste laut vernehmlich vor ihrem Engelbert oder irgendeinem anderen Adonis in irgendeinem angrenzenden Raum.

»Es gibt eine Wohnung nicht weit von hier. Aber wir können das Café nicht zusammen verlassen.«

Ich nickte.

»Lass mich vorgehen. Warte zehn Minuten, hier ist die Adresse. An der Klingel steht Espinoza. Viermal kurz klingeln. Und achte um Gottes willen darauf, dass dir niemand folgt.«

»Espinoza?«

»Ja.«

Sie gab mir einen gefalteten Zettel. Nachdem sie gegangen war, öffnete ich ihn.

12 Mount Park Crescent

Und dort empfing sie mich eine halbe Stunde später. Und dort liebten wir uns das erste Mal. Als ich mit der ersten Metro am nächsten Morgen nach West End zurückfuhr, war es immer noch stockfinster, aber der Regen hatte aufgehört.

22

Maud

Ehrlicherweise muss ich Folgendes zugeben: Es ist nicht sicher, ob ich jemals mit Leonard Vermin zusammengezogen wäre, wenn nicht die Witwe Monsen vor ihrem Arbeitsplatz, der kommunalen Arbeitsvermittlung in der Keymerstraat, von einer Straßenbahn überfahren worden wäre.

Elizabeth Monsen starb noch am Unfallort, doch bevor sie starb, hatte sie mehr als zehn Jahre lang direkt Wand an Wand zu meiner und der Kinder Wohnung in der Barins Allee gelebt. Ungefähr seit Irina und Gregorius geboren worden waren. Ihre Wohnung war genau wie unsere eine geräumige Vierzimmerwohnung, und als Leonard und ich sie nach einer angemessenen Zeit nach der Beerdigung kauften und anderthalb Wände herausschlugen, entstand plötzlich eine Siebenzimmerwohnung von gut dreihundert Quadratmetern. Leonard bekam ein Arbeitszimmer und eine Bibliothek, ich bekam ein Behandlungszimmer, wir gönnten uns ein Esszimmer mit antiken Möbeln, die wir bei Gundermeyer's ersteigerten, und Monsens alte Küche wurde in ein mondänes Badezimmer mit italienischen Fliesen und einer Waschküche verwandelt.

Ich glaube, Leonard sah dieses Straßenbahnunglück vom ersten Moment an als ein Zeichen, und was mich betrifft, so musste ich zumindest einräumen, dass es eine praktische Lösung war.

Doch um Liebe handelte es sich wohl kaum. Was ich auch gar nicht erwartete, einer meiner ersten Mentoren während meiner Ausbildung hatte einen Sinnspruch in seinem Büro hängen – *Liebe auf den ersten Blick ist groß, doch Liebe auf den letzten ist größer –,* und vielleicht war das die Devise, der ich folgte, als wir unsere Siebensachen zusammenschmissen.

Dazu wird es nicht kommen, in keinerlei Hinsicht, das weiß ich – weiß es schon seit Langem – mit zunehmender Klarheit. Aber ich möchte behaupten, dass wir einander dennoch in den zwanzig Jahren, die wir zusammengelebt haben, respektiert haben – und wenn man zwischen Respekt und Liebe wählen muss, dann ist es vielleicht nicht so selbstverständlich, wie es einem zunächst erscheinen mag, dass man sich für Letzteres entscheidet. Wobei ich nicht von dieser Sorte von Respekt spreche, die wie eine dunkle Wolke über verschiedenen sogenannten Ehrenverbrechen liegt. Natürlich nicht. *Respekt* ist ein Wort, das Gefahr läuft, in Feindeshand zu fallen.

Ich lese diese Seite noch einmal durch und stelle zu meiner Verwunderung fest, dass es sich mal wieder wie das Vorwort für eine Neuübersetzung der Werke von Alberoni anhört. Das macht mich traurig, ungemein traurig. Meine therapeutische Arbeit ist ein Virus, der anscheinend mein gesamtes privates Denken befallen hat und zu beherrschen scheint. Als hätte ich aufgehört, ein Mensch zu sein, und wäre mit meiner Berufsrolle voll und ganz verschmolzen.

Aber es ist nur noch gut ein Tag bis zu diesem verfluchten Festessen, und ich spüre, dass ich mich auf dünnem Eis bewege. So, so, zumindest ein Fluch, aber was ich vielleicht eigentlich meine: es kann möglicherweise gar nicht schaden, wenn ich mich ein wenig professionell verhalte. Seit wir hierhergekommen sind, verhält sich Leonard mit jedem Tag, der vergeht, unbegreiflicher und kränker, es gibt Momente, in denen ich glaube, dass er ganz einfach verrückt geworden ist, dass man nicht mehr erwarten kann, dass seine Worte und Taten auch nur den geringsten Sinn und Verstand zeigen. Dass nichts, was er tut oder sagt, mich eigentlich verwundern sollte, da sich seine Schrauben nach und nach gelockert haben und er als Idiot sterben wird – doch im nächsten Augenblick erkenne ich ihn plötzlich wieder. Wir können nicht darüber reden, sollte ich es versuchen, würde er aggressiv reagieren und sich in seine Schale einschließen, was er sowieso schon tut. Sich in seine finstere Welt zurückziehen, wie es heißt, ja, vielleicht ist es das, worum es hier geht. Vielleicht ist das der Ort, an dem er sich in seinen letzten Stunden aufhalten will. Doch ich bin mir nicht sicher, ob *finstere Welt* der richtige Ausdruck ist, es kann sich ebenso gut um etwas anderes handeln.

Einfach nur eine Landschaft, zu der ich keinen Zutritt habe. Etwas, das mit alten Zeiten und dieser Stadt hier zu tun hat. So gut wie jeden Morgen hat er mir erklärt, dass er seine Ruhe haben will, und mich zu irgendeiner unbedingt sehenswerten Adresse geschickt. Natürlich Museen. Bootstouren auf der Themse oder Busfahrten mit senilen Amerikanern nach Stratford oder einfach nur Spaziergänge durch das quirlige London. Holland Park. Hampstead. Little Venice. Was die Planung des Essens morgen betrifft, so hat er nicht zugelassen, dass ich auch nur den kleinsten Finger dafür rühre, doch vor kurzem hat er mir zumindest den Namen des Restaurants verraten, in dem das Ganze vom Stapel laufen soll. Es ist ein schönes französisches Etablissement in der Great Portland Street mit Namen *Le Barquante*, was um alles in der Welt das auch bedeuten soll, und noch am selben Nachmittag fuhr ich hin, um mir zumindest einen Eindruck zu verschaffen. Ich konnte auch mit einem sehr zuvorkommenden, doch förmlichen Oberkellner sprechen, der mir erklärte, dass Monsieur Vermin sehr sorgfältig auf jedes Detail geachtet habe und dass alles ganz nach seinen Wünschen vorbereitet sei. Er zeigte mir außerdem den etwas abseits stehenden Tisch, an dem wir sitzen sollen, und als ich mich über die Größe wunderte, erklärte er, dass dies für eine Gesellschaft von sechs Personen einfach notwendig sei.

Sechs Personen? Ich verstehe immer noch nicht, was das zu bedeuten hat. Leonard, ich selbst, Irina und Gregorius – wer sind die beiden anderen? Was hat er da ausgeheckt?

Mir kam in den Sinn, dass es sich um Judith und Anna handeln könne, Gregorius' ehemalige Frau und mein entzückendes kleines Enkelkind, doch als ich Judith anrief, um die Sache zu überprüfen, begriff ich sogleich – ohne dass ich den eigentlichen Grund meines Anrufs verraten musste –, dass dem nicht so war. Die Beziehung zwischen ihr und Gregorius scheint überhaupt am Gefrierpunkt angekommen zu sein, und es fällt mir als Mutter natürlich nicht so leicht zuzugeben, dass die Schuld daran einzig und allein mein Sohn trägt. Sein Vater, meine erste große Liebe, Ralph deLuca, war in den letzten Jahren selbst einige Male in Behandlung, und ich bin immer mehr davon überzeugt, dass Gregorius dem gleichen Schicksal entgegengeht.

Oder einem noch schlimmeren. Ich habe keinen großen Einblick in sein Leben, aber ich fühle, dass seine Verantwortungslosigkeit ihn eines Tages zu Fall bringen wird. Eine Mutter weiß so etwas, auch wenn es ein Klischee mit erschreckender Gültigkeit ist. Ich weiß nicht, ob er Drogen nimmt; jedenfalls trinkt er zu viel, und es gibt eine Unruhe in mir, die mir sagt, dass er morgen Abend im Restaurant etwas anstellen wird. Es ist lange her, dass Leonard und Gregorius ein vernünftiges Gespräch führen konnten, und ein paar Gläser Bordeaux oder Burgunder können natürlich welchem Dämon auch immer die Türen öffnen. Ich hoffe, Irina ist in der Lage, ihn zu kontrollieren, wir wollen uns heute Abend in einem italienischen Restaurant gleich hier in der Nähe treffen, um eine einfache Mahlzeit einzunehmen und zu versuchen, eine Art Strategie aufzustellen, und während ich diese Worte aufschreibe, muss ich zugeben, dass ich nicht die geringste Ahnung habe, was ich damit meine. Strategie wofür? *Wogegen*?

Ich hatte natürlich gehofft, auch Gregorius bei einem Happen zu essen zu treffen, doch laut Irina hat sie ihn nicht mehr gesehen, seit sie gestern zusammen in London angekommen sind. Obwohl sie im selben Hotel auf demselben Stockwerk wohnen. Ich kann ihr anhören, dass ihr das ziemlich gleichgültig ist. Sie ist ihren Bruder leid, das ist die traurige Wahrheit, und ich kann es ihr nicht verdenken.

Was Leonard betrifft, habe ich wie gesagt noch weniger Kontrolle, und heute Vormittag ereignete sich etwas, das mich sehr erschreckt hat und das ich nicht erklären kann. Ich kann nur hoffen, dass es sich um eine einmalige Sache handelt.

Wir hatten gemeinsam gefrühstückt, ich hatte das Tablett auf den Flur gestellt. Leonard saß mit der *Times* im Lehnstuhl. Den ganzen Morgen über hatten wir nicht viel miteinander gesprochen; ich konnte sehen, dass er Schmerzen hatte, hatte aber nicht fragen wollen. Ich wollte nicht nervig sein, es ärgert ihn, wenn er an seine Gebrechlichkeit erinnert wird. Doch dann war es jedenfalls Zeit für die Medikamente, wenn wir nach einer Woche in dieser Stadt überhaupt noch Routinen haben, dann die, dass ich ihm bei den Tabletten helfe, bevor ich mich auf meine Sightseeingtour mache. Was immer auf dem Programm stehen mag.

Ich holte die Tabletten aus den Döschen heraus, die ich auf ein Regal im Badezimmerschrank gestellt hatte, und goss ein Glas Wasser ein. Stellte alles auf den Tisch in seiner Reichweite, und während ich mit diesen Trivialitäten beschäftigt war, bemerkte ich, dass er mich hinter der Zeitung beobachtete. Auf irgendeine Art und Weise war mir klar, dass er das bereits seit einer Weile tat, ich weiß nicht, wie ich es gemerkt habe, aber ich war mir sicher, dass er mindestens schon seit mehreren Minuten so dasaß und mich betrachtete. Während ich abdeckte wahrscheinlich, während ich das Tablett hinausbrachte, während ich die Zähne putzte und mich kämmte.

»Wer bist du?«, fragte er plötzlich, als unsere Blicke sich trafen.

Ich gab keine Antwort. Zog nur verwundert die Augenbrauen hoch.

»Wer bist du?«, wiederholte er. »Könntest du so freundlich sein und mir sagen, wer du bist?«

Seine Stimme klang wie immer. Vielleicht mit einem Hauch leichter Verärgerung, doch das ist keineswegs ungewöhnlich.

»Wie meinst du das?«

»Ich will wissen, wer du bist.«

Jetzt konnte ich auch eine Spur von Angst heraushören; er versuchte sie wahrscheinlich mit Hilfe des Ärgers zu verbergen, doch ich kenne ihn zu lange, um solche kleinen Nuancen nicht zu bemerken.

»Leonard, ich verstehe nicht, was du da redest.«

Er ließ die Zeitung sinken, und ich bemerkte, dass er sie fest umklammert hielt. Sie fast an den Rändern zerriss.

»Dein Name. Kannst du mir um Gottes willen sagen, wie du heißt.«

Ich blieb stehen und betrachtete ihn genau, bevor ich antwortete. Suchte nach Zeichen für einen Schlaganfall oder dafür, dass etwas anderes in seinem Schädel kaputt gegangen war, konnte aber nichts in dieser Richtung feststellen. Sein Blick war etwas verschwommen, aber direkt, und er sah mehr oder weniger aus wie immer. Oder zumindest wie er im letzten halben Jahr ausgesehen hatte, seit die Krankheit ihn in ihren Klauen hatte.

»Maud«, sagte ich. »Ich heiße Maud. Das weißt du doch? Wir leben seit zwanzig Jahren zusammen.«

Er machte eine zuckende Bewegung mit Kopf und Schultern,

die ich nicht deuten konnte. »Und ich?«, fragte er dann. »Wer zum Teufel bin ich?«

Ein Dutzend Gedanken rasten mir durch den Kopf. Der einzige, der übrig blieb, ich musste sein Spiel mitspielen. Zumindest für den Moment, um zu versuchen herauszubekommen, wie es eigentlich um ihn stand.

»Aber du bist doch Leonard. Leonard Vermin, hast du das vergessen?«

»Das glaube ich nicht.«

»Du glaubst nicht, dass du Leonard heißt?«

»Scheiße, ich kann nicht einmal meinen Namen aussprechen.«

»Du kannst nicht Leonard Vermin aussprechen?«

»Ich heiße nicht Leonard Vermin. Ich heiße irgendwie anders. Warum kannst du mir nicht helfen, wenn du sowieso schon einmal hier bist?«

Ich überlegte kurz, die Rezeption anzurufen und nach einem Arzt zu schicken, beschloss dann aber, es sein zu lassen. Was sollte das bringen?

Ihn ins Krankenhaus transportieren und dort zur Beobachtung bleiben lassen?

Ein paar Tage lang? Statt der Geburtstagsfeier morgen? Er würde mich umbringen, wenn er wieder bei Sinnen war.

»Ich möchte dir helfen, so gut ich kann. Aber soweit ich weiß, heißt du Leonard, und ich selbst heiße Maud. Wir befinden uns in London, um...«

»Ich weiß, wo ich mich befinde«, unterbrach er mich. »Ich bin in einem Hotel in London, doch was meine Identität betrifft, bin ich hinters Licht geführt worden. Es ist gut möglich, dass du Maud heißt, diesbezüglich habe ich keine Ahnung. Aber was mich betrifft, so heiße ich so.«

Er ergriff einen der Stifte, die auf dem Tisch lagen, und schrieb etwas auf den oberen Rand der Zeitung. Schrieb in

Druckschrift, nicht mit seiner üblichen Handschrift. Überreichte mir die Zeitung, damit ich es lesen konnte.

Lars Gustav Selén

Ich starrte auf den Namen. Vielleicht klingelte tief in meiner Erinnerung eine kleine Glocke, aber wenn, dann nur ganz leise. Ich gab die Zeitung zurück.

»Ich kann ihn auch nicht aussprechen«, stellte ich fest. »Und ich bin mir sicher, dass du nicht so heißt.«

Er erwiderte nichts. Sah verärgert aus, aber auch verängstigt.

»Das ist doch ganz einfach nachzuprüfen«, sagte ich. »Wir können bei der Rezeption anrufen. Oder warte, warum gucken wir nicht in deinem Pass nach?«

Ich machte Anstalten, ihn aus dem Tresor zu holen, doch er hob die Hand und hielt mich zurück. »Der ist manipuliert«, sagte er. »Alles ist manipuliert, begreifst du das nicht?«

»Manipuliert?«

»Ja.«

Schnell versuchte ich nachzudenken. »Leonard«, sagte ich. »Nimmst du mich auf den Arm?«

Er schüttelte den Kopf und sah plötzlich sehr müde aus. Irgendwie resigniert, wie ich ihn noch nie zuvor gesehen hatte, nicht einmal während der schlimmsten Schmerzattacken. Ich sah, dass er kurz vor dem Einschlafen war, und beeilte mich, ihm die Tabletten zu geben und das Wasserglas zu reichen.

»Nimm jetzt deine Medikamente, Leonard. Ich glaube, du solltest dich eine Weile ausruhen. Lass uns heute Nachmittag noch mal darüber reden.«

Ein paar Sekunden lang saß er vollkommen reglos da, dann nahm er die Tabletten entgegen, legte den Kopf nach hinten und kippte sie sich in den Mund. Trank stöhnend zwei Schluck Wasser. Die gleichen Bewegungen, das gleiche Ritual wie immer.

»Hilf mir bitte ins Bett. Ich muss schlafen.«

Das tat ich. Während wir die wenigen Schritte durch den Raum gingen, schien mir, als stütze er sich ungewöhnlich schwer auf mich, als wäre es nicht nur der Körper, der gestützt werden musste, sondern auch etwas Inneres. Nachdem ich ihn ein wenig zugedeckt hatte – nicht zu sehr, das mag er nicht – und seine geschlossenen Augen mit den Verästelungen dünner blauer Adern auf den Augenlidern und seinen abgemagerten Kopf, der in das allzu weiche Kissen gesunken war, betrachtete, überfiel mich ein Gefühl der Zärtlichkeit. Ich war kurz davor zu sagen der Liebe, doch das wäre übertrieben. Mögen die Engel dich in den Schlaf wiegen, dachte ich. Möge dein Ende friedlich sein, Leonard Vermin.

Fast unmittelbar danach begann er mit seinen charakteristischen Atemzügen des Schlafes. Kurz, unregelmäßig und leicht schnarchend. Ich zog mich an und machte mich auf den Weg, um das Royal Albert Museum zu besuchen, ich kann ebenso gut meinen Plänen folgen, dachte ich, wie sinnlos sie mir auch erscheinen.

Doch als ich auf die Straße trat und mich ein frischer Wind packte, spürte ich eine tiefe Traurigkeit. Ich hoffe wirklich, dass er nicht den Verstand verliert, es wäre so ein trauriges, jämmerliches Ende, wenn er in einem Krankenhausbett in einer psychiatrischen Abteilung sterben müsste.

In einem fremden Land. Unwürdig ist das richtige Wort, aber so gehen ja die meisten von uns zu Grunde: vieles von dem, was wir uns erträumten, bleibt unerledigt – mit dem Gedachten und Eingebildeten doch nie Erlebten als Treibgut auf der äußeren Hülle, schnell von der Dunkelheit absorbiert. Ich verstehe das sehr viel besser, als Leonard sich das vorstellen kann.

Ja, ins Meer der Unwürde werden wir versinken. Möge es nur schnell gehen, wenn der Tag kommt, das ist das Einzige, worum wir bitten können.

Meine therapeutische Arbeit ist aus den Fugen geraten.

23

Dieses italienische Restaurant an der Hereford Road, das ich ausgesucht hatte, taugte nichts. Irina rief mich eine Stunde vorher an und erklärte, dass sie ins *Michael Moore* umgebucht hatte, in der Blandford Street schräg gegenüber Marble Arch. Ich nahm ein Taxi dorthin, und als ich eintrat, wurde mir klar, dass sie sich nicht mit etwas Einfachem hatte begnügen wollen. Wir gehen nicht sehr häufig zusammen ins Restaurant, Irina und ich – zumindest nicht, seit sie erwachsen ist –, weshalb ich nicht weiß, welche Präferenzen und Gewohnheiten sie diesbezüglich hat. Ich hatte mir ein einfaches Pastagericht und ein Glas Chianti vorgestellt, doch das hier war offenbar ein Ort, den man aufsuchte, um jeden kleinsten Krumen zu genießen. Und Tropfen: die Weinkarte wurde angereicht, als handelte es sich um ein neugeborenes Königskind. Nur gut, dachte ich, dass Gregorius nicht da ist; hätte er bei uns gesessen und so viel Wein getrunken wie üblich, dann wäre die Rechnung sicher astronomisch ausgefallen.

Nun trafen wir uns ja nicht in erster Linie, um gut zu essen und zu trinken, deshalb war ich etwas verblüfft über Irinas Wahl. Aber mir wurde klar, dass ich meine Tochter eigentlich nicht besonders gut kannte. Sie besitzt eine Integrität, die zu schützen und behüten sie sehr bedacht ist, so ist sie seit ihrer Teenagerzeit. Vielleicht ist es eine Art Perfektionismus, mögen die Götter wissen, woher sie das hat, und während wir unsere

Gläser zu einem vorsichtigen Prost mit irgendeinem bernstein-farbenen Prickelgetränk hoben, das sie schon vorher bestellt hatte, durchfuhr mich der Gedanke, dass ich meinen Sohn eigentlich viel besser verstand.

Aber Männer sind natürlich von Natur aus einfacher ge-strickt als Frauen, das weiß jeder Therapeut. So unglaublich viel einfacher.

Das heißt, wenn sie nicht gerade dabei sind, verrückt zu wer-den. Ich stellte mein Glas ab und beschloss, direkt zur Sache zu kommen und Irina die Situation zu erklären.

»Was ist eigentlich Zweck dieser Geburtstagsfeier?«, unter-brach sie mich bereits nach wenigen Sätzen.

»Zweck?«, fragte ich nach.

»Ich weiß, dass er siebzig wird und nicht mehr lange zu le-ben hat und alles. Aber trotzdem, es ist doch gar nicht sein Stil, seine Nächsten und Liebsten um sich zu scharen. Oder?«

Die Aggressivität wurde nur mühsam durch ihre gute Er-ziehung und den zivilisierten Tonfall kaschiert. Aber vor der eigenen Mutter muss man ja kein Theater spielen, das ist eine Tatsache wie viele andere. Ich zuckte mit den Schultern und wusste nicht, was ich darauf antworten sollte.

»So ist er nun einmal«, sagte ich.

»Das weiß ich«, erwiderte Irina. »Aber jetzt hat er etwas Be-sonderes im Visier. Oder?«

Es störte mich ein wenig, dass sie dieses »Oder?« auf diese nachlässige Art wiederholte, aber ich machte mir nicht die Mühe, sie darauf hinzuweisen. Es waren inzwischen zwei Jahr-zehnte vergangen, seit ich aufgehört hatte, den Wortgebrauch meiner Tochter zu bewerten. Mehr oder minder seit Leonard in mein Leben getreten war, ja, da gibt es einen Zusammen-hang.

»Das mag schon stimmen«, antwortete ich stattdessen. »Aber

du brauchst nicht zu glauben, dass er mich in seine Geheimnisse einweiht.«

»Aber du musst doch trotzdem irgendwelche Vermutungen haben?«

»Nein, ganz und gar nicht. Abgesehen davon, dass er uns noch ein letztes Mal alle zusammen sehen möchte. Vielleicht ist es nur das. Hast du das mal mit Greg diskutiert?«

»Na sicher. Er hat so einige Erwartungen, vorsichtig ausgedrückt.«

»Erwartungen?«

»Ja, Erwartungen.«

»Das verstehe ich nicht.«

»Natürlich verstehst du das. Mama, ich wäre dir wirklich dankbar, wenn wir offen darüber reden könnten.«

Sie lehnte sich zurück, faltete die Hände vor sich auf der weißen Tischdecke und sah mich leicht anklagend an. Ein Kellner kam heranstolziert, er nahm unsere Bestellungen auf und verschaffte mir so eine Minute zusätzlicher Bedenkzeit.

»All right«, sagte ich, als wir wieder allein waren. »Ich vermute, dass du auf das Erbe anspielst?«

»Ganz genau«, antwortete Irina. »Es sind seine verfluchten Millionen, auf die ich anspielen will.«

Jetzt konnte ich nicht mehr umhin, ich musste ihren Wortgebrauch kommentieren. »Warum nennst du sie verflucht?«

Sie seufzte. »Weil Greg die ganze Fahrt über nichts anderes geredet hat. Unter anderem. Er stellt es sich so vor, dass Leonard plant, uns morgen Abend sein Testament zu verkünden, und dass er danach keinen einzigen Tag im Leben mehr wird arbeiten müssen. Greg, meine ich.«

»Mein Gott.«

»Ja, genau. Er baut sozusagen seine Zukunft auf diesem Essen auf und auf Leonards bevorstehendem Tod. Das erscheint ... ja, mir erscheint es fast pervers.«

»Pervers? Was erscheint dir pervers?«

»Ich weiß nicht. Alles. Ich wollte wirklich nicht hierherfahren. Und ich komme auch sehr gut ohne sein Geld aus.«

»Was man von Greg wohl nicht behaupten kann?«

»Anscheinend nicht.«

»Wie geht es ihm?«

Irina breitete die Hände in einer halbherzigen Geste aus, gab aber keinen Kommentar von sich.

»Wo ist er heute Abend? Warum hast du ihn nicht mitgenommen?«

»Mama, Greg ist inzwischen dreißig. Sogar einunddreißig, und ich werde ihn nicht wie ein kleines, willenloses Kind behandeln. Obwohl…«

»Obwohl er ein kleines Kind ist?«

»Ja, aber nicht willenlos.«

Ich nickte. Eine Weile saßen wir schweigend da, während wir unser Blubberwasser austranken. Dieses Mal, ohne uns zuzuprosten, doch unsere Blicke begegneten sich. Ich sah, dass sie jetzt bedrückt aussah, ich versuchte einzuschätzen, ob es nur an der Sache mit Gregorius lag oder ob sie auch eigene Gründe dafür hatte. Die Frage, ob sie nicht vielleicht einen Mann kennen gelernt hatte, lag mir auf der Zunge, aber ich konnte sie zurückhalten. Wenn es etwas gibt, was ein Gespräch zwischen mir und meiner Tochter abrupt beendet, dann die Frage nach den Männern in ihrem Leben.

»Ich nehme an, dass er nur wenig Kontakt mit Judith und Anna hat?«

»Das nehme ich auch an.«

»Und dass er zu viel trinkt?«

»Auf jeden Fall.«

»Schulden?«

»Sicher.«

»Wo ist er momentan?«

»Keine Ahnung.« Wieder zuckte sie mit den Schultern. »Vermutlich auf einer Runde durch die Pubs. Um weiter Schulden anzuhäufen. Frauen aufreißen.«

»Frauen?«

»Soweit ich weiß, hat er immer noch diese Neigung.«

»Du hast ansonsten keinen engeren Kontakt zu ihm?«

»Nein, Mama, und im Augenblick bin ich seiner ziemlich überdrüssig. Wenn du mit ihm noch vor dem Essen reden möchtest, dann schlage ich vor, du rufst ihn an oder schickst ihm eine Nachricht ins Hotel.«

Eine Vorspeise, bestehend aus ein paar undefinierbar zubereiteten Jakobsmuscheln, erschien in Begleitung zweier Kellner und zweier Gläser Burgunder. Der eine Kellner erklärte etwas mit charmantem Ernst, während der andere im Hintergrund stand und Irina anlächelte. Ich hörte nicht zu, sie zogen sich zurück.

»Erzähl mir lieber von Leonard«, sagte Irina.

»Lass uns lieber erst essen«, sagte ich.

Ich berichtete in groben Zügen, was es zu berichten gab.

Was nicht besonders viel war. Ich habe immer darauf geachtet, meine Beziehung zu Leonard nicht mit meinen Kindern zu diskutieren. Es hat auch keinen Anlass dazu gegeben, teils gibt es nicht viel zu reden, teils wäre es ihnen auch nur peinlich gewesen. Kinder wollen nicht wissen, welches Verhältnis ihre Eltern zueinander haben, im Bett, in ihrem Innersten und überhaupt, das ist eine Sache, die erwachsene Menschen zu begreifen lernen sollten. Eine andere Sache ist natürlich der rein praktische Sektor, auf ihm haben Kinder jedes Recht der Welt, informiert zu werden: Welche Pläne haben sie? Wollen sie irgendwelche Reisen unternehmen? Sie wollen sich ja wohl nicht scheiden lassen? Sie sind doch wohl nicht krank? Wie sieht es mit den Finanzen aus?

Also konzentrierte ich mich – was vollkommen natürlich ist – auf die gerade zurückliegende Zeit und die uns bevorstehende.

Vor allem sorgte ich mich um Leonards körperlichen Zustand, den körperlichen und den psychischen. Auf diesem Gebiet brauchte ich ein wenig Unterstützung, und ich hatte mir eingebildet, Irina könnte ein wenig Mitleid zeigen, ja, das hatte ich wirklich.

Wenn nicht mit Leonard, dann zumindest mit mir.

»Er hat es so schwer«, sagte ich. »Und es ist nicht einfach, mit ihm umzugehen.«

»Wie lange hat er noch?«, fragte Irina.

»Ich weiß nicht. Auf keinen Fall mehr als drei, vier Monate. Vermutlich deutlich weniger.«

»Hat er Schmerzen?«

»Ja, er hat große Schmerzen.«

Sie überlegte.

»Aber er nimmt doch Medikamente?«

»Natürlich. Aber die Medikamente machen auch etwas mit seinem Gehirn.«

»Ich dachte, man wird müde davon.«

»Er wird müde. Aber es passieren noch andere Dinge mit ihm. Ich weiß wirklich nicht, was er so denkt. Und was das Essen morgen Abend betrifft, so weiß ich darüber nicht mehr als du.«

»Natürlich weißt du mehr.«

»Glaub mir, Irina, er regelt das alles nach seinem eigenen Kopf. Einzig und allein nach seiner Nase. Ich glaube…«

»Was glaubst du?«

»Nein, es sind sicher nur Einbildungen.«

»Mein Gott, Mama, wenn du A sagst, dann sei doch bitte so gut und sag auch B.«

»Na gut. Er scheint etwas Besonderes zu planen.«

»Etwas Besonderes?«

»Das ist alles, was ich sagen kann. Ich weiß es ganz einfach nicht.«

»Redet ihr denn nicht miteinander?«

»Natürlich tun wir das, aber nicht…«

»Nicht?«

»Nicht über wesentliche Dinge.«

Irina seufzte und schüttelte resigniert den Kopf. Eine Weile widmeten wir uns schweigend dem Essen.

»Du kannst ja wohl zumindest verraten, wohin es geht.«

»Was?«

»Na, wie dieses Restaurant heißt.«

»Es heißt *Le Barquante*. Die Straße heißt Great Portland Street, es ist nicht besonders weit von hier. Ich glaube, ihr werdet jeder heute Abend oder morgen früh eine Nachricht im Hotel liegen haben. Ich war dort und habe es mir angeguckt, ein schönes Restaurant, mindestens so gut wie dieses hier. Das Merkwürdige ist…«

Ich biss mir auf die Zunge. Irina legte ihr Besteck hin und wartete ab.

»…das Merkwürdige ist, dass der Tisch für sechs Personen reserviert ist. Hast du irgendeine Ahnung, wer die anderen beiden sein könnten?«

»Sechs Personen?«

»Ja.«

»Warum… wieso sollte ausgerechnet ich das wissen? Hat er nichts diesbezüglich gesagt?«

Ich schüttelte den Kopf. Sie kaute eine Weile auf ihrer Unterlippe herum und sah nachdenklich aus.

»Vielleicht hat er noch ein paar gute Freunde hier in der Stadt? Er hat doch eine ganze Weile in London gelebt, oder?«

»Zehn Jahre lang, glaube ich. Das war lange, bevor wir uns kennen gelernt haben. Wir haben nie über diese Zeit gesprochen.«

Irina holte tief Luft und betrachtete mich mit einer gewissen müden Skepsis.

»Worüber habt ihr eigentlich gesprochen, Mama? Mal ganz ehrlich.«

Das war eine gute Frage. Ich beschloss, sie lieber nicht zu beantworten.

Da unsere Hotels von Marylebone aus gesehen in unterschiedlichen Richtungen lagen, bestellten wir jeder ein Taxi vom *Michael Moore* aus. Ich ließ Irina das erste nehmen, und bevor meines auftauchte, beschloss ich, lieber zu Fuß nach Notting Hill zurückzugehen. Es war ein recht warmer Abend, und es sah nicht nach Regen aus, da konnte ich mir ebenso gut ein wenig Bewegung gönnen. Außerdem wollte ich gern den Zeitpunkt noch etwas aufschieben, bis ich Leonard wiedertreffen sollte. Während der Stunde, die wir uns nachmittags gesehen hatten, war er ungefähr wie immer gewesen – kein Identitätsproblem –, doch die nervöse Unruhe, die mich befallen hat, seit wir hier sind, hat sich durch das Gespräch mit meiner Tochter noch gesteigert, und irgendwie ist die Frage, die ich so lange habe unterdrücken können, jetzt an die Oberfläche gespült worden.

Was zum Teufel will er mit all seinem Geld anfangen?

Ich habe mir wirklich alle Mühe gegeben, über diese Frage nicht weiter nachzudenken, in erster Linie, weil ich sie als unmoralisch ansehe. Ich lebe mit Leonard Vermin nicht seines Geldes wegen zusammen, und ich konnte immer mit Fug und Recht von mir behaupten, dass ich nicht hinter Geld und Ehre her bin. Wir haben nie geheiratet, und wir hatten während der gesamten zwanzig Jahre getrennte Konten. Wir haben gut gelebt, Leonard war immer großzügig, und ich habe mich um diese Seite unserer Beziehung nie besonders gekümmert.

Mittlerweile haben wir seit zwanzig Jahren Bett, Waschmaschine und alltägliche Situationen miteinander geteilt. Er liegt im Sterben, und ich selbst bin inzwischen fünfundfünfzig Jahre alt geworden.

Nicht allein Leonard ist müde. Ich bin es auch. Wenn ich mich aus eigener Kraft ernähren will, muss ich noch zehn Jahre arbeiten, bis ich mich zurückziehen kann und meine nicht gerade fürstliche Pension erhalten werde. Auch diese Seite meines Lebens habe ich nicht besonders sorgfältig gepflegt.

Zehn weitere Jahre mit therapeutischen Gesprächen. Interpretieren, bewerten, verstehen.

Trösten, helfen, lindern. Verdammt, wie soll ich das schaffen?

Na so etwas, jetzt habe ich schon wieder geflucht. Offenbar ist nicht nur Leonard dabei, die Kontrolle zu verlieren.

Und während ich mich langsam durch Paddington und Bayswater nach Westen hin vortaste, muss ich mir eingestehen, dass ich meinen Sohn besser verstehe als meine Tochter. Deutlich besser. Geld ist wirklich nicht zu verachten.

Dann geschah etwas Merkwürdiges. Als ich zu diesem Pub Ecke Queensway und Westbourne Grove kam – ich meine, es hieß *Redan* –, lenkten meine Füße wie von selbst auf die Tür zu. Ohne das geringste Zögern, als wäre genau dieser Pub das Ziel meines Spaziergangs gewesen und nicht unser Hotel dreihundert Meter weiter.

Ich zwängte mich zwischen zwei jüngere Herren an der Bar und trank zwei Gläser Chardonnay in weniger als einer Viertelstunde. Aß dazu eine kleine Schale mit Oliven.

Was sich als ausgezeichnete Medizin gegen mein allgemeines Zittern erwies, und als ich eine Weile später Leonard nackt auf dem Balkon vor unserem Hotelzimmer fand, war ich ruhig und gefasst wie ein General vor dem Angriff im Morgengrauen.

24

Milos

Da Milos Skrupka noch reichlich Zeit hatte, entschied er sich für den Weg durch den Hyde Park und Kensington Gardens. Er sollte Leya um ein Uhr treffen; und es war erst Viertel vor zwölf, als er das *Rembrandt* verließ, und er nahm an, dass ein Spaziergang frischen Wind in seine Gedanken bringen könnte. Das Wetter war angenehm, mit einer Temperatur um die sechzig Grad Fahrenheit und einem blassgrauen Himmel, der keinen Niederschlag anzukündigen schien.

Er konnte eigentlich selbst nicht so recht sagen, was für einen frischen Wind er in seine Gedanken bringen wollte, doch es war ein Ausdruck, den seine Mutter immer benutzt hatte. Ich gehe eine Weile raus, muss mal ein bisschen frischen Wind in meine Gedanken bringen, sagte sie beispielsweise, wenn das schwere Essen und der ebenso schwere Abwasch daheim in der Roosevelt Avenue überstanden waren – zu der Zeit war es eine Art Mantra gewesen, und nie hatte sie jemand nach dem tieferen Sinn gefragt.

Falls es denn einen gegeben hatte. Nach ihrem Tod hatte sich Milos ab und zu eingebildet, dass es sich vielleicht tatsächlich so verhalten hatte. Dass sie eine Art befriedeten Sektor ihres Lebens besaß, den sie mit niemandem sonst teilte. Dass sie ihn brauchte. Eine halbe Stunde oder fünfundvierzig Minuten Spaziergang zu den Jackson Heights oder Flushing Meadows hin, oder welche Richtung sie auch immer einschlug, sie ging immer allein, und es gab nie jemanden, der irgendwelche Fragen stellte, wenn sie zu einer Tasse Tee vor dem Fernseher zurückkehrte. Vielleicht weil sie wussten, dass sie diese sowieso nicht beantworten würde. Andererseits war es ja nur legitim, mal eine Weile herauszukommen, das verstand Milos nur zu gut.

Schließlich war sie eine Frau, die ihr Herz nicht auf dem Gesicht zur Schau stellte, das war so ein anderer der vielen slawischen Ausdrücke, die auf der Reise über den Atlantik mit im Gepäck gewesen waren. Mr. Jan Kopper hatte häufiger mit Milos' Vater darüber gescherzt – wenn sie ein paar Gläser Slibowitz oder auch nur gewöhnlichen amerikanischen Bourbon getrunken hatten und in die philosophische Ecke gerutscht waren – und behauptet, wenn Carla ein Auto und keine Frau wäre, dann wäre sie ein Skoda, aber mit einem Ferrari-Motor unter der Motorhaube. Offensichtlich fand er das eine äußerst treffende Beschreibung, denn Milos hatte es ihn mehrere Male wiederholen hören – ohne jemals richtig den Witz des Ganzen zu verstehen. Nicht so leicht zu lenken oder was? Und Mr. Jan Kopper sagte es nie, wenn seine eigene Frau, die Schönheitskönigin von Cleveland, zugegen war. Aus welchem Grund auch immer.

Aber egal, wie auch immer, Carla Skrupkova war jedenfalls der Nabel der Familie gewesen. Sein Vater Jaroslav hatte Milos nie viel bedeutet, vielleicht den Schwestern ein bisschen mehr, auch wenn für sie ebenfalls die Mutter der Magnet im Haus war. In der alten wie in der neuen Welt. Sie war diejenige, an die man sich wandte, die sich Zeit nahm, ernsthaft zuzuhören, nicht nur den Heulsusen von Schwestern, sondern auch ihm. Wenn er ausnahmsweise einmal ein wenig Trost brauchte. Sie hatte ein Herz – auch wenn sie es nicht auf dem Gesicht zur Schau stellte.

Er erreichte den langgestreckten künstlichen Teich, wie immer er auch heißen mochte, und blieb eine Weile dort stehen, während er ein Dutzend großer Vögel betrachtete, die in gemächlicher Sorglosigkeit auf dem Wasser dümpelten. Er nahm an, dass es Kanadagänse waren, wollte es aber lieber nicht beschwören. Vielleicht war hier eher die Rede von irgendwelchen englischen Gänsen? Milos war nie besonders interessiert an Tieren und Natur gewesen. Wie hätte er auch? Aufgewachsen in Bratislawa und New York, sicher total unterschiedliche Städte, aber beide mit dem gleichen Mangel an Grün. Blumen, Wiesen, Wäldern. Die jährlichen Reisen mit Zlatan und Phil hinauf in die Adirondacks in den letzten Jahren hatten jedes Mal mehr mit Bier, Lagerfeuer und dem üblichen Gequatsche zu tun gehabt als damit, sich die Wanderstiefel zu schnüren und ernsthaft Bekanntschaft mit der wilden schönen Umgebung zu machen.

Man konnte sich natürlich fragen, wieso er hier stand und über Phil und Zlatan und den Namen der fetten Vögel nachdachte, wenn er frischen Wind in seine Gedanken bringen wollte und möglicherweise herauszufinden versuchte, was dieser Besuch in London eigentlich mit sich bringen könnte in einer ... ja, wie sollte man es nennen? *In einer weiterreichenden Perspektive?*

Doch statt sich auf diese Frage zu konzentrieren, tauchten Erinnerungsbilder auf. Aus den Jahren Anfang der Neunziger, und wieder war es seine Mutter, die an die Tür pochte und Eintritt in seinen Kopf verlangte.

Was willst du von mir, Mama?, dachte er, halb im Ernst, halb im Scherz, und warf einen Blick auf den wolkenverhangenen Himmel. Warum tauchst du in dieser Form in meinem Schädel auf?

Es war ein Herbsttag. In einem der ersten Jahre in New York, '91 oder '92 vermutlich. Er war etwas früher als üblich aus der Schule nach Hause gekommen, da sie die letzten beiden Stunden frei bekommen hatten. Einer der Lehrer war krank geworden. Damals wohnten sie noch in der Burns Street, in diesem flachen, zusammengeschusterten Holzhaus hinter der Bushaltestelle; er kam in die Küche und fand einen fremden Mann am Küchentisch vor. Es war an und für sich nicht ungewöhnlich, dass unbekannte Menschen zu Hause auftauchten, es handelte sich fast immer um Bekannte der Eltern aus dem alten Vaterland, und meistens ging es darum, sich gegenseitig irgendwelche Gefälligkeiten zu erweisen. Jemand hatte ein halbes Dutzend so gut wie neuer Kühlschränke ergattert, die veräußert werden mussten. Jemand wusste, dass Vater Skrupka eine ganz besondere Art von Vergaser besaß, die exakt für ein Motorrad mit Seitenwagen passte, das man für einen Spottpreis in Williamsburg erstanden hatte. Oder eine Ladung Schnaps aus den Ostblockstaaten war von jemandem in New Jersey organisiert worden und erforderte bestimmte Maßnahmen.

Doch dieser Mann sah nicht wie einer der üblichen Besucher aus; obwohl Milos zu diesem Zeitpunkt nicht älter als sechzehn oder siebzehn gewesen sein konnte, begriff er sofort, dass es sich um einen Menschen eines ganz anderen Kalibers handelte. Eine *wichtige* Person.

In welcher Hinsicht genau er wichtig war, das war nicht so leicht auszumachen, doch wenn ... – dachte der junge und ziemlich filmbesessene Milos –, ... *wenn* es sich hier um einen Gangsterfilm handeln würde und nicht um einen normalen trüben Nachmittag in einem normalen trüben Viertel in Woodside, Queens, dann wäre der Mann, der jetzt seinen Blick in den Jungen bohrte und ihm ein kurzes, schiefes Lächeln schenkte, ohne die Zigarette aus dem Mundwinkel zu nehmen, ja, dann wäre er der Gangsterboss persönlich.

No doubt about it. Sein karierter Anzug, seine breiten Schultern und Kiefer, sein zurückgekämmtes, gegeltes Haar ließen in dieser Hinsicht keinen Zweifel aufkommen. Etwas, das wie ein tätowierter Käfer aussah, gleich über der einen Augenbraue, trug seinen Teil dazu bei. Das Tier war nicht größer als ein Zentimeter.

»And who might you be, young man?«, fragte er.

Milos hielt vergebens nach seiner Mutter oder einem anderen Familienmitglied Ausschau und schluckte nervös.

»Milos.«

»Milos?«

»Yessir.«

»Very good.«

Der Mann lachte. Aus dem Wenigen, das er gesagt hatte, konnte Milos nicht heraushören, ob er tatsächlich den üblichen Akzent hatte, doch er ging davon aus. Nicht so stark wie er selbst und die anderen Skrupkas natürlich, doch wie einer, der vielleicht seit zehn Jahren im Land, in dem Milch und Honig flossen, zu Besuch war? Oder zwanzig?

»Son of Carla?«

»Son of Carla.«

Er spürte einen gewissen Stolz in der Stimme, als er das sagte, und es war der Fremde, der ihn durch seine elegante Formulierung hervorgelockt hatte. Doch bevor er näher über diese Merkwürdigkeit nachdenken konnte – oder weitere Worte mit dem wichtigen Besucher wechseln konnte –, tauchte besagte Carla in der Tür auf.

»Milos? Was machst du um diese Uhrzeit denn schon hier?«

»Wir hatten früher frei. Mr. Simpson ist krank.«

»Mr. Simpson?«

»Unser Lehrer in Biologie und Geographie.«

»Ach so, ja … hmm. Milos, komm, lass uns beide mal in dein Zimmer gehen.«

Und ohne einen Blick mit dem Mann am Tisch zu wechseln, hatte sie Milos mit sich aus der Küche gezogen. Ihn auf sein Bett gedrückt und sich breitbeinig vor ihn gestellt, die Fäuste in die Seiten gestemmt. Die Augen in ihn gebohrt.

»Sieh mich an, Milos.«

Ihm blieb nichts anderes übrig.

»Das ist unglaublich wichtig, mein Sohn. Den Mann, der da in der Küche sitzt, den hast du nie getroffen. Du hast ihn nie gesehen.«

»Aber ...«

»Kein Aber. Du hörst, was ich sage. Als du heute aus der Schule nach Hause gekommen bist, saß kein fremder Mann an unserem Küchentisch. Du musst die Erinnerung an ihn aus deinem Gedächtnis löschen. Das ist unumgänglich.«

»Ich weiß nicht, ob ...«

»Widersprich deiner Mutter nicht, Milos. Du sollst einfach nur tun, was ich dir sage. Wenn du mir in diesem Punkt nicht gehorchst, dann bringst du damit Unglück über die ganze Familie. Hast du verstanden?«

»Ich glaube schon.«

»Du sollst nicht glauben. Du sollst vergessen.«

»Ich habe verstanden, Mutter. Willst du mir nicht irgendetwas erklären?«

»Du musst mir einfach vertrauen, Milos. Und tun, was ich dir sage. Mach die Augen zu.«

Er hatte die Augen geschlossen, und sie hatte die Hand auf seiner Schulter zehn Sekunden lang liegen lassen, stand vollkommen reglos vor ihm, und er hatte deutlich gespürt, wie eine Art Energie in ihn hineingepumpt wurde.

Das war ein Pakt, der da besiegelt wurde, dazu bedurfte es keiner Worte.

Bevor sie ihn verließ, drehte sie sich noch einmal in der Türöffnung um. »Es ist nicht so, dass ich mit diesem Mann etwas Ehrenrühriges mache. Darum geht es nicht. So viel sollst du jedenfalls wissen.«

Sie hatte auf keine Antwort oder Bestätigung gewartet, und als er eine halbe Stunde später in die Küche ging, um sich eine

Scheibe Brot zu schmieren, war der Mann verschwunden. Seine Mutter auch.

Mit keinem Wort wurde diese Episode jemals wieder erwähnt, und er kam der Antwort auf die Frage, worum es sich eigentlich gehandelt hatte, nicht einen Millimeter näher.

Auch jetzt nicht, achtzehn oder neunzehn Jahre später, in Kensington Gardens in London, unter einem cremefarbenen Himmel, aus dem ihn möglicherweise seine Mutter betrachtete, mit einem hämischen Lächeln, den einen Mundwinkel ein wenig hochgezogen.

Seine tote Mutter. Ein Ferrari, versteckt in einem Skoda.

Frischen Wind in die Gedanken bringen?, dachte Milos Skrupka. Vielleicht lieber die Gedanken schärfen? Ach, das war auch egal.

Er schaute auf die Uhr und lenkte seine Schritte zur Kensington High Street.

25

Zu Mittag aßen sie in einem Lokal, das *The Greenary* hieß, in der Abingdon Road, und dann nahm sie ihn wie versprochen mit auf einen langen Spaziergang. Vorbei am Buckingham Palace, durch den Green Park und St. James's; Royal Horseguards, Westminster und schließlich hinunter an die Themse. Die überquerten sie über die Jubilee Bridge und gingen dann am Fluss Richtung Osten entlang vorbei an all den modernen Kulturbauten. Vor dem Royal National Theatre kauften sie sich ein Eis und setzten sich für eine Weile auf eine Steinbank, um auszuruhen und die bekannte Silhouette zu betrachten. Das Riesenrad, das House of Parliament mit Big Ben, Westminster Abbey, der Post Tower und St. Paul's Kathedrale weiter rechts – Leya zeigte und erzählte. Ein nicht abreißender Strom Menschen ging an ihnen vorbei, die meisten Richtung Osten, auf dem Weg zur Fußgängerbrücke hinüber nach St. Paul, wie Leya erklärte – und gerade als sie aufstehen und denselben Weg einschlagen wollten, da kam ein Mann und stellte sich vor sie. Nur einen Meter entfernt von der Bank, auf der sie saßen, und er starrte sie mit einem Gesichtsausdruck an, den Milos sofort als geisteskrank bezeichnet hätte. Ein Verrückter, ganz klar.

Aber ein gepflegter Verrückter. Er schien so um die fünfunddreißig zu sein, groß und ziemlich kräftig, trug einen dunklen Anzug und Krawatte, hatte kurz geschnittenes bräunliches Haar und einen sorgfältig gestutzten Schnurrbart. Einen zusammengerollten Regenschirm in der einen Hand. Ein Beamter irgendeiner Art, wie es schien, vielleicht auf dem Weg zu oder von seinem Job, aber seine Ausstrahlung enthielt nichts von der berühmten englischen Gelassenheit.

Ganz im Gegenteil. Seine Augen waren unnatürlich weit aufgerissen, seine Kiefer mahlten im Leergang, und seine gesamte Körperhaltung schien bis aufs Äußerste gespannt. Der will mich mit seinem Regenschirm verprügeln, war der erste Gedanke, der Milos kam. Mich oder Leya oder uns alle beide. Der ist wahnsinnig wütend auf uns, aus welchem Grund auch immer.

Doch bevor das geschah – oder etwas anderes in welcher Richtung auch immer –, bekam Leya die Situation in den Griff. Versuchte es zumindest.

»Richard, hau ab«, sagte sie. »Sofort, ich bitte dich.«

Der Mann wiegte sich auf seinen Hacken und Zehenspitzen hin und her, ohne sich vom Fleck zu rühren. Er öffnete den Mund, als wollte er etwas sagen, schloss ihn aber gleich wieder. Ließ seinen Blick zwischen den beiden hin- und herwandern. Milos sah, dass der Mann den Regenschirm noch fester umklammerte, und machte sich bereit zur Abwehr. Er hatte mehr als die Hälfte seines Lebens in New York verbracht, physische Gewalt war ihm nicht fremd. Auf die ein oder andere Art und Weise, auch wenn es in den letzten Jahren deutlich ruhiger geworden war. Und auch wenn er, was seine Person betraf, nie ernsthaft in Gefahr geraten war. Zlatan wie auch Phil hatten dagegen schon einmal etwas einstecken und das Krankenhaus aufsuchen müssen, während Milos bei einem Streit vor einem Restaurant in East Village vor ein paar Jahren mit zwei Ohrfeigen und einem Tritt in den Bauch davongekommen war. Wenn man nicht die Male mitrechnete, wenn Mr. Jan Kopper ihn verprügelte – als er noch jünger war, seine Lehre bei Kopper Car Splendid Service and Wash machte und einen Fehler gemacht hatte, den man nicht ignorieren konnte.

Er stand auf und maß den Mann mit seinem Blick. Trat dazu einen halben Schritt zur Seite, so dass er zwischen dem Fremden und Leya zu stehen kam. Tatsächlich ein wenig beschützend, diesen edlen Gedanken konnte er gerade noch für sich formulieren, bevor der Fremde ihn mit dem Regenschirm schlug – genau wie Milos es vorhergesehen hatte – und etwas Unartikuliertes schrie, um dann davonzurennen.

Der Schlag hatte ihn an der Kopfseite, kurz oberhalb der Schläfe, getroffen. Es tat nicht besonders weh, fing aber sofort an zu bluten. Leya holte ein Papiertaschentuch aus ihrer Tasche und drückte es auf die Wunde.

»Mein Gott«, keuchte sie. »Es tut mir so leid, Milos. Ich hatte keine Ahnung, dass er in der Stadt ist. Verzeih mir, bitte, verzeih mir.«

Milos musste sich eingestehen, dass er keine Ahnung hatte, wovon sie sprach, aber es war schön, sie so nah bei sich zu haben. Nicht nur, dass sie das Taschentuch gegen seine Schläfe drückte, sie drückte außerdem auch noch einige andere Körperteile gegen seine. Nicht viel, doch es genügte.

»Richard?«, fragte er. »Du kennst seinen Namen...?«

»Ich verstehe das nicht. Er sollte in Edinburgh sein, nicht in London.«

Milos runzelte die Stirn. »Darf ich dich bitten, mir das etwas genauer zu erklären, Leya.«

»Und er hat dich geschlagen, Milos? Großer Gott, er hat dich so heftig geschlagen, dass du blutest. Wenn ich geahnt hätte...«

Sie beendete den Satz nicht. Drehte das Taschentuch um und tupfte erneute vorsichtig auf die Wunde. War immer noch ganz nah bei ihm, ganz nah.

»Richard?«, wiederholte Milos. »Dann war das also ein Bekannter von dir?«

Sie seufzte und wandte ihm das Gesicht zu. Schaute ihm in die Augen, nur mit fünfzehn Zentimeter Abstand. Biss sich auf die Lippen und schien zu zögern. Als wollte sie etwas aus seinem Blick lesen, bevor sie etwas sagte. Eine Versicherung vielleicht oder was auch immer. Einige Minuten des Schweigens vergingen.

»Ja, das war Richard«, sagte sie schließlich. »Mein Ex. Ich habe dir doch erzählt, dass ich fünf Jahre lang mit einem Mann zusammen war.«

»Mit …?« Milos starrte in die Richtung, in die der Angreifer gelaufen war, und wusste nicht, was er sagen sollte. »Mit dem … Mann da?«, brachte er heraus. »Du willst doch nicht sagen, dass …?«

Leya nickte und schaute zu Boden.

»Doch. Leider.«

Milos versuchte die Information zu verdauen, doch es fiel ihm schwer. Es ging einfach nicht. Dass Leya, diese wunderbare, warme, goldene Leya mit so einem zusammen gewesen sein sollte, einem … ja, einem Verrückten, wie gesagt, das erschien ganz einfach undenkbar. Warum um alles in der Welt?

»Aber, warum um alles in der Welt?«, fragte er, als er sich so weit gefasst hatte, dass er wieder verständliche Sätze formulieren konnte. Sie waren erneut auf die Steinbank gesunken. Leya saß schräg und hielt immer noch das Papiertaschentuch an seine Schläfe gedrückt. »Er schien ja nicht ganz bei Sinnen zu sein«, präzisierte Milos. »Du hast … du hast wirklich etwas Besseres verdient, Leya.«

Zu seiner Überraschung fing sie an zu weinen. Er übernahm das Taschentuchdrücken, so dass sie ein weiteres Taschentuch aus ihrer Handtasche holen konnte. Sie wischte sich die Tränen ab und putzte sich die Nase. Es vergingen eine halbe oder eine ganze Minute, er registrierte, dass es aufgehört haben musste, zu bluten, er drückte aber sicherheitshalber noch eine Weile auf die Wunde.

»Es tut mir so leid, Milos«, wiederholte sie. »Ich versichere dir, dass ich keine Ahnung davon hatte, dass er in der Stadt ist. Er arbeitet für eine Bank in Edinburgh. Ich habe wirklich geglaubt, dass ich ihn eine ganze Weile nicht mehr sehen würde. So ein Mist!«

»Ich verstehe das nicht, Leya. Ich verstehe das wirklich nicht.«

Sie seufzte. »Anfangs war er nicht so. Natürlich nicht, sonst wäre ich ja nie mit ihm zusammengekommen. Erst als wir schon ein paar Jahre zusammenwohnten, da habe ich begriffen, dass ... ja, dass etwas mit ihm nicht stimmt, so kann man das wohl sagen.«

»Etwas nicht stimmt?«

»Ich weiß nicht, wie man es ausdrücken soll. Und ich weiß nicht, was eigentlich der Grund dafür ist, aber Richard ist zweifellos der eifersüchtigste Mensch, dem ich jemals begegnet bin. Jetzt im Nachhinein verstehe ich nicht, wie er es geschafft hat, das am Anfang so zu verbergen.«

»Wann habt ihr euch getrennt? Im Frühling hast du doch gesagt, oder?«

Sie nickte. »Er ist zu Ostern ausgezogen. Es war ... ja, es war wirklich nicht so leicht, Milos. Aber ich hatte gute Freunde, die mir geholfen haben, und bei der Bank haben sie mich auch unterstützt.«

»Ihr habt bei derselben Bank gearbeitet?«

»Ja. Da haben wir uns ja auch kennen gelernt. Bei einer Betriebsfeier, du musst zugeben, es klingt reichlich banal.«

»Schon möglich. Aber ich weiß nicht ...«

»Auf jeden Fall ist Richard in eine Filiale in Edinburgh versetzt worden. Das hat mein Chef geregelt, ja, ich habe wirklich jede Unterstützung bekommen.«

Milos dachte nach. »Warum brauchtest du denn so viel Unterstützung? War er ...? Ich meine, war er dir gegenüber jemals gewalttätig?«

Leya nahm seine freie Hand, die nicht mit dem Papiertaschentuch beschäftigt war, und hielt sie eine Weile zwischen ihren. Milos spürte, wie sein Herz langsam immer heftiger schlug, und plötzlich erinnerte er sich daran, wie sie vor zehn Jahren schon einmal auf einer Bank gesessen hatten – kurz bevor Leya New York verlassen sollte, es war unten im Battery Park an der Südspitze von Manhattan gewesen, und sie hatte seine Hand genau so gehalten damals. Es war abends gewesen, Sonnenuntergang hinter der Freiheitsstatue, und sie hatten schweigend beieinandergesessen, traurig, weil sie sich trennen mussten. Aber sie hatten einander keinerlei Versprechen gegeben, da sie wussten, dass es doch nicht möglich wäre, es einzuhalten. Ihr Leben würde statt in einer gemeinsamen in getrennten Bahnen verlaufen, und sie hatten sich in gewisser Weise ihrem Schicksal gebeugt.

Ja, sowohl er als auch Leya hatten das Unvermeidliche akzeptiert, doch jetzt, jetzt hatten sie plötzlich das Gefühl, als ob alles – ihr zögerliches, doch schönes Zusammensein ein Jahr lang, ihre traurige Trennung und ihr unerwartetes Wiedersehen in einem anderen Teil der Welt – bereits im Großen Buch des Lebens verzeichnet gewesen war. Das wäre ihre Art, sich auszudrücken, gewesen, nicht seine, eher asiatisch, sie hatte da so einiges in ihrem Gepäck vorzuweisen. Drei Hände, die sich erneut ineinanderfügten, auf einer anderen Bank in einem anderen Teil der Welt. Zehn Jahre später.

Ich liebe sie, dachte Milos. Das hier, das war die ganze Zeit der Sinn des Ganzen.

Doch er sagte nichts. Vielleicht dachte Leya ja an die gleichen Dinge, und er fühlte, dass seine Worte viel zu plump gewesen wären, um dem Herzen oder dem Schicksal dienen zu können.

Nach einer Weile war sie es, die den Zauber des Augenblicks brach. »Paranoid«, sagte sie. »Die Diagnose ist für ihn gestellt worden. Wollen wir weiter Richtung St. Paul gehen, wie geplant?«

Eine Stunde später saßen sie mit Tee und Scones, Clotted Cream und Erdbeerkonfitüre in einem Café in der Nähe vom Old Bailey, und Leya erzählte mehr über die fünf Jahre mit Richard Mulvany-Richards. Nicht viel, aber genug, dass Milos verstand, wie schwer die Zeit gewesen war, besonders das letzte Jahr und die letzten Monate vor der Trennung. Sie beschrieb, wie Richard versuchte, alles zu kontrollieren, was sie tat, wie er Rechenschaft über alles forderte, was sie tat, wenn sie nicht zusammen waren – mehrere Male am Tag –, und wie vollkommen unlogisch er reagierte, als sie ihm schließlich erklärte, dass sie es mit ihm nicht mehr aushielt.

»Er wollte vom Balkon springen, kannst du dir das vorstellen? Ich musste zwei Nachbarn um Hilfe bitten, um ihn zurückzuhalten.«

Warum denn?, dachte Milos. Warum hast du ihn daran gehindert?

»Als er aufhörte mit den Drohungen, sich das Leben zu nehmen, fing er stattdessen an, mir Vorwürfe zu machen. Er behauptete, ich hätte mich während unserer ganzen Beziehung hinter seinem Rücken mit Männern getroffen. Plus jede Menge anderer Dummheiten. Nachdem wir auseinandergezogen waren, rief er zehn, zwanzig Mal am Tag an. Schließlich konnte ich eine Geheimnummer beantragen. Für meinen Hausanschluss und mein Handy.«

»Klingt ja nett«, sagte Milos. »Sympathischer Kerl.«

»Oh ja. Und das Merkwürdige ist, dass du mich deshalb überhaupt hast erreichen können. Ich habe die alte Nummer wiederbekommen, die ich früher hatte, sie lag irgendwie mehrere Jahre lang still … ja, ich habe sie erst vor ein paar Wochen gewechselt. Ist das nicht merkwürdig?«

»Vielleicht ist es ein Zeichen«, meinte Milos vorsichtig und merkte, wie er rot wurde. »Aber ich verstehe nicht, wie du es so lange mit ihm hast aushalten können. Das muss doch für dich die Hölle gewesen sein.«

Leya verzog das Gesicht. »Die schlimmste Zeit in meinem Leben. Aber etwas Gutes kann ich über ihn sagen: Er hat mich nie geschlagen.«

»Aber mich«, sagte Milos.

Leya sah besorgt aus. »Das ist wohl das Problem.«

»Was?«

Sie zögerte einen Moment, schaute ihn an, als wollte sie um Verzeihung bitten. »Ich habe einmal mit dem Therapeuten gesprochen, der sich um ihn kümmerte. Doktor Django, er war es, der mit mir reden wollte. Strikt vertraulich natürlich, ohne dass Richard oder sonst jemand etwas davon erfuhr.«

»Jaha?«, sagte Milos. »Und was hatte er dir zu sagen?«

»Hm«, zögerte Leya. »Er hat mich gewarnt. Deshalb wollte er mich sprechen.«

»Dich gewarnt?«

»Ja. Was Richards Charakter betrifft. Er hat nicht geglaubt, dass für mich irgendein Risiko bestünde. Aber was einen möglichen Mann in meiner Zukunft betraf, da sah es anders aus … ja, so ungefähr hat er sich ausgedrückt.«

Milos schüttelte den Kopf. »Ich verstehe nicht so recht.«

»Nein, ich bin mir auch nicht ganz sicher. Aber Doktor Django hat mich gebeten, vorsichtig zu sein, wenn ich … ja, falls ich einen neuen Mann kennen lernen würde. Er meinte, Richards Eifersucht könnte ziemlich weit führen.«

»Dass er gewalttätig werden könnte?«

»Ja.«

»Aber nicht gegen dich, sondern gegen diesen neuen Mann?«

»Das war es, was er gesagt hat, ja.«

»Aber ihr habt euch doch voneinander getrennt.«

189

Leya seufzte. »Das genügt Richard nicht. Doktor Django meinte, er könnte sehr gut eine fixe Idee haben. Dass ich die einzige Frau in seinem Leben wäre … und vice versa. Und dass er die Pflicht hätte, mich vor allen anderen Männchen zu beschützen.«

»Männchen?«

»So hat er es gesagt.«

»Verdammte Scheiße«, sagte Milos. »Dann glaubt Richard also, dass ihr irgendwie immer noch zusammen seid?«

»Ich fürchte, es ist so«, sagte Leya und schaute auf den Tisch. »Es tut mir so leid, Milos. Aber ich bin gar nicht auf die Idee gekommen, dass er in London sein könnte. Er hat versprochen, sich von hier fernzuhalten … das war eine Art Übereinkunft, die wir mit dem Doktor geschlossen haben und mit den Chefs der Bank. Um zu vermeiden, dass andere Vorkehrungen getroffen werden müssten.«

»Andere Vorkehrungen?«

»Ja.«

Milos dachte eine Weile nach.

»Glaubst du, er überwacht dich?«

Sie zuckte mit den Schultern. »Ich weiß es nicht. Nein, ich glaube es eigentlich nicht. Es sah doch eigentlich so aus, als ob er zufällig aufgetaucht ist, als wir da saßen, oder?«

»Ja, es schien so«, sagte Milos. »Hast du … ich meine, hast du Angst, dass er etwas anstellen wird?«

Leya betrachtete ihn mit ernster Miene, bevor sie antwortete.

»Ich bin wohl nicht diejenige, die Angst davor haben sollte, Milos. Wie gesagt, es tut mir leid.«

Sie trennten sich eine halbe Stunde später an der Kreuzung Tottenham Court Road/Charing Cross Road.

Doch nur für ein paar Stunden. Leya musste einiges erledigen, Milos nahm die U-Bahn zurück zum Hotel für eine Dusche und ein kurzes Nickerchen. Der Jetlag machte ihm immer noch ein wenig zu schaffen. Um acht Uhr wollten sie sich an der Notting Hill Gate treffen. In einem Restaurant in der Nähe essen gehen. Und dann würde man sehen.

Etwas geschieht mit uns gerade, dachte Milos, während er in dem überfüllten U-Bahn-Waggon stand und versuchte, sich in der Nähe der Türen zu halten, damit er nicht bis Knightsbridge im Wagen bleiben musste. Es war zu früh, um zu sagen, was genau es war, doch dass sein Herz in seiner Brust auf Habacht stand – um einen alten Ausdruck aus Bratislava zu benutzen –, daran herrschte kein Zweifel.

Und das mit diesem Richard Wie-immer-er-auch-heißen-mochte, ja, das versuchte er so weit wegzuschieben, wie es nur ging. Er betastete die winzige Wunde an seiner Schläfe und stellte fest, dass diese Londonreise bis jetzt mehr zu bieten hatte, als er zu träumen gewagt hatte. Unerhört viel mehr, und immer noch wusste er nicht einmal, wo die Geburtstagsfeier am folgenden Tag vom Stapel laufen sollte. Die doch der Grund an sich war, dass er sich überhaupt hier befand. *Sein Gönner?*

Merkwürdig, wie schon gesagt. Doch ein Ereignis zieht das andere nach sich, wie der Magnet Eisenspäne oder eine läufige Hündin die Rüden, das gilt im Osten wie im Westen.

26

Gregorius & Irina

Die Frau, mit der Gregorius zusammenstieß, hieß Paula McKinley, und der Grund, dass sie zusammenstießen, bestand darin, dass sie von Herzen weinte und aufgrund der Tränen kaum noch etwas erkennen konnte.

Der Grund für ihre Tränen war wiederum ein Telefongespräch mit Mrs. Delaney in der Barry Road in ihrer Geburtsstadt Dublin, bei dem sie erfahren hatte, dass ihre Mutter einen Verkehrsunfall erlitten hatte. Sie lag schwer verletzt auf der Intensivstation des Mater Misericordiae Hospitals. Zwischen Leben und Tod schwebend, nach allem zu urteilen; Mrs. Delaney hatte so haltlos geschluchzt während des Gesprächs, dass es unmöglich gewesen war, nähere Einzelheiten von ihr zu erfahren. Doch dass Paula sich umgehend heim auf die grüne Insel begeben musste, wenn sie ihre Mutter noch einmal in ihrem Leben sehen wollte, daran bestand kein Zweifel.

Also hatte sie den Friseursalon Limelite & Parsley am Haymarket, in dem sie arbeitete, mitten während der Arbeit an einer nicht gänzlich unbekannten Fernsehberühmtheit verlassen, dem Besitzer, Mr. Hillary, die Situation erklärt und war in einem Zustand schockartiger Panik losgerannt.

Aus irgendwelchen Gründen berichtete sie all das dem Fremden, mit dem sie vor St. Martin-in-the-Fields zusammengestoßen war, im Laufe einer Minute. Das Handy des Fremden war als Folge des Zusammenstoßes auf die Straße gefallen, er hatte es in der Hand gehabt und verloren, einfach so; jetzt bestand es aus mindestens sechs einzelnen Teilen statt einem zusammenhängenden, und vielleicht wollte sie sich ja – mitten in ihrer eigenen Verzweiflung – für ihre Tollpatschigkeit entschuldigen. Oder sie zumindest erklären.

»Ich heiße Paula«, fügte sie hinzu. »Paula McKinley. Entschuldigen Sie, aber ich bin einfach total aufgewühlt deshalb. Meine arme Mutter.«

»Paul«, sagte der Mann. »Paul F. Kerran. Man hat nur eine Mutter. Wie kann ich Ihnen helfen?«

Paul and Paula?, dachte er. Es muss einen Grund dafür geben. Gab es nicht einen alten Song, der so hieß? Oder ein Sängerduo?

Sie war jedenfalls schlank und groß gewachsen. Hatte üppiges rotes Haar und Augen, so grün wie ein Aquarium, besonders, wenn sie so tränenüberschwemmt waren wie jetzt. Knapp dreißig, schätzte er, und er konnte sich nicht daran erinnern, je eine Frau mit mehr Seele gesehen zu haben.

»Helfen?«, fragte sie und biss sich auf die Lippe. »Ich weiß nicht …«

»Aber selbstverständlich«, sagte Paul F. Kerran alias Gregorius Miller. »Sagen Sie mir, was ich tun kann, um es Ihnen einfacher zu machen. Was auch immer.«

Denn er konnte ihr ansehen, dass da etwas war. Eine Art zusätzliches Problem, das … das es offenbar mit sich brachte, dass sie sich nicht einfach in das nächste Flugzeug nach Dublin zu ihrer lädierten Mutter setzen konnte. Ja, so musste es sein. Er stopfte die Bestandteile seines Handys in die Jackentasche und lächelte ihr mit ernstem Blick zu. Wie ein Gentleman. Wie Paul F. Kerran.

»Es geht um Fingal …«, sagte sie.

»Fingal?«, wiederholte Gregorius, immer noch lächelnd, wenn jetzt auch ein wenig bemüht.

Zum Teufel, dachte er. Ihr Mann. Oder boyfriend? Oder Sohn? Jedenfalls irgend so ein verfluchter Kerl. Wie konnte eine so schöne Frau einen so bescheuerten Namen wählen? *Fingal?*

»Mein Hund«, sagte sie. »Ich habe niemanden, der sich um ihn kümmern könnte. Mrs. Fitzsimmons, die ihn sonst nimmt, ist verreist, und ich weiß sonst niemanden, der ...«

»Ich habe ein ausgezeichnetes Händchen für Hunde«, unterbrach Gregorius sie. »Das ist kein Problem. Ich kümmere mich um Fingal, während du deine Mutter besuchst.«

»Ja, aber«, sagte Paula McKinley. »Du kannst doch nicht ...?«

»Paul F. Kerran steht zu Diensten«, sagte Gregorius und brachte eine Verbeugung zustande, die elegant ausgefallen wäre, wenn ihn nicht der Alkohol in seinem Blut etwas hätte schwanken lassen. Doch nur ein wenig, es änderte nichts entscheidend an der Situation. »Ich habe bis morgen Abend nichts Besonderes vor. Wo wohnst du?«

Paula McKinley ihrerseits gab einen Ton von sich, der eine unselige Allianz aus Lachen und Weinen war. Dann putzte sie sich noch einmal die Nase mit einem Papiertaschentuch und betrachtete den Mann vor ihr ernsthaft drei Sekunden lang. Gregorius erwiderte ihren grünen Blick und hielt ihn eisern fest.

»Okay«, sagte sie, »normalerweise glaube ich nicht an den Wink des Schicksals, aber vielleicht hatte es einen Sinn, dass wir zusammengestoßen sind. Und ich muss so schnell wie möglich nach Dublin.«

»Man kann Hunde nicht so ohne weiteres in ein Flugzeug stopfen«, sagte Gregorius. »Was für eine Rasse ist es denn?«

»Ein Mischling«, antwortete Paula. »Aber am ehesten ein Schäferhund, und er ist der unkomplizierteste Hund der Welt. Aber wenn du meinst, dass du es gewohnt bist, dann ...«

»Kein Problem«, wiederholte Gregorius und spannte seinen Brustkorb ein wenig an. »Absolut kein Problem.«

Ehrlich gesagt beschränkte sich seine gesamte Erfahrung mit

Hunden auf einen Pudel namens Sinatra, den eine seiner ersten Freundinnen – die Freundschaft war außerdem nicht von langer Dauer gewesen – ihm vor gut zehn Jahren einmal vorgestellt hatte. Der war damals fünfzehn Jahre alt gewesen, schlief zwischen zweiundzwanzig und dreiundzwanzig Stunden am Tag und ging niemals raus. Nicht einmal, um seine Notdurft zu verrichten, wenn man die Sandkiste auf dem winzigen Balkon im achten Stockwerk nicht mitrechnete.

Gregorius konnte sich erinnern, dass dieser Pudel ihn immer angeknurrt hatte. Wie die Freundin hieß, daran erinnerte er sich nicht mehr, doch gegen Ende ihrer Freundschaft hatte sie auch angefangen zu knurren.

Paula McKinley hakte sich bei ihm ein. »Wenn du das wirklich ernst meinst, dann können wir ja einen Versuch wagen. Komm, dann könnt ihr euch zumindest einmal kennen lernen. Ich wohne nur zehn Minuten von hier.«

Die Straße hieß Kemble Street, und das Haus war eine düstere, dunkelgraue Betonkaserne aus den Sechziger-, Siebzigerjahren. Während sie sich auf den Weg dorthin begaben – auf Bürgersteigen, die von Leuten nur so wimmelten, größtenteils gingen sie in die entgegengesetzte Richtung und waren entweder Touristen mit Stadtplänen und Fotoapparaten in den Händen oder ganz normale Londoner mit oder ohne Melone, die von der Arbeit kamen, es war inzwischen halb fünf geworden, wie Gregorius etwas verwundert feststellte –, während sie sich also durch dieses Gewirr fremder Körper drängten, bekam Paula auf ihrem Handy Kontakt mit dem Mater Misericordiae Hospital in Dublin und wurde darüber informiert, dass der Zustand ihrer Mutter stabil war. Sie hatte sich einen Arm und ein Bein gebrochen, hatte Verletzungen am Rumpf und am Kopf und war momentan in ein künstliches Koma versetzt worden in Erwartung der Operation. Doch Lebensgefahr bestand nicht. Zumindest nicht unmittelbar.

Doch dass ihre einzige Tochter sich augenblicklich an ihre Seite begab, war für eine gute Katholikin selbstverständlich und obligatorisch. Die Krankenschwester, mit der sie sprach, lispelte und hieß Miss O'Reilly. Paula schätzte, dass sie dreiundsechzig Jahre und noch Jungfrau war.

Auch dieses Gespräch gab sie mehr oder weniger wortgetreu ihrem neuen Hundesitter wieder – während sie weiter den letzten Bürgersteig entlangeilten, durch die Haustür und die Treppen hinauf –, aus Gründen, die sie selbst nicht so recht begriff, aber in erster Linie auf ihren verwirrten Sinneszustand zurückführte.

Fingal erwartete sie bereits an der Tür. Er hatte tatsächlich viel von einem Schäferhund, und Gregorius hatte sofort eine Vision: es war sein alter Lehrer für Religion und Philosophie aus dem Gymnasium, der hier als Geist spukte. Oder zumindest in Gestalt eines Hundes wiederauferstanden war; in seinem früheren Leben hatte er Studienrat Hörnimand geheißen, war aber aufgrund seiner werwolfsähnlichen Physiognomie unter »Hörntand« (Eckzahn) gelaufen. Vielleicht hatte er ja auch innere Qualitäten, die ihm das Recht auf einen derartigen Namen gaben; als Gregorius jetzt Fingal Aug in Aug gegenüberstand, spürte er zumindest den deutlichen Impuls, auf der Stelle umzukehren und sich in Sicherheit zu begeben, und er erinnerte sich daran, dass es früher ähnlich gewesen war.

»Hübscher Wauwau«, sagte er.

Paula McKinley fasste seine Hand. Ihm war klar, dass es dazu diente, Fingal zu zeigen, dass sie Freunde waren und er Gregorius nicht in die Wade beißen musste, trotzdem erschien es ihm wie die Einladung zu etwas anderem. Subtil und ziemlich hergesucht, sicher, aber trotzdem: für eine Sekunde offenbarte sich ihm die strahlende Zukunft. *Paul and Paula. Mr. und Mrs. Kerran.* Er räusperte sich, beugte sich vor und klopfte Fingal auf den Kopf. Der Hund knurrte schlecht gelaunt und trottete zurück in die Wohnung.

»Du kannst dich aufs Sofa setzen, damit ihr euch besser kennen lernt, während ich das Ticket buche«, sagte Paula.

Was er auch tat. Fingal Eckzahn kroch mühsam in die andere Sofaecke und ließ ihn nicht aus den Augen. Gregorius schluckte zweimal und schaute sich dann vorsichtig um; es handelte sich um eine ziemlich kleine und ziemlich vollgestopfte Wohnung. Eine größere Anzahl an Büchern und Tischen, Regalen und Vasen und diversem weiblichem Krimskrams. Die Wände waren mit allen möglichen Plakaten und Reproduktionen bedeckt. Ein künstlicher elektrischer Kamin. Ein Paar rote Rollschuhe. Eine Rokokokommode, der ein Bein fehlte, die aber von einem kleinen Bücherstapel gestützt wurde. Ein zweihundert Kilo schwerer Fernseher, ein Modell aus den Achtzigern, und ein Trimmdichrad, über dessen Lenker ein Paar große Kopfhörer hingen, ein Hörbuch lag auf dem Sattel. Ein ausgestopfter Papagei in einem Holzkäfig, zumindest nahm er an, dass er ausgestopft war, er konnte nicht feststellen, dass das Tier sich bewegte.

Unordentlich, dachte er. Ungefähr so, als wenn ich selbst hier wohnte. Hier gibt es zweifellos eine Seelenverwandtschaft.

Sie kam aus dem Schlafzimmer zurück, in dem sie telefoniert hatte.

»Ich fliege in zwei Stunden von Gatwick. Muss also sofort los. Bist du sicher, dass du das hier schaffst?«

Gregorius betrachtete einen Moment lang ihre Silhouette im Gegenlicht der Türöffnung, ohne etwas zu sagen. Fand sein Urteil bestätigt; Paula McKinley war wirklich eine äußerst gut gebaute Frau. War ihr auch schon klar, dass das hier der Beginn eines neuen Abschnitts in ihrem Leben war? Es schien fast so. Des einen Tod, des anderen Brot… nein, sich den Tod der Mutter vorzustellen, war nun doch übertrieben. Er widerstand dem Impuls, sie zu küssen. Paula natürlich, die Mutter befand sich ja Gott sei Dank außer Reichweite.

»Aber selbstverständlich«, sagte er. »Tu, was du tun musst. Fingal und ich, wir kommen schon zurecht.«

Als er das sagte, hatte er das Gefühl, als würden sie bereits seit Jahren zusammen in dieser Wohnung leben. Dass es ihre gemeinsame Unordnung war und ihr gemeinsamer Hund, den anzuschaffen sie aus unerklärlichen Gründen gemeinsam beschlossen hatten.

»Sein Futter steht ganz unten im Speiseschrank«, instruierte Paula ihn, während sie irgendwelche Kleidung in eine grüne Stofftasche warf. »Eine Schaufel abends, eine morgens. Und dann ... ja, dann hoffe ich, dass ich bald zurück bin. Er muss natürlich heute Abend noch mal raus. Ich mache immer eine Runde in Lincoln's Inn Fields, das liegt nur ein paar Straßen von hier entfernt. Aber achte darauf, dass er an der Leine bleibt, er kriegt schnell Probleme mit anderen Rüden.«

»Verstanden«, sagte Gregorius.

»Leine und Kotbeutel hängen im Flur. Ja, dann mache ich mich auf den Weg, ich bin ja so unendlich dankbar, dass du dich zur Verfügung stellst, jetzt, wo Mama ...«

Ihre Unterlippe zitterte, und wieder schossen ihr Tränen in die Aquariumaugen. Allein seine große Selbstbeherrschung und Fingals gelblicher Blick hinderten ihn daran, aus dem Sofa zu springen und sie in die Arme zu schließen.

»Meine Handynummer liegt auf dem Küchentisch. Du kannst vom Schlafzimmer aus anrufen, ich nehme an ... ich nehme an, dass deins nicht mehr funktioniert.«

»In der Stunde der Not erweisen sich die wahren Freunde«, sagte er.

»Äh ... jaha?«, sagte Paula.

Ich liebe dich, dachte er, als sie ihm vom Flur aus noch einmal zuwinkte. Sieh zu, dass du mit einer frühen Morgenmaschine aus Dublin zurückkommst, dann werde ich noch im Bett liegen und auf dich warten. Du bist die Frau meines Lebens.

Doch als die Tür hinter ihr zugeschlagen war und das Echo ihrer Schritte im Treppenhaus verklungen, überkam ihn ein Gefühl der Finsternis. Was unvermeidbar gewesen war. Spaziergang?, dachte er. Kotbeutel? Sollte das wirklich nötig sein?

Und wieso bist du eigentlich hier?, fuhr sein naseweises Gehirn fort, ohne dass er es darum gebeten hatte. *Paul F. Kerran?* In einem durchgesessenen Cordsofa in einem unordentlichen und nach Rauch stinkenden Wohnzimmer mit einer dreibeinigen Rokokokommode in… er hatte den Namen der Straße bereits vergessen… zusammen mit Studienrat Eckzahn in der Gestalt eines fünfzig Kilo schweren, sabbernden Schäferhundes.

Ja, warum? Er musste zugeben, diese Frage war berechtigt. Aber gleichzeitig stand ihm auch klar vor Augen, dass er noch ein paar Biere brauchte, und eigentlich drückte da der Schuh. Die Lebensfreude sank im Takt mit dem Alkoholpegel in seinem Blut, so war es nun einmal – aber es musste doch wohl möglich sein, die eine oder andere Dose in der erwähnten Speisekammer zu finden? Nicht nur Hundefutter. Schließlich war Paula ja eine Irin.

»Entschuldige, Fingal«, sagte er und schälte sich vorsichtig aus seiner Sofaecke. »Ich muss nur mal pissen. Bin gleich zurück.«

Fingal knurrte.

Fünf Stunden später befand er sich immer noch auf demselben Sofa, in tiefem Schlaf versunken. Paulas Speisekammer war bedauerlicherweise frei von Bier, dafür hatte er aber eine halbvolle Flasche Baileys und eine noch ungeöffnete mit Jameson Irish Wiskey gefunden. Er hatte das süße Zeug stehen lassen und sich auf den Whisky konzentriert. Hatte vier oder fünf Gläser getrunken, vielleicht auch sechs, aber ziemlich kleine und etwas verdünnt – während er einige Klatschzeitschriften durchblätterte, ohne Erfolg versuchte, sein Telefon wieder zusammenzusetzen, ein dreiteiliges Kreuzworträtsel löste, sich durch eine Anzahl verschiedener Dokusoaps auf dem grobkörnigen Fernseher zappte, Fingal zwei Schaufeln Futter gab und mit ihm ausmachte, doch auf den Abendspaziergang zu verzichten. Wind und Regen hatten nämlich eingesetzt, es trommelte vernehmlich auf die Fensterbank und irgendwo auf der Straße auf ein Blechdach, und das war kein Wetter, in dem Mensch oder Hund vor die Tür gehen mochten. Auch für einen wiederauferstandenen Gymnasiallehrer nicht. Wenn Fingal später in der Nacht noch einmal eine Runde drehen wollte, musste er das sagen. Gentlemen's Agreement.

Doch im Augenblick, während die Uhr gerade die Zehn überschritt, am Abend des 24. September im Jahre des Herrn 2010, und sich der kurze Regenschauer, um den es sich ehrlich gesagt gehandelt hatte, bereits seit langer Zeit auf die Nordsee verzogen hatte, lagen sie also beide wohlig schlafend da. Schnarchend und leicht rasselnd jeder in seiner Ecke des Cordsofas in die Kissen gekuschelt, und auch wenn Fingal aus instinktiven Gründen gezwungen war, jedes Mal, wenn das Telefon im Schlafzimmer klingelte, ein Ohr zu heben – und das geschah in gewisser Regelmäßigkeit und war in den letzten Stunden immer wieder vorgekommen –, so litt keiner von beiden größere Not. Jeder Tag hat seine eigenen Sorgen, und wenn zwei beieinanderliegen, dann haben sie es warm.

27

Irina Miller bezahlte den Taxifahrer und betrat das Foyer des *Rembrandt*. Sie fühlte sich schmutzig und sehnte sich nach einer Dusche, ging aber dennoch zunächst zur Rezeption, um zu sehen, ob es irgendwelche Nachrichten für sie gab.

Die gab es. Die asiatische Empfangsdame lächelte professionell und überreichte ihr einen länglichen, blassgrünen Umschlag; als Irina auf ihrem Zimmer war, zog sie eine ebenso blassgrüne Karte heraus und las die kurze Information.

Aus Anlass meines siebzigsten Geburtstags möchte ich dich am Donnerstag, dem 25. September, gern zu einem einfachen Geburtstagsessen einladen. Ein Wagen wird dich am Hoteleingang um 19.30 Uhr abholen. Ich hoffe, du hattest bisher einen angenehmen Aufenthalt in London. Ich möchte keine Geschenke und erwarte keine Reden.

Mit den allerbesten Grüßen
Leonard

Der Text war zierlich auf das gehämmerte Papier gedruckt, sie nahm an, dass er das einer Druckerei überlassen hatte und dass jeder von ihnen genau die gleiche Nachricht bekommen hatte. Alle vier; sie selbst, Gregorius und die beiden anderen, wer immer die auch sein mochten. Vielleicht ihre Mutter auch, wenn sie nun kaum noch miteinander sprachen. Plötzlich merkte sie, dass sie diese Fragen gar nicht interessierten. Weder die eine noch die andere.

Stattdessen fühlte sie sich traurig; sie dachte nach und begriff, dass dieses Gefühl bereits im Restaurant eingesetzt hatte – gegen Ende. Sie war zu Beginn der Mahlzeit verärgert gewesen, über Mauds Ahnungslosigkeit und fehlende Stärke. Dass sie nicht in der Lage war, Leonard resoluter entgegenzutreten, aber so war es schon immer gewesen, sie war eine gute Repräsentantin dieser weiblichen Lethargie, mit der Irina sich nur so schwer abfinden konnte. Diese Fügsamkeit gegenüber verantwortungslosen Männern, die sich selbst genügten und gar nicht daran dachten, dass es notwendig sein könnte, auf andere Menschen Rücksicht zu nehmen. Auf Fremde, Nahestehende oder wen auch immer. Gregorius war natürlich ein weiteres Prachtexemplar für diese These, wenn auch in der anderen Ring-Ecke, und der Ärger hatte vermutlich vor allem in ihr selbst seinen Ursprung und in der Tatsache, dass sie ihn gewähren ließ.

Und dass dieses Muster so allgemein verbreitet war: dass Frauen immer fünf gerade sein ließen, wenn es pubertierende Männer betraf, und dass sie, was sie betraf – zumindest ab und zu –, sich ganz genauso verhielt. Eine abgenutzte, abgedroschene feministische Kritik, die also auf einen Systemfehler beim männlichen Geschlecht an sich hindeutete. Und einen anderen – dafür aber sehr kompatiblen – Systemfehler beim weiblichen. Ungefähr so weit war sie in ihren Überlegungen gekommen, als sie feststellte, dass der Ärger in Resignation übergegangen war. Es war ungefähr zwischen Hauptgericht und Dessert geschehen; dem Feuer wurde die Glut entzogen wie die Luft einem schlaffen Ballon. Zurück blieben: Seufzer und Elend.

Ich bin erst einunddreißig, dachte sie. Wie wird es erst sein, wenn ich einundvierzig bin? Oder einundfünfzig? Verdammte Scheiße.

Sie stellte sich unter die Dusche, um den inneren und äußeren Schmutz loszuwerden. Wenn ich auch nur im Geringsten gläubig wäre, dann würde ich Nonne werden, stellte sie fest. Aber wie ist es eigentlich in einem Kloster um die Hygiene bestellt?

Als sie schließlich im Bett lag, überlegte sie einen Moment lang, ihren Bruder anzurufen. Es war zwar schon nach Mitternacht, aber sie zweifelte daran, dass er bereits schlief. Die Wahrscheinlichkeit, dass er sich überhaupt in seinem Zimmer befand, war höchstens fifty-fifty, aber normalerweise ging er an sein Handy.

Nach sechs Freizeichen wurde sie auf seine Mobilbox geschaltet, aber sie hatte keine Lust, ihm etwas auszurichten. Er würde ja sehen, dass sie angerufen hatte, und wenn er von sich hören lassen wollte, dann sollte er das tun.

Zufrieden, diese unmotivierte Pflicht erfüllt zu haben, löschte sie die Nachttischlampe und bereitete sich darauf vor, einzuschlafen, doch es klappte nicht. Sie fühlte sich hellwach wie ein Glas Champagner, und nach zehn Minuten gab sie auf. Schaltete das Licht wieder ein und suchte das Buch heraus, das sie mitgenommen, aber bis jetzt noch nicht aufgeschlagen hatte.

Es war ein dicker Roman von jemandem, der Russell hieß. Steven G. Russell, sie hatte es auf gut Glück in Lippmanns Buchhandel gekauft, eine Stunde, bevor sie und Gregorius sich in den Wagen gesetzt hatten, um sich auf diese zweifelhafte Reise zu begeben. Es hatte auf dem Tisch für neu erschienene Belletristik gelegen, daran erinnerte sie sich, und sie wusste eigentlich selbst nicht, warum sie ausgerechnet zu diesem Buch gegriffen hatte. Sie hatte nie von dem Autor gehört, und der kurze Text auf der Rückseite gab keine weiteren Informationen. Kein Foto. Debütant, geboren in Yorkshire, aufgewachsen in Ypswich, Jurist von Beruf. Vielleicht deshalb?, dachte sie. Weil er den gleichen Beruf ausübte wie sie selbst. Oder lag es am Umschlag? Der war abstrakt, breite horizontale Streifen in Rot und Gelb, aber doch ziemlich gedämpft, irgendwie sophisticated, ja, wahrscheinlich hatte sie es deshalb gekauft.

Und natürlich des Titels wegen – Bekenntnisse eines Schlafwandlers –, der hatte auch etwas Ansprechendes an sich. Zumindest war sie dieser Meinung gewesen, als sie mit dem Buch in der Hand im Laden stand.

Sie begann das erste Kapitel zu lesen, und schon nach wenigen Zeilen war sie gezwungen, sich in den Arm zu kneifen, um sich zu vergewissern, dass sie nicht träumte.

Da liegst du also, meine Liebe. Es ist Nacht, du kannst nicht schlafen, und endlich hast du beschlossen, mich zu öffnen. Du bist weit fort von zu Hause, ich möchte behaupten, du liegst in einem Hotelbett in einer fremden Stadt. Du bist frisch geduscht, und deine Aufmerksamkeit ist hellwach, du bist eine ziemlich leseerprobte Person, und dir ist die Bedeutung dessen bewusst, konzentriert zu sein, wenn man sich auf einen neuen Roman einlässt. Auf den ersten Seiten muss ich dich an den Haken kriegen, bereits nach zehn, fünfzehn Minuten kann es zu spät sein. Dann beginnst du zu ahnen, dass das, was ich zu erzählen habe, dich trotz allem nicht interessiert, du liest noch ein paar Seiten pflichtschuldigst weiter und hoffst, das Kapitel möge bald zu Ende sein, aber eigentlich ist unser kleines Liebesabenteuer bereits dabei, Schiffbruch zu erleiden. Jetzt wandern deine Gedanken von meinen Worten fort, dein haltloser Bruder taucht in deinem Bewusstsein auf, deine Mutter, mit der du gerade ein teures, aber ziemlich missglücktes Essen verzehrt hast, und so einiges anderes, was in der letzten Zeit passiert ist. Beispielsweise diese Brieftasche, die du gefunden hast. Und dieser sonderbare Fremdling, dessen Namen du nicht einmal aussprechen kannst. Dieses billige Hotel in Bayswater.

Sie ließ das Buch auf die Bettdecke fallen. Ließ den Blick zum Fenster schweifen, zu dem schmalen Spalt zwischen den Gardinen, sie hatte sie nicht ordentlich zugezogen. Etwas huschte da draußen in der Nacht vorbei. Eine schnelle, helle Bewegung, sie nahm an, dass es sich um einen Vogel oder das Scheinwerferlicht eines Autos handelte. Oder was auch immer, die Stadt war natürlich voll mit nächtlichem, irrationalem Licht. Das Zimmer lag im vierten Stock, es gab keinen Balkon und keine Feuerleiter, das hatte sie überprüft. Noch einmal kniff sie sich in die Armbeuge, spürte, wie ein Gefühl diffuser Bedrohung sich über sie zu stülpen versuchte, aber nicht wirklich Angst, noch nicht, und einen Moment lang meinte sie sich selbst da unten in dem Bett aus einer Position dicht unter der Zimmerdecke betrachten zu können. Sich selbst und ihre hilflose Lage. Das war sonderbar, beinahe eine solche nichtkörperliche Nahtoderfahrung, von der sie gehört hatte. Wieder griff sie zu Russell und fuhr fort mit der Lektüre.

Aber ich will mich nicht in Details verlieren, die du ja bereits kennst, das würde dich auf Dauer nur langweilen. Ich möchte so gern in dich eindringen. Versteh mich recht, ich möchte so gern in dein Bewusstsein eindringen. Und dort bleiben.

Und auch wenn ich das aus privaten und selbstsüchtigen Motiven tue, so wage ich dir zu versprechen, dass auch du etwas davon haben wirst, meine Liebe. Stoße mich nicht von dir, so wie man eine unerwünschte Bekanntschaft oder ein schädliches Insekt wegstößt. Sieh unsere Begegnung als eine Win-win-Situation an; ich kann dir definitiv eine Hilfe sein, das Versprechen gebe ich dir. Insbesondere in den nächsten Tagen; wenn du mich nur zu dir kommen lässt, dann wirst du bald verstehen, dass ich Recht habe. Ich versuche nicht, dir irgendwelchen blauen Dunst vorzumachen, wie ich weiß, dass es andere Autoren gern tun, du bist viel zu wichtig für mich, als dass ich einfache Überredungskünste oder billige Tricks anwenden würde. Dieses Essen morgen wird nicht gut enden, deine Zweifel sind viel wohlbegründeter, als du überhaupt ahnen kannst, und ich bin dankbar dafür, dass du mich trotz allem rechtzeitig aufgeschlagen hast. Es wäre mir doch als allzu bittere Ironie erschienen, wenn du – oder besser gesagt, jemand anderes – anfangen würdest, mich zu lesen, nachdem alles bereits vorbei ist, und die Möglichkeiten, auf das Schicksal einzuwirken, verloren gegangen sind.

So, das war's, was ich eingangs zu sagen hatte. Mach jetzt eine Pause. Geh ins Bad und mach dich frisch. Sicher ist dir übel. Bürste deine Zähne noch einmal, ich weiß, dass du das magst. Wenn du anschließend nackt ins Bett kriechen willst und nicht in diesem albernen Nachthemd, von mir aus gern. Also, leg mich auf den Nachttisch. Jetzt kommt eine Leerzeile, ich warte auf dich, ich warte auf dich.

Sie schloss die Augen, öffnete sie aber gleich wieder, als sie spürte, wie das Zimmer sich zu drehen begann. Legte ein Lesezeichen zwischen die Seiten, schloss das Buch und platzierte es auf dem Nachttisch. Die Übelkeit stieg schnell auf; mit letzter Kraft schaffte sie es aus dem Bett und wankte auf unsicheren Beinen zum Bad. Ließ sich vor der Toilettenschüssel auf die Knie fallen und erbrach alles, was sie in diesem teuren Restaurant gegessen hatte – sie hatte bereits vergessen, wie es hieß.

Würgen und Krämpfe. Dessert, Hauptgericht, Vorspeise, trotz ihres erschöpften Zustands gelang es ihr zu registrieren, dass alles tatsächlich in dieser Reihenfolge kam. Zum Schluss nur noch Galle. Das Nachthemd hatte Flecken bekommen, in einem Anfall von Ekel riss sie es sich vom Leib und warf es aus dem Fenster.

Dann eine Dusche.

Dann Kopfschmerzen.

Aufblitzende, weißglühende Kopfschmerzen, vielleicht war

es Migräne, die sie zwang, die Lampe zu löschen und nicht eine Zeile weiterzulesen. Lebensmittelvergiftung, dachte sie. Ich habe es gewusst, im schlimmsten Fall Botulismus. Lieber Gott, lass mich schlafen können, ich verstehe nicht, was hier passiert. Was ist mit mir los?

Sie drehte sich mühsam auf die Seite, der Raum drehte sich mit. Sie breitete die Arme aus, und Steven G. Russell fiel zu Boden.

28

Leonard

Das gelbe Notizbuch

November-Dezember 1968. Wenn ich jemals die Möglichkeit haben sollte, ein Stück meines Lebens noch einmal zu leben, dann habe ich mich bereits entschieden. Ich würde diese Wochen wählen.

Ich wachte morgens in meinem Verschlag in Coleherne Mews auf und sehnte mich nach ihr. Ich wachte davon auf, dass ich mich nach ihr sehnte.

Ich aß mein einfaches Frühstück, bestehend aus Tee und gerötetem Brot, und sehnte mich nach ihr. Drängte mich in die Untergrundbahn zwischen die Gerüche von Steinkohle und feuchter Wolle und sehnte mich nach ihr. Saß in Camden Town, arbeitete dort und sehnte mich nach ihr.

Ging ins Bett und sehnte mich nach ihr.

Und meine Sehnsucht wurde erhört. Wir trafen uns. Wir liebten uns. Diverse Male. Wir sagten uns Dinge, die aus der Tiefe unserer Gehirne entsprangen, wir gingen in der heiligen Landschaft unserer Körper auf Streifzug und schwammen im Strom der blutroten Flut der Frischverliebten.

Ich habe nie davon geträumt, Poesie zu erschaffen, und dafür sollte die Welt wirklich dankbar sein. Im Nachhinein, fast zwölf Jahre später, während ich hier sitze und diese Notizen verfasse, fällt es mir schwer zu begreifen, welche Worte es wohl waren, die wir aneinander richteten, was das Besondere an dieser Landschaft war und wie es sich eigentlich anfühlte, sich in dieser roten Flut treiben zu lassen.

Aber so war es. Natürlich, diese Wochen boten ein Lebensgefühl, das in der kranken Blässe des Rückblicks nur durch skeptische Brillengläser betrachtet werden kann. Alles erscheint so traurig und hohl, und ich nehme an, dass es wie diese Vergessenshormone funktioniert, die sich im neugeborenen Kind entwickeln, damit es das Erlebnis, geboren zu werden, nicht mit der jämmerlichen Dürftigkeit des kommenden Lebens vergleichen muss. Das habe ich irgendwo gelesen, Gott weiß wo.

It was. It will never be again. Remember.

Oder *forget,* besser gesagt.

Genug der geistigen Spekulationen. Wir trafen uns an drei verschiedenen Orten: in der kleinen Wohnung am Mount Park Crescent, wo wir uns das erste Mal geliebt hatten, in einem großen, aber fast unmöblierten Zimmer in der Wardour Street in Soho – direkt über einem Pub, das *The Hope and Anchor* hieß – sowie in einem Hotel am Russell Square in Bloomsbury. Wenn ich nachrechne, muss ich zugeben, dass es sich insgesamt um nicht mehr als sieben oder acht Mal gehandelt haben kann, aber was nützt diese Rechnerei? Carla kannte diese drei Orte irgendwie, aber sie erklärte nicht, wie es zusammenhing, und ich hatte gelernt, keine Fragen zu stellen.

Oder: ich *lernte* es. Wir trafen uns nie länger als ein paar Stunden. Wir wachten nie morgens gemeinsam auf, die Zeit erschien blau, dicht, und das genügte. Jedesmal war ich gezwungen, äußerste Vorsicht walten zu lassen, wenn ich kam und ging; Carla war immer schon an Ort und Stelle und wartete auf mich, meistens hatte sie eine Kerze angezündet und eine Flasche Wein geöffnet. Immer roten, immer italienischen. Nein, wir waren nie länger zusammen, als es dauerte, dass eine Kerze herunterbrennt. Wir liebten uns, wir rauchten Players Number Six, wir tranken die Weinflasche leer.

Es dauerte bis zu den Tagen direkt vor Weihnachten, dass ich einen neuen Auftrag bekam. Ich vermutete, dass es nicht Carla selbst war, die diese Entscheidungen traf: in welcher Hinsicht ich zu benutzen war und für welche Art von Aufgaben. Es gab andere Kräfte im Hintergrund, Carla war eine untergeordnete Spielfigur, genau wie ich, wenn auch deutlich von höherem Wert. Aber ich stellte keine Fragen.

Im Laufe dieser regnerischen und windigen Spätherbstwochen wurden drei weitere tschechoslowakische Spione enttarnt, alles Männer, ich las über sie in der Zeitung, und die Anzahl der Personen in meiner Fotosammlung schrumpfte auf zehn. Der Mord im Holland Park war weiterhin ungeklärt, zumindest schrieb man nicht mehr über ihn, und Carla hatte offensichtlich kein Interesse daran, darüber zu diskutieren.

»Du bist ein Mann, wer auch immer«, sagte sie. »Ich bin eine Frau, welche auch immer. Wir treffen uns, wir lieben uns, wir bedeuten einander immer mehr, aber noch ist es zu früh, rückwärts oder nach vorn zu schauen. Wir leben im Einklang mit den besonderen Umständen dieser Zeit, können wir uns nicht bis auf weiteres mit diesen Regeln zufriedengeben?«

Ich wusste, das bedeutete, dass wir uns mit diesen Regeln zufriedengeben *mussten*, und aus irgendwelchen Gründen hatte ich nichts dagegen. Ich ging davon aus, dass es keine andere Möglichkeit gab: nicht im Schatten von Prag, der Panzer des Warschauer Pakts, des Eisernen Vorhangs und der totalitären Gewalt. Im Nachhinein ist mir klar, dass es der Alltag war, der auf diese Art von uns ferngehalten wurde: das Triviale oder das politische Leben, das seine graue Haut über diesen roten Strom legt und mit unerbittlicher Sturheit andere, einschränkende Forderungen an Mann und Frau stellt. So weit kamen wir nie, damals noch nicht; nicht einmal bis zu einer so einfachen Sache, den anderen Spiffern zu erzählen – Christopher, Mary und Fjodor –, dass ich eine neue Frau kennen gelernt hatte; es nur zu erwähnen, ohne weiter in die Details zu gehen, das hätte unserer Liebe die Flügel gestutzt. Ich wusste es, und ich weiß es. Im Rückblick bin ich mir nicht mehr sicher, wie dieser subtile Mechanismus beschaffen ist, aber dass ich sein Opfer war, solange es dauerte, daran bestand kein Zweifel. Ich möchte keine weiteren Worte darüber verschwenden.

Den Auftrag erhielt ich am Donnerstag, dem 18. Dezember; wie üblich war ich zu Bramstoke and Partners gegangen, in Erwartung einer Direktive für eine Liebesverabredung, meistens trafen Carla und ich uns freitags oder samstags, manchmal an beiden Tagen – doch an diesem Nachmittag ging es um etwas anderes.

Joshua B. Levine saß wie üblich hinter seinem Schreibtisch und telefonierte. Er hob eine Augenbraue und nickte mir kurz zu, während er gleichzeitig ein zweimal gefaltetes Papier aus der Brusttasche seines Hemdes holte. Er überreichte es mir, ich nahm es entgegen und ging weiter in den ersten Stock, wo es so menschenleer wie immer war. An diesem Tag lag nicht einmal die Katze auf ihrem Platz. Ich setzte mich mit meinem Codeschlüssel und Leibniz an den Tisch unter dem Giebelfenster und begann zu dechiffrieren.

Sofort war mir klar, dass es sich nicht um ein neues Treffen mit Carla handelte, doch es dauerte eine Weile, bis mir klar wurde, dass die Nachricht doppelt codiert war, und es dauerte sicher eine Stunde, bis ich den kurzen Text herausbekommen hatte:

paddington 645 am 19 dec bristol meads warten im
bahnhofsrestaurant codewort bruno

In der Nacht hatte ich kein Auge zugemacht, aber um Viertel vor sieben am folgenden Morgen saß ich im Zug nach Bristol, als er Paddington verließ. Das Wetter war ungewöhnlich schlecht, regnerisch, windig und ungemütlich, es schien, als müsste der alte Zug wirklich alle seine Kräfte aufbieten, um gegen den westlichen Gegenwind anzukämpfen. Es gab nicht viele Passagiere; in meinem Coupé saß außer mir nur noch ein älterer Herr in feuchter Wollkleidung und Sportmütze. Er trug eine gelbliche Brille und war tief in ein Buch versunken von einem Autor namens Russell; nur um etwas zu tun zu haben, bevor ich einschlief, versuchte ich den Titel zu entziffern, doch es gelang mir nicht. Nach Swindon war ich allein im Abteil, und der Schaffner war so freundlich, mich zu wecken, als wir kurz nach zehn Uhr in Bristol Meads ankamen. Ich dankte ihm, ergriff meine grüne Stofftasche, in die ich in aller Eile eine Zahnbürste und Wechselwäsche geworfen hatte für den Fall, dass mein Auftrag sich in die Länge ziehen würde, was man ja nie wissen konnte, und verließ den Zug.

Das Bahnhofsrestaurant lag gleich neben den Gleisen, es war ein nur schwach erleuchtetes Lokal mit verräucherter dunkler Holztäfelung; es roch nach Schimmel und Bacon und war menschenleer. Ich bestellte Tee, Scones und Rührei und ließ mich mit einem *Observer* in einem Holzbügel an einem Fenstertisch nieder. Der Regen peitschte gegen die Scheiben, es war so gut wie unmöglich, die Menschen zu erkennen, die da draußen auf dem Weg zum Bahnhofsgebäude oder an den Gleisen vorbeihasteten. Es waren nicht viele, aber schon der eine oder andere, der den Wettergöttern trotzte. Ich nahm an, dass sie keine andere Wahl hatten, und dachte, das Leben sei ja doch eine ziemlich zufällige Geschichte, die mich in meinem neunundzwanzigsten Lebensjahr fünf Tage vor Weihnachten an diesen wackligen Holztisch in diesem gottverlassenen Bahnhofsrestaurant geführt hatte.

Soweit ich überhaupt etwas dachte. Die kurze Zeit, die es mir geglückt war, im Zug zu schlafen, wog nur wenig gegenüber dem Schlafmangel der vergangenen Nacht, und die sich aufdrängende Wärme der Gasheizung in der Ecke hinter meinem Rücken machte mich schläfrig. Ich beendete meine Mahlzeit und holte mir noch eine Tasse Tee. Blätterte die Zeitung durch, in ihr stand nichts über irgendwelche weiteren tschechoslowakischen Spione und nichts sonst, was mein Interesse zu wecken in der Lage gewesen wäre. Als es elf Uhr geworden war, ich dort also schon fast eine Stunde saß, war ich immer noch der einzige Gast, und der kräftige, rotnasige Kellner war hinter dem Bartresen eingeschlafen, geschickt eingeklemmt zwischen einem hohen Kühlschrank und einem Turm aus Kisten mit leeren Flaschen. Ich wusste selbst nicht, warum ich nichts zu lesen mitgenommen hatte, und beschloss, noch eine halbe Stunde zu warten; wenn in diesem Zeitraum nichts passierte, würde ich hinüber zum Bahnhofsgebäude gehen und sehen, ob sie dort vielleicht Taschenbücher verkauften oder zumindest Zeitschriften.

Doch gegen zwanzig nach elf wurde die Tür aufgestoßen, und ein weiterer Gast betrat den Raum. Ich weiß nicht, was ich eigentlich erwartet hatte, jedenfalls keine gebeugte alte Frau, die über den schachbrettgemusterten Boden auf zwei grobe Stöcke gestützt schlurfte. Doch so war es, so war sie. Sie ging zum Tresen, begann eine lange, lautstarke Konversation mit dem Kellner über denkbare Gerichte, die damit endete, dass sie sich eine Tasse Tee bestellte und darum bat, das Telefon benutzen zu dürfen. Nein, nicht bat – *verlangte*. Der Kellner bückte sich und holte einen schwarzen Apparat hervor, den er vor ihr auf den Tresen stellte. Drehte ihr den Rücken zu, während er ihren Tee vorbereitete. Sie zog ein Stück Papier aus der Manteltasche, studierte es sorgsam und wählte dann mit einer gewissen Mühe eine Nummer. Da ich nichts anderes zu tun hatte, beobachtete ich jede ihrer Bewegungen. Es dauerte eine Weile, bis sie verbunden wurde.

»Bruno«, sagte sie. »Seien Sie so gut und lassen Sie mich mit Mr. Bruno sprechen.«

Offenbar erhielt sie eine negative Antwort, denn sie bedankte sich enttäuscht, legte den Hörer auf und ermahnte den Kellner, auch wirklich genügend Zucker in ihren Tee zu kippen.

Er kam ihrem Wunsch nach, und sie trank aus ihrer Tasse, immer noch am Tresen stehend. Unsere Blicke begegneten sich nie, und nach fünf Minuten schlurfte sie wieder hinaus in den Regen.

Ich wartete dreißig Sekunden, dann folgte ich ihr. Entdeckte sie auch gleich neben einem dunklen kleinen Wagen, der an der Stirnseite des Bahnhofsgebäudes geparkt stand. Sie drehte für einen Moment den Kopf, und als sie mich entdeckte, nickte sie dem Fahrer zu, der das Seitenfenster herunterkurbelte. Dann verschwand sie um die Ecke, jetzt deutlich schneller als drinnen im Restaurant. Mir war klar, dass ich richtig war.

Der Mann im Wagen, auch er klein und dunkel, streckte sich über den Beifahrersitz und öffnete die Tür. Ich stieg ein und warf meine Tasche auf den Rücksitz. Wir schüttelten die Hände, er startete den Wagen, und wir fuhren los.

»Sagen Sie nichts«, sagte er und zündete sich mit einem Zippofeuerzeug eine Zigarette an. »Ich bin nur der Fahrer. Wir haben eine Stunde Weg vor uns. Mindestens.«

Er hatte fast gar keinen Akzent, aber ihm fehlte ein halbes Ohr. Ich nickte. Lehnte mich zurück und schloss die Augen.

Das Haus lag versteckt hinter hohen Hecken draußen auf der Heide. Dicke Steinwände, schwarzes Schieferdach. In einem Stall auf der anderen Seite des lehmigen Wegs standen vier bunte Kühe und kauten mit finsterer Miene vor sich hin. Wir stiegen aus und wurden von einer rundlichen Frau mit einem großen schwarzen Regenschirm empfangen. Das Wetter war während der Fahrt über die Heide nicht besser geworden. Mein Chauffeur und die Frau wechselten ein paar Worte in einer Sprache, die ich nicht verstand, von der ich jedoch annahm, dass es Tschechisch war. Dann setzte der Fahrer sich wieder hinters Lenkrad, wendete auf dem Hofplatz und fuhr davon. Ich folgte der Frau ins Haus.

Der Mann, der mich empfing, war wie aus einem Film herausgeschnitten. Ich nehme an, es handelte sich um eine Art Charisma, jedenfalls begriff ich sofort, dass ich hier vor Macht und Würde stand. Obwohl er nicht viel älter war als ich, höchstens fünfunddreißig, aber ihn umgab eine Aura selbstverständlicher Autorität und Ruhe, die man nicht ignorieren konnte. Ich notierte automatisch, dass er nicht einer der zehn war; er war breitschultrig und hochgewachsen, trug einen dunklen Anzug und ein aufgeknöpftes weißes Nylonhemd; wenn es irgendwelche durchgehenden Merkmale bei diesen osteuropäischen Männern gab, auf die ich seit diesem schicksalsschweren Septembertag auf dem Trafalgar Square getroffen war, so war es wohl das weiße, aufgeknöpfte Hemd. Seine Kiefer waren breit, sein Mund entschlossen, es ruhte ein gedämpfter Spott in seinem Blick, und über seiner rechten Augenbraue, hin zur Schläfe, bemerkte ich etwas, das aussah wie eine Tätowierung. Ein Käfer, wenn ich mich nicht irrte. Das Haar war dunkel und zurückgekämmt.

Wir musterten uns ein paar Sekunden lang, prüfend, zumindest von seiner Seite aus, dann schüttelten wir die Hände, ohne etwas zu sagen, und er gab mir ein Zeichen, dass ich ihm die Treppe hinauf folgen sollte.

Das Zimmer, in das wir kamen, war niedrig und langgestreckt, es lief die ganze Hausseite entlang, und nur in der Mitte, auf beiden Seiten des Trägerbalkens, konnte man aufrecht stehen. An den Wänden standen brusthohe Bücherregale mit Büchern und

Zeitschriftensammlungen, und auf einem länglichen Tisch lagen Stapel von Papieren, Karten, Büchern und allem möglichen Gerümpel. Es war dem Obergeschoss bei Bramstoke and Partners nicht unähnlich. Wir setzten uns unter einem bleiernen Dachfenster einander gegenüber in Korbstühle.

»Du brauchst meinen Namen nicht zu wissen«, begann er. »Unter uns kannst du mich Wolf nennen.«

»Leo«, sagte ich.

»Ich weiß. Wolf und Leo. Das ist gut.«

Sein Akzent erinnerte an Carlas. Mit tadelloser Grammatik. Er bot mir aus einem flachen Metalletui eine Zigarette an. Zündete sie uns beiden auch mit einem Zippo an.

»Etwas zu trinken?«

Er zeigte auf eine Karaffe und ein paar umgedrehte Gläser auf dem Tisch. Ich schüttelte den Kopf.

»Bis jetzt war deine Arbeit zufriedenstellend.«

Ich zuckte mit den Achseln.

»Aber jetzt wird es langsam ernst.«

Ich dachte an den toten Mann im Holland Park und fragte mich, ob der mit in die Beurteilung einfloss. »Ich verstehe«, sagte ich.

»Je weniger du darüber weißt, worum es geht, umso besser.«

»Auch das verstehe ich«, sagte ich.

Er lächelte kurz. Dann hob er den Blick und studierte den Regen, der auf das Dachfenster prasselte. Den tiefhängenden, blaugrauen Himmel. Die obersten Zweige eines Baums, ich glaube, es war eine Lärche. Wolf beugte sich vor und zog aus einem Aktenschränkchen eine Schublade heraus. Entnahm ihr zwei kleine schwarze zylinderförmige Dosen, die er eine Weile in der Hand wog, eine in jeder, bevor er sie vor sich auf den Tisch legte.

»Um die hier geht es«, sagte er. »Sorge dafür, dass sie in die richtigen Hände kommen, und du wirst gut belohnt werden.«

»Ich mache das nicht für Geld.«

Er nickte. »Es steht dir frei, es abzulehnen. Oder zu verschenken.«

Aus einer anderen Schublade holte er einen Umschlag heraus. »Die Instruktionen hast du hier. Ich gebe dir fünf Minuten, sie zu lesen und dir einzuprägen. Dann verbrennen wir sie. Einverstanden?«

Ich erklärte, dass ich das sei.

»Gut.«

Er reichte mir den Umschlag, lehnte sich rauchend zurück.

»Bitte schön, lies.«

Ich öffnete den Umschlag und las. Es war ein sehr kurzer Text, und nach ein paar Minuten war ich mir sicher, dass ich ihn mir merken konnte. Ich schob das Papier wieder in den Umschlag und reichte ihm diesen. Er nahm ihn entgegen und steckte ihn in die Brusttasche seines Hemds.

»Etwas zu trinken?«

Ich lehnte erneut dankend ab.

»Gut. Dog wird dich zurück nach Bristol fahren. Hast du noch irgendwelche Fragen?«

Dog?, dachte ich. Wolf und Leo und Dog.

Aber ich hatte keine Fragen, und zwei Stunden später saß ich im Zug auf dem Weg zurück nach London. Mit zwei schwarzen festgeklebten zylinderförmigen Döschen auf der Haut, unter dem Hemd.

29

Das Grenzland zwischen Traum und Wirklichkeit, sieht so der Tod aus? Landen wir dort, ohne die Möglichkeit, uns in die eine oder andere Richtung daraus fortzubegeben?

Nach den letzten quälenden Stunden kann ich mir gut vorstellen, dass es sich so verhält. Das ist es, was auf uns wartet, nichts sonst. Der Warteraum der Ewigkeit.

Es war geplant, Prendergast um sieben Uhr zu treffen, doch mein Zustand ließ es nicht zu, dass ich das Hotel verließ. Zumindest gelang es mir, ihn anzurufen, und wir verschoben den Termin auf morgen Vormittag. Am selben Tag wie die Feier, so hatte ich es nicht geplant, aber es war natürlich auch kein größeres Problem.

Unter der Voraussetzung, dass ich durchhalte, natürlich. Der Nachmittag und der Abend waren anstrengend, ich hätte Maud an meiner Seite gebraucht, doch sie huschte davon, um mit Irina essen zu gehen, und kam erst spät zurück.

Nach dem Gespräch mit Prendergast nahm ich also meine Medizin und schlief ein; es muss irgendwann zwischen halb sechs und sechs gewesen sein, und was anschließend passierte, das wissen die Götter. Während es geschah, war ich überzeugt davon, nicht zu schlafen – dass ich ganz einfach irgendwann aufgewacht war, nach einer halben Stunde oder vielleicht auch einer ganzen; und dem, was ich dann erlebte, dem fehlten vollkommen die charakteristische Unbestimmtheit eines Traums und seine unmotivierten Perspektivverschiebungen. Wenn ich trotzdem – im Nachhinein – geneigt bin, zu behaupten, es war ein Traum, dann handelt es sich dabei nur um einen natürlichen Verteidigungsmechanismus. Was tut man nicht alles, um den Verstand zu behalten?

Also, ich befand mich wieder an diesem Ort. In der Stadt K., in diesem undefinierten Land. Und ich war dieser Mann: Lars Gustav Selén. Ich saß wieder am selben Schreibtisch und betrachtete die drei Dinge auf dem Fensterbrett: das Schulfoto, die Zwiebeluhr und den Zeitungsausschnitt. Ich sagte meinen Namen mit lauter, klarer Stimme. Offenbar vollkommen korrekt, obwohl ich es jetzt nicht mehr schaffe. Ich las eine Weile in einigen der Notizbücher, dann begann ich ein Kreuzworträtsel in einer der Zeitungen zu lösen, die ich morgens gekauft hatte, obwohl es sich um eine fremde Sprache handelte, unklar, welche, und ich begriff, dass ich tatsächlich dieser Mann *war*.

Gleichzeitig tat ich mein Bestes, um das in Frage zu stellen. Ich veranstaltete eine Art Argumentation in meinem Kopf, ohne das Kreuzworträtsel aus dem Blick zu lassen, versuchte zu behaupten, dass ich eigentlich Leonard Vermin hieß, dass ich mindestens ein Jahrzehnt älter war und dass ich mich momentan in einem Hotel in London befand, kurz vor meinem siebzigsten Geburtstag. Und Ähnliches.

Doch da es so offensichtlich war, dass ich tatsächlich an diesem Schreibtisch saß, fiel es mir schwer, mich selbst davon zu überzeugen. Ich versuchte zu behaupten, dass ich nur schlief und träumte, doch es gab nichts, was eine derartige Behauptung unterstützte, absolut nichts. Ich trank von dem kalt gewordenen Kaffee, der neben dem Computer stand, und fand den bittersüßen Geschmack vollkommen natürlich, ich kratzte mich im Schritt, ich zupfte mir an den Nackenhaaren und erlebte genau die Empfindungen, die man erlebt, wenn man sich im Schritt kratzt oder an den Nackenhaaren zieht. Die Dinge um mich herum, die Bücher auf den Regalen, die drei Dinge auf der Fensterbank, die schwarzen Notizbücher, der Computer und der nicht ganz saubere Kaffeebecher, allem fehlte wie gesagt die unscharfen, flaumigen Konturen eines Traums, ja, jedes einzelne Teil trug das deutliche Signum der Wirklichkeit.

Während dieses sanften Fegefeuers klingelte das Telefon. Es war ein schwarzer, altmodischer Apparat, der ganz links auf dem Tisch stand, auf einem Stapel von Papieren. Ich zögerte eine Sekunde, dann nahm ich den Hörer ab und meldete mich.

Es stellte sich heraus, dass es Sven Martin war, mein zwei Jahre älterer Bruder. Er fragte, wie es mir gehe, was mein Rücken mache und ob ich etwas von Birgit gehört habe.

Ich antwortete, dass es die üblichen Schmerzen seien, dass der Rücken unverändert war und ich seit mehreren Jahren nicht mehr mit Birgit gesprochen habe. Er berichtete, dass er beschlossen habe, trotz allem diesen Wohnwagen zu kaufen, dass sein Sohn und dessen Frau, Mauritz und Ellen, zu einem kurzen Besuch vorbeigeschaut hätten, und dann legten wir auf.

Ich widmete mich erneut dem Kreuzworträtsel, dann zog ich meine grüne, mir vertraute Jacke, die an einem Haken im Flur hing, über und ging aus. Ich spazierte denselben langweiligen Weg entlang wie beim letzten Mal, ging jedoch dieses Mal an dem kleinen Einkaufszentrum vorbei und machte dort keine Einkäufe. Ich kam an einem Fußballplatz vorbei, einer Schule sowie einer Feuerwehrwache, bevor ich nach rechts in eine kleinere Straße abbog. Der folgte ich einige hundert Meter, um dann ein braun geklinkertes, dreistöckiges Mietshaus zu betreten; den ganzen Spaziergang über hatte ich versucht, in meine normale Wirklichkeit hinein aufzuwachen, doch es gelang mir nicht. So begegnete ich beispielsweise einer Dame mit Dackel, und der Hund schnupperte an mir, als wäre ich der realste Mensch auf der ganzen Welt.

Ich klingelte an einer Tür im zweiten Stock, und nach einer

Weile wurde diese von einer Frau um die fünfzig geöffnet. Sie trug einen blauen Bademantel, ihr Haar war feucht, es schien, als wäre sie gerade aus der Dusche gekommen. Sie sagte Hallo und ließ mich ein. Ich hängte meine Jacke an einen Bügel im Wohnungsflur, und nachdem ich das getan hatte, stellte ich fest, dass sie unter dem Bademantel nackt war; sie stand in der Türöffnung zum Schlafzimmer und lächelte mich auf eine Art und Weise an, die nur eines bedeuten konnte.

»Komm«, sagte sie, »beeil dich. Ich habe schon den ganzen Vormittag auf dich gewartet. An so einem Tag wie diesem soll man nicht einsam sein.«

Ich zog mich aus, wir krochen ins Bett und fingen an, uns zu lieben. Ich drang in sie ein, sie gab einige zufriedene, leicht gurgelnde Laute von sich, und dann wurden wir davon unterbrochen, dass die Wohnungstür geöffnet wurde.

»Scheiße«, flüsterte sie. »Das ist Tor. Schnell, du musst dich auf dem Balkon verstecken.«

»Aber Ragna, ich wusste nicht ...«

Sie legte mir einen Zeigefinger auf die Lippen und schob mich auf einen schmalen Balkon hinaus. Gab mir ein Zeichen, dass ich mich lang hinlegen sollte, damit ich von innen nicht gesehen werden konnte, und zog die Tür zu.

Ich tat, wie sie gesagt hatte. Der Boden war aus Beton und noch feucht vom Regen, und das Einzige, womit ich mich bedecken konnte, war eine steife Plastikfolie. Ich versuchte sie über mich zu ziehen, doch sie war noch nasser und kälter als der Boden, also ließ ich es sein. Presste mich stattdessen dicht an die Wand, ich konnte Ragna und Tor da drinnen auf der anderen Seite des Fensters reden hören, anfangs ein wenig aufgeregt, doch bald deutlich gefasster – und ich dachte, dass ich sicher erfrieren würde, wenn ich hier ein paar Stunden liegen musste.

Als Maud mich fand, muss ich irgendwie eingeschlafen sein, oder ich habe das Bewusstsein verloren, denn sie war gezwungen, mich in die Dusche zu schleppen und mich mehrere Minuten lang mit warmem Wasser abzubrausen, bevor sie zu mir durchdringen konnte. Natürlich war ich dankbar dafür, dass ich mich wieder in dem Hotel in London befand, doch ansonsten war ich für nichts dankbar. Es war schon nach Mitternacht, wie Maud behauptete. Ihr Atem roch nach Wein, und das nicht gerade dezent. Sie fragte mich, warum um Gottes willen ich mitten in der Nacht nackt auf dem Balkon gelegen habe, und ich blieb ihr die Antwort schuldig.

Eine Stunde später lagen wir jeweils in unserem Bett, ich konnte ihr leicht berauschtes Schnarchen quer durch das Zimmer hören, was mich betraf, so war ich hellwach und schmerzfrei. Was für eine Schande, dass man die nötige und nur schwer zu erreichende Schärfe zu so einer unnützen Stunde erreicht, doch zumindest gab sie mir die Möglichkeit zum Nachdenken und Planen. Lars Gustav Selén machte sich nicht bemerkbar, und ich hütete mich davor, ihn hervorzulocken. Um zwei Uhr war ich immer noch nicht eingeschlafen, und ich holte erneut die Notizen hervor. Diese Jahre, in denen das Feuer brannte, in denen gewisse Details so scharf hervortreten, dass man ihren Geruch auch noch nach mehr als vierzig Jahren wittern kann.

Aber meine Erinnerung und mein Bewusstsein scheinen in diesen Tagen offen für jede Art des Eindringens zu sein. Vielleicht eine Obduktion, warum nicht? Durch das Fenster sehe ich den dunklen Westhimmel über Heathrow und Slough, wie er von Blitzen gespalten wird, noch weit entfernt, aber wenn ich mich nicht täusche, dann haben wir in ein paar Stunden das Unwetter über der Stadt.

30

Das gelbe Notizbuch

Ich hatte Zweifel, als ich mich am Montag in die U-Bahn nach Hampstead drängte. Es war wieder so einer dieser grauen, feuchten Londonwintermorgen, die Gerüche nach Kohlenfeuerung und schlechtem Mundgeruch waren intensiv wie lebendige Wesen. Jeder Mensch war erkältet, doch das allgemeine ungesunde Klima hatte nichts mit meinen Zweifeln zu tun, gewiss nicht. Ich hatte nachts einen unangenehmen Traum gehabt, und wahrscheinlich trug ich ihn noch in mir. Erzähle einen Traum, und du verlierst einen Leser, doch das ist mir gleich. Ich schreibe nicht für Leser, ich schreibe für mich selbst. Der Traum handelte von Carla und mir und von einer Stadt in lähmendem Kriegszustand. Zusammen mit der übrigen ohnmächtigen Bevölkerung waren wir eingesperrt, die Belagerung hielt bereits seit Tagen an, unsere Essensrationen waren äußerst knapp, und wir waren Tag und Nacht dem Kugelhagel ausgesetzt. Vom Boden und aus der Luft. Doch Carla und ich, wir waren ein Liebespaar, und das ließ uns das Elend leichter ertragen. Wir litten, wir hungerten, aber wir liebten uns. Dann wurde eines Tages ein Kommuniqué von den Stadtvorsitzenden veröffentlicht, in dem es hieß, dass sich unter den Einwohnern ein Verräter befinde, und wenn wir in der Lage wären, denjenigen zu entlarven, dann würde sich unsere Situation radikal verbessern. Man wusste nur wenig über diesen Verräter, nicht einmal, ob es sich um einen Mann oder eine Frau handelte, doch es ging das Gerückt, dass er oder sie eine Tätowierung an einer Stelle des Körpers besaß, die nur Liebende sehen konnten; es sollte sich um einen Käfer mit einer kurzen Ziffernfolge handeln. Ich wusste ja – im Traum, nicht in der Wirklichkeit –, dass Carla genau so eine Tätowierung oberhalb ihrer linken Leiste besaß, und dieses Wissen versetzte mich in einen Zustand quälenden Zwiespalts. War meine Geliebte eine Verräterin? Und wenn sie es war, war sie dann auch in unserer Beziehung eine Verräterin? Hatte sie andere Liebhaber? In welcher Art und Weise hatte das eine mit dem anderen zu tun?

Nach einiger Zeit des Zweifelns, höchstens ein paar Tagen, in denen jedoch um uns herum Menschen an Hunger und Krankheiten starben, beschloss ich, dass mein Land und mein Volk wichtiger waren als meine Liebe, und spät an einem Abend, als sie eingeschlafen war, nachdem wir uns heftig geliebt hatten, schlich ich hinaus und begab mich zum Bürgermeister der Stadt, um sie auszuliefern. Ich kam in sein Zimmer, er war ein alter Mann in Uniform, der sehr korrekt und mit geradem Rücken auf seinem Schreibtischstuhl saß. Doch auch er war erschöpft, das konnte ich seinem dunklen Blick ansehen, in dem eine unendliche Trauer zu ruhen schien. Er gab mir zu verstehen, dass ich mich auf den Stuhl ihm gegenüber setzen sollte, und in dem Moment, als ich seiner Aufforderung Folge leistete, sah ich, dass es mein Vater war. Und dass er darauf gewartet hatte, dass ich in dieser dunklen Nacht zu ihm kommen würde. Ich begriff auch, dass die Trauer in seinem Blick nicht der Belagerung, sondern mir galt, meinem Weg im Leben, den ich eingeschlagen hatte, und der Tatsache, dass ich nunmehr im Begriff war, meine Geliebte anzuzeigen. Dass ich ihm eine weitere Enttäuschung bereiten würde. Aber wenn ich den anderen Weg wählen würde, ihm nichts von der Tätowierung erzählte, dann würde das die Sache in keiner Weise besser machen. Eine derartige Lösung würde ihm auch keine Freude bereiten, und in dieser hoffnungslosen Zwickmühle befanden wir uns.

Bevor einer von uns etwas sagen konnte, tauchte eine weitere Person in dem Raum auf, es war eine merkwürdige Gestalt, dünn und klein, sie trug einen breitkrempigen Hut und ein purpurfarbenes Gewand, das fast wie ein Zelt aussah, und es war nicht auszumachen, ob es sich um einen Mann oder eine Frau handelte. Was auch nicht notwendig war. Er/sie stellte sich schräg hinter meinen Vater, reichte ihm gerade mal bis zu den Ohren, obwohl mein Vater doch saß; legte eine kreideweiße Hand auf seine Schulter und betrachtete mich mit ernster Miene. Dann räusperte sich die Gestalt und erklärte mit einer hellen, fast mädchenhaften Stimme, dass es eine weitere Alternative gebe, die ich übersehen habe. Das müsste ich doch verstehen. Ja, in diesem Moment müsste ich diese einfache Tatsache begreifen; er/sie schaute auf seine/ihre Armbanduhr und erklärte, ich hätte eine Minute Zeit, um zu erkennen, worin diese Alternative bestand.

In dem Moment wachte ich auf. Absolut gegen meinen Willen, da ich gern dieser Alternative auf die Spur gekommen wäre. Während der ersten zehn, fünfzehn wachen Sekunden wurde mir gleichzeitig klar, wie wichtig die Fragestellung des Traums gewesen war, doch in dem Maße, wie der Alltag mich einhüllte – die schmutzig graue Morgendämmerung, die unter meinem Rollo hervorsickerte, der vertraute Lärm der Straße draußen und der tropfende Wasserhahn im Badezimmer –, verschwand diese Prägnanz im Nebel. Zurück blieb ein Gefühl heftigen Widerwillens.

Und Zweifel. Ich hatte eine Warnung erhalten, welcher Art auch immer, und während ich eingeklemmt zwischen feuchten, schniefenden Menschen in der ruckelnden U-Bahn stand, konnte ich es nicht anders interpretieren. Wenn eine Interpretation überhaupt notwendig war, doch daran schien mir kein

Zweifel zu bestehen. Lass es dir eine Lehre sein, hörte ich eine dunkle Stimme schüchtern in mir flüstern. Denk drüber nach.

Ich trat aus der Unterwelt in ein regennasses Hampstead, aber der Regen selbst hatte sich zurückgezogen. Ich kontrollierte, ob beide Döschen noch sicher verwahrt in der Innentasche meines Regenmantels steckten, und ging im Gegenwind die Heath Street zur Heide hinauf entlang.

Getreu meinen Instruktionen schritt ich jedoch nicht hinauf auf die Heide. Bog stattdessen rechts in die East Heath Road ab und dann rechts in den Cannon Lane. Vor der Nummer vierzehn blieb ich stehen und schaute auf die Uhr. Ich war zehn Minuten zu früh, weshalb ich – wiederum in Übereinstimmung mit meinen Anweisungen, die ich mir noch einmal in Erinnerung rief – ein paar Straßen weiterging, um den richtigen Zeitpunkt abzuwarten. Als ich mich exakt um zehn Uhr erneut vor dem von einer Mauer umgebenen Haus am Cannon Lane 14 befand, kam auch ganz richtig eine Frau aus dem Tor. Sie war groß und schlank, und obwohl sie ein Regencape mit Kapuze trug, die einen Teil ihres Gesichts verbarg, erkannte ich augenblicklich, dass es eine der Frauen aus meiner Fotosammlung war. Nummer 6 und 30. Sie ging zur Metrostation, ich dagegen konzentrierte mich auf das Tor, das sie angelehnt gelassen hatte, schaute mich nach rechts und links um und schlüpfte hinein.

Ich zog das schwere Holztor hinter mir zu und wurde sofort nervös. Die Instruktionen, die ich im Haus in Exmoor erhalten hatte, erstreckten sich nur bis zu diesem Punkt, und der Garten, in den ich gekommen war, gefiel mir nicht. Zwar gab es hier üppiges Wintergrün und edle Bäume, aber auch jede Menge Brombeeren und andere Rankgewächse, ja, die Triebe wuchsen so dicht und üppig, dass sie hier und da schier undurchdringlich erschienen. Außerdem bedeckten sie ein gutes Stück der Fassade des alten Steinhauses, und ich entdeckte ganz einfach nicht die Tür. Nur hohe, dunkle, unheilverkündende Fenster-rechtecke, die niedrigsten gut und gern zwei Meter über dem Boden und ohne jedes Anzeichen von Leben. Ein schwerer Geruch nach Moos, Verwesung und stehendem Wasser machte das Atmen schwer, und die gewaltige Krone des uralten Baumes verdeckte jeden einzelnen Flecken des Himmels.

Ein paar Meter hinter dem Tor, durch das ich eingetreten war, stand eine alte Holzbank, die von den Ranken verschont worden war, und da ich Befehl hatte zu warten, ließ ich mich auf ihr nieder. Und wartete. Der nächtliche Traum kam zurück und in seinem Kielwasser ein Zögern und ein Zweifel darüber, was ich da eigentlich tat. Die waren mir natürlich immer wieder gekommen, seit ich Carla im September getroffen hatte, ich habe es nur unterlassen, sie in diesen Aufzeichnungen zu erwähnen, doch jetzt bekamen sie plötzlich reichlich Wind in die Segel. Warum saß ich hier? Was waren das für Zusammenhänge, in die ich mich hatte hineinziehen lassen? Wie konnte ich mich nur auf diese Art von Geschäften einlassen, ohne zu versuchen, herauszubekommen, worum es hier eigentlich ging? Wie schwer wog Carlas Versicherung, dass sie natürlich den totalitären Mächten nicht in die Hände spielte? Wie schwer wog leidenschaftliche Liebe, wenn man alles gegeneinander abwog?

Und Ähnliches, das bald in einer Art existentieller Schwermut mündete, vielleicht hervorgerufen oder zumindest verstärkt durch meinen uniformierten Vater aus dem Traum, ich weiß es nicht, und durch diesen Mord, dessen Zeuge ich im Holland Park wurde. Auf irgendeine Weise schien mir, als gelänge es mir nicht, dieser Realität in die Augen zu schauen: ein Mann war tatsächlich getötet worden, und ich war in das Ganze verwickelt ... ja, es kam so einiges aus den letzten Monaten in mir hoch, während ich dort zitternd in dem düsteren, zugewachsenen Garten in Hampstead saß, und alles hing mit einer unbekannten Frau zusammen oder hatte in ihr seinen Ausgangspunkt, einer Frau, die wie ein Blitz aus heiterem Himmel vor gut hundert Tagen in meinem Leben aufgetaucht war. Und zum ersten Mal, ja, wirklich zum ersten Mal, war es, als zöge sich ein Riss durch das Gewebe unserer Liebe. Kurz gesagt, ich zweifelte, und ich weiß, dass ich den Gedanken formulierte: Jetzt reicht es. Es musste Schluss sein mit diesen sonderbaren Aufträgen, diesen chiffrierten Mitteilungen, diesen heruntergekommenen Oststaatlern und diesen lichtscheuen Überbringern, und meine Gedanken waren ungefähr so weit gediehen, als das Tor zur Straße aufsprang und vier in Zivil gekleidete Polizeibeamte in Trenchcoats und mit gezückten Dienstwaffen in den Garten stürmten.

Mir war klar, dass etwas schiefgegangen war, verdammt und unwiederbringlich schief. Ich weiß nicht, ob ich bereits begriff, dass es sich um Polizisten handelte, bevor eine energische Stimme es mir erklärte, doch ich denke schon. Auf irgendeine Art und Weise war es offensichtlich, und es passte irgendwie zu den Gedanken, die mir während meines fruchtlosen Wartens durch den Kopf gegangen waren.

Ich wurde vier Stunden lang in einem Raum bei New Scotland Yard verhört. Auf der Fahrt dorthin hatte ich Zeit gehabt, mir die Geschichte zurechtzulegen, die ich ihnen dann ablieferte. Ich saß auf der Rückbank eines Wagens mit getönten Scheiben zwischen zwei Polizeibeamte gezwängt, und offensichtlich hatten sie den Befehl, nicht ein Wort oder einen Gedanken mit mir zu tauschen. Wären sie etwas schneller dabei gewesen, mich auszufragen, wäre es mir kaum gelungen, ein paar einigermaßen zusammenhängende Lügen zu präsentieren.

Doch jetzt konnte ich es. Zumindest hatte ich allen Grund zu glauben, dass sie meinem Geständnis glaubten, ich wurde nur noch ein einziges Mal zum Yard zitiert, und zwar um das zu bestätigen und zu unterschreiben, was ich bei der ersten Befragung gesagt hatte.

Ich hatte in einem Pub in Soho einen Fremden getroffen. Er hatte mir eine Summe Geld dafür gegeben, dass ich die schwarzen Plastikzylinder zu diesem Haus an der Cannon Lane in Hampstead bringen sollte. Ich hatte keine Ahnung, worum es sich handelte, es war dumm von mir gewesen, aber ich brauchte Geld, ich war etwas betrunken gewesen, end of story. Ich gab eine ungenaue Beschreibung des Mannes, man zeigte mir Fotos, aber ich konnte ihn leider auf keinem erkennen; er hatte einen Bart und Brille getragen, es gab Grund zu der Annahme, dass er sein wahres Gesicht verbergen wollte.

Nein, ich hatte keine Ahnung, was diese schwarzen Döschen enthielten. Nein, ich hatte sie nicht geöffnet. Nein, ich hatte dem nichts weiter hinzuzufügen, außer dass ich meine Tat bereute.

Von New Scotland Yard wanderte ich in grauem Regenwetter heim zum Earl's Court. Es war der kürzeste Tag im Jahr, und ich fühlte mich verwirrter, als ich mich jemals zuvor in meinem verwirrten Leben gefühlt hatte.

Ich hörte vor dem neuen Jahr nichts mehr von Carla. In den Tagen zwischen den Festen waren alle Zeitungen des Landes mit Sir John Bairncross beschäftigt, einem hoch angesehenen Beamten beim MI5, der als Spion entlarvt worden war, es gab Verbindungen zu Philby und Burgess. Diesem berühmten Cambridgekreis. Ich zählte eins und eins zusammen und rechnete mir aus, dass das etwas mit meinem missglückten Einsatz in der Cannon Lane zu tun hatte. Auf welche Weise, das konnte ich natürlich nicht herausfinden. Gleichzeitig konnte ich das mit dem Scheitern auch nicht so richtig einschätzen, es nicht so recht glauben, jedenfalls war es Sir John Bairncross gelungen, sich in Moskau in Sicherheit zu bringen, und es war die Rede davon, dass Köpfe rollen würden, da die verantwortlichen Polizeiobersten zu langsam reagiert hatten.

Was mich betraf, so wurde ich über Silvester von einer heftigen Grippe überwältigt und musste fast zwei Wochen in meiner Abseite in Earl's Court verbringen. Ich las Zeitungen und dachte nach. Versuchte zu begreifen, wie es mit meinem Leben weitergehen würde. Mary und Fjodor kamen ein paar Mal mit Essen und Getränken, ansonsten sprach ich mit keinem einzigen Menschen.

Erst Ende Januar erhielt ich ein neues Lebenszeichen von Carla. In einer chiffrierten Nachricht an das Antiquariat schrieb sie, dass sich alles verändert habe, dass ihre Situation schwierig sei, sie mich aber unter einer Adresse an der Garway Road in Bayswater treffen wolle.

Um zehn Uhr abends am 5. Februar. Vielleicht zum letzten Mal, schrieb sie.

Ich hatte eine Woche Zeit, einen Entschluss zu fassen. Ich brauchte ungefähr zwei Sekunden und musste zugeben, dass der Zweifel, mit dem ich geprahlt hatte, leichter war als die Luft.

31

Himmel über London

25. September, 03.46 Uhr

Sie kamen von Westen und von Südosten, von Hampshire und Berkshire, von Sussex und Kent – vom Ärmelkanal und noch weiter her vom europäischen Festland und aus den dunklen Turbulenzen über dem Atlantik –, diese erzürnten heißen und kalten Luftmassen, Kräfte jenseits von Gut und Böse, ein elektrisches Hexengebräu, das an diesem frühen Septembermorgen über dem westlichen London in einer letzten Kraftprobe aufeinandertraf. Das Einkaufszentrum in Acton bekam einen heftigen Kuss, Hammersmith Hospital und ein Mietshaus in Shepherd's Bush ebenso, und eine mehr als hundertjährige Ulme im Bedford Park, die von dem Schriftsteller Arthur Conan Doyle gepflanzt worden sein soll, pulverisierte sich zu einem heißen Aschehaufen, den der Wind acht Straßen weiter wehte. Doch das war nur das Vorgeplänkel. Der letztendliche Zusammenstoß ereignete sich über Bayswater; der Blitz, der über dem St. Petersburgh Place geboren wurde, hatte eine Ladung von sechzehn Trillionen Kilowatt, und er hatte drei Kirchen, zwischen denen er aussuchen konnte: New West End Synagogue, Agia Sofia und St. Matthew's, eine jüdische Gemeinde und zwei christliche also, doch dass er sich für die Letztgenannte entschied, beruhte keineswegs auf konfessionellen Abwägungen.

St. Matthew's hatte ganz einfach die höchste Spitze, und wer seinen Finger hochstreckt und den Himmel herausfordert, der geht zweifellos ein Risiko ein. Die sechzehn Trillionen Kilowatt trafen den stolzen, doch in diesem Extremfall vollkommen unzureichenden Blitzableiter mit solch einer Wucht, dass er augenblicklich das Handtuch warf. Und die rasende Bestie direkt auf das gotisch geschwungene Dach und den Rahmen eines der Kammerfenster in den Turm umleitete, er setzte seinen Weg fort durch den schweren Eisenträger, an dem fünf mächtige Eisenerzglocken in nächtlicher Stille und Ruhe hingen, geschmiedet in den tiefen Gruben in Llaindudnos fern in Wales im späten neunzehnten Jahrhundert – um schließlich im Mighty James zu landen, der größten und stolzesten der Glocken, ein Teil von gut und gern neunhundert Pfund und mit einem Glockendurchmesser von fast sechs Fuß.

Der Klang, der ertönte, als Mighty James von sechzehn Trillionen Kilowatt getroffen wurde und in drei Teile zersprang, war bis nach Braintree und Canterbury zu hören, und er weckte jeden schlafenden Menschen in Großlondon, selbst einen gewissen William Hector Griffith in Kensal Green, der seit seiner Geburt stocktaub war und bereits am folgenden Tag einen Brief an den *Independent* schrieb, um von dem großartigen Erlebnis zu berichten.

Leonard Vermin hingegen gehörte nicht zu denjenigen, deren Nachtschlaf von den Tausenden und Abertausenden Dezibel gestört wurde, denn er war bereits wach. Er stand im Regen auf dem Balkon im fünften Stock des *Commander* in der Chepstow Road. Seine Hände umklammerten das Geländer, er trug den weißen Morgenmantel des Hotels mit zierlich gesticktem Magentamonogramm, und er hatte während der letzten zwanzig Minuten das Himmelsschauspiel verfolgt, vom Scheitel bis zur Sohle erfüllt von Bewunderung und Begeisterung. Es war, als spielten die Engel, die schwarzen wie die weißen und welche Schattierungen ansonsten auch immer vorkommen mochten, diese mächtige Musik einzig und allein für ihn oder, besser gesagt, als malten sie dieses Gesamtkunstwerk; in Licht und Dunkel, in abwartender Stille und grollendem Donner, ja, es war ein vollständiges Orchester mit allen Elementen der Erde, des Himmels und der Hölle, und das erfüllt ihn, lädt ihn auf genau mit der Energie, die er braucht, um den kommenden Tag zu überstehen; das spürt er ebenso deutlich, als wäre er eine alte Autobatterie, die zum allerletzten Mal zum Aufladen angeschlossen wird, und als Mighty James schließlich seinen Todeskuss empfängt, nimmt er den gewaltigen Klang sowohl durch die Trommelfelle als auch durch seine Hände auf, die das singende, vibrierende Eisengeländer so fest umklammern, dass die Knöchel weiß werden. Und zwei Krähen stürzen tot von einer schiefen alten Lärche auf dem Hof gegenüber zu Boden, Funken springen überall auf, und Leonard Vermins graues Haar, das vom Regen durchnässt wurde, während er hier draußen in der ersten Reihe stand, trocknet augenblicklich.

»Meine Güte«, stöhnt Maud Miller fünf Meter weiter hinten im Zimmer. »Was zum Teufel war das?«

Sie sitzt senkrecht im Bett und starrt erschrocken in die Nacht hinaus. Ihre therapeutische Ader liegt tief begraben in den Labyrinthen des Schlafs, sie hat Halsschmerzen und einen Würgereiz, und beim ersten Nachhall des eingeschlagenen Blitzes weiß sie nicht, wo sie sich befindet. Doch dann erinnert sie sich. *London.* London, Leonard, die Feier. Sie erinnert sich auch daran, dass sie am vergangenen Abend ein teures, misslungenes Essen mit ihrer Tochter Irina eingenommen hat und dass sie mindestens zwei Glas Weißwein in einem Pub getrunken hat, in dem sie auf dem Heimweg eingekehrt war, wodurch sich die Würgereize erklären lassen. Plus pochende Schläfen und einen widerlichen, echsenartigen Geschmack im Mund und sonst noch alles Mögliche, von dem sie dachte, dass es in eine andere Zeit gehörte. Jedenfalls nicht in diesen verbrauchten Körper einer fünfundfünfzigjährigen Therapeutin, es ist einfach schrecklich, und es interessiert sie momentan gar nicht, dass Leonard da draußen auf dem Balkon steht – doch dann fällt ihr plötzlich ein, dass er vor ein paar Stunden, als sie ins Hotel zurückkam, nackt dort draußen gelegen hat. Aber sie hat ihn doch ins Bett gebracht, den armen, sterbenden Kerl? Sie hat sich doch wohl um ihn gekümmert, warmes Wasser über seine zitternden Glieder rinnen lassen und so weiter? Bevor sie sich wirklich sicher ist, wie es sich mit den Dingen verhält, schwappt jedoch eine richtige Welle aus ihrem Magen hoch, und ihr wird klar, dass sie sich übergeben muss. Heraus aus dem Bett, doch sie verwickelt sich in die Bettdecke und fällt hin, es ist fast schon zu spät, und während sie durch den Raum humpelt, das eine Bein, fast eingeschlafen, gehorcht ihr kaum, hat sie das Gefühl, als hätte der Glockenschlag mitten im Schmerzzentrum ihres Kopfes Wurzeln geschlagen. Weißglühend und infernalisch. Ja, verdammte Scheiße.

Einen guten Kilometer weiter südlich, auf der anderen Seite von Kensington Gardens, Royal Albert Hall und noch ein kleines Stück weiter, starrt Irina in ihrem Zimmer 323 im *Rembrandt Hotel* in eine andere Finsternis und begreift auch nicht, wo sie gelandet ist. Einen kurzen Moment lang glaubt sie, tot zu sein und dass der Mörder Russell heißt, er ist Schriftsteller und hat sie in einem herbstlichen Straßengraben mit einem hohlen Eisenrohr erschlagen, daher stammt der Hall in ihrem Kopf.

Doch schnell weiß sie es besser, das Eisenrohr und der Graben gehören in einen gerade geträumten Traum. Der Todesklang jedoch nicht, er hallt noch weiter in der Wirklichkeit nach; sie schaltet die Nachttischlampe ein und setzt sich auf.

Auf dem Boden liegt ein Buch, es wird gerade noch von dem schrägen Lichtkegel der Lampe getroffen, er erinnert geradezu an ein Spotlight auf einer Theaterbühne oder in einem Film. Die Bekenntnisse eines Schlafwandlers. Der Autor heißt tatsächlich Steven G. Russell, aber sie kann nicht sagen, ob sie darin gelesen hat, bevor sie gestern Abend einschlief. Das ist etwas merkwürdig, sie versucht sich mit aller Kraft an diesen kurzen Zeitraum zu erinnern, doch es taucht keinerlei Erinnerung auf; keine Intrige, keine Stimmung, keine Personen, also zieht sie daraus den Schluss, dass sie das Buch trotz allem nie geöffnet hat. Sie wirft einen Blick auf die Uhr, sieht, dass es noch nicht einmal vier Uhr morgens ist, und ihr ist klar, dass sie versuchen muss, noch ein paar Stunden Schlaf zu bekommen.

Obwohl der sehr weit entfernt scheint. Sie ist auf sonderbare Weise hellwach. Draußen tobt ein Unwetter über der Stadt, sie rechnet sich aus, dass ein Donnerknall sie geweckt haben muss, es war sicher ein äußerst heftiger Knall, es scheint, als vibriere das Zimmer immer noch. Und dann erinnert sie sich plötzlich, dass ihr übel war, als sie ins Bett ging, dass sie sich sogar über der Toilette übergeben musste und sich einbildete, eine Lebensmittelvergiftung zu haben. Deshalb ist ihr Nachthemd verschwunden, es hatte Flecken abbekommen, und sie hatte es voller Wut aus dem Fenster geworfen. Deshalb ist sie jetzt also nackt.

Aber es gibt keine Anzeichen einer Lebensmittelvergiftung mehr, der Magen verhält sich ganz ruhig. Dennoch steht sie auf, geht auf die Toilette zum Pinkeln, wäscht sich anschließend sorgfältig und kehrt dann ins Bett zurück. Sie beschließt, ein paar Seiten in diesem Buch zu lesen, vielleicht kann sie danach schlafen. Es wäre doch idiotisch, um vier Uhr aufzustehen, und sie will gar nicht erst an ihren hoffnungslosen Bruder denken, was wohl eigentlich ziemlich naheliegend wäre. Und an ihre Mutter und dieses bevorstehende schreckliche Essen auch nicht.

Es gibt so viel irritierenden Schmutz und Elend. Sie schiebt sich die Kissen hinter den Rücken, schlägt das erste Kapitel auf und beginnt zu lesen.

Nach drei Zeilen fällt ihr ein, wie es gewesen war, und sie wird von einem kurzen Schwindelgefühl gepackt. Als das vorbei ist, wirft sie dennoch einen Blick auf das, was sie bereits gelesen hat, und jetzt erkennt sie sich mit surrealistischer Deutlichkeit wieder. Wie ist so etwas möglich? Wie kann das sein? Kurz zögert sie, dann liest sie dennoch weiter.

Es ist verständlich, dass du mich nachts liest. Ich bin ein Schlafwandler, und ich lebe mein Leben in den dunklen Stunden. In den Träumen der Menschen, nirgendwo sonst kann ich ausruhen, nur dort und dann. Aber dieses Buch soll nicht von mir handeln, ich bin nur ein Beobachter und ein Buchhalter, nein, es soll von dir handeln und davon, was mit dir passiert. Du glaubst, dass du mit deinem regelmäßigen Leben, deiner Sauberkeit, deinen festen Gewohnheiten und strikten Regeln einen ausreichenden Schutz gegenüber der Welt aufgebaut hast, doch dem ist nicht so. Dem ist überhaupt nicht so, und der Tag, an dem du das erkennst, wird der letzte in deinem Leben sein, wenn du nicht jetzt die Augen aufmachst. Wenn du nicht zuhörst und dem folgst, was ich zu erzählen habe. Das Böse liegt auf der Lauer, der Teufel schläft nie, und in diesen Tagen ist er näher und stärker als seit langem. Glaube mir, ich habe ihn kennen gelernt; wie du wahrscheinlich Langsam verstehst, bin ich nicht dieser Steven G. Russell, der auf dem Buchumschlag steht, ich habe nur Zuflucht in seinem Körper gesucht. Er starb vor acht Jahren bei einem Verkehrsunfall, du weißt es, denn du selbst bist dabei gewesen. Es war auf der Straße zwischen Oostwerdingen und Saaren, erinnerst du dich? An einem späten Herbstabend, du warst auf dem Heimweg von einer Konferenz in Oostwerdingen, es regnete, du warst sicher etwas müde, aber es war nie die Rede davon, dass du hinter dem Lenkrad eingeschlafen bist oder auf andere Art den Unfall verursacht hast. Dieser Mann tauchte wirklich aus dem Nichts auf, und als er angewankt kam, konntest du ihm einfach nicht ausweichen. Du wolltest anhalten und nachsehen, was mit ihm passiert war, ein paar Sekunden lang hast du diesen edlen Gedanken tatsächlich abgewogen, aber dann hast du deine Fahrt fortgesetzt, als wenn nichts passiert wäre. Fast unmittelbar nach seinem Satz durch die Luft und der Landung wurde er bewusstlos, doch das ist nichts, womit ich dein Gewissen belasten will. Und er starb auch erst nach mehreren Stunden, und das wäre er nicht, wenn ihn nur jemand gefunden hätte. Ich weiß ja, dass du alles in die gesegnete Finsternis des Vergessens geschoben hast, keiner deiner Nächsten und Liebsten, soweit du überhaupt welche hast, weiß, was damals passiert ist. Du hast es nie jemandem erzählt, und das ist ja vielleicht auch nur menschlich. Nur eine Sache will ich dir zur Last legen: du hättest auf den Brief antworten sollen, den du ein halbes Jahr später bekommen hast, hättest du das getan, müssten wir uns nicht auf diese Art wiedertreffen. Aber so sieht das Leben nun einmal aus, es sind die schwachen Momente, in denen wir unseren Taten nicht das rechte Gewicht und ihre Bedeutung zumessen, in denen wir Fehler machen. Unwiederbringliche Fehler. Zumindest in diesem Punkt wirst du mir doch wohl zustimmen?

Sie klappte das Buch zu. Löschte das Licht. Das Zimmer begann leicht zu schwanken. In dem schmalen Spalt zwischen den Vorhängen flackerte ein neuer Blitz auf.

Auf der anderen Seite der Wand sieht Milos denselben Blitz. In Nummer 325 sind die Gardinen nicht zugezogen. Er und Leya sind aufgewacht, als Mighty James zerbrach und sein letztes Lied sang, natürlich sind sie das, doch Leya hat sich nur auf ihrem Kissen umgedreht, etwas gemurmelt und ist wieder eingeschlafen.

Nicht so Milos. Er liegt wach hinter ihrem Rücken und badet in seinem Glück. Es ist unglaublich. Sein Leben ist plötzlich zum reinsten Lustgarten erblüht. Er liegt im selben Bett wie Leya die Goldene, wer hätte das vor einem Monat gedacht? Vor einer Woche? Sie haben sich nicht geliebt, nur fast, doch das liegt nur daran, dass sie ihre Menstruation hat, und es wäre auch noch zu früh. Dennoch ist sie mit ihm ins Hotel gegangen, er weiß nicht, ob er sie dazu überredet hat, und wenn ja, wie, aber so ist es gekommen. Nach dem Essen in dem rotschimmernden italienischen Restaurant hinten bei Portobello haben sie sich einfach ein Taxi herbeigewinkt, und dann ist es so gekommen. Sie haben einen Piccolo Sekt aus der Minibar im Zimmer geteilt, und dann lagen sie lange einfach nur da, eng umschlungen, und unterhielten sich, so wie sie es vor zehn Jahren in Leyas Wohnung in der 27. Straße in New York gemacht haben, ja, es schien wirklich, als gäbe es die Zeit dazwischen gar nicht. Als wären all diese Wochen, Monate und Jahre nur in Klammern vorhanden, als hätte sie die ganze Zeit darauf gewartet, dass er zurückkäme. Oder besser gesagt, ihr folgte, denn sie war es ja, die fortging, das erscheint gleichzeitig vollkommen selbstverständlich und vollkommen merkwürdig. Er weiß, dass sie um sieben Uhr aufstehen muss, um noch nach Hause zu kommen und rechtzeitig zur Arbeit in der Bank zu erscheinen, und er weiß, dass er eigentlich nur noch zwei ganze Tage in London hat, aber irgendwie erscheint ihm das in keiner Weise ein Hindernis für sein Glück. Morgen – oder eigentlich ja heute, denn es ist bereits ganz, ganz früher Morgen – wird er auf diese Feier gehen, es wird ein Auto kommen und ihn um halb acht am Hotel abholen, nachmittags lag eine Nachricht in seinem Zimmer, und anschließend, anschließend wird sie auf ihn warten. Sie ist wirklich neugierig, worum es sich bei dem Ganzen eigentlich dreht und worauf es hinauslaufen wird, damit hat sie nicht hinterm Berg gehalten, sie haben lang und breit darüber diskutiert, und ganz tief in dem immer noch sehr schlecht beleuchteten Winkel seines Bewusstseins hat er den Gedanken gepflanzt, dass... dass, was immer auch passiert, was dieser Gönner auch für Absichten haben mag, so wird Milos Skrupka nicht willenlos sein blutleeres Leben im unteren Manhattan in New York City fortsetzen, als wäre das die einzige mögliche Lösung.

Und er schmiegt sich vorsichtig an sie und saugt den Duft ihrer Haare mit seinen Nasenflügeln auf. Und ihrer Haut. Wenn die Zeit stehen bleiben sollte, dann bitte jetzt, denkt er, denn er hat noch nie einen vollwertigeren Moment in seinem Leben erlebt als diesen. Die ganze Welt schläft, sogar seine Leya schläft, doch der Augenblick, jetzt, 04.08 Greenwich Mean Time, ist viel zu kostbar, um ihn nicht mit weit geöffneten Sinnen zu erleben. Phil und Zlatan sollten das nur wissen. Es wirklich anzunehmen, wirklich zu leben, sich nicht eine Unze dieses Wunderbaren entgehen zu lassen, dieses Unbegreiflichen, Großartigen, dieses Vollkommenen... und als wollte er diese wunderbare Verzauberung illustrieren, wird der Himmel über Kensington Gardens durch einen weiteren Blitz erleuchtet. Nein, nicht durch einen, es sind mehrere Blitze, die gemeinsam die gesamte Stadt für ein paar langgezogene Sekunden in ein vergeistigtes, verführerisches Licht tauchen; die innere und die äußere Landschaft werden im schönsten Einklang vereint, denkt Milos, es ist wunderbar, wahrlich, wahrlich wunderbar. Ich glaube, ich kann fliegen.

Eine Meile weiter nordöstlich, in einem heruntergekommenen Mietshaus an der Kemble Street, sieht die Lage anders aus. Vollkommen anders; Fingal Eckzahn mag fünfundfünfzig Kilo Lebendgewicht vorweisen, maskuline Urkraft in ihren besten Jahren, und mindestens vierzig davon von einem Schäferhund, aber Gewitter, das ist seine Achillessehne.

Hierin ähnelt er den meisten anderen Hunden auf der Welt, und das ist nichts, wofür er sich schämen müsste. Normalerweise wird ihm, wenn die Elemente anfangen zu rasen, erlaubt, sich unter die Decke ins Bett des Frauchens zu legen, die Pfoten über den Ohren, wenn man es genauer betrachtet, ist das sozusagen sein Recht, doch in dieser merkwürdigen Nacht ist das Frauchen nicht zugegen. Ihr weiches, schönes Bett ist nicht einmal belegt, stattdessen liegt ein schnapsstinkender Fremder auf dem Sofa herum, der offenbar nichts von den Wünschen und Bedürfnissen eines Hundes versteht. Er scheint überhaupt von nichts etwas zu verstehen, liegt nur platt auf dem Rücken und schnarcht sich durch einen Donner nach dem anderen, Blitz für Blitz. Selbst als Fingal sich dicht neben ihn stellt, so laut knurrt, wie er nur kann, und ihm seine Hundeangst ins Gesicht pustet, reagiert er nicht. Es ist einfach zu schrecklich, wohin ist sein Frauchen nur in dieser furchtbaren Nacht gegangen, in der wütende Kräfte wild herumtoben und Fingals Kopf vor Angst vibriert und sein Bauch sich in konspiratorischen Krämpfen zusammenzieht? Bald kann er dem Druck in den Gedärmen nicht mehr widerstehen, denn die haben reichlich zu verarbeiten bekommen, dieses Lob muss er dem Fremden schon machen, aber es gab keine Gelegenheit, sich zu entleeren. Trotz des bedrohlichen Wetters sehnt Fingal sich hinaus, ein Rasenfleck oder ein Bürgersteig oder was auch immer, zumindest für einen kurzen Moment, das ist eine andere Art von Recht, die ihm zusteht... aber heilige Mutter Gottes im Hundehimmel, jetzt kommt ein Knall, wie man ihn noch nie vernommen hat! Jetzt birst die ganze Welt! Der Jüngste Tag ist gekommen! Hilfe!

Und endlich, als Mighty James den Blitz aller Blitze entgegennimmt und eine überirdisch große Stimmgabel anschlägt, die ihre Basis mitten im Schädel von Gregorius Miller alias Paul F. Kerran zu haben scheint, wacht dieser tatsächlich auf. Sogar er, und im selben Moment gibt Fingal auf, es ist ihm gleich, dass er sich weder auf einem Bürgersteig noch einem Rasenstück befindet, er kann ganz einfach nicht mehr dagegen an, und mit einer doppelten Portion von Hills Canine Adult Large Breed im Magen und keinem Abendspaziergang – da kommt es, wie es kommen muss. Mitten im Glockenklang und dem apokalyptischen Durcheinander verbreitet sich in der engen Wohnung ein Gestank, der einen Kaktus zum Eingehen und eine Ziege zum Weglaufen bringen würde.

Hier gibt es weder Kaktus noch Ziege, doch Miller-Kerrans Nase und sein Geruchssinn funktionieren trotz seines miserablen Allgemeinzustands immer noch, und nur mit knapper Mühe vermeidet er es, Fingals Ablieferung mit einer eigenen zu komplettieren, wenn auch in umgekehrter Richtung.

»Verdammte Scheiße«, stöhnt er – ein Echo dessen, was seine Mutter zwei Sekunden vorher in Bayswater konstatierte, und vielleicht auch ein Echo dessen, was viele andere in der Zehnmillionenstadt in dieser Nacht aller Hexennächte gleichzeitig stöhnen.

Wo befindet er sich? Gute Frage. Ein Glas und eine fast leergetrunkene Whiskyflasche stehen auf dem Tisch. Unter dem Tisch liegt ein Hund und knurrt – und auf dem Teppich knapp einen Meter von Miller-Kerrans Nase entfernt thront ein noch dampfender Kothaufen, groß wie eine Torte für zwölf Portionen. Und immer noch vibriert es, als hätte jemand einen Flügel aus einem Hubschrauber fallen lassen. Hundert Flügel aus hundert Hubschraubern.

Raus, denkt Gregorius Paul F. Kerran-Miller, oder wie immer ich auch heiße! Das ist Krieg! Ich muss weg von hier!

Im Krieg sind Entschluss und Handlung eins, und noch bevor er weiter nachdenken kann, stehen er und Fingal Eckzahn draußen auf der Straße. Ohne Leine und Kotbeutel, aber das ist jetzt auch egal. Problematischer ist die Tatsache, dass sich keiner von beiden darum gekümmert hat, einen Schlüssel mitzunehmen. Zumindest die Haustür ist ordentlich ins Schloss gefallen, das ist einfach zu überprüfen. Dumm, denkt der auf zwei Beinen. Verdammt dumm gelaufen. Er sucht in seinen Taschen nach seinem Handy und findet vier der sechs Teile.

Seine Armbanduhr ist zumindest mitgekommen, sie zeigt 03.55 Uhr. Die Kopfschmerzen treiben ihm einen Nagel in den Schädel. Der auf vier Beinen denkt nichts.

Der Regen prasselt herab.

Richard Mulvany-Richards hat in einem Hotel eingecheckt. Er liegt vollständig angezogen auf dem Bett, aber er schläft nicht, und ihn interessiert nicht das Wüten der Natur da draußen in dieser Nacht. In ihm rast eine ganz andere Wut, und mit der muss er erst einmal zurechtkommen.

Das Hotel heißt *Grosvenor Kensington* und liegt fünf Minuten zu Fuß vom *Rembrandt* entfernt. Er weiß, dass Leya die Nacht dort verbringt, er hat sie und diesen verfluchten Eindringling den ganzen Abend beschattet. Zuerst in der U-Bahn von der Wohnung in Ravenscourt bis zu diesem Restaurant an der Portobello Road, wo sie sich getroffen haben, dann saß er zwei Stunden in einem Pub gegenüber, das waren schwere Stunden, mit die schlimmsten, die er je erlebt hat, doch er blieb bewundernswert ruhig, und es gelang ihm sogar, gewisse wichtige Beschlüsse zu fassen. Anschließend konnte er in letzter Sekunde ein Taxi stoppen, und mit etwas Mühe gelang es ihm, den schwerfälligen Fahrer davon zu überzeugen, seinem Kollegen bis nach Knightsbridge zu folgen. Das kostete ihn fünfundzwanzig Pfund, doch jetzt hat er sie eingekreist, das war es also wert. Er konnte ihnen natürlich nicht ins *Rembrandt* folgen, das wäre dummdreist und ganz gegen seine Pläne gewesen, aber er weiß, wie er sich diesem Eindringling gegenüber zu verhalten hat. Er hat sich überlegt, wie er ihm nahe genug kommen kann, wie die letztendliche Lösung auszusehen hat, und er kann sich kaum noch beherrschen. Doch er muss sich beherrschen, die Morgendämmerung lässt noch für ein paar Stunden auf sich warten, er hat sich den Wecker auf sechs Uhr gestellt, aber es sieht nicht so aus, als würde er in dieser Nacht überhaupt die Augen schließen. Die Bank in Edinburgh hat er angerufen und sich krankgemeldet, erklärt, er werde am Montag wieder erscheinen. Was wahrscheinlich nicht eintreffen wird, aber das ist vollkommen unwichtig. Das Einzige, was etwas bedeutet: den Dummheiten, die Leya da treibt, ein Ende zu setzen, er dankt seinem Glücksstern, der ihn an seinem freien Tag nach London geführt hat, das muss einen Sinn gehabt haben. Gottes Fingerzeig, wenn man so will. Er ist bereit, Leya ihren Fehltritt zu verzeihen, doch dem Eindringling wird er nie verzeihen, nicht einmal, wenn er tot ist und auf dem Grunde der Themse ruht.

Auf dem Grunde der Themse hat Dorothy Margaret Mullen aus East Croydon fast vier Monate lang geruht, doch in dieser Nacht ist es Schluss mit der Ruhe. Die Kräfte, die der Himmel freigesetzt hat, reichen bis in das lehmige Bodensediment des Flusses, und das ausgediente Eisengitter unbekannten Ursprungs, das sie durch das Spiel der Zufälle an Ort und Stelle gehalten hat, seit sie von einem der Kais bei Greenland Dock ins Wasser geworfen wurde, gibt plötzlich nach: sie steigt an die Wasseroberfläche, dreht sich auf den Bauch und treibt langsam mit der Strömung Richtung Greenwich. Mitten im Fluss gleitet sie dahin, ruhig und würdevoll auf ihrer letzten Reise in dem von Regen gepeitschten blaugrauen Wasser; sie befindet sich bereits im Stadium hochgradiger Auflösung, Teile von Haut und Fleisch und Kleidungsreste hängen lose an ihr und fallen ab, doch an ihrem linken Handgelenk sitzt immer noch ordentlich befestigt eine billige Armbanduhr – ein Accessoire, das in wenigen Stunden der Metropolitan Police und den Inspektoren von Scotland Yard jeden Zweifel daran nehmen wird, dass Dorothy

Margaret Mullen dem Tod an einem Tag vor mehreren Monaten um Viertel nach elf begegnete und dass sie eines der ersten Opfer des höhnischen und inzwischen landesbekannten Uhrenmörders ist. Wenn nicht sogar das allererste.

II.

32

Lars Gustav Seléns Vater war ein einzigartiger Lügner.

Außerdem war er Bahnhofsvorsteher, das gehört auch zur Sache und soll nicht vergessen oder verschwiegen werden; bei allem, was mit Zugverkehr zu tun hatte, war er die Zuverlässigkeit in Person. Es kam nie vor, dass er bei Fragen der Spurweite, der Fahrpläne, der Eisenbahnvorschriften, der Gepäckannahme, der Bestimmungen für die Erste Klasse, der Kreosotbehandlung, der Weichenspuren oder Rangiergleise die Unwahrheit sagte.

Während er bei allem anderen ebenso unzuverlässig wie autoritär war, und diese Kombination, das war eine harte, kaum zu knackende Nuss für einen Siebenjährigen, der wissbegierig war, seit er das Laufen gelernt und in ein Brennnesselgebüsch gefallen war.

»Denk immer an eines, mein Junge«, erklärte Teodor Selén eines Nachmittags, während sie im Wartezimmer des Krankenhauses saßen. »Was du auch tust, iss nie Lakritz.«

»Warum nicht?«, wollte Lars Gustav wissen, der noch nie Lakritz probiert hatte, vielleicht, weil sich die Gelegenheit dazu nie geboten hatte.

»Weil es aus Schlangenblut und Pferdepisse gemacht wird«, antwortete der Vater. »So ist es nun einmal.«

»Wohin geht es dort?«, fragte Lars Gustav ein anderes Mal, aber im selben Alter, als sie im Auto auf dem Weg irgendwohin saßen.

»Russland«, erklärte der Vater. »Und davor musst du dich in Acht nehmen.«

Der Junge notierte und merkte es sich. Dass es sich um einen Kiesweg handelte, der an der Tankstelle anfing und dann über die Felder nach Åbytorp führte, spielte keine Rolle. Was Papa Teodor sagte, wurde nicht angezweifelt.

Und er wusste alles. Zum Beispiel, warum die Leute in Fjugesta einen Schwanz hatten. Das lag daran, dass Fjugesta ein so kleines Nest war, dass niemand dorthin ziehen wollte. Und es zog auch niemand von dort weg, seit Tausenden von Jahren herrschte da schon Inzucht.

»Was ist Inzucht?«

»Die heiraten ihren Bruder oder ihre Schwester und kriegen Kinder mit ihren Eltern.«

Lars Gustav merkte sich das, auch wenn er nicht alles richtig verstand. Die Weisheiten seines Vaters lagerten sich wie Schimmelpilz in seinem Kinderschädel an, und als er nach einem langen heißen Sommer in der Stavaschule anfing, am selben Tag, an dem er siebeneinhalb Jahre alt war, da war es Zeit, sie zu benutzen. Zunächst in den Pausen mit seinen Freunden, später auch im Unterricht bei Fräulein Brattefjell.

»Es gab einen Deutschen, der hieß Hitler«, erzählte er Sune und Rune, den lispelnden Zwillingen aus der Solhemsgatan. »Das war ein Stümper, der nur drei Zehen an jedem Fuß hatte. Die Leute glauben, er wäre tot, aber er hat einen Tabakladen in Bengtfors.«

Oder Clarissa Håkansson, die einen lustig wippenden Pferdeschwanz hatte und das süßeste Mädchen der Klasse war: »Wenn man einen Zahn verliert und ihn aus Versehen verschluckt, dann hat man sein Leben lang Dünnpfiff.«

Ein paar Monate lang ging es gut. Lars Gustav merkte, dass er mit seinen ungewöhnlichen Kenntnissen langsam, aber sicher eine gewisse Stellung auf dem Schulhof erlangte; erst zu Allerheiligen, als er das mit Jesus Christus vor der Klasse und Fräulein Brattefjell verkündete, begann sein Stern zu erlöschen.

»Gott und Jesus und Moses, das ist nur Aberglauben. Jesus' Vater war ein Leierkastenmann aus Ägyptien, aber das war nur sein Stiefvater, denn er hat Jesus in einem Rapsfeld gefunden. Das ganze Christentum ist Humbug für Dummköpfe.«

Fräulein Brattefjell war ganz rot im Gesicht geworden und hatte erklärt, das sei das Verlogenste und Frechste, was sie jemals in ihrem Leben gehört habe, und Lars Gustav musste den Rest der Stunde in der Strafecke hinter der Orgel verbringen. Als der Unterricht zu Ende war, musste er nachsitzen und fünfundzwanzig Mal in Schreibschrift schreiben – obwohl er bis dahin eigentlich erst zwölf Buchstaben gelernt hatte –, dass Jesus von Nazareth Gottes eingeborener Sohn war.

Außerdem hieß es Ägypten, nicht Ägyptien.

Nach diesem Arbeitsunfall erlebte Lars Gustav in den Pausen ein anderes, raueres Klima. Es schien, als hätten die Klassenkameraden einfach keine Lust mehr, ihm zuzuhören, wenn er sie über den Zustand der Welt informierte. Bevor der Boden erreicht war, gelang es ihm jedoch noch einmal, sich bis auf die Knochen zu blamieren. Er hatte soeben einer kleinen Schar rotznäsiger Zweifler die Wahrheit darüber erzählt, wie die Kinder zur Welt kommen – Mama legt ein Ei, auf das Papa dann pisst –, als Zigeuner-Tony, der etwas abseits gestanden hatte, zu ihm trat, vor Lars Gustav auf den Boden spuckte und sagte, das sei eine verdammte Lüge. Lars Gustav zögerte eine Sekunde, dann spielte er seine Trumpfkarte aus:

»Du Zigeuner, du weißt doch gar nichts. Ich werde Sven Martin sagen, dass er dich verkloppen soll.«

Diese Trumpfkarte, das war Lars Gustavs zwei Jahre älterer Bruder – ja, eigentlich handelte es sich nur um gut ein Jahr, da er selbst im Februar geboren war und Sven Martin im Dezember.

Aber er war sein großer Bruder, und er ging in die Dritte. Zigeuner-Tony und Lars Gustav und die anderen gingen in die Erste. Das Problem war – wie sich herausstellte –, dass Sven Martin kein Fels war, an dem man sich festhalten konnte, wenn es stürmte. Er war klein und zart gebaut und trug eine Brille, und nachdem er die Koordinaten eine Weile abgewogen hatte, spuckte Zigeuner-Tony Lars Gustav einen neuen dicken Rotzklumpen vor die Füße und sagte:

»Dein Bruder ist eine Fotze.«

Das war unerhört. Ein Raunen ging durch die Gruppe um die beiden, über den ganzen Schulhof. Ja, bis zu den Drittklässlern, die unter dem großen Kastanienbaum tobten und darauf warteten, in die Turnhalle eingelassen zu werden, pflanzte es sich fort.

Und unter diesen Drittklässlern befand sich auch Sven Martin Selén, momentan damit beschäftigt, Schorf vom linken Knie abzukratzen, einer Wunde, die er sich zugezogen hatte, als er vor Kurzem bei Pinglans Kiosk in den Straßengraben gefahren war. Es fiel ihm immer schwer, das Gleichgewicht zu halten, diesem Sven Martin, sein Vater hatte ihm erklärt, das läge daran, dass er Linkshänder sei.

Was es auch immer damit auf sich haben mochte, so erreichte jedenfalls auch sein Ohr die Botschaft, dass er eine Fotze wäre. Dass Zigeuner-Tony in einer anderen Ecke des Schulhofes diese abgrundtiefe Beleidigung von sich gegeben hatte und dass natürlich sein kleiner Bruder Lars Gustav Ursache und Wurzel des ganzen Übels war. Sven Martin seufzte, überließ den Schorf seinem Schicksal und wünschte sich, er hätte nie einen Bruder bekommen. Das Leben wäre so viel einfacher, wenn Lars Gustav gar nicht erst zur Welt gekommen wäre. Oder in irgendeiner anderen Familie fern in Stockholm oder in Kleinkleckersdorf gelandet wäre.

Aber nun war er einmal da. Wie Gewitterwolken aus unterschiedlichen Fronten näherten sich die Drittklässler und Erst-klässler einander. Wo die Zweitklässler waren, das wissen die Götter, vielleicht machten sie einen Ausflug und sammelten Pfifferlinge mit ihrer leicht verrückten Lehrerin, Fräulein Boll-gren, im Herbst verbrachten sie mehr Zeit im Wald als in der Schule.

Obwohl man bereits Mitte November erreicht hatte.

Bald hatte sich beim Fahrradstand ein nicht gerade runder Kreis gebildet. Drei Reihen hintereinander und eine Arena in der Mitte. In der Arena drei Personen: Zigeuner-Tony und die Brüder Selén. Die Stimmung war angespannt, es waren min-destens noch zwei Minuten bis zum Läuten. Diese Information kam von Uhren-Anton, dessen Vater der Uhrenladen Limgrens und Söhne am Marktplatz gehörte; sie hatten also noch reich-lich Zeit. So weit das Auge reichte, war kein Lehrer, keine Leh-rerin zu sehen, wahrscheinlich aßen sie mal wieder Torte im Lehrerzimmer und interessierten sich nicht die Bohne für die Hofaufsicht.

Lars Gustav begann:

»Er hat gesagt, du bist eine Fotze.«

Zigeuner-Tony: »Ja, stell dir vor, das habe ich. Aber eigent-lich finde ich, ihr seid zwei Fotzen. Eine große Fotze und eine kleine Fotze.«

Ein erneutes Raunen ging durch das Publikum, ein Raunen, bestehend aus nervösem Kichern und erschrockener Verblüf-fung.

»Ja, nun scheuer ihm doch eine«, instruierte Lars Gustav den großen Bruder.

Sven Martin zog auch tatsächlich seine grüne Jacke aus. Er nahm auch tatsächlich seine Brille ab und reichte sie einem Kameraden, aber alle konnten sehen, dass er nicht besonders tollkühn wirkte. Ganz im Gegenteil, mit den seitlich herabbau-melnden Armen, dem viel zu großen Kopf in seiner kurzsichtigen Geiernackenhaltung und einem Kinn, das zu zittern schien, sah er wie das Untollkühnste aus, was man sich denken kann.

Zigeuner-Tony dagegen hatte sich die karierten Hemdsärmel hochgekrempelt, seine schmutzigen Fäuste geballt und stand mit federnden Knien leicht vorgebeugt da. Bereit zum Angriff. Das Publikum wartete nicht lange, begann mit seinen Anfeuerungsrufen, und vielleicht, weil das Wort *Zigeuner-Tony* so gut auf der Zunge lag – während hingegen *Sven Martin* ein hoffnungslos unrhythmischer Name war –, war Ersterer augenblicklich der Favorit, sogar bei den unsolidarischen Drittklässlern. Vielleicht hatte es ja auch noch andere Gründe.

»Zigeuner-Tony! Zigeuner-Tony! Zigeuner-Tony!«

Sie stießen aufeinander, und es wurde ein kurzer Kampf. Nach nur wenigen Sekunden lag Sven Martin platt auf dem Rücken. Zigeuner-Tony saß aufrecht auf seiner Brust und rollte seine knochigen Knie über die Bizepse seines geschlagenen Konkurrenten, eine klassische Aktion, von der man wusste, dass sie so höllisch weh tat, dass niemand sie lange ertrug.

»Gibst du auf?«

»Ich gebe auf«, keuchte Sven Martin, dem die Tränen über die Wangen strömten.

»Sag, dass du eine Fotze bist.«

»Ich bin eine Fotze.«

»Sag, dass dein Bruder eine Fotze ist.«

»Mein Bruder ist eine Fotze.«

Ungefähr zu diesem Zeitpunkt drängte sich der Aufsichtslehrer Hagelsjö durch die Menge und machte dem Ganzen ein Ende. Die enthusiastischen Anfeuerungsrufe waren bis zur Tortenschlacht im Lehrerzimmer durchgedrungen, und außerdem läutete in dem Moment auch die Schulglocke, und es war Zeit, wieder zum Normalbetrieb überzugehen.

Aber die Brüder Selén, Lars Gustav und Sven Martin, hatten es ab da nicht mehr leicht, und ihre Beziehung zueinander, die bis zu jenem Tag einigermaßen akzeptabel gewesen war, erfuhr eine schnelle und heftige Verschlechterung.

Was man auch nicht mal eben im Handumdrehen wiedergutmachen konnte. Noch fünfzig Jahre später stand es schlecht zwischen den beiden Brüdern.

»Es ist nicht so schlimm, tot zu sein«, erklärte Teodor Selén seinen Söhnen, während sie im Krankenhaus saßen und darauf warteten, ihre Mutter besuchen zu können. »Wenn man erst einmal begraben ist, kommt man nach Södertälje, und dort darf man für alle Ewigkeit in einem schicken Hotel wohnen.«

Das war im November. Es muss das Jahr 1958 gewesen sein, denn Schweden besaß die zweitbeste Fußballnationalmannschaft der Welt, aber Ingo, Ingemar Johansson, hatte Floyd Patterson noch nicht im Yankee Stadium von New York sieben Mal zu Boden geschickt.

»Tss«, sagte Sven Martin, aber so leise, dass der Vater es wohl nicht hörte, und das war auch nicht gewollt gewesen. Lars Gustav dagegen merkte sich das. *Hotel in Södertälje,* notiert. Trotz des Debakels mit Zigeuner-Tony auf dem Schulhof war sein Vertrauen in seinen Vater Teodor unerschüttert. Er sog dessen Weisheiten alle auf, der Unterschied war nur, dass er nunmehr sorgfältiger überlegte, wo er sie anbringen konnte. Nicht alle verstanden sie, die Leute waren Esel, und gewisse Wahrheiten behielt man besser für sich.

Das mit der Wahrheit wurde sowieso total überschätzt, auch das hatte er gelernt. Beispielsweise war das, was in Indien wahr war, bei uns eine Lüge. Und umgekehrt, wenn man einem Inder etwas vorlog, dann wurde einem immer geglaubt. Aber die Wahrheit zu sagen, das war sinnlos.

Und wer zu viel ausplauderte, der kriegte Krebs im Kopf, wenn er älter war. So war es nun einmal.

Hör zu, was ich sage, Junge, aber das bleibt unter uns.

Das Wartezimmer, in dem sie saßen, war grün und grau, und es war der langweiligste Ort, den Lars Gustav kannte. Seit seine Mutter im Sommer krank geworden war, hatte er Jahrhunderte hier verbracht. Manchmal in Gesellschaft seines Bruders, immer mit seinem Vater. Ab und zu kam seine Mutter Gudrun heim, aber sie war schwach und blass und hatte dunkle Ringe unter den Augen, und jedes Mal musste sie wieder zurück ins Krankenhaus.

Lars Gustav wusste nicht so genau, was ihr fehlte, außer dass sie höchstwahrscheinlich sterben würde.

Was – wie gesagt – also gar nicht so schlimm war. Er wusste, dass er und Sven Martin ihren Tanten und Onkeln aller möglichen Art leidtaten, weil sie keine Mutter hatten, die daheim in der Küche stand und ihnen Kalten Hund backte oder die Fenster putzte, aber was ihn selbst betraf, so musste er zugeben, dass er nicht besonders darunter litt. Es waren eigentlich nur diese unerträglich langweiligen Besuche im Krankenhaus, die ihn nervten. Das würde sicher anders werden in dem schicken Hotel in Södertälje, davon war er überzeugt.

»Jetzt gehen wir rein«, sagte der Vater und stand auf. »Jetzt ist die Pfanne geleert und Pups-Lindgren auf den Flur gerollt worden.«

Pups-Lindgren teilte das Zimmer mit Mutter Selén. Sie hatte Probleme mit dem Magen, und zur Zufriedenheit aller verbrachte sie die Besuchszeit nicht im Zimmer. Bevor sie Pups-Lindgren wurde, hieß sie Elvira Lindgren und hatte ihr halbes Leben lang im Zeitungskiosk am Bahnhof gestanden.

Hatte dort gestanden und jahrelang Lakritz geknabbert, da war das natürlich kein Wunder.

Ungefähr eine Stunde lang blieben sie im Krankenzimmer. Papa Teodor redete die ganze Zeit, Mama Gudrun nickte matt und fiel ab und zu in den Schlaf. Sven Martin und Lars Gustav saßen jeder auf einem Hocker an dem Tisch vorm Fenster und spielten Karten. Das war eine Abmachung unter ihnen, sie durften aus irgendwelchen Gründen nicht schon im Wartezimmer anfangen zu spielen, aber sobald sie im Raum waren, ging es los. Nicht einmal Papa Teodor konnte erklären, warum das so sein musste, aber in gewisse Dinge muss man sich einfach fügen, ohne sie zu verstehen. Das ist ungefähr wie bei Telefonen, da ist es im Grunde genommen ja auch unfassbar, wie die eigentlich funktionieren.

Wenn Sven Martin zu Hause saß und seine Hausaufgaben machte, statt mit ins Krankenhaus zu fahren, legte Lars Gustav Patience. Die siebensaitige Harfe und den Idioten.

Wobei Letzterer blöderweise nie aufging.

Es hieß, Gudrun Selén würde im Winter wohl im Krankenhaus sterben – ein halbes Jahr, bevor Ingo Patterson k.o. schlug also –, doch dem war nicht so.

Stattdessen wurde sie wieder gesund – auf irgendeine wundersame Art und Weise und entgegen allen Prophezeiungen –, das war Anfang Februar, und es herrschten seit mehr als einer Woche bereits minus zwanzig Grad. Teodor Selén erklärte, dass es die Kälte war, die die Bazillen in die Flucht geschlagen hätte, früher war es in gewissen nördlichen Ländern üblich gewesen, kranke Menschen über Nacht in den Schnee zu legen; diejenigen, die nicht starben, waren auf der Stelle kerngesund.

Doch Gudrun Selén zog nicht zurück zur Familie in den Gökvägen, das war das Sensationelle. Stattdessen bezog sie ein Klinkerhaus oben auf dem Limbergsåsen zusammen mit einem Arzt, der sich im Krankenhaus um sie gekümmert hatte. Er hieß Doktor Holmgren, war jung und alleinstehend und vor ein paar Jahren aus Skåne eingewandert.

Das war ein Skandal, ihm war zu verdanken, dass der Ruf der Brüder eine kurze Renaissance in der Stavaschule erlebte, mit der es aber schnell vorbei war und die ins Gegenteil kippte.

Sie waren die Söhne eines Lügners von einem Bahnhofsvorsteher und einer liederlichen Frau. Der Zigeuner-Tony war der King, und als Lars Gustav vorsichtig an Clarissa Håkanssons Pferdeschwanz zog, schrie sie, als wäre sie vergiftet worden.

Zwei Fotzen, wie gesagt, und es wurde nicht besser, als Mama Gudrun sich eines Tages im Herbst auf dem Markt mit dickem Bauch zeigte und ein paar Monate später eine Halbschwester namens Katinka zur Welt brachte.

Oder als sie im folgenden Frühling mit ihrer neuen Familie nach Håverud zog – das auf der anderen Seite vom Vänern lag, ein Aquädukt hatte und von dem es hieß, dass es jenseits jeder Ehre und Redlichkeit liege.

Sven Martin zog sich immer mehr zurück und fing an zu stottern. Um sein Stottern zu verbergen, zog er sich noch mehr in sich zurück.

Lars Gustav dagegen ballte die Faust in der Tasche und dachte, dass er eines Tages den Bus nach Håverud nehmen würde, diesen Mistkerl von Arzt packen und ihn in einem Brunnen ertränken würde.

Denn so verfuhr man mit dieser Sorte von Schweinehunden, das hatte er mit seinem Vater Teodor nicht nur einmal diskutiert. Normale Stinkstiefel konnte man erschießen, erwürgen oder vergiften, aber Leute wie Doktor Holmgren, die musste man in einem Brunnen ertränken, sonst würden sie als Gespenster wiederkommen und noch schlimmere Schandtaten begehen als zuvor.

So war die Lage. Und die Jahre vergingen.

33

Das gelbe Notizbuch

Das Haus war ein weiß verputzter Ziegelkompromiss in vier Stockwerken, fünfzig Meter vom Westbourne Grove. Zwei Eingänge zur Straße hin, ich schätzte, dass es sich um acht bis zwölf Wohnungen handelte. In welcher ich Carla treffen sollte, das wusste ich nicht, die Anweisungen hatten sich nur auf die Adresse und den Zeitpunkt bezogen.

Garway Road, um zehn Uhr abends am 5. Februar. Ich war mehr als eine Stunde zu früh an Ort und Stelle, es war windig und unbeständig, im Laufe des Nachmittags war es zu mehreren Regenschauern gekommen, aber glücklicherweise gab es ein kleines italienisches Restaurant genau gegenüber auf der Straße. Ich trat ein, bestellte mir ein einfaches Pastagericht und ein Glas Rotwein und nahm an einem Fenstertisch mit ziemlich guter Sicht auf die beiden Eingänge von Nummer 17–23 Platz.

Mein Zustand war nicht der beste, das möchte ich betonen. Ich hatte Carla seit fast zwei Monaten nicht gesehen, und irgendwie lagen die Nerven blank. Seit dem 13. Dezember hatten wir uns nicht mehr getroffen – nicht nach meinem Ausflug nach Bristol und Exmoor, nicht nach meinem missglückten Einsatz in der Cannon Lane in Hampstead, nicht nach der Entdeckung, dass Sir John Bairncross als Spion für den Warschauer Pakt arbeitete.

Es war einfach zu viel Zeit vergangen. Die Wochen, die wir im November und Anfang Dezember gehabt hatten – unsere

Treffen am Russell Square, in Soho und in Mount Park Crescent –, erschienen mir seit der Jahreswende immer unwirklicher. Manchmal hatte ich das Gefühl, als wäre der ganze Herbst nur ein Traum gewesen, und wenn ich pflichtbewusst jeden Donnerstagnachmittag Bramstoke and Partners aufsuchte, gab es nicht viel, was diese Hypothese widerlegte. Es gab nie ein Zeichen von Mr. Levine, dass er mich überhaupt wiedererkannte oder mich schon einmal gesehen hatte. Jedes Mal war ich wieder ein Fremder; als er mir schließlich die letzte Nachricht von Carla überreichte, die mich an diesem Februarabend nach Bayswater führte, war das ein Gefühl gewesen, ungefähr so, als hielte er ein Papiertaschentuch in der Hand, in das jemand gerade geniest hatte. Die letzten beiden Donnerstage hatte er nicht einmal den Blick gehoben, als ich durch die Tür trat. Als wäre ich ein abgeschlossenes Kapitel und sonst nichts – in einem ziemlich mittelmäßigen Buch über nichts.

Ich hatte immer noch keinem Menschen von Carla und allem, was seit September passiert war, erzählt und musste langsam einsehen, dass es, sollte ich es doch noch tun – einem der Spiffer beispielsweise –, nur geringe Chancen gab, dass mir geglaubt würde. Und den Beamten von Scotland Yard hatte ich einen vom Pferd erzählt.

Während ich langsam und mit einiger Mühe meine Nudeln aß und meinen Wein austrank, hing ich derartigen trüben Gedanken nach. Und während ich rauchte. Je näher die Zeiger der Zehn kamen, umso unsicherer wurde ich auch hinsichtlich der Frage, wie ich mich verhalten sollte. Wollte ich einfach an der Tür auf der anderen Straßenseite klingeln? Und wenn ja, bei wem? Und warum diese merkwürdige Hausnummer 17–23? Es handelte sich doch nur um zwei Eingänge. Aber die Engländer haben ein merkwürdiges System, was Adressen betrifft, das hatte ich bereits gelernt.

Sollte ich auf dem Bürgersteig vor dem Haus warten? Oder genügte es, wenn ich hier im Restaurant sitzen blieb und die Augen offen hielt?

Das Wetter entschied die Sache. Ein paar Minuten vor zehn setzte ein heftiger Regen aus Nordwesten ein, es war einfach nicht angesagt, rauszugehen, und ich dachte, wenn Carla wirklich Wert darauf legte, mich zu treffen, dann musste ihr klar sein, dass ich Schutz vor dem Regen gesucht hatte.

Eine Viertelstunde später regnete es immer noch, und sie war nicht aufgetaucht. Ich bestellte mir ein weiteres Glas Wein und zündete noch eine Zigarette an. Aus dem Haus gegenüber war niemand herausgekommen, und es war niemand hineingegangen. In drei der insgesamt sechzehn Fenster brannte Licht, das war die ganze Zeit so gewesen. Ich hatte in keinem von ihnen einen Menschen gesehen.

Ungefähr bei der Hälfte meines dritten Glas Weins überfiel mich meine Sehnsucht nach ihr erneut. Es war eine Sehnsucht, die mich ganz ungeschützt traf. Sie kam wie ein heftiger Durst oder ein brennender Hunger, und plötzlich wusste ich nicht, wie ich es ertragen sollte, sie nicht mehr zu sehen. Sie in meinen Armen halten. Ihre nackte Haut an meiner spüren. Ihr pochendes Herz. Wenn sie nicht zu der Verabredung kam, die sie selbst an diesem regnerischen, grauen Februarabend getroffen hatte, würde ich es nicht überleben.

Und ich begriff nicht, wie ich es überhaupt hatte aushalten können, ohne sie zu existieren … vierundfünfzig Tage lang! Mit einem Mal hatten mich die Fülle, die Bläue und der rote Fluss der Liebe mit solch einer Heftigkeit ergriffen, dass ich fürchtete, einen psychischen Zusammenbruch zu erleiden.

Ja, noch jetzt, nach so langer Zeit, kann ich mich an diesen hypernervösen Zustand, in den ich an diesem Abend in diesem italienischen Schuppen an der Garway Road geriet, gut erinnern und ihn fast wieder heraufbeschwören, die aufsteigenden Wellen im Körper und die sonderbare Tatsache, dass ich mein eigenes Blut in den Adern rauschen hören konnte. Was ich im Nachhinein nicht verstehe: Wie gelang es mir, daraus wieder herauszukommen? Was auf der rein empirischen Ebene geschah: der Wirt kam schließlich mit der Rechnung – nachdem ich mein viertes und vielleicht sogar fünftes Glas Wein geleert hatte – und erklärte, dass man leider gezwungen war, für diesen Abend zu schließen.

Es war inzwischen bereits nach elf Uhr, ich war bereits seit langem der einzige noch verbliebene Gast im Lokal, und ich kam seinem Wunsch ohne Proteste nach. Ging wie ein Roboter durch die Tür, quer über die Straße, zögerte eine Sekunde und versuchte dann die Klingeln an einer der Türen, die mit der Bezeichnung 17-19. Es gab vier Stück, die ersten drei erbrachten kein Resultat, doch als ich auf die unterste drückte, war eine heisere Männerstimme in dem tief unten sitzenden Lautsprecher zu hören. Ich fragte nach Carla – was hätte ich sonst sagen sollen? –, und er erklärte mir, dass ich hier falsch sei und es eine Unverschämtheit sei, anständige Leute mitten in der Nacht zu wecken. Wenn ich mich nicht schleunigst davonmache, würde er die Polizei rufen.

Ich ging zum anderen Eingang, Nummer 21–23. Erhielt die Antwort einer Frau, die mindestens genauso verständnislos war, wenn auch nicht ganz so unfreundlich, sowie die eines jungen Chinesen, der so ein unbegreifliches Rotwelsch sprach, dass ich nach einer Weile aufgab. Keiner von ihnen schien auch nur im Geringsten bereit zu sein, mich einzulassen, und zu dem Zeitpunkt war ich bereits so durchnässt, dass sogar meine verzweifelte Sehnsucht abgekühlt zu sein schien. Ich ging den langen Weg nach Hause zum Earl's Court zu Fuß, und die ganze Zeit hämmerte ein alter Bluessong der amerikanischen Band Siegel-Schwall in meinem Kopf. Oder genauer gesagt der Refrain, mehr war nicht nötig: *This is the end, brother. Can't you see that this is the end?*

Am folgenden Morgen wachte ich ungefähr mit der gleichen Botschaft im Kopf auf.

Es ist vorbei. Diese sonderbare Folge von Ereignissen zwischen September und Dezember hatte tatsächlich in den Tagen vor Weihnachten ein Ende gefunden. Zieh einen Strich und geh weiter, du warst da in etwas verwickelt, das du niemals verstehen wirst, und am besten vergisst du es.

Wie Carlas letzte Mitteilung – dass sie mich in der Garway Road treffen wollte – in dieses Untergangsszenarium einzuordnen war, das wusste ich nicht. Andererseits gab es sowieso kein akzeptables Szenarium. Mein Wissen darüber, was im Laufe des Herbsts eigentlich vor sich gegangen war, war so gut wie nicht existent; es hatte nicht viel Sinn, zu konstruieren und zu spekulieren. Während ich diese verwirrenden Aufzeichnungen jetzt, viel später, zu Papier bringe, möchte ich diesen Frühling und diesen Sommer 1969 trotzdem begreiflich machen, zumindest mir selbst. *Die zweihundert Tage,* ja, sollte ich eine Fallstudie nur über diese Periode meines Lebens schreiben, dann wäre das vermutlich der Titel, den ich dafür wählen würde, denn von dem Abend in der Garway Road an dauerte es genau zweihundert Tage, bis wieder etwas passierte. Am 24. August, doch mehr darüber zu seiner Zeit.

Doch etwas anderes geschah in diesem Frühling, es betraf meine Ansicht über die Zeit, in der wir lebten, und darauf basierend über das Leben selbst. Es war kein langwieriger Prozess, ich glaube, man kann diese Wende sogar mit einem bestimmten Datum verknüpfen: dem 19. Januar – zwei Wochen vor dem Abend auf der Garway Road also –, denn da las ich in der Zeitung über Jan Palach, den jungen Studenten und Märtyrer in Prag, der sich selbst aus Protest gegen die Vergewaltigung seines Landes verbrannte. Ich weiß nicht, warum, doch es traf mich wie ein Dolchstoß in den Solarplexus, und die Spitze des Stoßes selbst war der grelle Kontrast zwischen der Wirklichkeit auf der anderen Seite des Eisernen Vorhangs und dem Treiben in der verwöhnten Stadt, in der ich mich selbst seit dreieinhalb Jahren befand. Das Phänomen, das später *Swinging London* genannt wurde, eine Ära, an die man sich dem Nachruhm zufolge nicht mehr erinnern konnte, wenn man wirklich dabei gewesen war. Fast alles, womit wir uns bei *Spiff* beschäftigten – und uns beschäftigt hatten, seit wir die Zeitschrift im Nachhall des Flowerpowersommers 1967 gegründet hatten –, handelte von diesem obskuren Zustand: die Musikszene, die Gruppen, Marquee, Tiles, Windsor Festival, Isle of Man, Pink Floyd im Alexandra Palace, Make Love not War, halb- und ganzbekiffte, infantile, selbstherrliche Künstler, die interviewt und bejubelt wurden aus unfassbar schwammigen Gründen. Sie waren die nie in Frage gestellten Götter. Sie schufen brandheiße Neuigkeiten, allein dadurch, dass sie furzten oder rülpsten, sie brüteten sinnlose und unergründliche Reliquien für Horden ungehobelter, pubertierender Wannabes auf der ganzen Welt aus, die überall mit dem gleichen beliebigen, unklaren Codesystem jeden Ton und jeden Quadratmillimeter eines Spuckeflecks quasiinterpretierten, um ja keine verborgene Botschaft einer grandiosen höheren Welt zu verpassen. Die Hülle der Sgt-Pepper-LP beispielsweise, wie vielen albernen Analysen ist dieser matschige, unbegabte Brei nicht ausgesetzt gewesen? Oder Dylans sogenannte Texte, die wer auch immer mit einem normalgroßen, dysfunktionalen Wortschatz nach einer Flasche Southern Comfort oder zwei Haschpfeifen hätte herausquetschen können. Die Kleidermode. Die schwulen Gitarrenspieler. All der Mist.

Plötzlich war ich das alles so leid. So unerträglich leid; dieses Unreife, dieses Pubertäre und die unverhohlene Selbstverherrlichung im ganzen Zeitgeist. Alles wurde zur Ikone. Zum Epigonen.

Eine ganze Generation, die sich weigerte, erwachsen zu werden. Mittelmäßige Musiker, die zum Genie erklärt werden, obwohl sie intellektuell gesehen nicht einen Schritt über das traurige Niveau eines durchschnittlichen Fußballspielers oder Fisch-&-Chips-Essers hinausragten. Ja, zum Teufel, fast über Nacht begriff ich, dass ich in diesem selbstherrlichen Morast nicht einen einzigen Artikel mehr würde zustande bringen können. Allein beim Gedanken daran wurde mir übel.

Und *Spiff* handelte von diesem Morast, von nichts anderem. Es hätte eine politische Legitimation geben können in dem, womit wir uns beschäftigten – wenn wir über Martin Luther King jr. schrieben, über die Studentenrevolten in den USA und in Paris, über Indochina und über die Notwendigkeit von Landreformen in Lateinamerika –, doch das war immer ziemlich dünn. Hohle Plagiate von Marx, Lenin und ihren Enkelkindern. Ich behauptete, dass Carla für mich die erste Frau war, und vielleicht repräsentierte sie auch – in einem etwas verdrehten Sinn – das erste Gesicht des Sozialismus für mich. Sein *wahres, nacktes* Gesicht. Trotz Dubček, trotz Prag im August. Oder gerade deshalb.

Doch das sind vielleicht nur geschickte Konstruktionen im Nachhinein, das kann ich nicht beurteilen, und es spielt auch keine Rolle. Es interessiert mich nicht mehr. Ich blieb nach meinem Scheitern in der Garway Road eine Woche im Bett, ohne mich bei Mary, Fjodor oder Christopher zu melden. Ich ging nicht ans Telefon. Ich aß fast nichts, ich war überzeugt davon, dass ich sterben würde, und wenn mir das nicht auf natürlichem Weg gelänge, dann musste ich wohl zusehen, das eigenhändig zu bewerkstelligen.

Ungefähr so. Zum Monatswechsel Februar/März riss ich mich dann doch zusammen und erklärte meinen Mitarbeitern meine Situation. Dass ich genug hatte. Ich verließ die Zeitschrift mit sofortiger Wirkung und verkaufte meinen Anteil an

Christophers Cousin Willy-Wally, der früher aus der Band The Pretty Things rausgeflogen war und bereits oft freiberuflich für uns gearbeitet hatte. Besonders Mary machte sich meinetwegen Sorgen, das behauptete zumindest Fjodor, doch ich blieb beharrlich bei meinem Standpunkt. Womit ich mich für den Rest meines Lebens beschäftigen wollte – wenn es denn, wie es jetzt aussah, wirklich noch einen längeren Zeitraum umfassen sollte –, davon hatte ich keine Ahnung. Ich war 29 Jahre alt, ohne Wurzeln, vom Wind getrieben, verzweifelt und nicht im Takt mit der Zeit. Aber ich hatte für mein Drittel an *Spiff* fast tausend Pfund bekommen, also litt ich zumindest keine finanzielle Not. Nicht im Augenblick.

Ich verteidigte meinen neu gefundenen Nihilismus. Meine Plattform und mein Strohhalm waren, dass ich erwachsen geworden war, und diese Verwandlung hätte nicht stattgefunden, wenn nicht Carla in meinem Leben aufgetaucht wäre. Und sollte ich sie auch niemals wiedersehen, so war sie zumindest ein Katalysator gewesen – in einem mentalen Elektrolysebad, dessen letztendlichen Reinigungsgrad vorherzusehen unmöglich war. Eines Abends Ende März traf ich einen Fremden im Pub *The Uxbridge Arms* oben in Notting Hill. Ich weiß nicht, wieso wir ins Gespräch kamen, wir spielten ein wenig Dart, und es endete damit, dass ich vierhundert Pfund in eine Erfindung investierte, für die er das Patent anmelden wollte. Das war ungefähr die Hälfte dessen, was ich besaß, ich weiß nicht, wie es ihm gelungen ist, mich dazu zu überreden, aber er schaffte es. Vermutlich lag es an seinem Charisma, und ich war vermutlich nicht mehr ganz nüchtern, das war ich selten an diesen Frühlingsabenden 1969. Die Erfindung hieß *Hyperstatica*, es war ein kleiner elektrischer Apparat, der rheumatische Schmerzen linderte, und diese Investition und dieses kleine Ding legten den Grundstein für mein Vermögen. Die Welt läuft nach einem zufälligen Drehbuch, das ist die einzige Regel ohne Ausnahme, die ich kenne.

Er hieß Frank Langhorne, dieser Erfinder, und als er mich drei Jahre später aus seinem Patent herauskaufte, stand ich plötzlich mit mehr als zweihunderttausend Pfund da, die ich investieren musste. Da ließ ich mich ernsthaft auf die Medienbranche ein, und dabei blieb es.

Doch diese Aufzeichnungen sollen nicht von meinen geschäftlichen Aktivitäten handeln, ich habe sie nur aufgrund einer Art von Rechtfertigungsdrang angemerkt. Um die Dinge begreiflicher zu machen. Eine andere Sache, die berichtet werden muss: Bevor wir beim 24. August angelangt sind, gelang es mir, meine Wohnung ein weiteres Mal zu wechseln, und dieses Mal landete ich in dem Viertel, in dem ich bleiben sollte, bis ich London ein für alle Mal verließ. Meine erste Adresse nördlich der Parks ist dieselbe wie die von J. M. Barrie, dem eigentümlichen Schöpfer von Peter Pan, um 1910 wohnte er für einige Jahre hier: Craven Terrace 18 in Paddington. Barrie war ein vermögender Mann, als er hier wohnte, und ihm stand natürlich das ganze Haus zur Verfügung. Was mich betraf, so herrschte ich – vom April 1969 bis zum Juli 1972 – über eine kleine Zweizimmerwohnung mit Küche oben unter dem Dach. Durch die dünne Schlafzimmerwand konnte ich nachts zweihundert Tauben und eine unbekannte Anzahl an Fledermäusen hören, fühlte mich jedoch nie gestört von diesen anspruchslosen Nachbarn. Und auch sie schienen sich von mir nicht stören zu lassen.

Ende April begann ich als Verkäufer im Buchladen Foyle's in der Charing Cross Road zu arbeiten. Es wurde behauptet, es wäre der größte Buchladen der Welt, aber der Job war unglaublich schlecht bezahlt. Um diesen erbärmlichen Lohn zu kompensieren, fing ich an, täglich ein Buch zu stehlen, ich bekam den Tipp von einem Kollegen, der das Gleiche seit zwei Jahren tat, und es war zumindest eine Möglichkeit, sich eine Bibliothek aufzubauen und sich zu bilden.

Ich hatte einen freien Nachmittag in der Woche, und mit der Sturheit eines Idioten ging ich weiterhin jeden Donnerstag zu Bramstoke and Partners in der Hogarth Road.

34

Lars Gustav Seléns Vater ging keine neue Ehe mehr ein.

Stattdessen starb er. Es ereignete sich nur eine Woche, nachdem Kennedy, der Präsident der Vereinigten Staaten, in Dallas ermordet worden war, und seinem Tod wurde nicht die gleiche Aufmerksamkeit geschenkt.

Es war Ende November, die Ursache war ein Blutpfropfen im Gehirn; es geschah in der Nacht zum Totensonntag, und Doktor Braskens erklärte den rotverheulten, aber gefassten Söhnen, 14 und fast 16 Jahre alt, dass der Tod im Schlaf zu Teodor Selén gekommen war, er nicht hatte leiden müssen, etwas, wofür man dankbar sein sollte. Über Zeit und Eintreffen des Todes könne man nicht bestimmen.

Ansonsten gab es nicht viel, wofür man dankbar sein konnte. Da die Mutter der Jungen bereits seit mehreren Jahren mit ihrer neuen Familie in Dalsland lebte, wurde beschlossen, dass sich eine ältere unverheiratete Schwester des Vaters um sie kümmern sollte. Sie hieß Fräulein Ragnhild Beatrice Selén und humpelte, was wohl auch der Grund dafür war, warum sie nie geheiratet hatte. Wer genau entschied, dass sie die Fürsorgepflicht für ihre Neffen übernehmen sollte, das hatte Lars Gustav nie herausbekommen, aber es wurde jedenfalls als sehr passend und praktisch angesehen, dass diese Tante existierte. Bis zu ihrem sechzigsten Lebensjahr hatte ihr Leben keinen großen Sinn gehabt, jetzt bekam sie schließlich eine Aufgabe. Bereits am Tag vor der Beerdigung auf dem windigen Friedhof in K. zog sie aus irgend so einem winzigen Kaff tief in Norrland in das kleine Eternithaus im Gökvägen. Sie brachte zwei Pappkoffer und einen Dackel namens Ansgar mit sich. Der Hund und sein Frauchen waren ungefähr gleich redselig.

Es funktionierte. Tante Ragnhild bereitete Frühstück und Abendessen für die Jungs, wenn notwendig auch Mittagessen. Sie putzte, wusch und kochte Johannisbeersaft ein. Ansonsten mischte sie sich nicht in ihr Leben ein, und als Sven Martin drei Jahre später nach Ljungby zog, um dort Tischler zu werden, gab sie ihm als Reiseproviant eine Bibel und eine Schachtel Aladdin mit.

Lars Gustav war zu diesem Zeitpunkt siebzehn Jahre alt, hatte angefangen zu rauchen und ging im zweiten Jahr aufs Gymnasium. Er hatte seinem Bruder in der Stunde des Abschieds kein Geschenk zu überreichen, wünschte ihm aber zumindest viel Glück, als sie auf dem Bahnsteig standen und sahen, wie der Zug einfuhr.

»Danke«, antwortete Sven Martin. »Tja, man sieht sich.«

»Bestimmt«, versicherte Lars Gustav, und das war es dann.

Weder Tante Ragnhild noch Ansgar hatten dem etwas hinzuzufügen. Letzterer hatte in letzter Zeit Probleme mit den Hüften bekommen und wurde am liebsten gefahren, wenn man in der Stadt etwas zu erledigen hatte. Außerdem war er im Laufe der Jahre ziemlich fett geworden, was man weiß Gott nicht von der Tante behaupten konnte, die von allen immer nur als aus Haut und Knochen bestehend und als ein dürrer Ast bezeichnet wurde.

»Ein Mund weniger zu stopfen«, stellte sie in einem Anfall von Redezwang fest, als sie an dem Abend nach Sven Martins Abreise beim Essen saßen. »Gott erbarme sich.«

Und Lars Gustav dachte, dass es vielleicht nur darauf hinauslief. Wenn die Anzahl der Münder, die zu stopfen waren, gegen null ging, dann war es irgendwie geschafft. Aus die Maus.

In dem alten Loewe, den er neben seinem Bett in seinem Zimmer stehen hatte, versuchte er vor allem sonntags auf dem Mittelwellenband Radio Luxemburg zu empfangen, dann konnte man die ganze englische Hitliste hören. Das tat er an diesem Abend auch, als Sven Martin nach Ljungby gezogen war und er dachte, dass es doch einen verdammt großen Abstand zwischen Radio Luxemburg und Tante Ragnhild Beatrice Selén gab. Das waren zwei getrennte Welten, und mit Bedauern musste er feststellen, dass er selbst offenbar in die der Tante gehörte.

Vielleicht grämte er sich auch darüber, dass Ljungby irgendwie näher an London zu liegen schien, und im Nachhinein war er froh, dass er nicht irgendein albernes, aber teures Abschiedsgeschenk für seinen Bruder gehabt hatte.

In diesen Jahren fuhr er häufiger nach Håverud. Das dauerte mit Zug und Bus fast einen ganzen Tag, manchmal war Sven Martin dabei, doch in der Regel fuhr er allein. Vor allem, seit der Bruder in Ljungby gelandet war.

Während der Fahrt saß er da und starrte durch das schmutzige Zug- oder Busfenster. Schweden war grau und regnerisch, es schien immer Spätherbst oder einsetzender Frühling zu sein, dem war vielleicht nicht so, doch wenn er sich im Nachhinein an diese Besuche bei seiner Mutter in Håverud erinnern wollte, dann sah er meistens seinen eigenen müden Kopf, der sich an so ein milchiges Fenster lehnte, während er apathisch über verwehte, nasse Landschaften in der Dämmerung blickte, und die Spiegelungen krummer Rücken und ausdrucksloser Gesichter der übrigen halbschlafenden Fahrgäste mit Plastiktüten und Thermoskannen, klebrigen Käsebroten und graugrünen Taschen aus Segeltuch oder Plastik wahrnahm. Wenn nicht eigentlich Segeltuch und dieses Plastik das Gleiche waren.

An die Besuche selbst hatte er keine größeren Erinnerungen. Sie aßen in einer großen Küche zusammen mit seinen drei energischen Halbschwestern unterschiedlichen Alters, dann guckten sie eine Weile Fernsehen, Doktor Holmgren bot einen Drink an, und dann legte sich Lars Gustav in einem Gästezimmer mit Blümchentapete und einem Aquarium ohne Fische schlafen.

Es gelang ihm nie, mit seiner Mutter zu reden, sie schien erschöpft zu sein, schlief meistens vor dem Fernseher ein, und am folgenden Morgen brachte Doktor Holmgren ihn in einem sahnefarbenen Volvo Amazon zum Bahnhof und fragte, ob er sich für Sport interessiere.

Lars Gustav interessierte sich nicht für Sport, hatte er noch nie, aber das hatte Doktor Holmgren vergessen.

Es kam vor, dass er über seinen Vater nachdachte, wenn er so dasaß und durch das schmutzige Bus- oder Zugfenster auf die düstere Dämmerungslandschaft zwischen Håverud und K. starrte. Das tat er natürlich ab und zu auch bei anderen Gelegenheiten, denn da war etwas mit Teodor Selén und seinem Verhältnis zur Wahrheit und zu den Tatsachen, das immer noch in Lars Gustav brütete, auch wenn er inzwischen so alt geworden war, dass er, ohne zu zögern, Dummheiten zurückweisen konnte, zumindest die offensichtlichsten.

Die etruskische Zivilisation ging unter, weil die Frauen so schön waren, dass sie sich nicht mit den extrem hässlichen Männern paaren wollten.

Der Besitzer des Pinglans Kiosk an der Stora Mossgatan, Herman van der Bollmer, war in direkter Linie verwandt mit der letzten Frau, die in Schweden hingerichtet worden war, der Yngsjömörderin Anna Månsdotter. Aber wenn du ihn fragst, wird er das abstreiten.

Im nordwestlichen Värmland, ums obere Fryken, gibt es Schweine, die werden fast vierhundert Jahre alt.

Fantasie versus Wirklichkeit. Gab es irgendwelche tiefer liegenden Motive, die seinen Vater dazu gebracht hatten, zu behaupten, dass er in seiner Jugend schwedischer Landesmeister im Diskuswerfen gewesen war – in einem windigen Malmöer Stadion mit einem Resultat von 53,70? Oder dass er an einem denkwürdigen Winterabend im *Hotel Knaust* in Sundsvall gegen Michail Botvinnik Schach gespielt und ein Remis nach 54 Zügen erkämpft hatte?

Und wenn ja, wo lag dann das Motiv? Dass das Leben so schrecklich langweilig war, dass man es ein wenig vergolden musste? Warum nicht?, dachte Lars Gustav, während er auf dem Bahnhof von Herrljunga neben einem betrunkenen Vizekorporal saß und auf einen verspäteten Schnellzug aus Göteborg wartete. Als ob er darauf ein Recht gehabt hätte. Es konnte sich ja wohl jeder vorstellen, dass die Frau, die 1938 in der Woche nach Ostern in der Postschlange in Lesjöfors vor ihm gestanden hatte, identisch war mit Mata Hari? Oder dass Prinz Bertil und Snoddas Nordgren Cousins waren?

Und hatte Mutters Entschluss, ihre beiden Söhne zu verlassen und mit ihrem Arzt nach Håverud zu ziehen, etwas mit dem diskussionswürdigen Verhältnis ihres Ehemannes zu Wahrheit und Lüge zu tun? Eine gute Frage. Eine immer wieder auftauchende Frage.

Laut Teodor Seléns privater Geschichtsschreibung war er nach Kriegsende einige Sommer auf einem Motorrad der Marke Norton in Europa herumgereist. Und dabei hatte er alles gelernt, was man wissen musste; er hatte alle großen Flüsse gesehen, war über alle weitgestreckten Ebenen gelaufen, auf alle hohen Berge geklettert und hatte alle wichtigen Städte besucht, zerbombte wie intakte, und Lars Gustav hatte nie herausgefunden, wie viele dieser Reisen tatsächlich stattgefunden hatten. Sein Vater konnte in allen Einzelheiten die Zitadelle auf dem Gellértberg in Budapest beschreiben, und seine Schilderung der Landungsstrände in der Normandie stimmte mit dem Bildband des Geschichtsunterrichts überein, doch bei einer der seltenen Gelegenheiten, bei denen seine Mutter etwas Wesentliches über das, was früher gewesen war, zu sagen hatte – bei einem frühen Frühstück in Håverud, während die Halbgeschwister und der Herr Doktor noch schliefen –, erklärte sie, dass Teodor in diesen Jahren, bevor sie sich kennen lernten, mit dem Motorrad unterwegs war, er aber ihrer Einschätzung nach nie weiter gekommen war als bis zur Istedgade hinter dem Hauptbahnhof in Kopenhagen.

Wort gegen Wort. Dichtung gegen Wahrheit.

In den letzten Gymnasialjahren war es jedoch nicht die Vorliebe des Vaters für Lügen und Fantasien, die Lars Gustavs Gedanken in erster Linie beschäftigte – sondern eine äußerst lebendige und sehr reale junge Frau namens Rigmor Carlgren. Sie nannte sich Carla, da sie ihren richtigen Vornamen verabscheute, und sie war weit und breit das hübscheste Mädchen der Klasse – wahrscheinlich sogar der ganzen Schule.

Auf jeden Fall, wenn es nach Lars Gustav ging, aber er stand mit Sicherheit nicht allein mit seiner Meinung. Doch er diskutierte diese Frage nie mit jemand anderem, da er es vorzog, seine Ansichten für sich zu behalten. Das hatte sich so ergeben, und dabei rührte es sich wahrscheinlich um die gleiche nach unten führende Spirale des Insichgekehrtseins, die auch seinen Bruder nach dem Zusammenstoß mit Zigeuner-Tony in den Kleinkindertagen ereilt hatte. Nur langsamer. Lars Gustav entwickelte nie irgendein Stottern, doch während der Jahre auf dem Gymnasium zählte er zweifellos zu der Schar der Schweiger. Möglicherweise brachte das einen Hauch von leichter Tiefsinnigkeit und ein wenig Interesse – zumindest für einige – mit sich, aber es lag keinerlei Berechnung dahinter. Lars Gustav Selén redete nicht, da er nicht gern redete. Er war der freiwillige Bannerträger des Schweigens, wenn das Schweigen denn über so etwas verfügte.

Carla war dunkel und zartgliedrig. Sie war im ersten Jahr nach den Frühjahrsferien in die Klasse gekommen, und was ihre Vergangenheit betraf, so gab es einige ungeklärte Fragen. Geradezu so einen Schimmer von Mystik, wenn man so wollte. Sie zog zusammen mit ihrer Mutter in eine Wohnung in der Badhusgatan, und auch die Mutter war eine Schönheit, wenn auch die eines anderen Jahrgangs, und sie fing umgehend an, in der Handelsbank am Marktplatz in einer Art Chefposition zu arbeiten. Ein Vater kam nicht vor, es sollte ein paar Jahre dauern, bis Lars Gustav mehr darüber erfuhr, ob er nun tot oder einfach abserviert worden war. Ja, die Fakten kamen an jenem denkwürdigen Abend zu Tage, an dem er sich mit Carla in Gesellschaft von zwei Flaschen Rotwein – Parador à 4,90 das Stück, eine äußerst beliebte Marke in diesen Jahren –, sieben brennenden Kerzen und Simon and Garfunkel auf ihrer ziemlich anspruchsvollen Stereoanlage befand.

An diesem Abend.

Es war ein Monat vor den Abiturprüfungen, genauer gesagt. Eigentlich sollten sie zu viert sein, aber die Klassenkameraden Leo und Birgitta waren verhindert gewesen. Genauer gesagt war Birgitta verhindert gewesen, da sie am selben Tag erfahren hatte, dass sie schwanger war, und sich nun in einem Zustand höchster Panik befand. Leo war zweifellos der schuldige Vater, sie waren seit fast einem halben Jahr zusammen, und vermutlich ging es ihm nicht sehr viel besser.

Deshalb waren also Carla Carlgren und Lars Gustav Selén an einem zarten und vielversprechenden Abend Anfang Mai mit zwei Flaschen Rotwein allein in Carlas Zimmer. Das war eine Situation, die er sich bis dahin nie auch nur hatte vorstellen können, nicht einmal in seinen optimistischsten erotoromantischen Fantasien.

»Du bist also Waise?«, fragte sie und zog an ihrer gerade entzündeten Prince.

»In gewisser Weise«, antwortete Lars Gustav. »Ich habe eine Mutter, die abgehauen ist.«

»Abgehauen?«

»Ja.«

»Und dein Vater?«

»Tot.«

»Ich verstehe.«

Sie nahm noch einen Zug. Er fragte sich, was sie wohl verstehe. Trank einen Schluck Wein und gab ihre Frage zurück.

»Und du? Ich meine ...?«

»Mein Vater sitzt im Gefängnis«, antwortete sie, und obwohl er sich halb wahnsinnig vor Nervosität und durch ihre Nähe fühlte, begriff er, dass sie ihm ein Geheimnis anvertraute.

»Im Gefängnis? Was hat er denn gemacht? Ich meine ...?«

Das war eine alberne Wiederholung dieser Phrase hinsichtlich dessen, was er meinte, aber offenbar kümmerte sie sich gar nicht darum. Saß nur schweigend da und kaute auf ihrem kleinen Finger, das hatte er früher schon beobachtet, während des Unterrichts am Bungegymnasium, mit einem besorgten Blick, der sie noch schöner machte. Irgendwie verletzlich. Als bräuchte sie männliche Unterstützung und Fürsorge. Und was auch immer sonst noch.

»Ich weiß nicht, ob ich dir das erzählen darf.«

Lars Gustav nickte stumm.

»Niemand weiß davon.«

»Neihein ...«

»Du darfst es aber niemandem weitersagen.«

»Ist doch klar, dass ich das nicht tue.«

Sie tranken beide einen Schluck Wein und rauchten. Die Flammen der Kerzen flackerten von einem lauen Windzug, der durch das offene Fenster hereinwehte.

»Mein Vater ist ein Spion.«

»Was?«

»Oder er war es. Er hat lebenslänglich wegen Spionage gekriegt. Vielleicht kommt er nie wieder raus. Deshalb sind wir hierher gezogen.«

Alles drehte sich in Lars Gustav Seléns Kopf. Er konnte es nicht vermeiden, er musste an seinen eigenen Vater denken – und daran, dass diese Behauptung, die Carla Carlgren gerade von sich gegeben hatte, ebenso gut aus seinem eigenen Mund hätte kommen können. Ein Spion? Lebenslänglich für Spionage? Das klang nicht ganz gescheit.

»Was hat er denn gemacht? Ich meine, für wen hat er spioniert?«

»Für die Sowjetunion. Ja, für die Oststaaten überhaupt. Er hat wichtige schwedische Militärgeheimnisse verkauft, und sie sind ihm auf die Spur gekommen. Er war Oberst beim Verteidigungsstab, ja, das war vor drei Jahren.«

In dem Moment fiel ihm Carlas mystischer Schimmer ein. Daher resultierte er also. War ja wohl logisch, dass man so einen Schimmer bekam, wenn der eigene Vater Spion war.

»Stand das in den Zeitungen?«, fragte er. »Das muss es ja wohl? Obwohl, ich kann mich nicht daran erinnern, etwas darüber gelesen zu haben, dass ein Carlgren …«

»Wir haben den Namen geändert«, unterbrach Carla ihn. »Ich wollte auch den Vornamen ändern, als wir schon mal dabei waren, aber das ging nicht.«

»Rigmor?«

»Ja. Der ist doch schrecklich, oder?«

»Wenn ich an dich denke, dann heißt du immer Carla für mich.«

Er konnte nicht sagen, wie sich so ein Satz in sein Gehirn hatte schleichen können. *Wenn ich an dich denke.* Vielleicht lag es am Wein, er spürte, wie er am ganzen Körper errötete.

»Du denkst also an mich?«

Aber sie klang nicht wütend. Im Gegenteil, ein wenig amüsiert eher. Vielleicht geschmeichelt. Er leerte sein Glas und schaufelte eine Portion Mut aus irgendeinem geheimen Reservoir, von dem er nie gewusst hatte, dass er es überhaupt besaß.

»Natürlich tue ich das. Du bist die interessanteste Frau an der ganzen Schule.«

Auch jetzt konnte er nicht sagen, warum er die Worte *interessant* und *Frau* gewählt hatte statt beispielsweise *hübsch* und *Mädchen,* aber hinterher, als er daheim in seinem Zimmer lag und ihr Gespräch noch einmal Wort für Wort, Atemzug für Atemzug durchging, musste er sich eingestehen, wie außerordentlich geschickt das gewesen war. Das war ein Pfeil, der sie direkt ins Herz getroffen hatte. Hübsche Mädchen, von denen gab es genug, aber eine interessante Frau zu sein, wenn man erst neunzehn Jahre alt ist, das hat einen ganz anderen Wert.

»Wollen wir uns nicht für eine Weile aufs Bett legen?«, fragte sie.

35

Das gelbe Notizbuch

Die zweihundert Tage. Oder zweihundertvierundfünfzig, je nachdem, wie man zählte. Aber warum mit Ziffern jonglieren, diese mentale Onanie des Einsamen?

Es war spätnachmittags, nur noch eine Stunde bis zum Feierabend, ich war dabei, Neuzugänge ins Klassikerregal von Penguin zu sortieren. Als ich kurz den Blick hob, glaubte ich zuerst, dass es eine Fantasie war, die mir vor Augen erschien, und nicht ein realer Sinneseindruck. Nur das Erinnerungsbild eines Tagtraums oder so etwas in der Art. Ich holte erneut Bücher aus dem Karton, der auf dem Boden stand, Stevenson und Thackeray und Trollope, und es dauerte einige Momente, bis meine Synapsen einander zu fassen bekamen und mitteilten, dass es sich um deutlich mehr als eine Fantasie oder einen Traum handelte: Es war *sie*.

Doch sie hatte mich nicht gesehen, war auf dem Weg um eine Ecke, in die Abteilung für Politik und Gesellschaft, und ich konnte mich nicht beherrschen, ich musste ihr hinterherrufen. Sie blieb augenblicklich stehen und drehte sich um. Begriff zunächst nicht, wer da gerufen hatte, sah es aber, als ich eine Hand hob. Es war eine unglaublich alberne Geste, trotz der Umstände konnte ich das selbst registrieren, und das tat sie wahrscheinlich auch, denn ein kurzes Lächeln huschte über ihr verwundertes Gesicht. Ich kletterte über die Kartons, umrundete einen Pfeiler und gelangte zu ihr. Nach einer Sekunde Zögern nahm ich sie in die Arme. Sie legte mir ihren Kopf auf die Brust, es schien, als würde sie sich überhaupt nicht um irgendwelche Vorsichtsregeln kümmern, und so blieben wir für eine Weile stehen. Atmeten drei oder vier Atemzüge im Gleichtakt, und zweihundert – oder zweihundertvierundfünfzig – Tage schmolzen in einem Augenblick wie eine Schneeflocke im Wasser.

Dann schob sie mich von sich und schaute sich unruhig im Laden um.

»Ich kann dich nicht hier und jetzt treffen.«

»Dann sag wann und wo.«

Sie überlegte einige Sekunden lang. »Die Cafeteria im British Museum?«

Ich nickte.

»Morgen Vormittag um elf Uhr. Ich sitze an einem Tisch, du hast eine Tasse Kaffee gekauft und fragst, ob der Platz noch frei ist.«

»All right.«

»Wenn ich nicht dort sitze, versuche es am nächsten Tag.«

»Zur gleichen Zeit?«

»Zur gleichen Zeit.«

Dann drehte sie sich auf dem Absatz um und eilte hinaus auf die Charing Cross Road. Das Blut brauste in meinen Adern.

In der folgenden Nacht konnte ich nicht schlafen, natürlich nicht. Ich lag traumwandlerisch wach da und lauschte meinen Nachbarn, den Tauben und den Fledermäusen und ihrem leisen Treiben auf der anderen Seite der Wand. Kämpfte mit Horden widerspenstiger Gedanken und Befürchtungen. Um sieben Uhr stand ich auf, rief Miss Hampton von der Personalabteilung an und erklärte, dass mich eine leichte Lebensmittelvergiftung ereilt habe und ich für ein paar Tage fehlen würde.

Ich ging den ganzen Weg nach Bloomsbury zu Fuß, es war ein schöner Spätsommertag, und ich war eine Stunde zu früh vor dem Museum. Eine halbe Stunde lang spazierte ich in den anliegenden Straßen herum, dann eine weitere halbe Stunde zwischen den Mumien in den ägyptischen Sälen, bevor ich mich endlich in die Cafeteria aufmachen durfte. Zu diesem Zeitpunkt war es mir gelungen, mich selbst davon zu überzeugen, dass sie garantiert nicht dort sein würde, ich war bereits damit beschäftigt, mein Pech wie ein Mann zu tragen – wieder ein Misserfolg, doch was spielte ein Tag mehr oder weniger für eine Rolle, wenn man es recht betrachtete? Nach all diesem Warten, wenn nicht heute, dann morgen, das hatte sie gesagt.

Doch sie saß tatsächlich da, an einem Tisch ganz hinten in einer Ecke. Sie blätterte in irgendeinem Katalog, trug ein Kopftuch und eine dunkle Brille, aber sie war es. Ich bestellte meinen Kaffee und trat an ihren Tisch.

»Frei hier?«

»Ja, sicher.«

»Danke schön.«

»Bitte.«

Ich setzte mich, wusste nicht, wie lange wir weiterspielen sollten, aber darüber musste ich gar nicht länger nachdenken. Sie schob ihre Serviette ein Stück zu mir, stopfte den Katalog in eine rote Schultertasche, stand auf und verließ den Tisch. Ich wartete fünf Minuten, in denen ich meinen Kaffee trank, stopfte dann die vollgekritzelte Serviette in meine Zeitung und verließ auch den Raum. In einer Kabine in der Herrentoilette konnte ich endlich lesen:

Entschuldige, was im Februar passiert ist. Wenn du immer noch willst, können wir uns heute Abend in Covent Garden treffen. Um halb acht vor der Oper, um acht beginnt eine Vorstellung, es werden viele Leute dort sein. Ich möchte dich wirklich wiedersehen. Du fehlst mir, es tut mir leid. C

Ich las den Text mehrere Male, dann zerriss ich die Serviette und spülte die Fetzen in der Toilette hinunter. Verließ das Museum und wanderte den ganzen Weg zurück nach Paddington.

Sie trug dasselbe Kopftuch und dieselbe Sonnenbrille, und es waren wirklich viele Leute vor der Oper versammelt. Wortlos hakte sie sich bei mir unter und führte mich Richtung Osten die Long Acre, die Drury Lane entlang und nach links in die Kemble Street. Schloss eine Tür in einem ziemlich neu gebauten Mietshaus auf, nachdem sie vorher einen Blick auf beide Seiten der Straße geworfen hatte; das einzige Lebewesen, das ich in der Nähe entdecken konnte, war eine junge rothaarige Frau, die ihren Schäferhund Gassi führte. Wir gingen die Treppen bis zur obersten Etage hinauf, vier, wenn ich mich recht erinnere, vielleicht waren es auch nur drei; sie schloss wieder eine Tür auf, und wir traten in eine kleine dunkle Wohnung mit einem Zimmer und Küche. Sie war nur spärlich möbliert, ein Bett und ein Schreibtisch im Zimmer, ein Tisch und drei Stühle in der Küche. Kahle Wände, kein Fernseher, keine persönlichen Dinge. Doch dichte Gardinen vor dem Fenster, sowohl im Zimmer als auch in der Küche. Ich konnte sehen, dass hier niemand wirklich wohnte, aber das war ich ja schon von früheren Treffen gewohnt. Falls ein Name an der Tür stand, hatte ich ihn jedenfalls nicht bemerkt.

Wir setzten uns an den Küchentisch. Sie holte eine Flasche Wein und zwei einfache Trinkgläser aus einem Schrank. Zündete eine Kerze an. Es war wie immer und doch wieder nicht. Ich konnte ihr ansehen, dass etwas passiert war. Es war so viel Zeit vergangen, ja, mehr als acht Monate, seit ich sie das letzte Mal gesehen hatte. Etwas in ihren Bewegungen, in ihrer Ausstrahlung hatte sich verändert. Als wäre sie *gestutzt* worden, ja, genau dieses Wort kam mir in den Sinn. Ein Vogel, der gegen eine Glaswand geflogen war, oder ein Kind, das unnötig hart bestraft worden war. Es gab Andeutungen dunkler Halbmonde unter ihren Augen, und auf den Schultern und dem Rücken ruhte eine Zerbrechlichkeit, wie ich sie bei unseren früheren Treffen nicht bemerkt hatte. Wir tranken einen vorsichtigen Schluck Wein, und ich bat sie zu erzählen.

»Was ist passiert, Carla?«

»Viel«, sagte sie zögernd. »Es ist viel passiert.«

Es war auch etwas mit ihrer Stimme. Als ob sie durch Unsicherheit einen Riss bekommen hätte, weil sie Dinge hatte erleben müssen, die sie am liebsten nicht erlebt hätte. Zum ersten Mal bekam ich den Eindruck, der Stärkere von uns beiden zu sein. Dass sie meine Hilfe brauchte, nicht nur als Vermittler und Überbringer bei dem einen oder anderen lichtscheuen Auftrag, sondern auch auf persönlicher Ebene. *Es gibt immer eine persönliche Ebene.*

Zumindest gelang es mir, dieses Bild zu konstruieren, es entfachte eine diffuse, männliche Hoffnung in mir, kurz bevor sie anfing zu berichten. Doch Stärke und Schwäche, das sind schwierige Größen, das habe ich gelernt, bereits damals lernte ich es, sie tauschen gern ihre Plätze, wenn sie ans Licht kommen, und Carlas offensichtliche Verletzlichkeit an diesem Abend in der Kemble Street enthielt vermutlich, auf einer tieferen Ebene, ihr Gegenteil. Eine fundamentale Verankerung, welcher Art auch immer. Ich möchte sie gern *Menschlichkeit* nennen, auch wenn ich selbst nicht so recht sagen kann, was dieser Begriff eigentlich beinhaltet. Sie war die erste Frau gewesen, war sie jetzt der erste Mensch? Nein, das klingt wie ein doch allzu sehr im Nachhinein konstruierter Gedanke.

»Ich bin zurückgefahren«, sagte sie.

»Ich habe vermutet, dass du zurückgefahren bist«, sagte ich.

»Deshalb bin ich nicht zu unserem Treffen im Februar gekommen. Es tut mir leid, aber es gab keine Möglichkeit, dir das mitzuteilen. Es war ein spontaner Entschluss, ich hatte keine andere Wahl.«

Ich nickte, wartete ab.

»Es war ein Verdacht aufgekommen. Von einem Tag auf den anderen. Ich bekam den Befehl, unmittelbar nach Prag zurückzukehren.«

»Du hast es schwer gehabt?«

»Ja.«

Ich wartete.

»Sie haben mich zwei Monate lang verhört. Mehrere Male in der Woche wurde ich ins Ministerium bestellt. Einer meiner Kameraden muss versagt haben, aber zum Schluss haben sie mich gehen lassen. Ich hatte angefangen, wieder an meiner alten Schule zu unterrichten, und ich ... ich habe nicht geglaubt, jemals wieder die Möglichkeit zur Ausreise zu bekommen. Aber plötzlich, eines Tages vor einem Monat, da bekam ich die Nachricht, dass meine Dienste in London benötigt würden. Letzte Woche bin ich hergekommen.«

»Deine Dienste?«, fragte ich.

Ein Moment des Zögerns, bevor sie erklärte. »Ich übersetze, das ist mein Job. Englisch, Deutsch, Französisch. Andere slawische Sprachen natürlich auch. Ich habe so schon in Prag gearbeitet, ja, es war eine Überraschung, dass ich die Chance bekam, noch einmal hierherzukommen, das war es wirklich. Meine übrigen Aufgaben sind natürlich nicht offiziell.«

»Deine übrigen Aufgaben?«

»Ja.«

Wir zündeten uns eine Zigarette an. Ich wartete, dass sie weitersprechen würde, mich in etwas mehr einweihen würde als nur durch diese wortlosen Bewegungen auf der Oberfläche.

»Es ist nicht so einfach«, sagte sie. »Ich kann ihre wirklichen Absichten nicht beurteilen, aber es ist ... ja, es ist ziemlich wahrscheinlich, dass sie mich hierher geschickt haben, um mich zu entlarven. Damit ich einen Fehler mache. Und es ist wahrscheinlich schon ein Fehler, dass ich hier mit dir sitze, aber das ist mir auch egal.«

»Ich bin froh, dass wir hier sitzen.«

Sie seufzte und betrachtete eine Weile ihre gefalteten Hände. Dann hob sie den Blick und schaute mich prüfend an. Ich weiß nicht, was sie abwog, mich oder die Worte, die sie sagen wollte. Sie räusperte sich und begann.

»Man kommt an eine Grenze, das ist unvermeidbar.«

Einen Augenblick Pause. Ich sagte nichts.

»An einen Punkt, an dem man sich entscheiden muss, das ist es, was ich meine. Wem man vertrauen kann, man kann auf lange Sicht nicht allen Menschen misstrauen. Sonst kommt man nie weiter, und vielleicht ist es genau das, ja, das ist wirklich meine Hoffnung, dass genau dieser Umstand dazu führen wird, dass unser System zusammenbricht. Es gehen hundert *Nein* auf jedes einzelne *Ja*. Eines Tages funktioniert es einfach nicht mehr. Verstehst du, wovon ich rede?«

»Denunziation?«

»Unter anderem. Misstrauen in erster Linie. Wenn du alles bezweifelst, wenn du hinter jedem möglichen Freund einen Feind entdeckst, wenn du dich nicht mehr traust, deinem Nächsten zu vertrauen, deiner eigenen Familie, deinen eigenen Gedanken… ich glaube, das kannst du eine Zeitlang so halten, aber du spürst gar nicht, wie deine Gedanken währenddessen davon durchtränkt werden, wie es alles überzieht. Wir haben es in unserem Blutkreislauf… das macht uns… ja, das macht uns einfach unmenschlich.«

Ich dachte kurz über den Begriff *Menschlichkeit* nach, dass sie das menschlichste Wesen war, das ich jemals getroffen hatte – und dass es das Einzige war, worum es immer ging, ganz gleich, welche anderen Ziele und Mittel angesagt waren. Letztendlich. Das erste Opfer des Krieges mag die Wahrheit sein, doch sein größtes ist das Vertrauen. Das Vertrauen, dass der Fremde nicht gezwungenermaßen dein Feind ist. Mit allem, was das mit sich zieht. Und natürlich sind beide Nachbarn, die Wahrheit und das Vertrauen.

»Ich habe beschlossen, dich einzuweihen«, sagte sie und lächelte ein neues, tastendes Lächeln. »Ich habe es gestern Abend beschlossen, nachdem wir zusammengestoßen sind, aber ich weiß nicht, ob es der richtige Entschluss ist. Doch das ist mir jetzt gleich, irgendwann muss man eine Entscheidung treffen. Arbeitest du in diesem Buchladen?«

Ich nickte. »Seit April.«

»Und deine Zeitschrift?«

»Damit habe ich aufgehört.«

»Ich verstehe.«

Ein paar Sekunden lang blieb sie schweigend sitzen und bereitete vor, was sie sagen wollte.

»Auf jeden Fall ist meine Situation hier in London prekärer als früher. In gewisser Weise muss ich meine alten Aktivitäten wiederaufnehmen, aber ich kann mir keinen Fehltritt leisten. Ich wünschte, es hätte sich nicht so entwickelt, aber es hat keinen Sinn, hinterher klüger sein zu wollen. Es gibt ja auch nie irgendwelche Garantien, das zu glauben wäre naiv. Alles hat sich nach dem Einmarsch der Sowjetunion verändert, es war ein dunkles Jahr, ich habe Freunde, die sind einfach spurlos verschwunden ...«

Sie machte eine Pause, schien wieder mit sich selbst zu Rate zu gehen.

»Das große Bild habe ich klar vor mir«, sagte ich, »aber ich weiß eigentlich nicht, welche Rolle du dabei spielst.«

Sie nickte. »Es ist nutzlos, in die Details zu gehen, es ist immer noch am besten, wenn du so wenig wie möglich weißt. Du musst darauf vertrauen, dass ich für die Guten arbeite.«

»Das habe ich vom ersten Augenblick an«, warf ich ein.

»Ich kann mich dran erinnern, dass du deine Zweifel hattest.«

Sie fuhr sich mit den Fingern durchs Haar und richtete sich auf. Wartete erneut einige Sekunden, bevor sie wieder ansetzte. Wieder hatte ich das Bild des verletzten Vogels vor mir.

»Das Problem«, sagte sie, »das akute Problem ist, dass ich nicht weiß, welchem meiner Kontakte ich vertrauen kann. Es handelt sich nur um vier Personen, aber einer von ihnen, mindestens einer, ist die undichte Stelle. Das muss so sein, er muss es sein, der über mich nach Prag berichtet hat. Weshalb ich im Februar zurückgerufen wurde.«

Ich überlegte. Wir rauchten und tranken noch mehr Wein. Ich nahm an, dass sie mir Zeit zum Nachdenken geben wollte. Eine Chance, mich herauszuziehen, wenn ich es wollte; es gab etwas Zähes, etwas Zögerliches in unserem Gespräch, wie ich es von unseren früheren Treffen nicht kannte.

»Aber wenn sie dich verdächtigen«, fragte ich, »dann müssen sie doch auch den Verdacht haben, dass du davon weißt? Sie haben dich wieder rausgelassen, damit du in die Falle tappst. Was würde es denn für Folgen haben, wenn du einfach abspringst?«

Ihr Blick wurde plötzlich fast mitleidig.

»Das sage ich doch immer«, erklärte sie. »Du hast nicht die Voraussetzungen dafür, das hier zu verstehen. Nicht in deinem Herzen. Du stammst aus einer anderen Welt.«

»Ich weiß, dass du das glaubst«, sagte ich. »Aber was willst du mir eigentlich sagen?«

»Meine Familie«, antwortete sie. »Meine Eltern sind alt, wie du weißt. Sie haben nicht mehr viele Jahre zu leben, doch um sie geht es nicht in erster Linie. Aber meine Schwester, mein Schwager und ihr kleines Kind, die leben in Prag, die haben Arbeit und eine Wohnung. Denen geht es unter den herrschenden Umständen gut. Und ich möchte, dass sie weiterhin so leben können. Wenn ich einen Fehler mache, den falschen Kontakt aufnehme beispielsweise oder abspringe... ja, dann wird sich ihre Situation schlagartig verändern. Das weiß man, sie brauchen ihre Drohungen gar nicht mehr auszusprechen. Das meine ich, wenn ich sage, dass wir es im Blut haben.«

Ein gespaltenes Gefühl aus Wut und Scham schoss in mir auf. »Natürlich«, sagte ich. »Entschuldige. Und du musst also diesen Kontakt aufnehmen, du kannst nicht einfach drauf verzichten?«

»Mir bleibt höchstens eine Woche dafür«, sagte sie. »Wenn ich nichts tue, hat das ebenfalls Konsequenzen.«

»Kann ich dir irgendwie helfen?«, fragte ich, und erst jetzt, zu dieser fortgeschrittenen Stunde, streckte sie ihre Hände über den Tisch und ergriff meine.

»Ja«, sagte sie. »Wenn es dir wirklich ernst ist, dann glaube ich, das kannst du tatsächlich.«

Es war ein einfacher Plan. Zumindest zu Anfang.

Zumindest in der Theorie. Wir lagen in dem zerwühlten Bett in dieser Wohnung in der Kemble Street und skizzierten ihn. Die ganze Nacht lagen wir dort, ich verließ sie erst um halb sechs Uhr morgens, ich wanderte durch ein morgenleeres London, nur vereinzelte Zeitungsboten waren unterwegs, ein paar Straßenkehrer, es war ein seltsam schöner Morgen mit Vogelgezwitscher und leichtem Nebel, und er bot einen unbegreiflichen Kontrast zu dem, worüber wir geredet hatten. Die Wirklichkeit und der Plan. Doch sie reimten sich ausgezeichnet auf das andere, auf eine mögliche Liebe, auf die erste Frau und auf die Hoffnung auf ein sinnvolles Leben.

Das Objekt hieß Monroe. Carla hatte ihn kurz als den Traum jeder Schwiegermutter beschrieben. Er war um die fünfunddreißig, und er war der heimliche Liebhaber der Nummer Zwei im Kriegsministerium. Nummer Zwei wiederum war Admiral, Mitglied des Oberhauses, und wohnte mit seiner adligen Ehefrau und vier Kindern auf seinem Landgut in Somerset. Arbeitswohnung in Belgravia, dort pflegte er Monroe zu treffen. Spielte einmal die Woche mit dem Innenminister Tennis, war Mitglied im Reformclub, war in regelmäßigen Abständen im Fernsehen zu sehen, für die nächste Wahl war ihm ein Ministerposten in Aussicht gestellt worden. In *garantierte* Aussicht. Etcetera etcetera.

Wenn Carla sagen sollte, welchem ihrer Kontakte sie am meisten misstraute, wen sie als Schuldigen benennen würde, dann war es Monroe. Sie konnte selbst nicht erklären, warum, aber wenn sie gezwungen wäre, einen intuitiven Beschluss zu fassen, dann würde es ihn treffen. Und die Lage erforderte jetzt, dass sie handelte. Nein, die Entscheidung für Monroe hatte nichts mit seiner Homosexualität oder den Schwiegermutterträumen zu tun, das versicherte sie mir. Allein mit Intuition, und die ist, wie gesagt, die ältere Schwester des Wissens.

Sie hatte bereits Kontakt zu ihm aufgenommen, es ging um ein Treffen, bei dem etwas übergeben werden sollte. Es war eine Routinegeschichte; Monroes Aufgabe war es, ohne Verzögerung ein Paket von Carla zu einer Adresse in Camden Town zu bringen, einem Tabakladen in der Arlington Road. *Ohne Verzögerung*, das hieß, innerhalb von höchstens zwei Stunden, gerechnet von der Charing Cross Station, wo er kurz nach elf Uhr vormittags auf Carla treffen sollte. Bis Camden Town brauchte man unter normalen Verkehrsbedingungen fünfundvierzig Minuten. Auf keinen Fall mehr als eine Stunde, meine Aufgabe war es, zu kontrollieren, ob Monroe etwa einen Umweg machte. Vielleicht jemand anderen traf, bevor er in der Arlington Road ablieferte.

Da Monroe sein Paket unten in der U-Bahn auf der Charing Cross Station bekommen sollte, wäre es das Natürlichste, wenn er einfach die Northern Line hoch nach Camden nahm, aber in der Beziehung hatte er freie Hand. Wenn er mit dem Taxi oder Bus fahren wollte, dann war das seine Sache. Auf jeden Fall befand ich mich rechtzeitig auf dem betreffenden Bahnsteig, Bakerloo Line, Richtung Norden. Ich saß mit einer Zeitung auf einer Bank und hatte Carla im Blick, die gut zwanzig Meter von mir entfernt mit einer weißen Plastiktüte stand und wartete. Seit unserem Treffen waren zwei Tage vergangen, ich hatte Miss Hampton von Foyle's erklärt, dass ich immer noch an den Folgen meiner Lebensmittelvergiftung litt. Höchstwahrscheinlich glaubte sie mir nicht, ließ jedoch fünfe grade sein.

Ein Zug fuhr ein, Menschen stiegen aus, es war kurz vor Mittag, und es herrschte ziemliches Gedränge. Carla drängte sich in den ersten Wagen und verschwand, ein Herr passend zur Beschreibung, die ich hinsichtlich Monroe erhalten hatte, ging an mir vorbei mit der Plastiktüte in der Hand. Ein schmächtiger, gut gekleideter Herr mit dunklem, kurz geschnittenem Haar und schmalen Koteletten. Leichte, federnde Schritte in dieser deutlich homosexuellen preziösen Art. Ich stand auf und folgte ihm eine kurze Treppe hinauf und durch einen Tunnel, der uns zur Northern Line führte, nördliche Richtung. Wir kamen auf den Bahnsteig. Nach wenigen Minuten fuhr ein Zug ein. Wir stiegen in denselben Wagen, aber durch verschiedene Türen. Er fand einen Sitzplatz, ich blieb stehen und hielt mich an einem Deckengriff zwei Meter von ihm entfernt fest. So weit, so gut.

36

Während der Wochen bis zur Abiturprüfung war Lars Gustav Selén der Meinung, er würde in einem Zustand extremer Unwirklichkeit leben.

Oder vielleicht einer *neuen* Wirklichkeit, das war nicht so leicht zu sagen. Er hatte in Carla Carlgrens Bett gelegen und sie geküsst. Sie umarmt, mit ihr geknutscht und war eins mit ihr geworden, sie waren natürlich nicht bis zum Schluss gegangen – wie man so sagte und wie es offenbar Leo Wermelin und Birgitta Lunner getan hatten –, doch er hatte ihre Brüste in seinen Händen gespürt, und sie hatte ihre Hand auf sein steifes Glied gelegt. Zwar auf die Unterhose, doch in der Jeans. Und sie hatten sich aneinandergepresst, hart und fest, Körper an Körper, Geschlecht an Geschlecht. Es war großartig gewesen. Es war etwas Unbegreifliches größeren Kalibers als irgendetwas von Vater Teodors alten Fantasiegeburten. Lars Gustav und Carla Carlgren. Die interessanteste Frau der Schule.

Ja, zweifellos hatte er in diesem Frühsommer 1968 das Gefühl, dass das Leben in seine Blüte ausbrechen würde. Und die volle Blüte schien nicht weit entfernt zu liegen. Eine Gruppe aus der Abschlussklasse, 3IIIb, sozialer Zweig, hatte beschlossen, nicht so abrupt einfach auseinanderzugehen. Das war noch nicht angesagt, stattdessen wollte man eine gemeinsame Reise unternehmen – nach London, in die Stadt aller Städte und die ungekrönte Metropole der neuen Zeit. Zwar fand eine Art von

Revolution in Paris statt, doch London war das Mekka Europas, seit der Carnaby Street, seit Twiggy, Top of the Pops, Flower Power und Sergeant Pepper, und keiner in der Gruppe war besonders scharf darauf, Französisch sprechen zu müssen.

Sie waren zu acht, fünf junge Männer, drei junge Frauen. Lars Gustav war einer der Männer, Carla Carlgren eine der Frauen. Es war Stig Lennon, der die Regeln aufstellte, so war es immer. Eigentlich hieß er Stig Lennartsson, aber wen scherte das? Zug bis Göteborg, Fähre Saga vom Skandiakai nach Immingham. Dann Zug oder per Anhalter nach London, und dann würde man sehen. Abreise am 20. Juli, jeder musste sich selbst darum kümmern, bis dahin genug gejobbt zu haben, um seine Reisekasse zu füllen.

Lars Gustav hatte bereits sechs Wochen Knochenarbeit bei Nilssons Beton AG ausgemacht. Dort hatte er schon im letzten Sommer gearbeitet, es war schwer, manchmal übernahm er eine doppelte Schicht, aber es war gut bezahlt. Zwei der übrigen potentiellen Mitreisenden waren Leo Wermelin und Birgitta Lunner, sie hatte eine Woche nach der Prüfung eine Abtreibung vornehmen lassen, worüber aber nur ein äußerst kleiner Kreis Bescheid wusste. Über das und was dem zuvorgegangen war. Jedenfalls gehörte Lars Gustav auch zu dem Kreis, und er begriff, dass er plötzlich, nach Jahren des Schweigens, der Einsamkeit und des Insichgekehrtseins jemand geworden war, auf den man zählte. Ein Eingeweihter. Schwer zu sagen, wie es dazu gekommen war, aber dass seine Beziehung zu Carla Carlgren eine große Rolle spielte, das konnte sich schon ein Siebenjähriger ausrechnen.

Wie genau diese Beziehung zustande gekommen war und wie es um sie stand, das war schwerer zu beurteilen. Sie waren kein offizielles Paar, man traf sich fast immer in Grüppchen, aber meistens landeten sie dann miteinander auf Sofas und Decken, und sie hatten Hand in Hand und Hand auf dem Schenkel im

Roxy gesessen und *Blow up* gesehen. Auch eine halbe Stunde auf dem Friedhof von K. geknutscht nach einem Fest in Lennons elternfreiem Haus in der Rosersberggatan. Und dennoch. Wie sollte man es wissen, wenn es doch so vieles Unausgesprochenes gab?

Er träumte von ihr. Sehnte sich nach ihr, überlegte und onanierte. Die Frau, und besonders Carla Carlgren, war ein geheimnisvolles Wesen, schillernd, aber es würde sich ja alles in ein paar Wochen in London klären. Das musste es. Und man brauchte keine Eile mit den Dingen zu haben, auch das Unausgesprochene hatte seinen Reiz. Und das Warten.

Warten, sich Dinge einbilden und träumen, während man mit gekrümmtem Rücken herumlief und die neuen Muster für die Armierung bei Nilssons eintrafen und schnelle, konzentrierte Arbeit verlangten. Alles braucht seine Zeit.

Daheim im Gökvägen ging alles seinen üblichen Lauf. Ansgar war seit einem halben Jahr tot, Tante Ragnhild putzte, wusch und kochte. Und sie nähte; Sven Martins Zimmer war nach und nach in ihr Nähzimmer verwandelt worden, er kam sowieso nicht mehr zu Besuch nach Hause. Im Winter würde er volljährig werden und arbeitete im Schweiße seines Angesichts in der Möbelfabrik der Brüder Hallings außerhalb von Ljungby. Nicht einmal im Sommer machte er sich die Mühe, seiner Heimatstadt einen Besuch abzustatten, das hatte er mitteilen lassen, die Leute brauchten das ganze Jahr über Möbel, und wenn man es zu etwas bringen wollte, dann durfte man nicht auf der faulen Haut liegen. Lars Gustav dachte manchmal, dass er wahrlich nicht mit viel an Familie gesegnet war – mit einem toten Lügner als Vater, einer abgehauenen Mutter in Håverud und einem Bruder in Ljungby –, doch gleichzeitig ahnte er, dass so die neue Zeit wohl aussah. Ein eigenes Zimmer, das reichte, das war die Burg und das Universum des Individuums. Der Familienbegriff, das war ein Überbleibsel, zum Untergang verdammt; der moderne Mensch… *das moderne Individuum ging ganz andere Konstellationen ein als die bürgerlichen, unterdrückenden Strukturen, die bis weit in die zweite Hälfte des 20. Jahrhunderts vorgeherrscht hatten.* Darüber hatte er gelesen und sich das gemerkt, denn die letzten Jahre, ungefähr seit er aufs Gymnasium gekommen war, hatte er angefangen, Bücher zu konsumieren. Nicht groß Gesellschaftsanalyse, das war eher Zufall gewesen, sondern vor allem Belletristik. Anfangs überwogen Abenteuerbücher und Krimis: Jack London, Dumas, Riverton und Carter Dickson. Doch mit der Zeit kamen auch solche hinzu, die als etwas substantieller angesehen wurden: Hemingway, Graham Greene und Steinbeck. Plus all die obligatorischen Schweden, die Studienrat Pollander ihnen in die Hände gab: Bergman, Söderberg und Dagerman. Und Strindberg, obwohl der etwas anderes war. Ja, immer mehr hatte er die Anziehungskraft der Welt der Bücher gespürt. Während der Osterferien hatte er krank im Bett gelegen und die ganze Auswandererreihe von Moberg gelesen, und als er am Abend, bevor die Schule wieder anfangen sollte, kurz nach Mitternacht den »Letzten Brief nach Schweden« zugeschlagen hatte, da hatte er gedacht, dass er, sollte ihm sonst nichts in seinem Leben glücken, zumindest zusehen wollte, ein Buch zu schreiben.

Es war ein Gedanke, der sich festsetzte. Nicht nur in diesem Frühling und Sommer, er sollte ihn viele, viele Jahre lang verfolgen, ja, bis zu seinem Tod, wie ein Muttermal, eine Charaktereigenart oder ein physischer Defekt, mit dem man nichts machen konnte. Als er nach einem misslungenen Selbstmordversuch ein paar Jahre später aufwachte, war das eines der ersten Dinge, die in seinem umnebelten Hirn auftauchten; wolltest du dir wirklich das Leben nehmen, bevor du dieses Buch geschrieben hast, du verfluchter Feigling?

Doch das lag noch in ferner, unbekannter Zukunft. Jetzt schrieb man den Sommer 1968, Lars Gustav Selén war neunzehn Jahre alt, und das Erwachsenenleben hockte in den Startlöchern. Anfang Juli machte er einen symbolischen Schritt in das Neue, indem er sich von seinen beiden Hobbys trennte, mit denen er seit seinem zwölften Lebensjahr viel Zeit verbracht hatte. Das Sammeln von Etiketten von Streichholzschachteln und von Todesanzeigen. Beides war ordentlich auf schwarzer Pappe in insgesamt vierzehn Alben eingeklebt, vier mit Etiketten, zehn mit Annoncen. Er kündigte seine Mitgliedschaft in der EAML, European Association of Match Lovers, und schickte seine Sammlung in einem großen Paket an einen Gleichgesinnten in Brügge in Belgien. Die Todesanzeigen, die er an jedem Werktag seit mehr als acht Jahren aus der lokalen Zeitung ausgeschnitten hatte – sowie eine gewisse Anzahl aus *Dagens Nyheter* und *Svenska Dagbladet* –, verbrannte er in einem alten Benzinfass auf dem Hinterhof. Und während er dort stand und mit einem Armierungseisen von Nilssons in der Glut stocherte, dachte er, dass genau das, so eine symbolische Reinigung, eine posthume Einäscherung, nötig war in diesem wichtigen Abschnitt seines Lebens. Raus mit dem Alten, rein mit dem Neuen. Es war die Zeit für bisher nicht versuchte Worte und Taten. Wie wahr.

Carla Carlgren war seit Mittsommer verreist gewesen – es war ein wenig unklar, wo sie sich befunden hatte, doch er dachte, dass sie vielleicht ihren Spionvater im Gefängnis besucht hatte. Das hätte er selbst getan, wenn sein eigener Vater Spion gewesen wäre und nicht tot. Auf jeden Fall kehrte Carla am 18. Juli nach K. zurück, nur zwei Tage vor der Abreise nach Göteborg, Immingham und London. Sechs der Passagiere trafen sich am selben Abend bei Elfrideviks Camping und Minigolf, um sich abzusprechen und zu planen. Die beiden, die fehlten, das waren Snukke Toivonen und Birgitta Lunner, von Ersterem hatte man den ganzen Monat nichts gehört, und es war unsicher, ob er immer noch die Absicht hatte, mitzufahren, Letztere war wegen einer Familienangelegenheit verhindert. Warum sie gezwungen war, so einem Mist den Vorzug zu geben, das konnte Leo Wermelin nicht genauer erkären, aber es war sicher nicht nur Lars Gustav Selén, der ahnte, dass hier etwas im Busche war. Auf jeden Fall hatte jeder für sich die Zug- und Fährfahrkarten gebucht, man war ja wohl bitte schön keine Gruppenreise, wie Stig Lennon betonte, eine Unternehmungsform, die zu dieser Zeit in der bürgerlichen Klasse in Mode kam, und von der musste man sich auf jeden Fall distanzieren. Sie selbst waren freie Individuen in einer Welt von peace, love and understanding. Capisce?

Während man sich also absprach und plante, spielte man eine Partie Minigolf und trank Wodka-Lemon mit dem Strohhalm aus zwei Thermoskannen, die Nisse Hallgren im Rucksack mitgebracht hatte. Der Abend erschien fast verzaubert, wie Lars Gustav fand, und hinterher gingen er und Carla gemeinsam nach Hause, sie wohnten ja in derselben Richtung. An diesem Abend durfte er nicht mit hoch auf ihr Zimmer, da ihre Mutter Arbeitskollegen zum Essen eingeladen hatte, und da passte es nicht, stattdessen saßen sie eine Weile auf einer Bank im Brandstationspark und küssten sich, bis sie sich verabschieden mussten. *Küssten sich, knutschten nicht*, wenn er später in seinem Leben an diesen letzten Abend dachte, war es leider dieser altmodische Ausdruck, der sich bei ihm meldete.

Als er kurz nach Mitternacht im Bett lag, fiel es ihm schwer einzuschlafen. Sein Kopf war mit so vielem angefüllt: dem Duft ihres Haars, der unendlichen Weichheit ihrer Lippen, diffuser Erwartungen, lauwarmem Wodka-Lemon und etwas im Hals. Es fiel ihm schwer zu schlucken.

Als er am folgenden Morgen aufwachte, hatte er hohes Fieber und am ganzen Körper einen roten Ausschlag.

37

Das gelbe Notizbuch

Ich betrachtete ihn. Er saß anscheinend ruhig und entspannt
da, die weiße Plastiktüte auf dem Schoß. Vielleicht schaute er
ein wenig gelangweilt drein, als würde ihn die Tatsache, dass er
ein Glied in einer Spionagekette war, nicht im Geringsten interessieren und ihn keinesfalls irgendwie erregen. Er kontrollierte, ob die Nägel an beiden Händen gepflegt waren, schaute
auf seine Armbanduhr und gähnte diskret.

Dann begegneten sich unsere Blicke. Es geschah nur während
des Bruchteils einer Sekunde, und ich schaute sofort schnell
weg. Der Zug setzte gerade zum Bremsen vor der Haltestelle
Leicester Square an, und genau in dem Moment, als wir anhiel-
ten, stand Monroe schnell auf und verschwand durch die vor-
dere Tür. Ohne Vorwarnung; ich eilte sofort ebenfalls zur Tür,
blieb jedoch hinter einer breiten Frau stecken, die mit einem
Kinderwagen hineinwollte. Es gelang mir, in letzter Sekunde
durch die mittlere Tür hinauszukommen, und ich sah gerade
noch mein Objekt, das in schnellem Schritt zum blauen Aufkle-
ber der Piccadillylinie marschierte.

Wenn man nach Camden Town fahren will, gibt es keinen
logischen Grund, die Bahn zu wechseln. Weder am Leicester
Square noch irgendwo sonst. Ich folgte ihm in sicherem Abstand, es war ziemlich belebt, aber trotzdem nicht schwer, ihn
im Auge zu behalten, und ein paar Minuten später saßen wir
in einem neuen Zug. Piccadilly Line, Richtung Osten. Wir be-

fanden uns einander schräg gegenüber, ich gab mir alle Mühe, ihn nicht anzusehen. Holte meine Zeitung aus der Jackentasche, schlug die Sportseiten auf und begann die Kricketergebnisse zu studieren.

Es wurde eine kurze Reise, eine sehr kurze Reise. Der nächste Halt war Covent Garden. Monroe stand schnell auf und verließ den Zug. Ich folgte ihm, dieses Mal etwas geschickter, während ich immer noch so tat, als wäre ich mit einem Auge in die Kricketresultate vertieft. Wir folgten dem Strom der Reisenden zum Ausgang, Monroe einige Meter vor mir.

Covent Garden ist nur eine kleine U-Bahn-Station, und sie liegt tief unter der Erde. Hier gibt es keine Rolltreppe. Um an die Erdoberfläche zu gelangen, muss man entweder den Fahrstuhl benutzen oder die Treppen, doch Letzteres tut kaum ein Mensch, da es sich um 173 Treppenstufen handelt. Wir sammelten uns in einer Gruppe in Erwartung eines der großen, langsamen Fahrstühle. Er traf innerhalb einer halben Minute ein, Leute strömten in die andere Richtung aus ihm hinaus, die Türen auf unserer Seite öffneten sich, und unsere Gruppe begann sich hineinzuschieben. Monroe schien es nicht eilig zu haben, er ließ mehrere Mitreisende vor, und genau in dem Moment, als die Türen sich schließen wollten, trat er ein paar Schritte zurück, statt hineinzugehen. Ich zögerte einen Moment, tat es ihm dann gleich.

Die Türen wurden geschlossen. Der Fahrstuhl startete seine mühsame Fahrt hinauf. Zurück in dem halbdunklen Gewölbe waren nur Monroe und ich geblieben. Sonst niemand. Es waren keine Schritte zu hören, weder von den Treppen noch von dem gefliesten Gang, der zu den Bahnsteigen führte. Nach den Geräuschen und der Stille zu schließen, war kein anderer Fahrstuhlkorb auf dem Weg nach unten.

All diese Dinge registrierte ich in der Sekunde, die verstrich, bevor mir klar wurde, dass etwas schiefgelaufen war.

In der nächsten Sekunde rauschte die letzte Viertelstunde vor meinem inneren Auge vorbei. Mein Warten auf der Bank in Charing Cross, die weiße Plastiktüte, die den Besitzer wechselte, die kurze Fahrt nach Leicester Square ... Monroe, der seine Fingernägel betrachtete, unsere Blicke, die einander trafen ... das war der Punkt gewesen, das war mir klar. Er hatte mich erkannt, als ich dort stand und ihn ansah, war sich meiner Anwesenheit im nächsten Zug bewusst gewesen und hatte bemerkt, dass ich ihm zum Fahrstuhl gefolgt war. Der letztendlich entscheidende Schritt war erfolgt, als ich aus dem Fahrstuhlkorb wieder herausgetreten war, deutlicher hätte es nicht sein können.

Und jetzt standen wir hier.

Erneut schauten wir uns an; ich konnte die Andeutung eines Lachens sehen, vielleicht auch nur ein sanftes Lächeln – als wüsste er, dass er der Stärkere war, derjenige, der einen Bluff durchschaut und das Spiel gewonnen hatte. Doch er sagte nichts, machte keinerlei Anstalten, auf irgendeine Weise aus der Situation herauszukommen oder sie in irgendeine Richtung hin zu verändern. Er drückte nichts anderes aus als Beherrschung und Selbstkontrolle.

Im Nachhinein habe ich nie erklären können, warum ich reagierte, wie ich es tat, aber vielleicht war es diese arrogante Überheblichkeit, die mich dazu brachte. Die den Becher zum Überlaufen brachte. Carla hatte mir nur die Anweisungen gegeben, mich herauszuziehen, wenn etwas schieflief, doch in dieser Lage war es unmöglich, mich zurückzuziehen. Ich konnte mich ja nicht einfach in Luft auflösen. Wir befanden uns fünfzig Meter unter der Erde, ich war von Monroe erwischt worden, und das konnte mit sich führen, dass auch sie erwischt werden würde, genau wie sie befürchtet hatte. Mit anderen Worten: das Schlimmste aller befürchteten Szenarien. Ich spürte plötzlich eine Machtlosigkeit und eine Wut in mir, und in Kombination mit Monroes überheblicher Art, wie er dastand und mich mit leicht hochgezogenen Augenbrauen betrachtete, war das ganz einfach zu viel. Viel zu viel, ja, wahrscheinlich steckte nicht mehr dahinter.

Ich holte mit aller Kraft ganz von unten aus, aus den Zehenspitzen, und meine Rechte war wirklich nicht schlecht. Er fiel wie ein gekeulter Ochse und blieb stöhnend auf dem schmutzigen Boden liegen. Ich schnappte mir die Plastiktüte mit meiner Linken, die Rechte vibrierte nach dem Schlag noch bedenklich, fast schien der ganze Arm eingeschlafen zu sein, und lief die Treppen hinauf. Nach nur gut zwanzig Treppenstufen konnte ich von unten empörte Stimmen hören, eine Frau schrie auf, und eine grobe Männerstimme rief um Hilfe und nach der Polizei.

Ich lief die 173 Stufen wie ein Wahnsinniger nach oben, es begegnete mir kein einziger Mensch, der auf dem Weg nach unten war, ich kam nur ungefähr auf halbem Weg an einem eng umschlungenen, knutschenden Paar vorbei, und als ich durch die Kontrolle oben auf der Straße gegangen war, hatte ich so viel Milchsäure in den Beinen, dass ich kaum noch gehen konnte. Ich stolperte zum Leicester Square und schlüpfte nach ein paar hundert Metern in ein Café. Ließ mich mit einer Tasse Kaffee und einem Glas Wasser an einem schmutzigen Tisch niedersinken und dachte, dass ich jetzt alles verdorben hatte. Jetzt würde alles schiefgehen.

Doch dem war nicht so. Dem war ganz und gar nicht so. Wie verabredet trafen Carla und ich uns am selben Abend in der Wohnung in der Kemble Street. Sie wusste bereits, was unten in der U-Bahn-Station am Covent Garden passiert war, doch meine Befürchtungen, ich hätte ihre Arbeit für alle Zeiten sabotiert, indem ich Monroe niedergeschlagen hatte, erwiesen sich Gott sei Dank als unbegründet. Es war sogar genau umgekehrt; bereits am selben Abend erklärte Carla mir, dass es höchstwahrscheinlich das Beste war, was überhaupt hatte passieren können. Sie ging nicht näher in die Details, berichtete mir nicht, in welcher Form meine übereilte Aktion von so großer Hilfe für ihre weitere Arbeit sein würde, und ich fragte auch nicht nach. Ich hatte einen Verräter und Stinkstiefel niedergeschlagen, das reichte mir, mich erfüllte das angenehme Gefühl, wie ein Mann gehandelt zu haben, und dank irgendwelcher Umstände, die außerhalb meiner Kontrolle lagen, bedeutete das gleichzeitig, dass Carlas Position und Glaubwürdigkeit bei den hohen Herren in Prag gestärkt worden war. Da konnte ich nur meinem glücklichen Stern danken. Sie durfte in London bleiben. Ihre Arbeit für die guten Kräfte konnte fortgesetzt werden. Unsere Beziehung konnte wieder neuen Schwung erhalten. Sie war nicht länger der gestutzte Vogel, ich hatte die Situation gerettet.

In dieser Nacht ging unsere Liebe in eine neue Phase über. Zum ersten Mal konnten wir uns eine mögliche Zukunft vorstellen, nein, nicht Zukunft, das wäre zu viel gesagt, aber eine Art Stabilität. Ich spürte das, und ich bin mir sicher, Carla ging es genauso. Am nächsten Morgen lief ich direkt von der Kemble Street zu Foyle's, und wir hatten beschlossen, uns bereits in zwei Tagen wiederzusehen. Ich fühlte buchstäblich, wie mein Herz in der Brust schwoll und dass mein langes Warten nicht vergebens gewesen war.

Dann folgten zwei gute Jahre. Von einem gewissen Blickwinkel aus kann man es tatsächlich so zusammenfassen. Es waren wahrlich die besten Jahre meines Lebens, zur schreibenden Stunde kann es gut sein, dass ich noch dreißig oder vierzig vor mir habe, doch ich zweifle stark daran, dass ich das gleiche Gefühl von Sinn und Nähe noch einmal erleben werde. Dass das Dasein eine gewisse Schwere und Dichte hat und dass man in einen Zusammenhang gehört. Mit Erwartungen morgens aufwacht und in schöner Zufriedenheit abends einschläft. Die Epoche der dünnen Bläue war vorüber, so konnte man es auch beschreiben, doch die rote Flut strömte unbeirrt weiter.

Auch wenn unsere Beziehung weiterhin heimlich blieb – Carla bestand darauf, und ich stellte die Notwendigkeit dafür nicht in Frage –, so gingen wir gewisse Routinen ein. Wir gingen nie gemeinsam aus, weder ins Theater noch in Konzerte oder ins Restaurant; das Einzige, was wir uns gönnten, war ab und zu eine späte Kinovorstellung, meistens im Odeon unten am Marble Arch, aber eigentlich hatten wir gar kein Bedürfnis auf derartige kleine Fluchten vor der Wirklichkeit. Wenn es über kurz oder lang für uns ein Leben mit Freunden und Kontakten und einer Art von Normalität geben sollte, dann würde das so sein, wenn die Zeit dafür reif war. So dachten wir, und ich weiß, dass wir beide vollkommen zufrieden mit den Bedingungen waren.

Wir verabredeten uns nicht mehr zu zufälligen Treffen an zufälligen Adressen, die Carla auf irgendeine Art und Weise herausgesucht hatte. Stattdessen besuchte sie mich in meiner kleinen Wohnung an der Craven Terrace, doch auch hier trafen wir gewisse Vorsichtsmaßnahmen. Carla besorgte sich zwei Perücken, die eine blond, die andere rot, und ein paar hässliche Popelinemäntel, die sie an einem Stand in der Petticoat Lane gekauft hatte und nur für unsere Treffen anzog, und sie trug immer eine Brille, wenn sie auf dem Weg zu mir war. Groß und unkleidsam, gern auch noch ein Kopftuch, aber nicht immer. Von meinem Standpunkt aus gesehen waren das vermutlich keine wichtigen Maßregeln, ich hatte mit meinen Nachbarn in den unteren Stockwerken gar keinen Kontakt, doch Carla ließ sich darin nicht beirren – und wenn ich zurückschaue, dann ist es fast immer ihr Auftritt in meinem engen Flur, als Blondine oder rothaarig, der als Erstes vor meinem inneren Auge auftaucht. Das Bild, wie sie ihren schmutzigen Mantel an einen Haken hängt, den braunen oder den cremefarbenen, sich die

Perücke und die Brille abreißt, ihr eigenes schwarzes Haar schüttelt und lacht, ja, nie war sie unwiderstehlicher als in so einem Augenblick.

Dass unsere gemeinsame Zeit dennoch begrenzt war – auf eine Art, die wir eigentlich nie diskutierten und die wir nie versuchten zu präzisieren –, war eine Tatsache, die wir auf die gleiche Art behandelten wie die Tatsache, dass wir eines Tages sterben würden. Dass unsere Tage auf jeden Fall gezählt waren. Natürlich konnte unser Leben nicht ewig so weitergehen, doch in den gut zwei Jahren, die uns gegönnt waren, von August 1969 bis Mitte Oktober 1971, lebten wir wirklich – jedes Mal, wenn wir uns trafen – so intensiv im Hier und Jetzt, dass wir ganz einfach gar keine Zeit hatten, uns über den nächsten Tag Sorgen zu machen. Warum hätten wir das auch tun sollen? Was hätte es gebracht? Carla lebte zusammen mit einer Kollegin in einer kleinen Wohnung in Hammersmith, ich besuchte sie nie dort, und ich kannte nicht einmal die genaue Adresse. Wir verbrachten mindestens einen Abend und eine Nacht in der Woche zusammen, immer, wie gesagt, Wand an Wand mit meinen Tauben und Fledermäusen in Craven Terrace. Ihr Ritual, bevor sie zu mir kam, lief immer auf die gleiche Art ab, sie beschrieb es mir mehrere Male detailliert, und ich glaube, es amüsierte sie, das zu tun – wie sie die U-Bahn Richtung West End nahm, mit ihrer kleinen grünen Stofftasche, eine Eintrittskarte löste und in eine frühe Kinovorstellung in einem der Kinos in Notting Hill oder Bayswater schlüpfte. Ein paar Minuten nachdem der Film angefangen hatte, ging sie auf die Toilette, schloss sich dort ein, öffnete die Tasche und setzte die entsprechende Perücke für diesen Abend auf. Mantel, Kopftuch und Brille. Verließ das Kino und lenkte ihre Schritte Richtung Craven Terrace. Einmal die Woche im Laufe von zwei Jahren; im Nachhinein habe ich mich gefragt, ob nicht irgendeiner der Menschen in den verschiedenen Kinos, die dort arbeiteten, sie irgendwann einmal wiedererkannt hat. Es muss sie doch irgendjemand bemerkt haben und auch ihre wiederholte Verwandlung in der Damentoilette.

Ich erinnere mich auch, dass ich sie fragte, ob ihre Manöver wirklich nötig seien, und wenn ja, ob sie denn ausreichten, um einen eventuellen Schatten abzuschütteln. Carla erklärte, dass alles nach den üblichen Spielregeln ablief. Dass man ihre Wohnung unter ständiger Beobachtung hielt, war selbstverständlich, und man wusste natürlich, dass sie eine Nacht in der Woche irgendwo anders zu verbringen pflegte. Die Schlussfolgerung daraus war sicher, dass sie einen Liebhaber hatte, und wenn sie es für wichtig angesehen hätten, herauszufinden, um wen es sich dabei handelte, dann hätten sie sich sicher die Mühe gemacht, es zu tun. Aber Carla war kein Greenhorn in der Branche, wenn jemand versucht hätte, ihren Kinotrick zu knacken, dann hätte sie es bemerkt, daran hegte sie absolut keinen Zweifel.

Ein heimlicher Geliebter einmal die Woche, das konnte also toleriert werden, so hatte das System entschieden. Zumindest bis auf weiteres.

Und der heimliche Geliebte tolerierte die Bedingungen. Bis auf weiteres und noch viel länger.

Carla fuhr fort mit dem, was sie ihre *Tätigkeit* nannte – ich weiß nicht, in welchem Ausmaß –, und mit ihrer Übersetzer- und Dolmetscherarbeit bei der Botschaft. Mit dem einen wie dem anderen. Wir sprachen darüber nicht im Detail, auch das gehörte zu den Bedingungen, aber wir sprachen natürlich über Ost und West. Über Freiheit und Diktatur, über Gedankenkontrolle, über die absolute Macht des Systems über die Staatsbürger, über die Repression im Blutkreislauf und über die Notwendigkeit, jede Sekunde auf der Hut zu sein. Carla war Mitglied der Partei, das war eine der Voraussetzungen dafür, dass sie auf der falschen Seite des Eisernen Vorhangs arbeiten durfte. Sie erzählte mir von ihrer Familie, von ihren Eltern, die beide in

302

dieser Zeit mit nur gut einem Monat Abstand starben, sie fuhr zur Beerdigung ihrer Mutter, doch nicht zu der ihres Vaters, das wurde nicht erlaubt – von ihrer zwei Jahre jüngeren Schwester Anja, ihrem etwas hölzernen, aber gutherzigen Schwager und von dem kleinen Bobik, dem geliebten Neffen. Über den Prager Frühling und den Sozialismus mit menschlichem Antlitz redeten wir, diese nur kurz während Illusion. Über die sowjetischen Panzer, über Jan Palach und über vieles, was passiert war; die kurze und traurige Geschichte der Tschechoslowakei, die zerbrechliche erste Republik zwischen den Kriegen, ebenso zerbrechlich wie die Hoffnung 1968, wie Carla meinte. Über Hitlers Machtübernahme, ihre Eltern hatten zu denen gehört, die ihr Land mit der Waffe in der Hand hatten verteidigen wollen, und sie hatten sich bereits 1939 für das geschämt, was passierte. Gern sprach sie über diese Tatsache, die Scham, die sie hinsichtlich ihres Landes und ihres Lebens gefühlt hatten; wenn man die Nazis nicht einfach so ohne Widerstand empfangen hätte, dann wäre man auch nicht ein so leichtes Opfer für den Kommunismus gewesen, das war einer der leitenden Gedanken ihres Vaters. Darüber führten wir lange nächtliche Gespräche, ja, das taten wir wirklich, wie auch über die früher so genannten Eurokommunisten, diese verwöhnten, plappernden Rotweinlinken, die sie mit gründelnden Enten mit Schlagseite in einem Ententeich verglich. Sich zankende Kleinkinder in einer Sandkiste. Ja, wir redeten viel über all das, doch wir redeten nie über die Zukunft. Weder über die Zukunft unserer Länder noch über unsere eigene. Die Zukunft ist eine Illusion, sagte Carla, zumindest jetzt im Augenblick, und ich habe keinen Platz dafür, noch habe ich einfach keinen Platz.

Wir waren beide ungefähr dreißig. Wir hätten uns andere Fragen stellen sollen. Wir hätten unsere Beziehung ausbauen sollen. Wir hätten darüber reden sollen, ob wir Kinder und ein eigenes Heim anschaffen wollten. Doch das taten wir nicht. Ich glaube, ich stellte mir vor, dass es eines Tages einfach dazu kommen würde, es war nur so, dass die Zeit noch nicht reif war; ja, wenn ich zurückschaue, möchte ich gern glauben, dass ich es einfach als gegeben ansah. Dass sie eines Tages sagen würde, jetzt ist es genug, Leonard, jetzt gehen wir auf ein Schiff, fahren über den Atlantik und beginnen ein gemeinsames Leben. In Kalifornien. In New York oder Florida. Aber vielleicht habe ich auch nur jetzt beim Schreiben dieses Gefühl, das kann ich nicht sagen. Manchmal habe ich das Gefühl, als wäre die Vergangenheit eine Illusion, es ist nur ein Jahrzehnt seit dieser Zeit vergangen, und dennoch erscheint sie mir manchmal wie ein alter Kinobesuch, ich merke, dass ich ein Faible für diese Art von Vergleichen habe; ein Film, an dessen Äußerlichkeiten man sich zwar noch erinnert, an die Ereignisse, die Repliken und Handlungssprünge, wie die ruhige Begleitung durch die Tauben und Fledermäuse – vielleicht wie der *Dritte Mann*, man erinnert sich an die Bilder und das Harry-Lime-Thema, doch was die Hauptrollen dachten und meinten und wovon sie träumten, das verwischt immer mehr. Wie es wirklich *war*. Worum es ging, was uns aus der Sinnlosigkeit hervorhob. Leonard und Carla. Carla und Leonard. Das verschwindet aus dem Fokus, vielleicht hat es sich auch nie darin befunden.

Meine Aufträge für den Geheimdienst gingen weiter, wenn auch in heruntergeschraubtem Maße. Ich lieferte Briefe und Päckchen ab und nahm Gespräche in Telefonzellen entgegen; auf der Paddington Station, King's Cross und Victoria. Ich fotografierte Treffen mit dem Teleobjektiv, ließ mich bei verwinkelten Spaziergängen durch Parks beschatten, und ich belauschte einen Meinungsaustausch zwischen Nummer Drei vom Außenministerium und einem polnischen Handballtrainer in einer Toilettenkabine von St. Pancras.

Doch erst im Sommer 1971 traf ich zum zweiten Mal Wolf,

den Mann mit dem tätowierten Käfer, und dieses Ereignis brachte es mit sich, dass Carla und ich erneut getrennt wurden. Ich habe nie verstanden, was eigentlich passiert ist, und auch damals wusste ich es nicht, doch selbst wenn ich es gewusst hätte, das eine und das andere, dann weiß ich nicht, in welcher Form ich hätte agieren können, um auf ein anderes Ergebnis zu kommen. Die ganze Situation hatte etwas Unausweichliches an sich, und mein letztendlicher Fehler lag noch einige Jahre in der Zukunft, dieser Zukunft, die ich damals, an diesem Junimorgen, als ich im Zug nach Oxford saß, in gewisser Weise als eine Illusion ansah. Aber immerhin eine Illusion wie eine Nebelbank, die Platz für die Wirklichkeit bot. So war es doch, oder? Ich bin mir selbst nicht mehr sicher, ob ich verstehe, wovon ich rede.

38

Die Truppe, die am Morgen des 20. Juli 1968 vom Bahnhof in K. abreiste – nach Göteborg, Immingham, London und dem Leben –, bestand im entscheidenden Moment aus fünf Personen. Drei junge Männer: Stig Lennon Lennartsson, Nisse Hallgren und Leo Wermelin. Zwei junge Frauen: Agneta Svensson und Rigmor Carla Carlgren.

Es fehlten: Snukke Toivonen, aus unbekanntem Grund, vermutlich eine Mischung aus Geldmangel und anderen Eisen im Feuer, Birgitta Lunner, Ursache ein heftiges Zerwürfnis mit dem Freund – dem ehemaligen Freund, genauer gesagt, Leo Wermelin –, sowie letztendlich Lars Gustav Selén aufgrund einer Scharlacherkrankung.

Er hatte dennoch gepackt und sich reisefertig gemacht. So nahe war er der Sache gekommen. Doch als er die Treppe hinunterging, fiel er Tante Ragnhild vor die Füße, und das entschied alles. Wenn man nicht in der Lage ist, sich auf den Beinen zu halten, dann kann man sich auch nicht auf eine lange Reise begeben.

Er war gepunkteter als ein Marienkäfer. Das Fieber maß 39,9 Grad. Er wurde ins Bett gesteckt. Die Tante marschierte zum Bahnhof und teilte den Schulkameraden mit, dass Lars Gustav Selén ausfiel.

Er wünschte, er würde sterben. Jedes Mal, wenn er aufwachte, war sein Kopf von diesem einzigen Gedanken erfüllt. *Ich möchte sterben.*

Doch meistens schlief er.

Es war Enge August, als er Nisse Hallgren vor Balders Würstchenbude traf. Nachdem das Scharlachfieber vorüber war, war er zu Nilssons Beton zurückgekehrt. Die neue Abmachung besagte, dass er dort bis Ende September arbeiten würde, dann war es an der Zeit, zum Militär bei P10 in Strängnäs einzurücken. Jeden Tag spielte er mit dem Gedanken, sich umzubringen. Er begriff eigentlich selbst nicht, wie es ihm gelang, jeden Morgen aus dem Bett zu kommen. Zu frühstücken, sich aufs Fahrrad zu schwingen und gegen den Wind zur Fabrik zu strampeln. Armierungen, Armierungen, Armierungen. Abends und am Wochenende las er Bücher in seinem Zimmer. Er ging fast nie aus. Er begann eine Art bittere Beobachtungen über die Sinnlosigkeit des Lebens zu schreiben. Schwarze Kotze war die Überschrift.

»Hello, Pal«, sagte Nisse Hallgren. »Wie ist die Lage?«

»Hej«, erwiderte Lars Gustav. »Ihr seid also zurück?«

»Ein Teil«, sagte Nisse Hallgren und zündete sich ein duftendes kleines Stäbchen an, das er hinter dem Ohr getragen hatte. »Du hättest dabei sein sollen.«

Lars Gustav antwortete nicht. Zwei sich widerstreitende Impulse fuhren ihm durch den Kopf. Der eine: Nisse Hallgren eins aufs Maul zu hauen. Der andere: anzufangen zu heulen.

Er tat nichts davon. »Ein Teil?«, fragte er.

»Exactly«, nickte Nisse Hallgren. »Vaffan, Leo und Carla sind geblieben. Die haben es richtig hingekriegt. Sie jobben in einem Pub in Soho, es hat einfach geklappt. Scheiße, du hättest dabei sein sollen, wirklich.«

»Ja, tschau«, sagte Lars Gustav, drehte sich auf den Hacken um und ließ einen leicht verwunderten Nisse Hallgren mit seinem schwelenden Stäbchen vor der Würstchenbude stehen. Es interessierte ihn nicht, dass er fast von einem Auto überfahren worden wäre, als er die Tennisgatan überquerte. Ihn interessierte überhaupt nichts mehr auf der Welt.

Irgendwie gelang es ihm, in den Gökvägen zu kommen. Irgendwie gelang es ihm, die Tante davon zu überzeugen, dass er keinen Abendtee haben wollte, irgendwie gelang es ihm, die Treppe hinaufzugehen, sein Zimmer zu finden und die Tür hinter sich zu schließen.

Dann lag er lang ausgestreckt auf seinem Bett und starrte auf einen wohlbekannten feuchten Fleck oben an der Decke, er war fast das perfekte Abbild der Insel Sansibar vor Afrikas Ostküste, das hatte er bereits in der fünften Klasse mit Hilfe seines Schulatlas festgestellt, und das machte ihm an diesem Abend ebenso wenig Freude, wie es das an allen anderen getan hatte. Doch es unterstrich auf sehr illustrative Art und Weise die Nichtigkeit aller Dinge. Allen Strebens und jeglicher Hoffnung. *Ich glaube an die Sinnlosigkeit des Ganzen und an den unbeabsichtigten Sinn der Details*, wer hatte das gesagt? Dagerman? Lars Gustav Selén glaubte nicht einmal an die Details. Er würde nie nach Sansibar kommen. Er war nicht einmal nach London gekommen. Er würde nie irgendwohin kommen. Der Frühsommer, die Erwartungen und seine Hände auf Carla Carlgrens jungfräulicher Brust, all das war nur der reinste Hohn gewesen. Ein böswilliger, typischer Einblick, damit er begriff, was ihm für den Rest seines Lebens verloren ging.

Diese finsteren Gedanken beschäftigten ihn an diesem Augustabend nach seiner Begegnung mit Nisse Hallgren vor Balders Würstchenbude, und ab und zu, sehr oft im Laufe der späteren Jahre, würde er sich an sie erinnern und darüber nachsinnen, wie genau es doch eingetroffen war. *Zu begreifen, was einem verloren gegangen war.* Viele Jahre zuvor war ein Film gelaufen, im Sagakino in K. und auch sonst im Land, er hieß *Sie tanzte nur einen Sommer*; er hatte ihn nicht gesehen, doch den Titel, den hatte er verstanden. Lars Gustav Selén hatte keinen Sommer getanzt, doch einen Frühsommer lang in seiner Jugend hatte er sich eingebildet, dass er lebte.

Am 1. Oktober ging er zum Militär. Er tat sich nicht hervor, gehorchte den Befehlen, tat seinen Dienst an der Waffe und fand keine neuen Kameraden. Am Wochenende fuhr er heim nach K. oder – vereinzelte Male – nach Håverud. Er hörte nichts von Carla Carlgren oder von sonst einem der Londonfahrer. In der Kaserne des Regiments gab es eine kleine Bibliothek, und eines Abends in November schlug er im siebten Band des Nordischen Familienbuches, Russland bis Snellius, *Scharlachfieber* nach:

(lat. Scarlatina), eine der häufigsten ansteckenden »Kinderkrankheiten«. S. trifft normalerweise Kinder nach dem ersten Lebensjahr, doch in einem Epidemiekrankenhaus rechnet man im Allgemeinen mit ca. 20 % Erwachsenen unter den Scharlachpatienten. S. ist in höchstem Grade ansteckend (auch über Gegenstände), und Ansteckung kann sowohl durch den Speichel als auch durch den Ausschlag geschehen, der der Krankheit den Namen gegeben hat. Wahrscheinlich gibt es Bazillenträger; überstandene Abschuppung nach dem Ausschlag wird als erste Voraussetzung angesehen, um den Kranken aus der Isolierung zu entlassen, die durch die große Ansteckungsgefahr immer nötig ist. Nach einer Inkubationszeit von 1–4 Tagen zeigt sich die Erkrankung normalerweise plötzlich mit starken Allgemeinsymptomen, Fieber und Halsschmerzen, die später oft an Diphtherie erinnern. Die Halslymphknoten können stark angeschwollen sein. Innerhalb eines Tages zeigt sich normalerweise ein allmählich zusammenhängender, feingepunkteter Hautausschlag, der an Brust und Rücken anfängt, sich aber innerhalb der nächsten Tage über den ganzen Körper ausbreitet.

Er schlug auch *Soho* nach, doch da stand nichts. Was etwas merkwürdig war, aber sollte es sich um ein Zeichen handeln, dann konnte er es jedenfalls nicht deuten.

Die Notizen in der Schwarzen Kotze wuchsen im Laufe des Herbstes beträchtlich an, und zum Advent begann er mit seinem dritten dicken Notizheft mit Wachsumschlag, manchmal überlegte er, dass diese Aufzeichnungen eventuell zu dem Buch werden könnten, das er schreiben wollte. Der Entwurf dazu, wenn sonst nichts. Er meldete sich freiwillig zum Dienst für Weihnachten und Silvester, und allein in diesen zwei Wochen bekam er mehr als zwanzig Seiten zusammen.

Außerdem las er viel. Lieh sich Bücher und verstand den Zusammenhang zwischen sich selbst und all diesen fiktiven Menschen, die ihm begegneten, nicht so recht. All diesen Geschichten und diesen Schicksalen. Manchmal meinte er sie bis auf Punkt und Komma zu kennen, Heathcliff wie Raskolnikow oder Madame Bovary, dann erschienen sie ihm wieder so fremd wie die graugrünen, lärmenden und oberflächlichen Stubenkameraden. Aber so waren nun einmal die Verhältnisse, dachte er. *Lars Gustav Seléns Verhältnisse*, er wusste, dass er auf einem schmalen Grat über dem Meer der Geisteskrankheit balancierte.

Aber vielleicht ging es allen Menschen so, auch das dachte er. Vielleicht balancierten sie alle. Nur dass sie es sich nicht anmerken ließen, und wenn man es genauer betrachtete, dann war das eine geschickte Strategie. Jedenfalls war die Literatur gespickt mit Männern und Frauen am Rande des Nervenzusammenbruchs, das konnte jeder feststellen, der sich ein wenig Mühe gab. Auch mit Menschen, die die Grenze überschritten. Menschen in dem sogenannten realen Leben kannte er nicht, weshalb er keine Vergleiche anstellen konnte.

Und wenn es trotz allem einen Gott gab, dann war er jedenfalls der Unbegreiflichste von allen.

39

Das gelbe Notizbuch

Ich kann nicht sagen, warum ich Gelb ausgesucht habe. Später habe ich gedacht, es hätte vielleicht etwas mit dem Schöpferischen zu tun. Dass Gelb die Farbe der Kreativität ist. Des Offenen, der noch unversuchten Möglichkeiten. Der Freiheit und des Sprungs, das jedenfalls behauptet Berenski.

Aber das sind nur nachträgliche Überlegungen. Als ich in dem Papierwarengeschäft auf dem Kudamm in Berlin stand, gingen mir wahrscheinlich derartige Gedanken nicht durch den Kopf. Schwarz hätte allen Überlegungen nach deutlich besser gepasst, wenn ich nach der Tonfarbe der Zusammenfassung gegangen wäre. Dem, was ich schrieb und geschrieben habe, fehlt der Stempel des Schöpferischen. Ich habe das Bedürfnis gespürt, es aufzuzeichnen, diese Jahre in Worte zu fassen, diesen Abschnitt meines Lebens, bevor die Nebel des Vergessens ihn für alle Zeiten unzugänglich machen. Vielleicht gibt es im Leben jedes Menschen einen Abschnitt, ein paar Jahre oder vielleicht nur ein paar Monate, die im Rückspiegel wichtiger erscheinen als all die anderen Jahre und Monate, ich kann mir das vorstellen. Die Absicht, meine persönliche Absicht ist, abzuwägen und abzuschätzen, natürlich, aber nicht jetzt, nicht im Moment des Schreibens, sondern später; wenn diese bleiernen Tage kommen und man dem Tod so nahesteht, dass man nichts anderes mehr zu tun hat, als zu versuchen, zurückzuschauen und zu begreifen. Und dann ist es nur gut, wenn man es in Druckschrift vor sich hat.

Und dieser tiefe, geradezu gesättigte gelbe Farbton hat mir immer schon zugesagt. Er ist ganz einfach schön. Abgeklärt und, wie es mir manchmal erscheint, sogar dreidimensional. Doch ich will nicht von der Farbe dieser festen Umschläge sprechen, bevor ich mich Oxford und der Woodstock Road widme, sondern vom Zweifel. Diesem heimtückischen Gift, das wie die Fäule eine Frucht mitten in ihrer frischesten und lebensbejahenden Schönheit angreift. Nun ja, wieder so eine quälend hinkende Beschreibung. Ich bin nie ein reifer Apfel gewesen.

Nein, also nicht angreifen. Denn er kommt wie ein Dieb in der Nacht, und man merkt erst sehr viel später, was einem gestohlen wurde. Sicher kannte ich das Sprichwort *post coitum omne animal triste est*, die Melancholie, die nach dem vollzogenen Paarungsakt eintritt, nach dem Beischlaf, dem ernsthaften Spiel, oder wie man es nun nennen möchte. Es hat mich sicher auch schon überfallen, bevor ich Carla getroffen habe, seit ich ein praktizierendes Geschlechtswesen bin, wie ich mir vorstellen kann, doch immer nur als leicht bedrückender, stiller Wunsch nach Ruhe, Schlaf und temporärer Auszeit. Gemeinsam mit Carla entwickelte es sich jedoch zu etwas anderem; nicht zu Beginn, auf keinen Fall während des ersten Herbsts der Bläue und Röte – und auch nicht während der Anfangszeiten in Craven Terrace. Es kam später, im Herbst 1970, wie ich glaube, auf jeden Fall dann im Winter; im Rückblick fließen diese Monate ineinander über, das ist unvermeidlich, da unsere Treffen sich jedes Mal so ähnlich waren. Doch ein Bild bleibt mir in der Erinnerung haften, ich liege spät in der Nacht oder ganz früh am Morgen wach im Bett, nachdem wir uns bis zur Atemlosigkeit geliebt haben, ihr Kopf ruht schwer auf meinem Arm, die Tauben und die Fledermäuse murmeln leise auf der anderen Seite der Wand, vor dem Fenster fällt Schnee, sie schläft erschöpft und sicher, mit der Zungenspitze im Mundwinkel, und ich werde von der erste Woge von... Nichtigkeit? überfallen.

Ich kann kaum noch atmen, doch es ist ein Sauerstoffmangel in der Seele, es hat nichts mit Körper, Fleisch oder Lunge zu tun. Hätte ich eine Möglichkeit gefunden, ohne größere Umstände das Leben in diesem Moment zu verlassen, in dieser vollendeten Stunde, in der sich nicht das geringste Bedürfnis zeigte oder ein Handeln erforderte, dann hätte ich sofort zugegriffen. Warum nicht? Was ist es, das mich – das uns – zurückhält? Warum weitermachen?

Allein die Tatsache, dass diese Alternative auftaucht, dass sie sich auf diese Art und Weise darstellt, bedeutet natürlich etwas. Es bedeutet wahrscheinlich, dass diese Fragestellung rhetorisch ist und ihre eigene negative Antwort beinhaltet. Ist das Leben nicht sinnlos? Doch, das ist es natürlich. Kann es jemals besser werden als jetzt? Nein, das kann es natürlich nicht. Wozu soll es dann gut sein, es immer wieder zu wiederholen? Wer erträgt dieses Joch des Lebens...?

Und so weiter.

Dass derartige Gedanken träge in diesen postkoitalen Hafen einsegelten, war schon lange nichts mehr, was mich beunruhigen konnte; das redete ich mir ohne Probleme ein. Doch dann kamen sie zurück, diese Jahre waren die wichtigsten meines Lebens, und vielleicht war es diese Einsicht, die mir zu früh kam. Bereits während sie noch vergingen; es würde nie besser werden als jetzt, und soweit überhaupt eine Weiterentwicklung möglich war, so würde sie gezwungenermaßen zum Schlechteren hinführen. Ich sprach nie mit Carla darüber, behielt meine fruchtlose Westmelancholie für mich (ich bin mir sicher, dass sie es als solche aufgefasst hätte), und eigentlich war sie auch nie existent, wenn wir uns trafen.

Drei, vier Mal im Monat, wie gesagt. Perücke, Mantel, die dunkle Brille... Rotwein, immer italienisch, auch das änderten wir nie, ein wenig Käse, ein bisschen Brot, etwas Obst, selten kochten wir wirklich zusammen, das war nicht nötig. Zigaretten, Berührungen, Hände, Haut, Körper, Geschlecht. Worte; wir müssen viele Worte benutzt haben, aber vielleicht sprachen wir über uns eher als *sie* und *er* und nicht als *du* und *ich*, das stelle ich mir so vor. Wir waren zwei Menschen, die am selben Ufer gestrandet waren, aus unterschiedlichen Welten, und wir suhlten uns in diesem unschuldigen Faktum. In dieser Form sahen wir einander, vom Wind getriebene Figuren aus einem französischen *film noir* oder einem Buch. Wir übernahmen selbst die Rollen, das war ebenso einfach, wie sich in seinem Spiegelbild wiederzuerkennen. Ja, um so etwas in der Art kann es sich gehandelt haben, ich finde natürlich nicht die richtigen Worte, die notwendig wären für eine sinnvolle Beschreibung, doch es herrscht kein Zweifel daran, dass wir beide brillante Schauspieler waren. Und die Reue, die mich von außen überfiel, war nicht mehr als ein außerordentlich milder und hochgezüchteter Virus, der sich sehr lange in meinem Organismus aufhalten konnte, ohne wirklich einen Schaden anzurichten.

Der fallende Schnee, die leisen Tauben und Fledermäuse, ihr Kopf auf meinem Arm und ihr schwerer Schlaf. Zwei vollkommen beliebige Menschen, hatte sie es so nicht einmal bezeichnet? Vielleicht war er nichts als Einbildung, dieser Virus? Warum werden derartige Fragen ständig in unseren nie ruhenden Gehirnen ausgebrütet? Wozu soll das gut sein? Warum können wir uns nicht einfach damit begnügen, wer auch immer zu sein?

Vielleicht war es ja auch einfach nur so, dass der Schwall des Verliebtseins langsam koagulierte, zumindest kann man die Sache auch von diesem Standpunkt aus betrachten. Wenn das Leben plötzlich ohne jede Bewegung und Richtung bleibt, liegt das Unerträgliche auf der Lauer. Die sich liebenden Geschwister am Ende von *Der Mann ohne Eigenschaften*, das ich während dieser Woche in Berlin gerade las. *Horror vacui*, zumindest so eine Art davon. Ja, ich entscheide mich für diese Beschreibung: Als ich anfing, von den gelben Umschlägen zu sprechen, hatte ich die Hoffnung, ich könnte zu einer Art Verständnis für diese Zeit vor der Woodstock Road kommen, doch ich merke, dass alles nur zuschanden geht.

Dennoch möchte ich behaupten, dass mein Bild von Carla sich zwischen September 1968 und Mai 1971 veränderte, nein, nicht das Bild von Carla, sondern das Bild von Carla und Leonard.

So wird es gewesen sein. Wer hat sich etwas anderes eingebildet?

Außerdem wurde es durch die Zeit gefiltert. Und die Taille des Stundenglases wird weder von dem postkoitalen Sauerstoffmangel in Craven Terrace noch von dem, was in Oxford geschah, gebildet, sondern von den späten Stunden in der Wohnung in Prag. Dem unerträglich grauen Aprilnachmittag. Dem Wasserhahn in der Küche, der tropft und tropft. Sehr viel später. Dem versuche ich zu entkommen, nichts anderem. Das ist es, was ich mir von der Seele schreiben will.

Und ich verfälsche meine Beweggründe, die Götter mögen bezeugen, dass dem so ist.

40

Im Juli 1969 wurde er aus dem Militärdienst entlassen und kehrte nach K. zurück.

Zog zurück in sein altes Kinderzimmer, in dem nicht ein Detail verändert worden war. Nicht ein einziges gehäkeltes Deckchen unter hässlichen, handgemalten Schmucktellern aus Porzellan, nicht ein einziges Paar zusammengerollter graublau gemusterter Strümpfe in der dritten Schublade. Tante Ragnhild putzte und wusch. Kochte Essen und nähte Kleider für den Kirchenbasar.

Ein paar Wochen nach Lars Gustavs Rückkehr begann sie jedoch ihr Herz zu spüren. Sie ging zu Doktor Hermansson in der Köpmangatan, der gab ihr eine Schachtel Tabletten und überwies sie weiter ins Krankenhaus für genauere Untersuchungen. Am 3. September nahm sie den Bus dorthin, wurde zur Beobachtung aufgenommen, und zwei Tage später war sie tot.

Sie wurde fünfundsechzig Jahre alt. Lars Gustav seinerseits war erst zwanzig; er erbte zusammen mit Sven Martin beider Elternhaus, das graue Eternithaus mit dem gesamten Inventar. Die Mutter der Jungen erhob keinerlei Anspruch, und es musste ja etwas geschehen. Da Sven Martin Geld brauchte – er hatte ein Mädchen aus der Gegend von Ljungby kennen gelernt und trug sich mit Heiratsgedanken –, beschlossen die Brüder, das Haus zu verkaufen.

Sie bekamen nicht viel für den Schuppen, das hatten sie auch nicht anders erwartet. Was Lars Gustav betraf, so reichte es zumindest für eine Eigentumswohnung in der Regnvädersgatan. Zwei Zimmer und Küche, fast noch Neubau, ein modernes Wohnviertel mit einem Dutzend dreistöckiger roter Ziegelhäuser auf einem flachen, windigen Acker am östlichen Rand der Stadt. Am 1. Januar 1970 zog er dort ein, und vierzig Jahre später wohnte er immer noch dort.

Es kam vor, im Herbst wie auch im Winter, dass er an der Badhusgatan vorbeiging, wo Carla Carlgren vor einer Million von Jahren gewohnt hatte. Er hatte mit ziemlicher Wahrscheinlichkeit ausgerechnet, welches Fenster ihres gewesen sein musste, doch es brannte nie Licht. Ein stummes, schwarzes Fensterrechteck, das war alles, dennoch stand er häufiger dort, auf der anderen Straßenseite im Schutz einer unbeschnittenen Linde und dachte an sie, während er eine Zigarette rauchte. Oder zwei. Er nahm an, dass sie inzwischen in einem Zimmer über dem Pub in Soho wohnte und dass sie jeden Abend nackt mit Leo Wermelin ins Bett ging. Dann liebten sie sich bis zum Morgengrauen. Diesen Gedanken und dieses Bild, das in ihm auftauchte, versuchte er zu bekämpfen und dann doch wieder nicht, und wenn es sich erst einmal festgesetzt hatte, war es fast unmöglich, es wieder loszuwerden. Die alte Idee davon, ein Buch zu schreiben, bekam mit der Zeit auf diese Art einen Bruder: Wenn es ihm nicht gelang, etwas anderes in seinem Leben zustande zu bringen, dann wollte er zumindest Leo Wermelin umbringen. *Der unbeabsichtige Sinn des Details?*

Das hatte er verdient. Er hatte Birgitta Lunner geschwängert, sie zur Abtreibung gezwungen und sie verlassen. Anschließend hatte er die strahlendste Frau von K. und Umgebung verführt und lebte jetzt mit ihr in Unzucht in einem fremden Land. Über einer Kneipe. Lars Gustav war sich sicher, dass sein Vater Teodor dort oben im Himmel zu seinem einfachen Plan zustimmend nickte, dabei aber möglicherweise darauf hinwies, dass ein gewisser Doktor Holmgren immer noch auf der Erde wandelte, als wenn nichts geschehen wäre. Dieser verfluchte Arzt.

Doktor Holmgren ist nicht mein Problem, pflegte Lars Gustav vor sich hin zu murmeln, wenn er in der Herbstfinsternis auf der Badhusgatan stand und zu Carlas schwarzem Fenster hochstarrte. Absolut nicht. Es ist Leo Wermelin, der mein Leben zerstört hat. Er ist es, der mein Opfer werden muss.

Doch durch das Spiel des Schicksals oder der Zufälle wurde er auch um diesen Leckerbissen betrogen. Es war Anfang Mai 1970, ziemlich genau zwei Jahre waren vergangen seit dem Abend im Bett in Carlas Zimmer, und es war bei Nilssons Beton, wo er das erste Mal davon hörte. Er hatte eine Woche nach der Beerdigung der Tante wieder angefangen, dort zu arbeiten, seine Fantasie und sein Lebenswille hatten nicht ausgereicht, um andere Möglichkeiten zu erkunden.

Während der vormittäglichen Kaffeepause, an einem Donnerstag, sagte Olle Nicko:

»Da sind gestern ein paar Jugendliche aus K. in London umgekommen. Kanntest du die?«

Er gab keine Antwort. Hörte auf, sein Käsebrot zu kauen, und betrachtete Nickos finstere Visage.

»Ich dachte, vielleicht kennst du sie ja. Sie waren in deinem Alter.«

Plötzlich hatte er einen Metallgeschmack im Mund, und er spürte, wie ihm etwas kalt über den Rücken lief. Von unten nach oben sonderbarerweise. Gelbe Flecken tauchten am Rande seines Gesichtsfelds auf.

»Wie hießen sie denn?«, wollte Kalle Svensson wissen. »Und was hatten sie in London zu suchen?«

Olle Nicko und Kalle Svensson legten ihre Stirn in Falten und dachten nach. Über welche der beiden Fragen, das war nicht auszumachen, vielleicht auch über keine von beiden. Sie waren beide schon sechzig, hatten gemeinsam bei den Armierungen gearbeitet, so lange es Beton auf der Welt gibt, und das Einzige, was sie während der Pausen diskutierten, das waren Angelmethoden und die Frage, was man denn machen sollte, wenn man das reife Alter erreichte. Das heißt, in Rente ging. Das heißt, abgesehen vom Angeln.

»Das haben sie nicht gesagt«, konstatierte Olle Nicko nach einer Weile. »Ich habe es heute Morgen im Radio gehört. Sie werden wohl zuerst die Familien und so aufsuchen. Aber es waren jedenfalls zwei Jugendliche aus K. In der U-Bahn in London.«

»Ich würde nie im Leben mit so einer U-Bahn fahren«, sagte Kalle Svensson. »Das ist doch klar, dass so etwas schiefgehen muss.«

Die Bestätigung kam am selben Abend per Telefon. Es war Nisse Hallgren, der anrief, er hatte Probleme, die richtigen Worte zu finden, und noch bevor er herausgebracht hatte, worum es eigentlich ging, dachte Lars Gustav, dass so etwas noch nie vorgekommen war. Dass Nisse Hallgren ihn anrief, und allein diese simple Tatsache sagte ihm alles. In einem vergeblichen Versuch, das Unwirkliche noch aufzuhalten, wollte er schon den Hörer wieder auflegen, aber es war bereits zu spät. Alles war bereits zu spät.

»Verdammte Scheiße, hast du gehört?«, fragte Nisse Hallgren. »Leo und Carla sind tot. Sie sind gestern Abend von einer U-Bahn überfahren worden. Verdammte Scheiße.«

Wahrscheinlich überbrachte er noch einige erklärende Informationen, doch hinterher, nachdem das kurze Gespräch beendet war, konnte Lars Gustav sich an nichts anderes als an den Tod und den Namen der U-Bahn-Station erinnern. Covent Garden.

Covent Garden.

Die Beerdigung von Leo Wermelin und Rigmor Carla Carlgren fand in einer gemeinsamen Zeremonie in der schönen Kirche von K. statt, und diese war bis auf den letzten Platz besetzt. Angaben zufolge hatten auch noch Leute in den Gängen und ganz hinten gestanden, und die Tränen flossen reichlich. Zwei Menschen, in der Blüte ihrer Jugend, waren verunglückt und auf grausame, unfassbare Art und Weise aus dem Leben gerissen worden. Ihre Körper waren von einer heranbrausenden Bahn in einem fremden Land zermalmt worden, durch die ungehemmte Sinnlosigkeit des Schicksals und des Todes, und die Flaggen wehten fast überall in K. auf Halbmast, sogar am Rathaus auf dem Marktplatz.

Lars Gustav Selén nahm nicht an der Zeremonie in der Kirche oder an der Beerdigung teil, doch er blieb drei Wochen lang zu Hause, ging nicht zur Arbeit. Eines Abends Mitte Juni saß er in der Bibliothek und las die spärlichen Informationen, die es im vierten Band des Nordischen Familienbuches, Commodus bis Druiden, über Covent Garden gab:

Covent Garden Market, Londons berühmteste Verkaufshalle für Obst, Gemüse und Blumen, genannt nach dem früheren Covent (ursprüngl. convent) garden, dem Kräutergarten der Mönche von Westminster. Gelegen etwas nördlich v. Strand.

Covent Garden Theatre, Theater in London an der Bow Street, neben der Markthalle Covent Garden Market. Gebaut 1732, bis 1847 Theater, dann wurde es zum italienischen Opernhaus (»Royal Italian Opera«). Brannte 1808 und 1856 nieder, wurde 1858 wiederaufgebaut, dabei erweitert, so dass es nun Platz für 3.500 Personen bietet.

Er schrieb den Text in die Schwarze Kotze. Das Abschreiben versetzte ihn in eine zufriedene Ruhe, er fühlte, wie gut es ihm tat, und in diesem Sommer kaufte er sich auch seine erste

Schreibmaschine, ein einfaches Reisemodell der Marke Facit, auf der er langsam und methodisch all seine Aufzeichnungen ins Reine schrieb.

Er saß an seinem Schreibtisch im Wohnzimmer in der Regnvädersgatan und arbeitete daran. Jeden Abend nach der Arbeit bei Nilssons, alle Samstage und Sonntage, den ganzen Spätsommer über, im Herbst und Winter. Durch das Fenster konnte er zwei magere Birken sehen, die den Lauf der Zeit markierten: grün, gelb, nackt. Auf das Fensterbrett vor dem Schreibtisch hatte er drei Dinge gelegt. Das erste war ein gerahmtes Klassenfoto aus dem dritten Jahrgang, er selbst saß auf einem Stuhl in der ersten Reihe, schräg hinter ihm stand Carla. Fast berührten sie sich, ihre Hand lag beinahe auf seiner Schulter. Das Foto war im Mai gemacht worden, nur wenige Tage nach dem Abend in ihrem Zimmer, also war das sicher beabsichtigt so. Sie wollte ihn bewusst berühren, um eine Art Zusammengehörigkeit zu markieren, es war nichts, was einem neutralen Betrachter des Fotos auffallen würde, doch für den Eingeweihten, für ihn selbst, hatte es die größte Bedeutung der Welt.

Das zweite Objekt war auch eingerahmt: ein Zeitungsausschnitt aus der lokalen Zeitung über das U-Bahn-Unglück in London, mit zwei namentlich genannten umgekommenen Jugendlichen. *Leopold Wermelin* und *Rigmor Carlgren.* Es war drei Tage nach dem Unfall veröffentlicht worden, und der Artikel war nur acht Zeilen lang. Er selbst hatte ihn aus der Zeitung ausgeschnitten, einen Rahmen bei Tempo gekauft, das Passepartout war schwarz, genau wie bei dem Schulfoto, beide Rahmen waren aus weißlackiertem Metall.

Das dritte Objekt war eine alte Taschenuhr, die er von seinem Vater geerbt hatte. Oder zumindest übernommen hatte, eine direkte Erbaufteilung zwischen den beiden Brüdern hatte es nie gegeben, da Sven Martin keinerlei Anspruch an irgendetwas außer seinem Anteil am Haus gestellt hatte. Nicht an den gehäkelten Deckchen und nicht an den hässlichen Porzellanschalen. Doch, den alten Schaukelstuhl mit den Schnitzereien, den hatte er aus irgendeinem Grund haben wollen, und den hatte er auch bekommen.

Das Spezielle an der Uhr war, dass sie rückwärtslief. Teodor Selén hatte sie laut eigenen Angaben auf einer seiner Europareisen gekauft, auf der Karlsbrücke in Prag von einem einbeinigen Geiger, der sie wiederum über seine Verbindungen zu der alten russischen Zarenfamilie Romanow bekommen hatte. Die Uhr war eine Zeitlang in Besitz von Rasputin gewesen, und sie war vermutlich mehr als dreihundert Jahre alt, dass sie rückwärtslief, war ein Zeichen dafür, dass sie göttlich war, denn genau das war Gottes Auffassung von dieser Welt: von der anderen Seite aus, mit dem Anfang im Weltuntergang und dem Ende im Paradies Eden – und wenn wir Menschen, wir armen Seelen, ohne Hoffnung und Anleitung ebenfalls lernen könnten, in diese Richtung zu reisen, vom Tod zur Geburt, dann würden auch wir die Herrlichkeit der Erde erfassen und alles, was zwischen Abend und Morgen geschieht, in einem klareren Licht sehen. Das war das Geheimnis. Als Junge war es Lars Gustav schwergefallen, diese Überlegungen zu verstehen, doch je älter er wurde, umso mehr Weisheit schien ihm in ihnen zu stecken. Rückwärts zu leben. Zumindest rückwärts zu denken.

Und er las und schrieb. Schrieb und las.

Im April 1971 ereilte Lars Gustav Selén an seinem Arbeitsplatz, bei Nilssons Beton AG, ein Unglück. Eine schwere Metallschiene löste sich von einem Hebekran und traf ihn auf Schulter und Rücken, er erlitt diverse Fleischwunden, ein gebrochenes Schlüsselbein sowie eine Knochenverschiebung. Die Krankschreibung ging über sechs Wochen. Hinterher wurde er sowohl vom Amtsarzt Petronius-Häger als auch von Doktor Hermansson in der Köpmangatan als nicht mehr in der Lage betrachtet,

die schwere, körperlich fordernde Arbeit der Armierung fortzusetzen, die Arbeitsvermittlung bot ihm eine Umschulung an,
und im Herbst trat er seine Stelle als Fahrer bei Lindegrens Taxi
in K. an. Dort wurde ein weiterer Fahrer gebraucht, weil der
Gründer, Valdemar Lindegren, mit einem mopedfahrenden frei-
kirchlichen Prediger zusammengestoßen und anschließend in
Pension gegangen war.

Damit waren die meisten wesentlichen Ereignisse in Lars
Gustav Seléns Leben eingetroffen. Doch er hatte noch neununddreißig Jahre seines Lebens vor sich.

41

Das gelbe Notizbuch

Oxford, der 7. Juni 1971, um halb neun Uhr morgens.

Der Zug von Paddington fährt in den Bahnhof ein. Mein Auftrag ist einfach; das habe ich mir zumindest gutgläubig, wie ich bin, eingeredet. Ich soll eine Person mit dem Decknamen Maddox in einem Haus in der Woodstock Road treffen. Ich soll dem Mann ein Dokument in einem Ordner übergeben, und wenn ich das getan habe, soll ich den Zug zurück nach London nehmen. Das Problem dabei ist, dass ich beschattet werde, und ich soll zusehen, dass der Schatten mich nicht verliert.

Wozu das dienen soll, welche höheren und edleren Ziele ein derartiges Spiel verfolgt, davon habe ich keine Ahnung. Ich habe den Ordner in meiner Tasche, meiner alten, üblichen für Armeedepeschen von besonderer Bedeutung, und ich nehme mir viel Zeit, sowohl auf dem Bahnsteig als auch im Bahnhofsgebäude. Ich kaufe eine Zeitung und ein Päckchen Zigaretten. Es ist mir nicht aufgefallen, dass mich jemand während der Fahrt von Paddington beschattet hat, aber ich habe auch keine große Mühe darauf verwendet, es zu bemerken. Es ist natürlich nicht Sinn der Sache, dass mein Verfolger bemerkt, dass ich von seiner Existenz weiß, und vielleicht handelt es sich ja auch um jemanden, der auf mich hier in Oxford wartet. Es gibt eine unendliche Anzahl von Varianten in der Welt des Beschattens.

Es ist ein strahlend schöner Frühsommermorgen, und gemäß

meinen Anweisungen spaziere ich den ganzen Weg vom Bahnhof über die Hythe Bridge und weiter Richtung Norden zur Woodstock Road. Es ist nicht das erste Mal, dass ich in Oxford bin, ganz und gar nicht. Viele der Obstbäume stehen noch in Blüte, es war ein später Frühling, und mir kommt das Gedicht von Robert Browning in den Sinn:

The year's at the spring
And day's at the morn
Morning's at seven
The hillside's dew-pearled

The lark's on the wing
The snail's on the thorn
God's in his heaven
All's right with the world

Es ist wirklich so ein Morgen, auch wenn mein Spaziergang nicht durch Gottes freie Natur führt, sondern durch das klassische Oxford. Ich komme vorbei an Ashmolean, St. John's und Somerville, und in meinem Kopf leistet natürlich Carla Browning Gesellschaft. Das tut sie immer, mehr oder weniger in jeder wachen Stunde, doch an diesem wunderschönen Tag scheint sie besonders präsent zu sein. *All's right with the world,* und Carla ist der Grund dafür. Alle Anzeichen von Zweifel, über die ich früher geschrieben habe, existieren nicht einmal mehr im Ansatz.

Aber auch keine Spur meines Verfolgers. Zumindest gelingt es mir nicht, ihn (oder sie?) bei einer der wenigen Gelegenheiten, bei denen ich einen vorsichtigen Blick nach hinten werfen kann, zu entdecken. Die Adresse, die ich ansteuere, liegt ziemlich weit hinten auf der Woodstock Road, Nummer 171, und nachdem ich diese langgestreckte Straße betreten habe, die auf beiden Seiten von luxuriösen Privathäusern in üppigen, ansehnlichen Gärten begrenzt wird, und sie entlanggehe, beginne ich nach einer Weile, Unrat zu wittern. Ich bleibe stehen, um mir den Schuh zuzubinden, mit einem Fuß auf einer niedrigen Mauer, und ich sehe nicht einen einzigen Menschen in der Richtung, aus der ich komme. Es gibt auch so gut wie keinen Autoverkehr hier, sollte mir also wirklich ein Schatten auf den Fersen sein, dann muss es sich um einen richtigen Profi handeln. Außerdem muss ich feststellen, dass meine Instruktionen – die ich in einem zugeklebten Umschlag in der Badeanstalt im Porchester Centre zusammen mit dem Dokument entgegengenommen habe – nicht so eindeutig sind: auf der einen Seite soll ich darauf achten, beschattet zu werden, auf der anderen Seite nicht verraten, dass ich es weiß. Das ist zweifellos etwas paradox.

Ich schnüre auch noch den anderen Schuh, richte mich auf, simuliere eine Weile Nachdenklichkeit, während ich in die Sonne blinzle und mir eine Zigarette anzünde. Dann setze ich meinen Weg auf dem Bürgersteig in langsamem – aber nicht übertrieben langsamem – Tempo fort. Werfe noch zwei, drei Blicke über die Schulter, bis ich bei Nummer 171 angekommen bin, aber immer noch kann ich nichts entdecken, was darauf hindeuten könnte, dass ich verfolgt werde. Ich zögere einen Moment, dann drücke ich die Klinke hinunter und öffne das Eisentor, folge dem gepflasterten Weg bis zum Eingang des großen, rotbraunen Klinkergebäudes. Die Haustür ist aus dunklem Holz, Eiche oder Teak, wie ich denke, mit einem schweren Eisenklopfer in Form einer Löwentatze. Vielleicht ist es auch ein Tiger, ich bin nicht gut in großen Raubtieren. Hohe, in Blei gefasste Fenster auf allen Seiten; üppige grüne Ranken, die ungehemmt die Wände hochklettern und bis übers Dach reichen. Es sieht aus wie der Prototyp eines Professorenhauses, ich wäre nicht verwundert, wenn C.S. Lewis persönlich mir die Tür öffnete. Doch der ist ja tot, starb am selben Tag wie John F. Kennedy, wenn ich mich nicht irre.

Es ist nicht C.S. Lewis, der öffnet. Es ist eine sehr kleine Frau; sie sieht aus, als käme sie direkt aus einem Märchenbuch. Sie nickt verhalten, als wäre ich erwartet, aber nicht besonders erwünscht, und gibt mir mit einem Zeichen zu verstehen, dass ich mich auf einen wuchtigen Ledersessel setzen soll, der neben einem gemauerten Kamin in der dunklen Halle steht. Ich lasse mich nieder, die Frau verschwindet weiter hinten im Haus, und ich schaue mich um. Brusthohe braune Holztäfelung, drei sorgfältig verschlossene Türen, dunkel gemusterte Tapete, Bügel mit einigen Jacken, Hüte, ein Schirmständer, zwei Paar Männerschuhe und ein Paar altmodische Überschuhe. An der Wand gegenüber dem Kamin hängt ein großes, goldgerahmtes Bild, mindestens ein mal ein Meter groß, es stellt einen toten Schwan im Schilf an einem zugefrorenen See dar. Ich kann mir nur schwer einen größeren Kontrast zu dem Sommermorgen vorstellen, den ich gerade verlassen habe, als diesen Schwan mit gebrochenem Hals in dieser finsteren Halle. *Something's not right with the world.* Von irgendwoher im Haus ist leise Klaviermusik zu hören. Chopin, wie ich denke.

Eine Weile später wachte ich in einem Bett in einem deutlich helleren Raum auf. Großzügig strömte das Tageslicht durch ein geöffnetes Doppelfenster herein, von meiner Position aus konnte ich Teile des blauen Himmels hinter der üppigen Baumkrone einer Kastanie sehen. Ich nahm an, dass ich mich in einem Zimmer zum Hof hin befand, aber mir kam auch der Gedanke, ich könnte mich in einem Bett in einem ganz anderen Haus befinden als in dem, das ich in der Woodstock Road betreten hatte. Meine Erinnerung endete mit dem Bild, als ich dasaß und den toten Schwan neben dem zugefrorenen See betrachtete, das Ganze zu Klängen von Chopin, wenn es denn tatsächlich Chopin war, und bevor ich verwirrt auf meine Armbanduhr schaute, hatte ich absolut keine Ahnung, wie viel Zeit seitdem vergangen war.

Halb elf. Also nicht mehr als eine Stunde. Der Mann, der auf einem Stuhl an einem runden Tisch saß und den *Guardian* las, bemerkte, dass ich aufgewacht war; er faltete seine Zeitung zusammen und musterte mich mit ernstem Blick. Wie beim letzten Mal trug er einen dunklen Anzug und ein weißes, offenes Hemd. Seine unverkennbare Autorität und sein tätowierter Käfer waren auch gleich, doch die offensichtliche Aura beherrschter Feindseligkeit, die er ausstrahlte, war neu.

Neu und beunruhigend. Das erste Gefühl, das in meinem trägen Kopf auftauchte, nachdem ich die Zeit kontrolliert hatte, war eine instinktive Angst. Etwas war schiefgelaufen, auf irgendeine Art und Weise war ich schuld an diesem Misslingen, und ich fühlte mich ihm auf Gedeih und Verderb ausgeliefert. Er musste ja beispielsweise dafür gesorgt haben, dass ich einschlief, während ich vor diesem traurigen Schwan saß, und allein das genügte, um Befürchtungen zu erwecken. Es genügte.

Vielleicht wartete er ab, um mir Zeit zu geben, diese Vermutungen zu durchdenken, ich weiß es nicht. Er trank einen Schluck Wasser aus einem Glas auf dem Tisch und räusperte sich.

»Nicht besonders geglückt«, sagte er in einem tiefen, gedämpften Tonfall. »Überhaupt nicht geglückt, wenn man es genau nehmen will.«

Ich versuchte zu antworten, doch meine Kehle war staubtrocken, es kam nur ein leises Zischen aus meinem Mund. Er goss Wasser in ein zweites Glas und reichte es mir. Ich nahm es entgegen, merkte, dass meine Hände zitterten, mein Körper fühlte sich immer noch wackelig an, doch es gelang mir, mich aufzusetzen und einige Schlucke zu trinken.

»Danke.«

»Bitte.«

»Maddox?«, erinnerte ich mich. »Ich sollte ...«

Er hob abwehrend die Hand, und ich verstummte.

»Hier gibt es keinen Maddox. Was hast du mit deinem Schatten gemacht?«

»Ich ... ich habe nie einen Schatten bemerkt.«

Seine Augen wurden schmal wie zwei Rasierklingen, und er berührte kurz mit einem Mittelfinger den Käfer. »Dein Schatten saß von Paddington bis Oxford im selben Wagen wie du. Er stieg fünf Sekunden nach dir aus. Was ist mit ihm passiert?«

»Ich weiß es nicht. Ich habe ihn nie bemerkt.«

»Nie bemerkt?«

»Nein, ich dachte ...«

»Es interessiert uns nicht, was du gedacht hast. Aber es interessiert uns, dass du lügst.«

»Ich lüge nicht. Warum sollte ich?«

»Du stehst in Verbindung zu einer gewissen Frau in London, nicht wahr?«

»Ich verstehe nicht, was ...«

Ich verstummte. Eine neue Art von Angst überfiel mich. Das Verschwinden meines Schattens war eine Sache; ich fühlte mich in keiner Weise daran schuld, aber dass diese Tatsache meine Beziehung zu Carla beeinflussen sollte, das war etwas anderes. Es kam wie eine plötzliche, dunkle Einsicht, eine sich blitzschnell auftürmende Wolkenbank am klaren Himmel, diesem hellblauen, unschuldigen Oxfordhimmel, den ich zwischen dem Kastanienlaub vor dem Fenster erahnen konnte, und es verblüffte mich. Ließ mich kapitulieren.

»Das muss aufhören.«

Ich brachte kein Wort heraus. Er fuhr sich mit der Zungenspitze über die Lippen, ich dachte daran, wie er sich letztes Mal genannt hatte, und das Bild eines Wolfs, der soeben seine Beute erlegt hatte und sich jetzt darauf vorbereitete, sie mit den Zähnen zu zerreißen, erschien folgerichtig als Projektion in meinem Kopf. Doch dann lehnte er sich zurück, eine plötzliche Sättigung schien im Wolf aufzusteigen, eine Verachtung gegenüber dem unansehnlichen, sicher ungenießbaren Tier, das er gerade getötet hatte. Nicht der Ansatz eines Löwen.

»Du darfst dir keine weiteren Fehler leisten. Und wenn deine Beziehung zu dieser Frau nicht augenblicklich beendet wird, dann werden wir Maßnahmen ergreifen. Wir haben keine Zeit für Mitleid.«

»Ich...«

»Weder mit dir noch mit ihr.«

Ich schluckte und jagte den Wunschgedanken zum Teufel, ich säße immer noch in der Halle, träumte und wäre immer noch nicht wieder aufgewacht. Doch der Mann mir gegenüber bestand viel zu real aus Fleisch und Blut, um nur eine Chimäre zu sein. Ich setzte mich auf die Bettkante und wurde von Kopfschmerzen überfallen. Vermutete, dass es daran lag, dass ich betäubt worden war, natürlich hatte ich immer noch die Droge im Körper, meine Arme und Beine fühlten sich schlaftrunken und bleischwer an.

»Verschwinde. Hedda zeigt dir den Ausgang.«

Er warf mir meinen leeren Stoffbeutel zu. Ich kam auf wacklige Füße.

»Du wirst keine weiteren Warnungen erhalten.«

»Es tut mir leid.«

Er antwortete nicht. Nahm die Zeitung hoch und las weiter, als wäre nichts von Belang geschehen.

Zweieinhalb Stunden später stieg ich an der Paddington Station aus dem Zug. Es war immer noch ein schöner Frühsommertag, doch das registrierte ich nicht. Während der gesamten Rückfahrt hatte ich nichts registriert, hatte eingezwängt und verschwitzt in dem überfüllten Zug gesessen und mich gegen meinen Willen wach gehalten. Etwas war schiefgelaufen, ich wusste nicht, was, und nicht, wie; nur dass es so war und dass es nicht wiedergutzumachen war. Ich trottete auf zittrigen Beinen heim nach Craven Terrace, trank ein Glas Weißwein und ein Glas Wasser und schlief ein.

Um halb elf Uhr abends wachte ich auf, und jetzt war ich endlich wieder klar im Kopf. Was ein schwacher Trost in dem Zusammenhang war; als ich versuchte, die Ereignisse des Tages noch einmal Revue passieren zu lassen, erschien mir der gesamte Verlauf vollkommen unbegreiflich, doch ich begriff zumindest, dass mein Unwissen seine Wurzeln hatte. Ein Spielstein, der nichts von den Regeln des Spiels weiß, kann ja wohl kaum erwarten, einen Überblick über die Strategien und entscheidenden Beschlüsse zu bekommen. So ein Spielstein kann nur sich selbst die Schuld geben.

Und meine Sehnsucht nach Carla war zurück auf Feld eins.

Meine lebensgefährliche Sehnsucht. Was beinhaltete die Drohung, dass unsere Beziehung ein Ende haben müsste? Durften wir uns nicht mehr treffen? War alles vorbei? Hatte Carla die gleiche bedrohliche Information erhalten, und wie würde sie in diesem Fall reagieren?

Ich ahnte die Antwort. Meine Möglichkeiten, Kontakt zu ihr aufzunehmen, waren außerdem sehr begrenzt; ich wusste ungefähr, wo sie draußen in Hammersmith wohnte, und ich wusste, wo die Botschaft der Tschechoslowakei lag. Doch was würde das nach sich ziehen, wenn ich versuchte, sie an einem der Punkte zu erreichen?

Es sei denn, sie würde Kontakt zu mir aufnehmen, aber es sprach sehr viel dafür, dass sie das nicht tun würde.

Wieder lag ich schlaflos da mit meinen Fledermäusen, meinen Tauben und meiner Frustration. Die Zeilen von Browning erschienen mir wie ein Hohngelächter aus der Unterwelt.

42

Korrektur: Damit waren die meisten wesentlichen Ereignisse in Lars Gustav Seléns *äußerem* Leben eingetroffen.

Denn es gab auch noch ein inneres. Ein inneres, wachsendes Leben; während die Umwelt, penetrante und streitlustig, fordernd, lästig und nervend, penetrante Arbeitskollegen, Nordwind, mürrische oder unverschämte Nachbarn in der Waschküche, Taxifahrgäste, alte Schulfreunde, mürrische Kassiererinnen, eingetrocknete gelbe Käserinnen und Leute im Allgemeinen, ja, während diese stets quirlige Umgebung zu einem Juckreiz und einem Fieber, zu einer unerträglichen Ödnis wurde, während der Wahnsinn hinter der Ecke lauerte, während seine Sinneseindrücke nach nichts anderem als Staubflusen und abgestandenem Schweiß und vielleicht noch nach eingetrocknetem Blut rochen, während all diese Dinge wie unruhige, unerbittliche Wellen auf das nackte Individuum am Strand schlugen, gab es nur einen Fluchtweg und eine Möglichkeit zum Rückzug: die innere Landschaft. Dieses weitgestreckte Land der Dämmerung ohne äußere Grenzen, in dem jeder Mensch, wenn er nur will und sich Mühe gibt, Asyl und die Freiheit findet, in dem Takt und in die Richtung zu gehen, die er selbst für sich wählt. Oder einfach nur still zu sitzen. So ist es. Oder so kann es zumindest erscheinen, man möchte es sich gern einbilden, doch davon später mehr.

Es gibt zwei Sorten von Taxifahrern, das ist eine bekannte

Tatsache: die Redseligen und die Schweigsamen. Lars Gustav Selén gehörte von Anfang an – von diesem merkwürdig lang-gezogenen heißen Herbst 1971 an, in dem das erste Kernkraft-werk des Landes in Betrieb ging und in dem Birgit Nilsson vor 10.000 begeisterten Zuhörern in Göteborg die Aida sang – zu Letzteren. Er sagte nie ein Wort zu viel. Wenn der Kunde re-den wollte, erstarb das Gespräch innerhalb einer Minute. Mit Lars Gustav Selén zu diskutieren, das war, wie mit einer Wand zu reden oder mit einem Tauben. Stammkunden wussten von der Sinnlosigkeit des Versuchs, eine Konversation anzufangen, neue lernten es bald. Worte, die keinen anderen Worten begeg-nen, verstummen aus Scheu und Scham. So ist es nun einmal.

Auch mit den Arbeitskollegen, Bergman, dem jungen Linde-gren und Alexandersson redete er nicht. Nicht mehr, als un-bedingt nötig war. Sie hatten einen Unterstand am Bahnhof; Alexandersson und Bergman spielten dort Karten oder legten Patiencen, der junge Lindegren blätterte lustlos und verschlafen in Zeitschriften wie *Lektüre* oder *FIB Aktuell*. Selén las Bücher, seine innere Welt wuchs.

Der junge Lindegren und Alexandersson blieben bis Ende der Achtziger, Bergman ging 1995 in Pension. Es kamen andere, einmal sogar eine Frau, aber das währte nur kurz. Sie hieß Pet-terson mit nur einem s, kam aus Mora und war frisch geschie-den. Vielleicht hatte sie ja eine Affäre mit Bergman. Anfang des neuen Jahrhunderts hießen die Fahrer Hansson, Rumbowsky und Lund. Und Selén.

Neue Autos gab es auch. Immer Volvos, so war es schon seit den Fünfzigern. Irgendwann war es der junge Lindegren, dem die Firma gehörte, aber da fuhr er nicht mehr selbst. Höchstens ausnahmsweise, wenn mindestens zwei der vier üblichen Fahrer Grippe hatten oder anderweitig verhindert waren.

Die Arbeitszeiten variierten, Lars Gustav Selén war es gleich, wann er fuhr. Morgens, tagsüber oder abends. Zwischen Mitternacht und sechs Uhr morgens waren keine Autos unterwegs. Wenn Leute mitten in der Nacht fahren wollten, mussten sie anrufen und mindestens eine Stunde warten. Oder im Voraus bestellen. So war es immer schon gewesen.

Wenn er nicht Taxi fuhr, las er oder schrieb. Schrieb und las. Lieh sich Bücher in der Bibliothek in der Kvarngatan aus; in der alten und später in der neuen. Er war der treueste Entleiher der Stadt, wechselte aber nie auch nur ein Wort mit dem Personal. Jede Woche acht, zehn Bücher jeweils, so viele passten in seine alte Aktentasche, die sein Vater, der Lügner und Bahnhofsvorsteher Teodor Selén, 1947 für ein Butterbrot und ein Ei im Hafenviertel von Marseille erstanden hatte. Oder war es ein Jahr früher? Echtes französisches Leder.

Meistens verschlang Lars Gustav Romane, ab und zu ein historisches Werk oder etwas Psychologisches. Es kam vor, dass er bei Prawitz, dem Buchhändler am Markt, einkaufte, aber nicht oft. Nur ausnahmsweise zu Weihnachten oder vor dem Urlaub. Obwohl er fast hundert Bücher im Jahr las, bestand seine eigene Bibliothek Anfang 2010 aus nicht mehr als ungefähr 250 Exemplaren.

Dagegen näherte sich die Zahl der schwarzen Notizhefte und der vollgeschriebenen Seiten dem Unendlichen. Die Hefte wurden sowohl in Kartons aufbewahrt als auch in Stapeln im Bücherregal, das über zweieinhalb Wände im Wohnzimmer lief. Ältere Jahrgänge lagen im Flur und im Kellerverschlag. Und das meiste war vollgeschrieben; seit 2004 auf dem Computer, trotzdem war die alte *Facit Privat* noch in Gebrauch. Wenn es einmal abgeschrieben war, las er es nie wieder, lochte die Seiten und sammelte sie in Ordnern, sorgfältig mit der Jahreszahl auf dem Rücken beschriftet. Nichts sonst, nur die Entstehungszeit: *April 1974 – November 1975. Dezember 1980 – Februar 1982. Juni 2000 – Oktober 2001.* Und so weiter. Gut ein Jahr, gut 300 Seiten in jedem Ordner, er blieb im Rhythmus. Wort wurde auf Wort gelegt, Seite auf Seite, Jahr auf Jahr. Niemand las das Geschriebene, niemals.

Einmal, bei einer Gelegenheit, schickte er eine Novelle an das Literaturmagazin von Bonniers. Sie trug den Titel: »Junge Frauen kaufen rote Schuhe«. Er benutzte das Pseudonym Hjalmar Dagerberg, die Novelle wurde nie gedruckt. Zumindest nicht in den vier Jahren, in denen er die Sache in der Zeitschriftenabteilung der Stadtbibliothek kontrollierte. Er bekam auch nie das Manuskript zurück, aber er hatte ja auch keinen Absender angegeben.

Bis 1984 besaß er einen funktionstüchtigen Fernsehapparat, doch als die Bildröhre an einem saukalten Januarabend durchbrannte, schaffte er sich keinen neuen an. Es wurde ja meistens doch nur Mist gezeigt, und eine Verbesserung schien nicht in Sicht zu sein. So war es nun einmal.

Zwei weitere Ereignisse in Lars Gustav Seléns nach außen sichtbarem Leben verdienen es, erwähnt zu werden, bevor wir im Sommer und Herbst 2010 ankommen. Das erste ist sein missglückter Versuch, sich im Mai 1973 das Leben zu nehmen, auch wenn ein Selbstmordversuch eher ins Innere als ins Äußere gehört. Es geschah am fünften Jahrestag des Abends in Carlas Zimmer, ein regenfeuchter und zweifellos düsterer Abend, obwohl doch Frühling und Frühsommer in den Startlöchern hätten stehen sollen. Nachdem er um sieben Uhr seine Arbeit beendet hatte, machte er einen Spaziergang zur Badhusgatan, blieb dort eine Weile gegen die noch nicht ausgeschlagene Linde gelehnt stehen und schaute zu ihrem Fenster hinauf. Es war wie immer dunkel da drinnen, ihre Mutter war ausgezogen, und seit letztem Jahr wurde die Wohnung von Leuten namens Bogren bewohnt. Nach allem zu urteilen wurde Carlas altes Zimmer nur selten benutzt, es war dort nie ein Zeichen von Leben zu sehen. Und ausgerechnet an diesem Abend merkte Lars Gustav, dass es ihm schwerfiel, die Erinnerungsbilder aufzurufen, das war ungewöhnlich, normalerweise stand er mindestens zweimal im Monat da, rauchte eine Zigarette, und wenn er die Augen halb schloss und seinen Blick sozusagen nach innen richtete, konnte er meistens problemlos zurück in dieses Zimmer und diese Stunden wandern. Ohne die geringste Anstrengung – ihre Lippen, ihr Körper, ihre Hand über seinem Penis und all das –, doch als jetzt die Erinnerungsbilder ausblieben, wurde er von einem Gefühl unsäglicher Leere überschwemmt. Er dachte, vielleicht wollte sie sich zurückziehen, vielleicht wollte sie ihn für immer verlassen und in den kalten, hoffnungslosen Gefilden des Todes für immer verschwinden, und sicher waren es diese düsteren Gedanken, die ihn dazu brachten, später am Abend alles, was er in seinem Apothekenschrank fand, in sich hineinzuschütten.

Das war alles Mögliche, und er spülte es mit einem halben Wasserglas Whisky hinunter. Das Ergebnis war jedoch nicht das gewünschte. Stattdessen ereilten ihn Erbrechen und Magenkrämpfe, die so heftig waren, dass er sich nicht beherrschen konnte. Er lag zuckend auf seinem kariert gemusterten Badezimmerboden und schrie vor Schmerzen, und da er vergessen hatte, die Tür abzuschließen, waren bald seine Nachbarn bei ihm. Sie hießen Kalmander, die Frau war Krankenschwester, und sie rief sofort einen Krankenwagen.

Zwei Tage später war Lars Gustav Selén wiederhergestellt. Dass seine Krankentage auf einem Selbstmordversuch beruhten, erfuhr nie jemand. Weder jemand in der Taxischlange am Bahnhof noch sonst einer, nur im Krankenblatt gab es darüber eine Notiz. Er bekam eine Therapeutin, eine Frau namens Madeleine, die der Schweigepflicht unterlag, sie trafen sich mehr als ein Jahr lang einmal die Woche, und sie sollte in seinem inneren Leben eine gewisse Rolle spielen.

Während seines Urlaubs im folgenden Jahr, im Sommer 1974, unternahm Lars Gustav Selén die erste etwas umfangreichere Reise seines Lebens. Er flog nach London und verbrachte vier Wochen in dieser brodelnden Stadt, und in dieser Zeit legte er den Grundstein für den Roman, an dem er viele, viele Jahre arbeiten sollte. Er wuchs sehr umständlich heran, parallel zu seinem übrigen Schreiben und Lesen, Lars Gustav war genau mit den Worten und der Komposition, schrieb um, korrigierte, änderte die Namen der Figuren, änderte Tempus und Erzählerperspektive und hatte insgesamt das Gefühl, dass dieses Projekt, dieser Londonroman, ihm eine legitime Entschuldigung dafür gab, weiterzuleben und einen Platz auf diesem blaugrünen, doch überbevölkerten Planeten einzunehmen. Er hatte nicht den Anspruch, jemals mit der Arbeit fertig zu werden, zumindest nicht, bis er spüren würde, dass der Tod ihm in den Nacken blies, und es kam immer wieder vor, dass das Manuskript Monate, ja ein Vierteljahr lang liegen blieb, ohne dass er sich die Mühe machte, damit weiterzukommen. Doch gewisse Erzählungen sind so, sie lassen sich nicht bearbeiten und in die Hand nehmen zu jeder Zeit oder Unzeit, was er langsam merkte und verstand, der Erzähler lenkt den Leser, doch die Erzählung lenkt den Erzähler. Besonders nachdem er im Frühling 2006 in den lethargischen Zustand eines Frührentners übergegangen war, kristallisierte sich diese Erkenntnis heraus und erforderte Aktion. Was das innere Leben betraf, so bedeutete dieser Zeitpunkt zweifellos einen Wendepunkt.

Es war im Herbst 2004 und im darauffolgenden Winter, dass Lars Gustav Selén immer häufiger Probleme mit dem Rücken bekam. Er schien sich zu versteifen, und an gewissen Tagen schaffte er es nach beendeter Schicht kaum aus dem Auto. War gezwungen, sich mit beiden Händen am Wagendach festzuhalten, um sich hoch- und hinauszuziehen. Dann blieb er mehrere Minuten gekrümmt stehen, bevor er langsam wagte, sich aufzurichten. Es tat höllisch weh, manchmal war es genauso schlimm, wenn er morgens aus dem Bett wollte. Die Schmerzen lagen in den unteren Wirbeln, nicht an dem Punkt, an dem er vor fünfunddreißig Jahren von dem Stahlarm getroffen worden war, doch wahrscheinlich hing es damit zusammen. Das war zumindest die Vermutung des neuen Arztes in der Köpmangatan, Doktor Markovic. Und offensichtlich waren die Spezialisten im Landeskrankenhaus der gleichen Meinung, denn nach einigen ergebnislosen Behandlungen mit Laser, Massage und Akupunktur und allen möglichen anderen Dingen war man sich im März 2006 einig, dass es nun genug war. Lars Gustav Selén war 58 Jahre alt und mit dem Arbeitsleben fertig.

Er brachte eine Prinzessinnentorte zur Taxischlange, bekam eine Topfpflanze und marschierte mit seinem schiefen Rücken zu Fuß nach Hause. Es schneite. Die Topfpflanze erfror. Das war's.

43

Das gelbe Notizbuch

Eine Woche verging.

Zwei Wochen. Ich hörte nichts von Carla. Auch sonst von niemandem, schon gar nicht von Wolf. Wofür ich nur dankbar war, es kam vor, dass ich Albträume von ihm hatte, auch wenn ich nachts wahrlich nicht viele Stunden schlief. Manchmal gar keine. Der August wurde zum September; ich fuhr zum Antiquariat in der Hogarth Road, wo ein Zettel am Fenster klebte, wonach man wegen Krankheit bis auf weiteres geschlossen hatte. In der Badeanstalt im Porchester Centre, das ich zwei Abende die Woche aufsuchte, wurde auch kein Kontakt zu mir aufgenommen, und niemand fiel mir auf. Keine Nachricht war in meinen Kleiderspind geschoben worden. Nichts. Meine Frustration erschien mir langsam wie eine chronische Krankheit. Ein mentaler Juckreiz, mit dem ich morgens aufstand und abends zu Bett ging. Der mich auch tagsüber zwischen den Regalen bei Foyle's im Griff hatte.

Ich spielte mit dem Gedanken, Carla aufzusuchen. Auf irgendeine Weise Kontakt mit ihr aufzunehmen; in der Nähe ihrer Wohnung, wenn sie auf dem Weg zu oder von ihrer Arbeit in der Botschaft war, das wäre die einfachste Möglichkeit gewesen, aber ich beschloss, damit noch zu warten. Jeden Tag beschloss ich, noch zu warten. Es war zu gefährlich, wie ich mir einredete, es war höchstwahrscheinlich, dass man sie bewachte – dass *jemand* sie bewachte –, und vielleicht hatte man mich auch im Blick. Ich wusste nicht, wer *jemand* oder *man* war, welche Kräfte dahintersteckten, aber ich hatte Wolfs Worte noch in guter Erinnerung, und irgendwie hatte ich immer dieses unscharfe Bild dieser unschuldigen kleinen Familie in Prag vor Augen. Die Schwester, der nüchterne Schwager und Klein Bobik. *Geiseln,* genau darum ging es. Sehr viel deutlicher verstand ich jetzt, wie es ist, diese Repression im Blut zu spüren, dem System ausgeliefert zu sein, der unsichtbaren, doch überall anwesenden Gewalt. Dass Wolf etwas Böses repräsentierte – wenn auch in größerem Zusammenhang –, schien äußerst logisch, doch in welcher Art dadurch Carlas Position definiert wurde, davon konnte ich mir keinen Begriff machen. Manchmal hatte ich das Gefühl, dass meine verbotene Beziehung zu ihr gar nichts mit Politik, Geheimdiensten und Spionage zu tun hatte, mit Ost gegen West, Eisernen Vorhängen und einem Sozialismus ohne menschliches Antlitz, sondern dass es um eine ganz andere Ebene ging. Eine persönlichere Ebene; konnten Wolf und Carla eine Affäre gehabt haben, bevor ich ins Bild kam? Konnten sie ein Liebespaar gewesen sein? Geradeheraus gesagt. Als wir das erste Mal zusammen waren, hatte sie von einer früheren, beendeten Beziehung erzählt, daran erinnerte ich mich; wir hatten es nie wieder erwähnt, und es fiel mir schwer, mir vorzustellen, dass es sich um einen Mann wie Wolf gehandelt haben könnte. Aber natürlich, es hatte andere Männer in ihrem Leben gegeben, vielleicht sogar viele, warum nicht? Und jetzt? Wie war es heute? Woher wusste ich denn, dass sie nicht …

Zwischen drei und vier Uhr nachts gelangte ich oft zu dieser Frage, zu der Zeit, die ganz richtig Wolfsstunde genannt wird, und meine Fledermäuse und meine Tauben hatten mir nur wenig Trost zu bieten.

Mein quälendes Warten setzte sich bis Mitte September fort. Ich ging wie üblich zu meiner Arbeit bei Foyle's, ich hatte das zu dem Zeitpunkt bereits seit fast zweieinhalb Jahren getan, aber ich hatte mit dem Bücherklauen aufgehört. Zumindest mit dem täglichen, es gab mehr als zweihundert ungelesene Romane bei mir daheim in Craven Terrace, und seit ich Carla wiedergetroffen hatte, hatte mein Lesehunger deutlich abgenommen. In den letzten Wochen, nach den Ereignissen in der Woodstock Road in Oxford, konnte ich mich kaum noch so weit konzentrieren, dass ich eine *Evening Standard* durchbekam, und es war wahrscheinlich allerhöchste Zeit, dass dieser hinkende ältere Mann hereinkam und mir ihre Nachricht überbrachte. Wer immer er auch sein mochte; jedenfalls geschah es in der Abteilung für Okkultismus und Aberglauben im dritten Stock; ein gelbes Papier lugte aus einem Buch mit dem obskuren Titel *Witchcraft for Revengers* heraus, das er auffällig vor meinen Füßen zu Boden fallen ließ.

Ich las die Instruktionen auf der Personaltoilette; es dauerte eine Weile, bis ich sie voll und ganz verstand.

lass uns treffen und gemeinsam auf die maskerade gehen.
kensington gardens square, nordöstliche ecke, morgen
8.10 pm c.

Als ich es verstanden hatte, wunderte es mich nicht mehr. Ich hatte schon vor langer Zeit aufgehört, mich zu wundern. Ich spürte nur – wieder einmal –, dass alles vor einer Entscheidung stand.

Ich war pünktlich zur Stelle. Meine Verkleidung bestand aus einem Schlapphut, einem angeklebten Schnurrbart und einem langen Regenmantel; alles hatte ich bei Whiteleys gleich um die Ecke eingekauft, und glücklicherweise regnete es. Ich kam mir wie ein Idiot vor. Wie jemand, der durch einen Irrtum erst vor einer Stunde aus einer psychiatrischen Klinik entlassen worden war – aber ich hatte gar nichts dagegen, als ein Idiot betrachtet zu werden, und ich war mir zumindest sicher, nicht beschattet zu werden. Nachdem ich ungefähr eine Minute gewartet hatte, kam ein schmächtiger Mann langsam auf dem Bürgersteig von Porchester Gardens her auf mich zuspaziert. Seine Schritte waren etwas unsicher, er trug einen kaputten Regenschirm, und als er mich erreicht hatte, blieb er vor mir stehen und bat um Feuer. Erst nachdem ich seine Zigarette angezündet hatte, erkannte ich, dass es Carla war; sie hatte ihr Haar unter eine Mütze gestopft, trug Jeans, Lederjacke und grobe Schuhe, und sie hatte ihr Gesicht so geschminkt, dass sie wirklich wie ein etwas verwahrloster Jüngling aussah. Bartstoppeln und Pickel und so, es war eine meisterhafte Verkleidung.

»Mein Gott, ich hätte nie gedacht …«

»Psst.«

Sie bedeutete mir, still zu sein, wir gingen nebeneinander zur Westbourne Grove und dann weiter Richtung Westen nach Notting Hill.

Eine Viertelstunde später befanden wir uns in einer Wohnung an der Talbot Road. Es war keine von denen, die wir vor drei Jahren in unserem ersten Herbst benutzt hatten, und es war offensichtlich, dass hier tatsächlich jemand wohnte. Die Küche und die beiden Zimmer waren voll mit persönlichen Utensilien, es roch süßlich nach Tabakrauch, vielleicht auch ein wenig nach Marihuana, und die Einrichtung hatte einen weiblichen Touch. Rot, gelb und lila, überall Stoffe. Große Pflanzen, Bücher und Zeitschriftenstapel, ein Aquarium ohne Fische. Nachdem wir unsere Verkleidungen abgelegt und uns jeweils auf eine Seite des Küchentischs gesetzt hatten, fragte ich Carla, wer denn hier wohne.

»Eine Freundin«, sagte Carla. »Es ist kein sicherer Ort, aber ich hatte keine andere Wahl.«

Ich konnte ihrer Stimme anhören, dass sich die Lage verändert hatte. Dass sie wieder der Vogel war, der an ein Fenster geflogen war. Sie hatte ihr Haar geöffnet, trug aber immer noch diese merkwürdige Schminke, es sah aus, als wären ihre Augen im falschen Gesicht gelandet, dadurch hatten sie diesen unverkennbaren Ausdruck von Traurigkeit.

»Ich verstehe nicht, was da in Oxford passiert ist«, setzte ich an.

»Alles ist schiefgelaufen in Oxford«, sagte sie. »Alles.«

Was natürlich überhaupt nichts erklärte, deshalb wartete ich auf eine Fortsetzung. Sie zog eine Zigarette heraus und zündete sie an, während sie mich unverwandt anschaute.

»Ich schätze dich so unglaublich«, sagte sie schließlich, »aber ich fürchte, wir sind an eine Grenze gelangt.«

Was auch nicht besonders viel erklärte, doch es klang so unheilvoll, dass ich spürte, wie Panik in mir aufstieg.

»Was bedeutet das?«, brachte ich nur heraus.

»Das bedeutet, dass wir uns nicht mehr sehen können.«

»Aber wir sitzen doch hier.«

»Ich weiß, dass wir hier sitzen. Ich musste dich noch einmal sehen, um…«

»Um was?«

Sie zuckte mit den Schultern, doch es war eine unechte Geste. Ich sah, dass sie den Tränen nahe war. »Vielleicht, um alles zu erklären?«, fragte sie mit leiser Stimme.

Ich dachte nach. »Was für ein Verhältnis hast du zu Wolf?«, fragte ich. Ich konnte ebenso gut gleich den Stier bei den Hörnern packen.

Sie schaute mich überrascht an. Zumindest glaube ich, dass sie überrascht war. »Wolf? Ich kenne keinen Wolf.«

»Der Mann mit der Käfertätowierung?«

Sie runzelte die Stirn. Ich bin mir sicher, dass sie das tat. »Leo, jetzt verstehe ich wirklich nicht, wovon du redest.«

Ich gab auf. »Ich habe mich daran gewöhnt, dass ich keinerlei Erklärungen erhalte«, stellte ich fest. »Aber es stimmt wohl, was du sagst. Wir sind an eine Grenze gelangt. Ich liebe dich über alles auf der Welt, aber ich habe seit drei Wochen so gut wie kein Auge mehr zugetan. So ist es ja wohl nicht gedacht, dass die Liebe einen verrückt machen soll.«

»Das ist das Problem«, sagte sie, kurz auflachend. »Du glaubst immer noch, dass wir in der besten aller Welten leben.«

»Blödsinn«, widersprach ich. »Wir leben in der einzigen Welt, die es gibt. Sie sieht nun einmal so aus, und daran können wir nichts ändern, weder du noch ich. Aber wir können etwas an uns selbst ändern. Wir können so nicht weitermachen. Ich schaffe es nicht mehr.«

»Du schaffst es nicht mehr? *Du* schaffst es nicht mehr?«

Plötzlich lag ein ironischer Unterton in ihrer Stimme, und das war vielleicht gar nicht so verwunderlich. Ich begriff selbst nicht, woher meine plötzliche Schärfe kam, es war ja nicht Carla, der ich überdrüssig war, es war dieses ganze verfluchte Versteckspiel und diese Geheimniskrämerei. Resignation; gegenüber einem unmenschlichen, missglückten System, an das wir nicht glaubten und das zu bekämpfen wir uns alle Mühe gaben, zumindest bildete ich mir das ein. Aber ein System, das trotzdem alle unsere Schritte lenkte; unseren Alltag, unsere Liebe, unsere Möglichkeiten, ein würdiges Leben zu führen. Ja, ich war diese versickernde Bläue leid, diese angestrengte rote Flut und all diese überspannten, rigorosen Sicherheitsrituale, die uns umgaben – die mit der Verzauberung und der Anspannung einhergingen und die uns vom ersten Moment an umgeben hatten, also seit diesem Abend auf dem Trafalgar Square, der inzwischen so unendlich weit entfernt schien. Ich war codierte Mitteilungen und lichtscheue Übergaben leid, imaginäre Spione, tote Körper in verregneten Parks und Typen wie Wolf; ich wollte ein anständiges Leben mit Carla führen, ich wollte mit ihr wie Mann und Frau leben, ganz gleich, wo auf der Welt, ich wollte Kinder mit ihr haben, wie viele auch immer; das waren Gedanken, die ich bisher nie ausgesprochen hatte, die ich nicht einmal mir selbst eingestanden hatte, aber jetzt, an diesem gewöhnlichen Küchentisch mit einer weizenfarbenen, bestickten Leinendecke, einer wuchernden Topfpflanze mit kleinen roten und weißen Blüten und zwei halb heruntergebrannten Kerzen in patinierten Kupferkerzenhaltern in einer Wohnung in der Talbot Road, einen Steinwurf entfernt von St. Stephen's Church, überfiel es mich mit aller Macht. Mein Herz schoss mir in die Kehle und küsste meine Zunge, ich brachte alles in einem einzigen langen Wortschwall heraus und beendete ihn so:

»Ich will dich heiraten, Carla. Ich will mit dir leben. Nicht nur ab und zu einen Abend oder eine Nacht, wenn der Große Bruder die Gnade hat, wegzugucken, ich will jeden Morgen neben dir aufwachen, und das für den Rest meines Lebens. Verdammte Scheiße, warum müssen wir uns so verhalten? Ich liebe dich.«

Ich lehnte mich zurück, zündete mir eine Zigarette an und versuchte meine eigenen Worte zu verdauen. Was Carla wahrscheinlich auch tat, wir saßen beide eine ganze Weile schweigend und rauchend da. An diesem Abend hatten wir keinen Wein, aber der war auch nicht nötig.

»Übrigens war das eine Liebeserklärung«, fügte ich hinzu. »Und ein Heiratsantrag auch, falls du das nicht mitbekommen hast.«

Ich hatte gehofft, dass Carla zumindest lachen und meine Hände nehmen würde, doch das tat sie nicht. Sie saß nur da, auf der anderen Seite des Tisches, mit ihrem fremden Jungsgesicht, und sah immer unglücklicher aus. Drückte ihre Zigarette aus und fing an zu weinen.

Ich verlasse diese ermüdende Beschreibung an diesem Punkt. Es sind seit der Küche in der Talbot Road acht Jahre vergangen, es war schwer, den Abend Wort für Wort wiederaufleben zu lassen, und die Fortsetzung lässt sich ebenso gut mit ein wenig mehr Distanz berichten.

Folgendermaßen: Später in der Nacht liebten wir uns. Als wäre es das letzte Mal, es gab Stimmungen und Momente, die wirklich darauf hindeuteten, aber dann war es doch nicht so. Wir trafen uns noch einmal im Herbst, Anfang Oktober, ein paar Tage, bevor sie in die Tschechoslowakei zurückkehrte, wieder war sie fast bis zur Unkenntlichkeit verkleidet, aber dieses Mal zumindest als Frau, und an diesem Abend erklärte sie mir:

»Es gibt eine Alternative, Leo. Ich weiß nicht, was du davon hältst, aber ich will sie dir zumindest aufzeigen. Du kannst mit zu mir nach Prag kommen. Dann können wir dort ein gemeinsames Leben anfangen, wenn du es wirklich willst.«

»Ist das möglich?«, fragte ich. »Werden wir dort ein normales Leben führen können?«

»Es kommt darauf an, was du unter normal verstehst«, antwortete sie. »So normal, wie es in unserem sozialistischen Paradies möglich ist. Aber von deinem westlichen Standpunkt aus gesehen sicher nicht normal.«

»So viel verstehe ich schon«, sagte ich. »Aber keine Verkleidungen mehr, keine Geheimnistuerei?«

»Sie werden uns natürlich überwachen, jeder, der mit jemandem von der anderen Seite zusammenlebt, muss mit besonders hoher Aufmerksamkeit rechnen. Aber wenn du einige Papiere unterschreibst und erklärst, dass du… dass du freiwillig und aus moralischen Gründen beschlossen hast, diesen korrupten und sittenlosen Kapitalismus zu verlassen, ich glaube, dann werden sie uns akzeptieren.«

»Kann ich dann mit dir zusammen einreisen?«

Es war wie gesagt nur wenige Tage, bevor sie sich in ein Flugzeug in Heathrow setzen musste. Zumindest behauptete sie das.

Sie schüttelte den Kopf. »Nein, das geht nicht. Und ich will nicht, dass du jetzt eine Entscheidung triffst. Es ist ein Entschluss, der dein ganzes Leben betrifft. Denke darüber nach, wenn ich weg bin, dann halten wir per Brief Kontakt.«

»Ich dachte, die lesen alles?«

»Natürlich tun sie das. Aber gegen einen Briefwechsel, der davon handelt, dass du aus politischen Gründen nach Prag ziehen willst, haben sie absolut nichts.«

Ich nickte und erklärte, es verstanden zu haben. Sie wiederholte, dass ich mir ihren Vorschlag noch einmal gründlich überlegen sollte. Dann versicherten wir uns erneut und aus tiefstem Herzen, dass wir einander liebten, und kurze Zeit später trennten wir uns.

Ja, ungefähr so war der Stand der Dinge im Oktober 1971, und nachdem sie abgereist war, fing ich sofort an, ihr zu schreiben. Lange Briefe, die nur davon handelten, wie viel ich von ihr hielt und wie sehr ich mich darauf freute, nach Prag zu kommen und sie zu heiraten. Eine Familie zu bilden und den Rest meiner Tage und Nächte in der besten aller Gesellschaften zu leben.

Bis Jahresende kam nicht eine einzige Antwort, und ein paar Tage vor Weihnachten ging ich auf eine Party, die meine alten Spiffer in Camden Town gaben, trank größere Mengen an Wein, Whisky und Bier und traf eine junge Frau, die Deborah hieß.

44

Die innere Landschaft.

Irgendwann zu Beginn seiner Lektüre stieß Lars Gustav Selén auf die amerikanische Autorin Margaret Loomis Kerran; er las mehrere Bücher von ihr, und es waren besonders ein paar Zeilen in ihrem Roman *Die Einsamkeit überwinden*, die sich in seinem Gedächtnis einbrannten.

In den ersten zwanzig Jahren seines Lebens traf der Baron
Hunderte von Menschen und lernte nichts von ihnen. Dann
begann er Bücher zu lesen, und bald verstand er alles.

Er kehrte oft zu dieser Passage zurück. Drehte und wendete ihre Bedeutung, als verberge sie trotz ihrer scheinbaren Eindeutigkeit noch andere Seiten. Dass man – beispielsweise in schwachen Stunden – ihrer Wahrheit nicht vertrauen konnte. Loomis Kerrans Texte trugen oft eine Art Zweideutigkeit in sich, wie er bemerkt hatte, und die Dinge waren nicht immer die, die sie zu sein schienen.

Doch diese schwachen Stunden des Zweifels verebbten im Laufe der Jahre, wie Lars Gustav zu seiner Freude konstatieren konnte. Wenn er die Figuren in den großen Romanen verglich – eine Anna Karenina oder einen Settembrini oder einen Gösta Berling – mit Alexandersson, dem jungen Lindegren und Romkowski bei Lindegrens Taxi GmbH, dann war es ja ganz offensichtlich, dass Letztere den Kürzeren zogen. Lars Gustav Selén konnte im Namen der Ehrlichkeit schwören, dass er nie auch nur das Geringste von einem seiner Fahrerkollegen gelernt hatte. Und von seinem Bruder oder seinen Eltern auch nicht; wobei natürlich sein Vater Teodor wie ein Fragezeichen und eine ungeklärte Frage in seinem Kopf auftauchte, aber ihn auf eine Ebene mit den großen Spitzbuben der Literatur zu stellen, einem Fagin, einem Markurell oder gewisse Pettersson & Bendel, nein, das verbot sich von selbst. Die Psychologie des Menschen, seiner Bedingungen und Beweggründe, konnte in der Welt der Bücher studiert und beobachtet werden, Parallelen gab es wahrscheinlich auch in der sogenannten Wirklichkeit, aber in verwässerter, stark verdünnter Form. Das Wichtige, das wirklich Wichtige im Leben, lag so tief verborgen unter dem Alltag, unter der Tristesse, der Trägheit und dem Trivialen, dass es Ewigkeiten dauern würde, es zu fassen zu bekommen. Und das besonders für jemand so Introvertierten wie Lars Gustav Selén.

Einem einzigen Menschen aus wahrem Fleisch und Blut war er in seinem Leben begegnet, und sie war ihm in einer U-Bahn-Station in London weggestorben. So konnte zusammengefasst seine Wanderung auf der Erde beschrieben werden, das äußere Schicksal, und wenn es überhaupt möglich wäre, eine gewisse Süße herauszupressen, dann musste er zu ihr in die innere Landschaft fliehen, so gut es ging. Einfach ausgedrückt. Und das war es absolut nicht, aber nicht einmal Teodor Selén hatte behauptet, dass das Leben einfach war.

Jedenfalls las Lars Gustav Selén. Schrieb und las.

Je älter er wurde – besonders seit dem März 2006, als er keine Arbeit mehr hatte, zu der er gehen musste –, umso intensiver vertiefte er sich in seinen großen Londonroman. Er hatte sich schon früh für zehn Personen sowie eine unbekannte Größe entschieden; warum er sich ausgerechnet für zehn plus eins entschied, hatte nichts mit den Lehren zu tun, die er aus der Welt der Bücher zog, es war eine mathematische, intuitive Entscheidung, vielleicht auch eine ästhetische, und sie war nicht schwer zu fällen gewesen. Länger arbeitete er dagegen an der Frage bezüglich der Anwesenheit des Autors im Werk, auf welche Art und Weise er sich selbst in den Roman hineinschreiben sollte, er versuchte die eine oder andere Variante, und zum Schluss musste er einsehen, dass es nicht möglich war, dem Schöpfer einen einzigen Charakter zuzuschreiben. Einerseits erschien es notwendig, dass er unmaskiert und authentisch herüberkam, besonders wenn sich das Finale näherte, andererseits – und das war mindestens genauso wichtig – sollten gewisse Seiten seiner Identität mindestens einer anderen Person auf den Leib geschrieben werden, möglichst jemandem, dem das Leben ein wenig übel mitgespielt hatte, der aber durch die Fügung des Schicksals und ein reines Herz gute Chancen hatte, die Gunst des wohlgesonnenen Lesers zu gewinnen.

Das Problem mit Carla Carlgren war von ähnlicher Art. Natürlich musste sich um so eine Frau ganz viel drehen, sonst wäre ja das ganze Vorhaben sinnlos. Ideal wäre es gewesen, wenn das Buch in einer Art Liebeserklärung an sie *an sich* mündete, doch das war nicht ganz unkompliziert. Auch der Zeitaspekt bereitete ihm Kummer. Das Komplott sollte auf mindestens zwei weit voneinander getrennten Zeitebenen spielen, mindestens dreißig, vierzig Jahre sollten dazwischenliegen, doch es widerstrebte ihm, Carla als Frau mittleren Alters oder sogar als ältere Frau zu beschreiben. Folglich, doch erst nach mehreren Monaten des Grübelns, beschloss er, sie zu spalten. Forever young, dachte er, wenn man in jungen Jahren gestorben ist, dann ist einem das große Rätsel des Alterns entgangen, und da er – wenn er ehrlich sein sollte – eigentlich nicht mehr über ihren eigentlichen Charakter wusste, wenn es denn so eine Art von Charakter überhaupt gab?, als das, was er in diesem Vorsommer erfahren

hatte, als er glaubte, er lebte, so hatte er das Gefühl, sie zu erfinden. *Erfinden.*

Vielleicht wurde sie auch von der Erzählung selbst erfun-
den. Das wäre in dem Fall eine üblicherweise vorkommende
Form der Jungfrauengeburt in der Literatur, das war ihm schon
klar, vielleicht der innerste Kern der Fiktion, wie gern man auch
eine nüchternere Betrachtungsweise benutzt hätte. Der Erzähler
lenkt den Leser, die Erzählung lenkt den Erzähler. Und irgendwann in diesem Stadium der Entwicklung spürte er, dass alles
Gefahr lief, auseinanderzubrechen.

Mit der Zeit wurden seine Routinen immer strikter, wenn er am
Londonroman arbeitete. Besonders was die Spieleröffnung betraf, die Spieleröffnung an jedem neuen Tag. Nach dem Frühstück ließ er sich auf seinem Schreibtischstuhl nieder, holte das
Manuskript aus der obersten rechten Schublade des Akten-
schränkchens, legte es mit einer gewissen Feierlichkeit vor sich,
zündete eine Kerze an und blieb dann fünf, zehn Minuten erst
einmal still sitzen, während er die drei Objekte vor sich auf dem
Fensterbrett betrachtete. Das Klassenfoto, auf dem ihre Hand
ihn an einigen Tagen deutlich zu berühren schien, an anderen
Tagen nicht. Der Zeitungsausschnitt. Die rückwärtsgehende
Uhr. Ließ alles auf sich einwirken. Fiel zurück in der Zeit. Verließ die Wirklichkeit, manchmal überkam ihn das Gefühl, als
wünschte er sie zum Teufel.

Nach diesem Akt der Konzentration blies er die Kerze aus
und schaltete stattdessen die Schreibtischlampe ein. Suchte für
diesen Tag einen Stift aus, normalerweise einen schwarzen Kra-
mer von 0,7 Millimeter, und fing an. Es gab keine Abkürzun-
gen, die gibt es für keinen Schriftsteller und auch für Lars Gustav Selén nicht: Jedes Wort, jede Formulierung, jedes Bild und
jeder Buchstabe müssen gedacht und abgewogen werden, gut-
geheißen oder verworfen. Auf lange Sicht gesehen konnten die

Schreibperioden von einem Tag zum anderen variieren, aber er arbeitete selten weniger als acht Stunden, inklusive einer Mittagspause mit einem Teller Dosensuppe, zwei Brotscheiben, eine mit Käse, eine mit Streichkaviar, einer Banane, einer Tasse Kaffee sowie einem Nickerchen von einer Viertelstunde. Die späten Nachmittags- und die frühen Abendstunden benutzte er am liebsten für die Reinschrift auf der Schreibmaschine oder – ab Mai 2004 – auf dem Computer. Druckte dann mit Hilfe seines einfachen Druckers – seit demselben Monat und Jahr – die Seiten aus, las sie noch einmal und machte Korrekturen mit dem Bleistift, Staedtler 2B, von denen er zwei Dutzend bereits Ende der Siebziger gekauft hatte, als Mossbergs Buch&Papier im Stenebägen Konkurs ging und alles billig verkaufte. Es kam vor, dass er beim nochmaligen Lesen zu der Einsicht kam, dass die Arbeit des Tages nicht seinen Ansprüchen genügte, oder zumindest Teile der Arbeit, und oft fühlte er sich genötigt, alles zu verwerfen. Mindestens einmal im Vierteljahr las er das bereits Geschriebene noch einmal ganz genau durch, das heißt, das gesamte Manuskript, und auch dabei kam es vor, dass Seiten – oder ganze Kapitel – vor seinem kritischen Auge keine Gnade fanden und umgearbeitet werden mussten.

Aber trotzdem ging es voran. Während eines Besuchs in Ö. fand er das wichtige gelbe Notizbuch, und oft war er verwundert, wie einfach es lief; wie scheinbar mühelos er sich in den Kopf von Menschen begeben konnte, ihre Motive, Beweggründe und Fehlschläge konstruieren konnte. Psychologisieren und karikieren, dem Ernst die Federführung überlassen oder sich vollkommen neutral verhalten, ganz wie die Erzählung es erforderte. Denn *die Erzählung geht dem Erzähler voraus,* und dass er fast ein Werkzeug von etwas anderem, etwas Größerem war, dieses Gefühl hatte er oft sehr deutlich, doch er begriff, dass es keinen Grund gab, sich darüber zu beklagen, dass man sich ihm nur demütig zu beugen hatte. Er rekonstruierte eine verlorene

Partitur, baute ein Plumpsklo wieder auf, in das der Blitz ein-geschlagen war, mehr – oder weniger – war es nicht. Er gab es auf, das perfekte Anagramm zu finden, begnügte sich mit Steven G. Russell, was ja trotz allem ziemlich nahelag – und Richard Mulvany-Richards für den krankhaft eifersüchtigen, halbtags beschäftigten Kollegen Fredriksson-Lind –, der, nachdem er von seiner Ehefrau Mitte der Neunzigerjahre betrogen worden war, mehrere Jahre damit zubrachte, ihren neuen Partner zu stellen; zumindest saß er im Taxiunterstand am Bahnhof und redete ununterbrochen über seine immer ausgeklügelteren Rachepläne. Als Roine Silverström, wie sein Nachfolger hieß, Anfang 2001 erfroren in einem Graben unterhalb des Friedhofs in K. gefunden wurde, gab es allerlei Diskussionen und Spekulationen darüber, wie er dorthin gelangt sein mochte. Soweit Lars Gustav Selén verstand, wurde aber nie eine Untersuchung eingeleitet, und Fredriksson-Lind hatte zu diesem Zeitpunkt vom Taxifahrer zum Bäcker umgesattelt und zwar bei Amadeus Tillgrens »Brot und anderer Plunder« in der Nyhemsgatan eingestellt worden. Doch das ist wirklich nur eine Randbemerkung.

Es war auch in diesem Jahr – 2001 –, dass sich für Lars Gustav Selén wahrscheinlich zum letzten Mal die Möglichkeit bot, mit einer Frau zu schlafen.

Die Möglichkeit hieß Ragna Mosse, sie war, ein paar Jahre, nachdem die Kalmanders ausgezogen waren, in die Wohnung gegenüber in der Regnvädersgatan gezogen. Es gab nur zwei Wohnungen auf jedem Stockwerk, und Ragna und Lars Gustav pflegten sich zu grüßen, wenn sie sich begegneten, im Treppenhaus oder in der Waschküche. Aber mehr war da nicht, weiß Gott nicht.

Nicht bis zu jenem Abend des 11. September. Es war also der Tag, an dem zwei Flugzeuge in die Wolkenkratzer im südlichen Manhattan in New York flogen und die Welt mit einer neuen

Zeitrechnung begann. Kurz vor zehn Uhr klingelte es an der Tür. Lars Gustav Selén lag unter einer Decke auf dem Sofa und las einen Roman des deutschen Schriftstellers Heinrich Böll. *Gruppenbild mit Dame.* Da es so gut wie nie vorkam, dass es an seiner Tür klingelte, konnte er das Geräusch zunächst nicht identifizieren. Erst beim zweiten Klingeln kam er auf die Beine und ging, um zu öffnen.

Sie trug einen himmelblauen Morgenmantel und Wollsocken. Ihr dunkles Haar war nass und frisch gekämmt. Die Augen waren etwas gerötet.

»Ich habe solche Angst«, sagte sie. »Den ganzen Abend lang habe ich diese schrecklichen Bilder gesehen. Ich glaube, wir werden bald einen Krieg haben.«

»Ja, das ist schrecklich«, stimmte ihr Lars Gustav zu, der auch ein paar Stunden am Nachmittag damit verbracht hatte, den Ereignissen zu folgen. Aber am Radio, einen Fernseher hatte er seit vielen Jahren nicht mehr.

»Könnte ich nicht bei dir schlafen?«, fuhr Ragna Mosse fort und starrte ihn mit feuchtem Blick an. »In so einer Nacht sollte man nicht allein sein.«

Einen Moment lang dachte er nach. Dann schob er ihre Hand von seinem Arm, auf den sie sie gelegt hatte, und sagte ganz einfach:

»Das halte ich für keine gute Idee.«

Schloss die Tür, kehrte zum Sofa zurück und nahm Böll dort wieder auf, wo er ihn verlassen hatte.

Ein paar Monate später zog sie wieder aus. In ein anderes Mietshaus, etwas weiter weg von dem windigen Acker am östlichen Rand von K., er sah sie noch ab und zu im Einkaufszentrum, doch sie grüßten einander nicht mehr.

Es gab überhaupt nicht viele, mit denen er Worte wechselte. Mit seinem Bruder sprach er ungefähr einmal im Monat am

Telefon, es war immer Sven Martin, der anrief, und es waren immer seine Dinge, über die sie sprachen. Eine bevorstehende Autoreparatur, die Auftragseingänge in der Tischlerei, die Kinder und die neue Schlankheitskur seiner Frau.

Die weggelaufene Mutter der beiden Brüder war Mitte der Neunziger gestorben, eines der Halbgeschwister schickte zu Weihnachten immer eine Karte, ein anderes war nach Australien ausgewandert, von ihm hatte man seit fünfundzwanzig Jahren nichts mehr gehört, und was die dritte eigentlich machte, davon hatte weder Sven Martin noch Lars Gustav auch nur die geringste Ahnung. Sie nahmen an, dass sie in Norrköping wohnte und von einem Ingenieur geschieden war, das war der Lauf der Zeit.

Zur Mittsommerzeit 2010 las Lars Gustav in der Zeitung, dass Madeleine Wilder, seine Therapeutin nach dem Selbstmordversuch 1973, von uns gegangen sei. In der Todesanzeige stand kurz und knapp, dass ihr Ehemann, ihre Kinder und Enkelkinder um sie trauerten, und als Lars Gustav Selén am Küchentisch saß und das las, war ihm, als würde sich eine kalte Hand um sein Herz schließen. Der einzige Mensch, der jemals die Tür zu seiner inneren Landschaft auch nur einen Spalt weit hatte öffnen können, war nicht mehr, und plötzlich spürte er, dass auch seine eigenen Tage möglicherweise gezählt waren. Es war höchste Zeit, den Londonroman in den sicheren Hafen zu lenken. Schwarze Kotze und alles andere Geschriebene musste zurückstehen.

Eines Vormittags Ende Juli betrat er das Reisebüro Larssons Travels in der Västra Drottninggatan und buchte eine Reise. Leben heißt handeln.

Woher kam denn nun wieder dieser Spruch?

III

III.

45

Gregorius

*T*unnelblick.

Er war schon früher auf diesen Begriff gestoßen, natürlich, aber es war das erste Mal, dass er so etwas erlebte. Und das vermutlich in seiner vollendeten Form, denn es war wirklich die Rede von einem Tunnel. Einem langen, engen Gang, in dem alle Empfindungen – der kalte Regen, der Rausch, der Wind, die Kopfschmerzen, die Stadt, die plitschnassen Straßen, die bedrückenden Gebäudekomplexe – wie ein dumpfes, langsam rotierendes Dunkel um ihn und diesen verfluchten Hund schwebten, aber wenn er geradeaus schaute und sich so sehr konzentrierte, wie es ihm nur möglich war, dann sah er alles ganz deutlich. Einen kleinen klaren Kreis mitten in diesem elenden, boshaften Schwarz, es erinnerte ihn fast an den Kegel einer Taschenlampe, ein Fokus, ein Fixstern, dem er widerstandslos folgte.

Was sollte er anderes auch tun? Es war irgendwann mitten in der Nacht oder wahnsinnig früh am Morgen, und der Hund folgte ihm ohne jedes Widerstreben. Dem Fixstern wie auch ihm, so schien es, dicht auf den Fersen. Und so musste es sein, sie mussten in Bewegung bleiben, wenn sie stehen blieben oder sich setzten, dann würden sie in den Windböen und den peitschenden Wasserkaskaden bald erfrieren. Einige verwirrende Sekunden lang hatte Gregorius das Gefühl, das wäre bereits geschehen, er wäre tot und auf dem Weg hinunter in die Unterwelt. Und Fingal, ja, so hieß dieser Köter ja, das fiel ihm wieder ein, er war natürlich der vielbeschriebene Höllenhund. Nur dass er seinen Auftrag missverstanden hatte, er trottete mit schlechter Laune, mieser Haltung und hängendem Schwanz hinterher, statt voranzugehen und ihm den Weg zu zeigen.

Und auch wenn sie trotz allem noch am Leben waren, er und auch Fingal Eckzahn, so war es doch eine Höllenwanderung, die sie hier absolvierten, daran ließ sich nicht deuteln. Er hatte nur diffuse Erinnerungen an das, was am vergangenen Abend passiert war. Eine langbeinige junge Frau namens Paula hatte ihn mit dem Hund zurückgelassen, es hatte irgendetwas mit Irland zu tun. Dann war noch etwas anderes in dieser Wohnung in der Straße, wie immer sie auch heißen mochte, passiert, es war Whisky im Spiel gewesen und vielleicht eine Bombe, es war ihm in letzter Sekunde gelungen, sich zu retten, und jetzt trieb er sich auf den menschenleeren Gassen der Großstadt gemeinsam mit einem großen, tropfnassen und missmutigen Schäferhund herum. That's life. Sein Handy war kaputtgegangen, daran erinnerte er sich auch noch, was sonst noch passiert war, konnte er nicht sagen.

Was den gestrigen Abend betraf. Es war ihm absolut klar, dass er sich in London befand und auch warum; Leonards bevorstehendes Geburtstagsessen und noch so manches andere – und ihm fielen unscharf seine Pläne ein, die Identität zu ändern, um nicht zurückfahren zu müssen und mit den Perhovens konfrontiert zu werden, der schwangeren Sylvia und dem bedrohlichen Eric, der mit hundertprozentiger Sicherheit bereit war, ihn zu zermalmen, sobald alles ans Tageslicht kam. Lieber hier in England zu bleiben, das war ein deutlich besserer Plan, mit einem Millionenerbe und einem neuen Namen... wie war der noch gewesen?... ja, genau, Kerran war es, Paul F. Kerran.

Ja, das wäre eine gute Idee, das begriff er selbst jetzt in seinem miserablen Zustand, aber momentan bot sie nicht viel Trost.

Wenn er mit diesem blöden Köter nicht bald irgendwo unterkam, würden sie beide erfrieren, das spürte er mit jeder Minute, die verging, immer deutlicher. Es nützte nichts, so große Schritte wie möglich zu tun, Wärme und Lebensmut schienen zu versiegen, aus Körper und Seele herauszusickern. Den Namen des Hotels, zu dem er hoffentlich auf dem Weg war, hatte er noch parat – das *Rembrandt* –, doch wo es gelegen war und wo er sich selbst in dieser trübsinnigen Stunde in dieser trübsinnigen Großstadt befand, das stand in den Sternen.

Da es jedoch in dieser Unwetternacht keine Sterne am Himmel gab, musste er dem Licht im Tunnel folgen. Das war logisch, und an dieser Überlegung war nichts auszusetzen. Und wenn er nur den Fluss erreichte, bevor alles Leben aus ihm entwichen war, oder er etwas entdecken konnte, was vielleicht den Hyde Park oder den Trafalgar Square darstellen konnte oder irgendeinen anderen Anhaltspunkt, würde er es schaffen. Es gab immer noch eine, wenn auch schwindende, Hoffnung und einen Plan.

Doch zunächst war er gezwungen, in einer Einfahrt stehen zu bleiben und sich zu übergeben, es schoss aus dem Magen die Speiseröhre hinauf, und man sollte die Signale des Körpers nicht ignorieren. Allgemein nicht und erst recht nicht in einer Lage wie dieser.

Es dauerte eine Weile, und das Licht im Tunnel erlosch temporär. Als das überstanden war, schnupperte Fingal eine Weile an dem Erbrochenen, für einen Moment sah es so aus, als wollte er es auffressen, doch offensichtlich entsprach es nicht seinem Geschmack. Stattdessen schüttelte er das Regenwasser aus seinem Fell und schaute sein neugewonnenes Herrchen auffordernd an.

»Scheiße, was ist?«, brummte Gregorius Miller alias Paul F. Kerran. »Gib mir nicht die Schuld.«

Es wurde wieder etwas klarer im Tunnel. Er wusch sich das

Gesicht so gut es ging mit einigen Händen Regenwasser und schaute auf die Uhr.

Viertel nach vier.

Nicht ein Mensch zu sehen.

Nicht das geringste Anzeichen von Morgendämmerung. Der Regen fiel dicht wie ein Wasserfall.

Doch die Straße, auf der sie sich befanden, war ein wenig abschüssig. Vielleicht waren sie ja auf dem Weg hinunter zur Themse?

Eine lange halbe Stunde später befanden sie sich vor dem *Rembrandt*. Danke, gütiger Gott, dachte Gregorius. Danke, dass du die Deinen beschützt. Er warf Fingal einen strengen Blick zu und erklärte ihm, er müsse sich jetzt ordentlich aufführen, dann drückte er auf die Nachtklingel, und die Glastüren glitten lautlos auf.

Der einsame Mann an der Rezeption war klein und schwarz gekleidet. Er schien drei Augenbrauen zu haben, doch die dritte erwies sich bei näherer Musterung als ein Schnurrbart. Er ließ ein leises Räuspern vernehmen, als er Gregorius und Fingal erblickte.

»Tut mir leid, mein Herr. Keine Hunde.«

»Ich bin Gast hier«, sagte Gregorius. »Nummer dreihunderteinundzwanzig.«

Er bemerkte selbst, dass die Worte leider nicht so klangen, wie er es sich gedacht hatte. Vor allem die Konsonanten nicht, sie schienen vom Regen verwaschen worden zu sein.

»Entschuldigung, ich habe den Namen nicht verstanden«, sagte der Mann am Empfang.

Gregorius hätte fast schon Kerran gesagt, konnte sich aber gerade noch zurückhalten.

»Miller. Gregorius Miller. Dreihunderteinundzwanzig.«

Der Rezeptionist schaute auf seinem Computerschirm nach,

während er leicht alle Augenbrauen hob. Dann nickte er und versuchte seine schlechte Laune zu verbergen.

»Sie hätten einen Regenschirm mitnehmen sollen«, sagte er. »Aber Hunde sind nicht zugelassen. Tut mir leid.«

»Aber ich wohne doch hier«, wiederholte Gregorius, da ihm nichts anderes einfiel.

Der Mann räusperte sich erneut. »Wenn Sie nicht bereits hier wohnten, hätte ich Sie gar nicht hereingelassen«, stellte er trocken fest. »In einer Nacht wie dieser sollte man ein Taxi nehmen. Auf jeden Fall dürfen Sie den Hund nicht mit hochnehmen. Sie hatten auch keinen Hund, als Sie hier eingecheckt sind.«

»Das stimmt«, bestätigte Gregorius, »aber jetzt habe ich einen Hund. Es geht um…«

Er machte eine Pause und dachte nach. Versuchte darauf zu kommen, worum es eigentlich ging. Die Kopfschmerzen blitzten wieder auf, und der kleine Mann auf der anderen Seite des glänzenden Tresens wurde für einen Moment unscharf.

»Worum geht es bitte?«, fragte er mit Betonung auf jede einzelne Silbe.

»Es ist eine Herzensangelegenheit«, sagte Gregorius.

»Das glaube ich gern.« Der Kleine strich sich über die am tiefsten sitzende Augenbraue. »Aber Hunde sind hier unter keinen Umständen erlaubt.«

Gregorius betrachtete Fingal und die große Pfütze, die sich um ihn herum auf dem Boden gebildet hatte. Ging für einen Moment mit sich selbst zu Rate, dann warf er der Nachtwache einen kühlen Blick zu und drehte auf den Hacken um.

»Ich verstehe«, sagte er, »Sie sind ein Rassist.«

Mit einem missmutigen Hund im Gefolge schritt er durch den Eingang wieder nach draußen.

Es regnete weiter ununterbrochen stark, und es war nicht leicht, Fingal begreiflich zu machen, dass er im Hinterhof warten sollte. Aber schließlich blieb er doch neben den schwarzen Müllcontainern sitzen, und Gregorius gelangte ungehindert ins Hotel und vorbei an der bösartigen Nachtwache. Gott sei Dank hatte er seine Schlüsselkarte in der Gesäßtasche und musste nicht ein Wort mit diesem Miesepeter wechseln. Nach gewissen vorsichtigen Manövern gelang es ihm außerdem, auf der Rückseite das Hotel wieder zu verlassen, und kurze Zeit später hatte er es geschafft, auf Flucht- und Schleichwegen den zitternden und erbärmlich aussehenden Schäferhund in sein Zimmer zu lotsen.

Er riss sich die Kleider vom Leib und warf sie in die Badewanne, platzierte den Hund auf dem langflorigen Teppich vor dem Fenster und sich selbst im Bett. Die roten Ziffern unter dem großen Fernsehbildschirm zeigten, dass es inzwischen vier Minuten nach fünf geworden war. Der Regen peitschte auf das Fensterblech.

Als er den Kopf aufs Kissen legte, spürte er, wie das Zimmer anfing zu schaukeln. Das Licht im Tunnel war auch erloschen, und er überlegte, ob er lieber zur Toilette gehen und sich noch einmal erbrechen sollte. Doch die Kräfte versagten. Noch nie in meinem Leben war ich so erschöpft, dachte er. Das hier ist der absolute Niedrigwasserstand. Aber was soll's, morgen um diese Zeit werde ich steinreich sein.

Und wenn ich Paul F. Kerran geworden bin, wird das Leben ganz anders aussehen. Hol's der Teufel, ich habe alles unter Kontrolle.

Dann schlief er ein, und als Fingal Eckzahn ein paar Minuten später zu ihm ins Bett kroch und seinen schweren, nassen Hundekopf auf seine Beine legte, merkte er nichts davon.

46

Irina

Irina Miller wachte mit einem Ruck auf.

Ein Gefühl von Gefahr, von etwas Bedrohlichem, Fremdem, saß wie ein Nagel in ihrem Bewusstsein. Das Zimmer lag im Halbdunkel, sie stützte sich auf die Ellenbogen und schaute auf die Uhr. Viertel nach sieben. Sie fuhr sich mit den Händen übers Gesicht und durchs Haar, versuchte diese Angst abzuschütteln, aber vor allem herauszufinden, woher sie stammte. Wahrscheinlich aus einem Traum, doch wie sehr sie sich auch anstrengte, sich durch die Jalousien des Schlafs zurückzuarbeiten, es kamen keine Bilder. Keine Bilder und keine Erklärungen.

Sie erinnerte sich an das Gewitter der letzten Nacht. Der Regen hatte nach allem zu urteilen in den frühen Morgenstunden aufgehört, jetzt sickerte ein scheuer Streifen Morgenlicht durch die nicht ganz zugezogenen Gardinen. Sie schaute sich im Zimmer um. Alles war, wie es gewesen war, als sie ins Bett ging, zumindest soweit sie sich erinnern konnte, und dann fiel ihr Blick auf das Buch auf dem Boden.

Es lag direkt neben dem Bett, sie konnte sich nicht mehr daran erinnern, wie es dorthin gekommen war, ob es vielleicht vom Nachttisch gefallen war oder sie es bewusst dort hingeworfen hatte. Wobei ihr Letzteres nicht ähnlich sehen würde. Dinge auf den Boden zu werfen, einfach so, und dann noch mit dem Rücken nach oben, nein, wirklich nicht, dachte sie. Sie war in den kleinen Dingen genauso sorgfältig wie mit der Hygiene, im

Großen und Ganzen zumindest, ließ nie etwas auf dem falschen Platz liegen, achtete immer darauf, dass Kleidung und anderes dort landete, wo es hingehörte: auf Bügeln, in Schubläden, in Mappen oder im Wäschekorb.

Aber das Buch lag auf dem Boden, und nachdem sie es einige Sekunden lang betrachtet hatte, begann sie mit schnell steigender Gewissheit zu begreifen, dass diese Gefühle der Unruhe und der Bedrohung von ihm ausgingen. *Bekenntnisse eines Schlafwandlers*, so hieß es. Sie streckte sich hinunter und hob es auf, drehte es um und betrachtete die feuerroten Buchstaben des Titels vor dem schwarzen Hintergrund mit den helleren horizontalen Strichen. Plötzlich erinnerte sie sich, dass sie genau das Gleiche schon früher getan hatte und dass sie … dass sie das Buch letzte Nacht zu zwei unterschiedlichen Zeiten gelesen hatte. Das war sonderbar. Auch der Autorenname war in Rot: *Steven G. Russell.* Langsam kamen ihr seine Worte wieder in den Sinn.

Und die Furcht wuchs.

Sie packte das Problem so rational wie möglich an. Stopfte das Buch in eine doppelte Plastiktüte, verklebte diese mit Dutzenden von Klebebandrunden und schob das Paket dann ins Seitenfach ihrer Reisetasche. Zog den Reißverschluss zu, stellte die Tasche zurück in den Schrank und ging ins Badezimmer, um zwanzig Minuten lang zu duschen.

Doch es funktionierte nicht so recht. Das Buch blieb in ihrem Kopf, und das war natürlich kein Wunder. Es schien auf eine eigenartige Art und Weise von ihr selbst zu handeln, zumindest das Wenige, was sie bisher gelesen hatte. Oder nicht? Der Autor, wer immer es nun sein mochte, richtete sich direkt an sie, und er schien Dinge zu wissen, die … die ein Außenstehender unmöglich kennen konnte. So war das. Er schrieb sowohl über Ereignisse, die weit zurücklagen, als auch über das, was gerade im Augenblick passierte und, ja, das behauptete er zumindest, auch über Dinge in der Zukunft. Und er behauptete, dass sie – wenn sie sich richtig erinnerte – *am besten fahren würde, wenn sie das annahm, was er zu sagen hatte.* Hatte er nicht sogar geschrieben, dass … dass er auf ihrer Seite stand und dass er ihr bei irgendwelchen bevorstehenden Ereignissen helfen wollte, Ereignissen, die unmittelbar bevorstanden?

Aber wie war das möglich?

Das war nicht möglich, konstatierte sie nüchtern. Natürlich nicht. Es war leicht, zu diesem Schluss zu kommen, aber es nützte nichts. Konnte es sein, dass sie das Buch nie aufgeschlagen hatte? Nur geträumt hatte, sie hätte darin gelesen? Zwei Mal?

Sie sah ein, dass das der Grund war, warum sie es so gut in die Plastiktüten verpackt hatte. Damit sie nicht verlockt wäre, nachzusehen. Was man nicht sieht, das gibt es nicht, zumindest solange man in der Lage ist, die Gedanken davon fernzuhalten. Wenn Irina Miller beispielsweise über all den Schmutz und die fehlende Hygiene nachdenken würde und all das eklige Ungeziefer, das sich in allen Ritzen und Ecken auf der Welt befand, wenn es ihr nicht gelingen würde, derartige Gedanken auf Abstand zu halten, ja, dann würde sie untergehen. Das wusste sie, und zwar bereits seit vielen Jahren.

Die Strategie war also nicht neu. Sie musste vermeiden, an Steven G. Russell und seine unsinnigen Schlafwandlerbekenntnisse zu denken, und damit würde sich das Problem von selbst erledigen.

Sie trocknete sich mit ihrem eigenen, mitgebrachten Frotteehandtuch ab und cremte sich sorgfältig den ganzen Körper mit der Hautlotion ein, die sie in einer noch ungeöffneten Packung von zu Hause mitgebracht hatte. Bürstete sich das Haar, schminkte sich leicht und zog sich an, und als sie so weit gekommen war, dass sie Schuhe an den Füßen hatte, gab es eigentlich nur noch eine Sache, die sie einfach nicht loswurde.

Er hatte diesen Unfall erwähnt.

Plötzlich war sie sich hundertprozentig sicher, dass sie das nicht nur geträumt hatte. Steven G. Russell hatte über das geschrieben, was vor vielen Jahren an einem dunklen Herbstabend zwischen Oostwerdingen und Saaren passiert war. Fast wie nebenbei hatte er es erwähnt, das, was so fest versiegelt und sorgfältig versenkt im Brunnen des Vergessens lag, dass es eigentlich gar nicht die geringste Möglichkeit hatte, jemals an die Oberfläche aufzusteigen.

Doch genau das hatte es getan. In einem Buch, das sie zufällig in Lippmanns Buchladen in der Ruyder allé gekauft hatte.

Und der Brief. Den Brief kannte er auch.

Wie war das nur möglich? Während sie am Tisch vorm Fenster saß und ihr einfaches Frühstück aß, das sie mit Hilfe der Zutaten aus dem Wholefood Market in Kensington zusammengestellt hatte, begriff sie, dass es nur eine Möglichkeit gab, die Sache aus der Welt zu schaffen. Plastiktüten, Klebeband und schützendes Außenfach zum Trotz.

Aber noch nicht. Jetzt noch nicht. Es war erst halb neun. Sie entschied sich zunächst für einen Spaziergang am Fluss entlang, und anschließend wollte sie nachsehen, wie es um ihren Bruder stand. Heute Abend war der große Abend, Leonards Geburtstagsfeier, vielleicht wäre es von Vorteil, gewisse Strategien zu entwickeln.

Strategien?, dachte sie, während sie sich die abwaschbaren Handschuhe überstreifte. Was heckt mein armer Kopf da eigentlich aus?

Der Spaziergang dauerte knapp eine Stunde, und als sie wieder zurück im Hotel war, fühlte sie sich deutlich besser. Sie rief Gregorius in seinem Zimmer an. Er antwortete nicht, und als sie eine halbe Minute später an seine Tür klopfte, meinte sie nur ein Geräusch aus dem Zimmer zu hören, das sie nicht identifizieren konnte. Ein Knurren? Sie beschloss, dass es sich um Einbildung handeln musste, vielleicht kam es ja auch von ganz woandersher in dem großen Hotel. Sie kehrte in ihr eigenes Zimmer zurück und rief stattdessen bei ihrer Mutter Maud an.

Doch auch hier bekam sie keine Antwort.

Merkwürdig, dachte sie. Stellte fest, dass es inzwischen halb elf war und dass unter dem grauweißen, aber niederschlagsfreien Himmel über dem Hyde Park und Kensington Gardens Vögel flogen. Kurz überlegte sie, vielleicht noch einen Spaziergang zu unternehmen, musste sich aber eingestehen, dass das nur eine Ausflucht wäre.

Stattdessen öffnete sie den Schrank und holte das Päckchen aus dem Seitenfach der Reisetasche. Sie merkte, wie ihre Hände anfingen zu zittern und dass ihr Mund trocken wie eine sonnenbeschienene Baumrinde war. Und während sie das Klebeband aufschnitt und aufriss, kam dieser Abend zurück.

Ende Oktober 2004. Sechs Jahre her. Sie war auf dem Heimweg von einer Eintageskonferenz über neue EU-Gesetze in Oostwerdingen gewesen. Alle anderen Teilnehmer hatten sich entschieden, über Nacht zu bleiben, aber Irina hatte irgendeine Entschuldigung vorgebracht und sich ins Auto gesetzt, um nach Hause zu ihrem eigenen Bett zu fahren. Was zwar bedeutete, dass sie nicht vor Mitternacht in Maardam sein würde, aber das war nicht weiter schlimm. Das Hotel, in dem sie getagt hatten, ließ so einiges zu wünschen übrig, sowohl was den Komfort als auch was die Reinlichkeit betraf, da war ihr die Entscheidung nicht schwergefallen.

Aber nach einem ganzen Tag Unterredungen über alle möglichen Petitessen und juristischen Spitzfindigkeiten war sie müde, das war klar, und sie fuhr erst gut eine halbe Stunde, als es passierte.

Es war dunkel, und es regnete. Der Mann, der am Straßenrand entlangging, hatte nicht den geringsten hellen Streifen an sich, und sie sah ihn erst, als sie ihn bereits getroffen hatte. Außerdem war ihr gerade ein Auto entgegengekommen, deshalb war sie besonders weit am rechten Rand gefahren. Ihr einziger Eindruck von dem Mann, den sie angefahren hatte, war etwas Graues und eine ausgestreckte Hand, die für den Bruchteil einer Sekunde am Seitenfenster vorbeiwirbelte. Wäre da nicht die merkwürdig deutliche Handfläche gewesen, hätte es sich ebenso gut um ein Tier handeln können. Einen Dachs oder einen Fuchs.

Aber es war ein Mensch, das hatte sie sofort gewusst. Sie wusste es, als sie nach hundert Metern anhielt, und wenn es irgendeinen Zweifel gegeben haben sollte, dann verschwand der, als sie darüber zwei Tage später in der Zeitung las.

Er war dort im Straßengraben gestorben. Man hatte ihn erst am nächsten Vormittag gefunden, wäre er früher versorgt worden, hätte er gute Chancen gehabt, zu überleben.

Zu dem Zeitpunkt – als sie ihn fanden, und erst recht, als Irina die kurze Notiz in *Neuwe Blatt* las – war es zu spät gewesen. Viel zu spät. Es hatte sich entschieden, als sie da am Straßenrand im Auto saß und das Lenkrad so fest umklammerte, dass die Hände taub wurden. In dieser finsteren Minute, oder wie lang es immer gedauert haben mochte, diesem unwiderruflichen Moment ihres Lebens, als sie kurz und überraschend auf einer Waage gewogen und als zu leicht befunden wurde. Als sie einen anderen Menschen seinem Schicksal überließ, um ihre eigene Haut zu retten. Sie hatte natürlich nicht gewusst, dass er weitergelebt hätte, hätte man ihn früher gefunden, aber sie hätte zumindest anonym von einer Telefonzelle in der nächsten Stadt anrufen können. Das zumindest.

Doch nicht einmal das hatte sie getan. Und ihr war klar, dass es dieser Abend war, an dem sie sich wirklich selbst kennen gelernt und begriffen hatte, aus welchem Material sie gemacht war.

Es hatte nicht in der Zeitung gestanden, wie der Mann hieß, nur dass er 38 Jahre alt war und in Saaren wohnte. Auch im Brief war kein Name genannt worden, nur eine Telefonnummer, die sie anrufen sollte, wenn sie zur Vernunft kommen und Friede für ihre Seele finden wolle.

Sie hatte den Umschlag – nur mit ihrem Namen in Blockbuchstaben auf der Vorderseite – mehr als ein halbes Jahr später in ihrem Briefkasten gefunden, und die Formulierung hatte genau so gelautet: *zur Vernunft kommen und Friede für deine Seele finden.* Der Briefschreiber behauptete, er gehöre *zu denen, die des Nachts herumwandern,* und dass es für ihn von Bedeutung war, in Kontakt mit ihr zu treten. Er habe in den Stunden im Graben sehr gelitten, bevor er starb, schrieb er, und er litt schwer unter seinen momentanen Lebensbedingungen. Er bat sie – bat sie eindringlich –, ihn zu kontaktieren, entweder indem sie eine bestimmte Telefonnummer anriefe oder indem sie einem genau beschriebenen Kellner in einem Restaurant im Deijkstraakvarteren in Maardam eine Nachricht übergab.

Sie hatte sich nie getraut anzurufen, aber sie war in dieses Lokal gegangen. Es hieß *Vlissingen* und lag am Ende der Armastenstraat, ganz unten an einem der Kanäle. Sie hatte dort eines Abends Anfang Mai gestanden und durch das Fenster hineingeschaut, fast unmittelbar hatte sie den betreffenden Kellner entdeckt, da gab es keinen Zweifel, er entsprach exakt der Beschreibung im Brief, doch sie war unverrichteter Dinge wieder fortgegangen.

Hatte den Brief weggeworfen und ihr Leben weitergeführt. Alles verdrängt. Sie konnte sich nicht mehr an die Telefonnummer erinnern, die war aus ihrem Bewusstsein ausradiert – wenn sie jemals dort gespeichert gewesen war –, aber sie erinnerte sich noch an die wenigen Zeilen. Mehr oder weniger wortgetreu, das war unvermeidbar, und bei bestimmten Anlässen waren sie im Laufe der Jahre immer mal wieder in ihrem Kopf aufgetaucht. *Ich leide sehr unter meinen momentanen Lebens-bedingungen, und es gibt nur einen Menschen, der etwas daran ändern kann.* Jedes Mal wieder hatte sie verwundert festgestellt, dass nichts Bedrohliches an diesem Satz war. Eher handelte es sich um einen Appell.

Aber wie gesagt, sie hatte nie Kontakt aufgenommen. War nie wieder zu diesem Restaurant gegangen. Manchmal fragte sie sich, warum, wusste aber eigentlich gleichzeitig, dass es sich hier um eine Tür handelte, die geschlossen bleiben musste. Vielleicht, so dachte sie, verhielt es sich mit dem Übernatürlichen – mit dem, was sich nicht durch normale Dinge erklären lässt – genau wie mit dem Schmutz und der Unsauberkeit. Sie konnte es einfach nicht ertragen.

Und der Briefeschreiber – der, der nachts herumwanderte – hatte nie wieder von sich hören lassen.

Bis jetzt. Wahrscheinlich. Während dieser Tage voller Zufälle in einem fremden Hotel in einer fremden Stadt. Es war ein Fehler gewesen, diese Reise anzutreten, genau wie sie gedacht hatte. Sie hätte sich nie von ihrem hoffnungslosen Bruder dazu überreden lassen dürfen.

Sie zog das Buch aus der Verpackung, holte tief Luft und fing an, darin zu blättern. Das Telefon klingelte, aber statt dranzugehen, steckte sie es aus.

47

Milos

Milos Skrupka stand am Fenster und sah, wie Leya unten auf der Straße in ein Taxi stieg. Es war zwanzig Minuten vor neun; um zu Fuß zu gehen oder die U-Bahn zu nehmen, war es bereits zu spät, wenn sie vor neun Uhr an Ort und Stelle in ihrer Bank sein wollte. Eigentlich hatte sie um sieben Uhr aufstehen wollen, doch dann war es anders gekommen.

Als sie die Wagentür zugezogen hatte, gerade bevor sie aus seinem Blickfeld verschwand, steckte sie den Kopf und einen Arm durchs Seitenfenster und winkte ihm noch einmal zu. Er wünschte, er hätte einen Fotoapparat, um dieses Bild bewahren zu können. Ihr leicht zerzaustes Haar und ihr glückliches Gesicht im morgendlichen Verkehr; das drückte eine solche Lebensfreude aus, wie er fand, solch eine Sorglosigkeit und unbekümmerte Liebe, dass ihm fast schwindlig wurde.

Und das alles galt ihm. Das ist großartig, dachte er. Großartig, wunderbar und alles Mögliche, und während er einen Moment noch dort stand und die Autos und die berühmten roten Busse betrachtete, beschloss er, dass er nie wieder seinen Fuß in die Räume von Kopper Car Splendid Service and Wash setzen würde und dass... dass er vielleicht gar nicht wieder nach New York zurückkehren würde.

Es war ein Gedanke, der sich in ihm festbiss und wuchs, einen kleinen Samen dafür hatte es bereits am gestrigen Tag gegeben, so eine Idee, die noch kein Tageslicht vertrug, eine bis dato noch verbotene Frucht. Und sie hatten nicht darüber gesprochen. Tatsache war, dass sie bis jetzt mit keinem Wort die Zukunft berührt hatten, dennoch fühlte er, dass Leya genauso dachte, genau wie er. Zufall und Schicksal hatten sie wieder zusammengeführt, dieses Mal durften sie das nicht wegwerfen. Und auch wenn er – aus zwingenden praktischen Gründen, wie es hieß – gezwungen war, sich am Samstag ins Flugzeug zu setzen, so würde er doch nach London zurückkehren und sein neues Leben mit Leya beginnen, sobald es nur möglich war. So war es, und so sollte es sein.

Heute war Donnerstag – ein Tag vor der Siebzigjahrfeier und dem eigentlichen Grund für seine Reise hierher –, aber inzwischen erschien ihm das eher wie eine Nebensache. Er hatte eine Nachricht bekommen, dass ihn ein Wagen um halb acht Uhr abends vor dem Hotel abholen würde, und er hatte sie entgegengenommen, ohne besonders viel Erwartung oder Begeisterung zu spüren. Es war die Begegnung und die Wiedervereinigung mit Leya, die zum wahren Inhalt seiner Reise über den Atlantik geworden waren, zum wahren Sinn. Und was auch immer dieser Abend mit sich bringen würde, was der *Gönner,* dieser geheimnisvolle Leonard V, auch für Absichten hegen mochte, so würde das nichts an Milos' neuer Zuversicht und seinem hoffnungsvollen Optimismus ändern. In keiner Weise.

Sie hatten beschlossen, um ein Uhr zusammen zu Mittag zu essen. Im Barkers Building in der Kensington High Street, dem japanischen Restaurant eine Treppe hoch, und er dachte, dass sie dort über die Zukunft reden würden. Die Gelegenheit war wie geschaffen dafür, und er hatte das Gefühl, dass Leya genauso empfand. Sie hatten die Nacht dem Jetzt und einander gewidmet – nicht irgendwelchem Geplapper und Pläneschmieden, denn es gab vieles, was man überhaupt nicht in Worte fassen musste. Beispielsweise die Gewissheiten der Liebe. Oder etwa nicht?

Er schmunzelte vor sich hin und kehrte ins Bett zurück. Leya hatte ihr Frühstückstablett kaum angerührt, also hatte er zwei Stück, denen er sich widmen konnte, bevor es an der Zeit war, aufzustehen und sich unter die Dusche zu stellen. Es ist unfassbar, aber wahr, dachte Milos Skrupka, als er wieder unter die Decke gekrochen war, sich die *Times* geschnappt und von dem ersten knusprigen Croissant abgebissen hatte. Mein Leben hat sich gewandelt, meine Wanderung durch die Wüste hat ein Ende, endlich. Bye Zlatan, bye Phil, bye loneliness!

Drei Stunden später verließ er das *Rembrandt* für einen schönen langen Spaziergang durch die Parks, bevor er Leya treffen sollte. Das war langsam schon eine Gewohnheit geworden.

Richard Mulvany-Richards saß gut versteckt hinter einem *Guardian*, als Mr. Skrupka durch die Lobby an ihm vorbeiging. Er saß dort schon eine ganze Weile, seit halb zehn, und hatte inzwischen bereits vier Tassen Kaffee getrunken. Was im Magen zu spüren war, dafür war der Adrenalinspiegel top. Wohlbehalten draußen auf dem Bürgersteig angekommen, setzte er sich sofort eine Brille mit braungetönten Gläsern auf und eine Mütze. Diese einfachen Verkleidungsutensilien hatte er sich am gestrigen Abend bei Harrods besorgt, und er war überzeugt davon, dass seine Beute ihn nicht wiedererkennen würde. In den geräumigen Taschen seines bodenlangen Mantels trug er zwei Waffen: einen zwölf Zoll langen Dolch und einen ungefähr gleich langen Schlagstock. Es stimmte wirklich, was man vom Kaufhaus Harrods erzählte: Sie hatten alles, was ein Gentleman brauchte.

Mr. Skrupka überquerte die Brompton Road und lief die Montpelier Street hinunter. Richard Mulvany-Richards folgte ihm problemlos in zwanzig Metern Abstand. Oben an der Kensington Road bog Skrupka nach links ab und begab sich kurz vor dem Albert Memorial in den Park. Mulvany-Richards tat es ihm gleich. Das Wetter war am Morgen umgeschlagen, das nächtliche Unwetter war wie weggeblasen, und der Himmel bot eine immer weiter aufreißende Wolkendecke. Es gab viele Leute im Park; Hundebesitzer, Touristen auf dem Weg zu den Museen und ganz normale Londoner, die ihre Zeit nutzten, einen schönen Herbsttag zu genießen. Mulvany-Richards sehnte sich zurück nach London. Sein Job in Edinburgh war eine Art Strafversetzung, ein unfreiwilliges Asyl, auch wenn es seine Gründe hatte. Eine Serie unglücklicher Zufälle und Missverständnisse hatte dazu geführt, doch er war sich sicher, dass bald alles wieder in normalen Bahnen laufen würde. Leya würde das verstehen, jedenfalls würde sie es verstehen, wenn dieser Eindringling aus dem Weg geräumt worden war. Er umklammerte den Schlagstock und den Dolchschaft und überlegte, welche der Waffen wohl am geeignetsten wäre. Vielleicht alle beide, das hing natürlich von der Situation ab, er würde gezwungen sein zu improvisieren, eine passende Gelegenheit zu nutzen, doch das war nichts, was ihn beunruhigte. Es gab nichts, was ihn hätte hindern können, gewisse Handlungen musste man einfach ausführen, es gab eine Art tief verankerter Pflicht dafür, und Richard Mulvany-Richards war niemand, der sich vor einem heiligen Auftrag drückte.

Als Mr. Skrupka zur großen Ritterstatue mitten im Park gekommen war, blieb er stehen, um sich ein Schnürband zu binden. Mulvany-Richards stoppte in entsprechendem Abstand, tat so, als interessierte er sich für ein paar Hunde, die einem Ball hinterherjagten, dass die Grasbüschel flogen, während er aus dem Augenwinkel seine Beute im Blick behielt. Er überlegte, ob es sich lohnte, sich Skrupka hier im Park zu nähern, ob sich der passende Augenblick bereits hier bieten könnte. Doch nein, wohl eher nicht, es waren zu viele Menschen unterwegs, außerdem war es schwierig, sich hinterher in Sicherheit zu bringen. Insgesamt gesehen freie Fläche überall, es gab natürlich einige Büsche, aber keine Möglichkeit, schnell irgendwo hineinzuhuschen und zu verschwinden. Nein, besser, er wartete, bis Skrupka den Park verlassen hatte, im Getümmel auf einem Bürgersteig sollte es sehr viel einfacher sein, die Tat auszuführen, an einer belebten Straßenecke, wo niemand seine Aufmerksamkeit darauf richten würde, was eigentlich passierte. Und dann schnell in irgendeine Gasse huschen – sich der Waffe, der Mütze und Brille entledigen und sich anschließend vom Wirrwarr der Straßen schlucken lassen.

So wird es gemacht, beschloss Richard Mulvany-Richards. Solange du im Park bleibst, bist du in Sicherheit, Mr. Fucking Intruder, doch deine Tage sind gezählt.

Tage? Schon möglich, aber selbst die Stunden waren bereits gezählt. Um nicht zu sagen *die Minuten*.

Die Beute hatte jetzt die Schnürsenkel fertig gebunden. Richtete sich auf und schaute auf die Uhr. Schien einen Moment zu zögern, bevor er die Hände in die Jackentaschen schob und schräg hoch zur Orme's Gate und der nordwestlichen Ecke des Parks ging.

Richard Mulvany-Richards folgte ihm auf leichtem Fuße und spürte, wie er dabei lächelte.

48

Maud

Der in St. Matthew's eingeschlagene Blitz hallte in Maud Miller noch bis zum Vormittag des nächsten Tages nach. Fast als wäre sie selbst es gewesen, in die er eingeschlagen war, und nicht Mighty James. Sie hatte das Gefühl, als würde ihr Skelett vibrieren, als käme ein dumpfer Ton tief von ihrem Rückgrat und aus ihrem Becken heraus, und das erzeugte ein Gefühl tiefsten Unbehagens. Eine Art Tinnitus im ganzen Körper. Nur mit Mühe und Not gelang es ihr, auf ihrem Stuhl still sitzen zu bleiben, während Leonard und sie unten im Souterrain des Hotels im überladenen Frühstücksraum saßen, und als sie ihren Kaffee ausgetrunken hatte, entschuldigte sie sich damit, dass sie zur Toilette müsse, und ließ ihren Mann am Tisch zurück.

Es war sein siebzigster Geburtstag, das lang herbeigesehnte Datum; sie hatte ihn mit einer Blume und einem Kuss auf die Wange empfangen, als er aufgewacht war, doch das schien ihn nicht sonderlich berührt zu haben. Alles andere musste bis zum Abend warten.

Sie machte sich auf den Weg zu einem langen Spaziergang, dieses Mal Richtung Westen. Den Westbourne Grove entlang, durch Notting Hill, nach Holland Park und White City. Zumindest glaubte sie, dass die Stadtteile so hießen, es waren für sie unbekannte Viertel, und sie hatte keinen Stadtplan dabei; aber für alle Fälle gab es ja immer irgendwelche Taxis in der Nähe. Nein, die Unruhe, die in ihr pulsierte, verstärkt durch die immer noch spürbare Vibration des Blitzeinschlags, war von anderer Art. Eine Art Vorahnung vielleicht, das Gefühl einer bevorstehenden Gefahr und das Empfinden, dass dieser Tag nicht gut enden würde.

Sie wusste nicht, was sie von Leonard halten sollte. Während sie langsam die ziemlich menschenleeren Bürgersteige entlangging, versuchte sie darüber nachzudenken, wie es früher gewesen war, inwieweit sie sich in ihrem früheren gemeinsamen Leben eingebildet hatte, ihn ziemlich gut zu kennen. Von vollständiger Kontrolle war nie die Rede gewesen, und diese war auch gar nicht wünschenswert – zu keiner Zeit während der zwanzig Jahre –, doch diese Tage hier in London beinhalteten noch etwas anderes: eine Verfremdung. Konnte man es so nennen?, fragte sie sich. *Verfremdung?* Warum nicht? So ein Gefühl war es zumindest, als wäre er ein Fremder für sie geworden, ein Unbekannter, der plötzlich – oder besser gesagt, nach und nach – als jemand vor ihr stand, den sie nicht zu fassen bekam. Den sie nicht verstand; nicht als Therapeutin und noch weniger als Mensch.

Vielleicht war er ganz einfach verrückt? Vielleicht hatten seine Krankheit und all die Medikamente dazu geführt, dass etwas in seinem Kopf kaputtgegangen war, so dass es sich gar nicht lohnte, ihn als zurechnungsfähig zu betrachten. Überhaupt zu versuchen, das Normale und das Rationale zu finden. Dieses Gerede davon, dass er ein anderer war, zum Beispiel. Dass er gar nicht Leonard Vermin hieß und dass er sie nicht wiedererkannt hatte. Wie sollte man das interpretieren? Und dieses alte Notizbuch mit dem schmutzig gelben Umschlag, in dem er ausdauernd und mit höchster Konzentration jeden Tag las und das er so sorgfältig vor ihren Blicken versteckte? Was enthielt es eigentlich? Was waren das für Aufzeichnungen?

Und dann dass er nackt da draußen auf dem Balkon gelegen hatte. Hätte sie vielleicht doch einen Krankenwagen rufen sollen? Und ihn einweisen lassen? Jetzt im Nachhinein erschien es ihr ganz gut, dass sie nicht ganz nüchtern gewesen war, als sie ihn fand. Wäre sie es gewesen, sie hätte sicher einen Krankenwagen gerufen.

Und sicher hätte sie sich trotz allem für diese Alternative entschieden – professionelle Hilfe zu suchen –, wenn da nicht diese Feier gewesen wäre. Das war der Knackpunkt, das wusste sie. Leonard musste sein Geburtstagsessen wie geplant bekommen; wenn es nicht so kam, wie er sich das gedacht hatte, wenn sie ihm und diesem Arrangement Knüppel zwischen die Beine werfen würde, dann ... dann waren die Konsequenzen einfach nicht zu überblicken. Er würde ihr so etwas niemals verzeihen, er würde noch verrückter werden, und das konnte sehr wohl in reinster Erniedrigung enden. Nein, sie hatte jetzt so lange ausgehalten, nun würde sie auch die letzten Stunden aushalten. Da gab es kein Wenn und Aber, nicht einmal in ihrem eigenen Kopf.

Sie bog um eine Ecke und kam auf eine Straße, die Pottery Lane hieß. Blieb an einem Zeitungskiosk stehen und kaufte eine Schachtel Pfefferminzpastillen – irgendwas stimmte an diesem Tag nicht mit ihrem Atem –, und dann ging sie dazu über, darüber nachzudenken, wie es mit der physischen Seite von Leonard stand. Wirklich. Er hatte am Frühstückstisch müder als üblich ausgesehen, das war ihr nicht entgangen, trotz ihrer eigenen Vibrationen. Seine Gesichtsfarbe, sein schwerer Atem, seine zitternden Hände, das waren ja wohl deutliche Zeichen? Zeichen dafür, dass es nicht mehr lange dauerte.

Ich sollte mich besser um ihn kümmern, dachte sie in einem heftigen Anflug von schlechtem Gewissen. Auch wenn er ein Fremder für mich geworden ist, so ist es doch meine Pflicht.

Es ist kaum zu begreifen, warum es so schwer zu sein scheint. Was gab es in ihr, was so einen Widerstand bot? Hätte sie einen Gott gehabt, sie hätte ihn darum gebeten, die letzten drei Tage aus ihrem Leben zu löschen. Doch derartige Abmachungen waren nicht zulässig, mit keiner Art von Machthaber und unter keinen Voraussetzungen.

Als sie sich in einem Café in der Holland Park Avenue an einen Tisch setzte, war es Viertel nach zwölf geworden, nicht einmal mehr acht Stunden, bis sie in diesem Lokal an der Great Portland Street sitzen sollten, und was dort dann wohl geschah, daran mochte sie gar nicht denken. Doch das war das Nadelöhr, durch das sie hindurchmussten.

Und er lag im Sterben. Was immer das bedeuten mochte, zumindest war es ein mildernder Umstand.

Sie bestellte sich einen doppelten Espresso und ein großes Glas Wasser. Schlug eine Zeitung auf, die jemand auf dem Tisch hatte liegen lassen. Während sie auf den Kaffee wartete, las sie eine Zusammenfassung über die armen Menschen, die dem immer noch wütenden Uhrenmörder zum Opfer gefallen waren. »The Watch Killer«. Laut diesem Artikel war die Anzahl der Opfer inzwischen vermutlich auf sieben gestiegen – eine Frauenleiche war durch das nächtliche Gewitter aus dem trüben Wasser der Themse an die Oberfläche geschwemmt worden –, und die Polizei hatte keine Spur. Maud Miller seufzte und faltete die Zeitung wieder zusammen. Diese Stadt ist verflucht, dachte sie. Eine graugemusterte Taube kam angeflattert und setzte sich auf ihren Tisch.

Zurück im Hotel hatten sich die schlimmsten Krämpfe in ihrem Körper gelegt, und Leonard war ausgegangen. Sie nahm an, dass er sich bei diesem Notar befand, von dem er gestern und heute Morgen während des Frühstücks gesprochen hatte. Auf ihrem Bett lag eine handgeschriebene Mitteilung:

Habe einen Wagen für sechs Uhr bestellt. Sieh bitte zu, dass du dann angezogen und fertig angemalt bist. L.

Fertig angemalt?, dachte sie. Um sechs Uhr? Das Essen sollte um acht Uhr beginnen. Eine Fahrt mit dem Taxi zur Great Portland Street dauerte allerhöchstens fünfzehn Minuten, das hatte sie auf dem Stadtplan überprüft. Sie würden zwei Stunden zu früh dort sein.

Aber warum? Was führte er im Schilde?

Sie beschloss, den Nachmittag im Zimmer zu bleiben. Ihn genau zu beobachten, wenn er zurückkam, und nichts dem Zufall zu überlassen, was auch immer man in einer Situation wie dieser damit meinen konnte. Habe ich denen nicht bereits alles überlassen?, dachte sie. Kräften außerhalb meiner Reichweite?

Sie spürte, wie eine diffuse Angst dabei war, sie erneut zu packen. Fühlte außerdem, dass es von größter Wichtigkeit war, mit Irina und Gregorius Kontakt aufzunehmen – um sich zu vergewissern, dass ihnen nichts passiert war und dass sie auf jeden Fall dafür sorgten, rechzeitig im *Le Barquante* zu sein.

Ihnen nichts passiert?, dachte sie. Warum sollte ihnen etwas passieren? Ich bin dabei, die Kontrolle zu verlieren.

Sie begann mit ihrer Tochter. Keine Antwort.

Versuchte es dann bei ihrem Sohn. Er antwortete nach sieben, acht Freizeichen. Zumindest glaubte Maud Miller, dass es ihr Sohn war. Sie erkannte zwar seine Stimme nicht, glaubte jedoch nicht, dass sie sich verwählt hatte.

Wer immer es auch war, so erklärte er, dass er schlafen müsse, und legte dann den Hörer auf.

Warum ist es nur so?, dachte sie und fing in ihrer Einsamkeit an zu weinen.

49

Leonard

Siebzig Jahre heute. So weit bin ich zumindest gekommen. Möge es noch bis heute Abend anhalten.

Prendergast hat seine Kanzlei immer noch an derselben Adresse. Sutherland Place 21, während meiner letzten Jahre in London wohnte ich schräg gegenüber, Nummer 52. Ich glaube, wir trafen uns das erste Mal im Pub *The Cock and Bottle* unten in der Artesian Road. Gleich um die Ecke, aber vielleicht erinnere ich mich auch falsch. Vielleicht haben wir uns auf irgendeiner Party kennen gelernt.

Der Spaziergang von der Chepstow Road dauerte eine halbe Stunde, obwohl es sich kaum um mehr als vierhundert Meter gehandelt haben kann. Heute Morgen geht es mir schlechter als je zuvor, aber was soll's, denke ich, diese letzte Strecke werde ich ja wohl auch noch zurücklegen. Diese letztendlichen, stolpernden Schritte.

Heute Morgen habe ich auf die Medikamente verzichtet. Vielleicht war das ein Fehler, aber ich wollte klar im Kopf sein, wenn ich mit Prendergast rede. Dafür musste ich die Schmerzen ertragen, sie waren kaum auszuhalten, doch sobald ich durch die Tür war, bestand mein Notar darauf, dass wir einen Whisky miteinander tranken, und vielleicht war es genau das, was ich brauchte. Zumindest in dem Moment.

»Leonard, wie steht es eigentlich um dich?«, wollte er wissen. »Ich habe nicht gedacht, dass es so schlimm ist.«

Ich dankte ihm für diese wärmenden Worte und erinnerte ihn daran, dass ich nicht hier war, um Höflichkeitsfloskeln auszutauschen. Bat ihn, die Papiere herauszuholen, damit wir ohne Verzug anfangen konnten.

Prendergast ist mindestens fünf Jahre älter als ich, aber ich fand, er sah aus wie die Gesundheit in Person. Abgesehen natürlich von dem schwarzen Lappen, der über seinem linken Auge saß, aber den trug er schon, als wir uns in den Siebzigern kennen lernten. Ihm wurde das Auge von einem Rivalen ausgestochen, als er zwanzig war; die betreffende Frau wurde ein paar Jahre später seine Ehefrau und gebar ihm vier Töchter, bevor sie ihn für einen Stierkämpfer aus Cordoba verließ. Ich habe diese offensichtlich äußerst anziehende Dame nie kennen gelernt – dafür aber oft die Mädchen gesehen, als ich hier im Viertel wohnte. Meistens in Gesellschaft eines Kindermädchens in Uniform und eines langschwänzigen Cockerspaniels. Die schwarze Augenklappe war Prendergasts Merkmal, solange ich denken kann.

Wir ließen uns in seiner Bibliothek nieder, er holte eine Mappe heraus, überreichte sie mir und bat mich durchzulesen, was er zustande gebracht hatte.

Während ich las, es handelte sich um nicht mehr als drei Seiten, schenkte er mir noch einen weiteren kleinen Whisky ein, und als ich fertig war, bot er mir von seinen dünnen Zigarren an, an die ich mich auch noch erinnern konnte. Wir rauchten genüsslich und prosteten uns zu. Ich dachte, dass eine gewisse Sorte Zigarren die gleiche Wirkung hatte wie Madeleinekekse. Aber ich öffnete diese Tür nicht.

»Du hast nichts dazu zu sagen?«, fragte ich.

Prendergast schüttelte seinen großen, kahlen Kopf. »Absolut nicht. Mit so etwas habe ich vor dreißig Jahren aufgehört. Aber ich verstehe deinen Entschluss und möchte gern die Frage an dich zurückgeben: Hast du etwas dazu zu sagen?«

»Sieht gut aus«, stellte ich fest. »Im Großen und Ganzen. Zwei Fragezeichen gibt es noch, wie ich denke, aber lass es mich vorher noch einmal durchlesen.«

»Natürlich«, sagte Prendergast. »Schließlich handelt es sich ja nicht gerade um Peanuts.«

Ich stimmte ihm bei der Einschätzung zu, dass es sich nicht um Peanuts handelte, und prüfte den Text noch einmal ganz genau. Prendergast blätterte währenddessen im *Observer*.

»Obwohl ich zugeben muss, dass ich ein wenig verwundert bin«, sagte er nach einer Weile und legte die Zeitung hin.

»Habe ich mir doch gedacht«, sagte ich.

»Ich wusste nichts von dieser Geschichte.«

Ich sagte nichts dazu. Zog an der Zigarre und konzentrierte mich auf den Text.

»Wir hatten früher ja einiges miteinander zu tun«, bemerkte er. »Damals, meine ich. Oder?«

»Zweifellos«, bestätigte ich. »Deshalb hast du ja auch den Auftrag gekriegt.«

»Ja, danke, das ist mir schon klar«, lachte Prendergast. Er sieht wirklich wie ein charmanter Filmschurke aus, wenn er lacht. »Also, wann soll ich zur Stelle sein? War es acht Uhr?«

Ich erklärte, dass acht Uhr ganz ausgezeichnet war. Nachdem ich den Text zum zweiten Mal durchgelesen hatte, diskutierten wir noch kurz meine vorgeschlagenen Änderungen, dann rief er seine Sekretärin, und während sie das endgültige Dokument ausdruckte, beendeten wir Whisky und Zigarren. Er versuchte, weitere Informationen aus mir herauszuquetschen, aber es war nicht besonders ernsthaft gemeint. Eher eine Art, die Konversation am Laufen zu halten.

Nach zehn Minuten kam die Sekretärin, eine dünne, blonde Frau um die fünfunddreißig, mit den fertigen Papieren herein. Ich las das Ganze noch einmal durch und unterschrieb, sie bezeugte meine Unterschrift, und Prendergast schob das Dokument wieder in die Mappe.

Mit einiger Mühe erhob ich mich aus dem Sessel und bedankte mich bei ihm.

»Dann sehen wir uns heute Abend.«

»Um acht Uhr. Soll ich dir ein Taxi rufen?«

»Nicht nötig. Ich gehe zu Fuß.«

Als ich unten auf der Artesian Road stand, bereute ich es schon, sein Angebot nicht angenommen zu haben. Andererseits hätte ich ja nur die Hand heben müssen, um ein Taxi anzuhalten, aber ich hatte beschlossen, dass ich auch den Rückweg zum *Commander* schaffen müsste, warum, weiß ich selbst nicht so recht. Auf jeden Fall schaffte ich es. Es war kurz nach eins, als ich wieder in meinem Zimmer war, die Schmerzen nahmen an Wucht zu, und das Schwindelgefühl zwang mich, mich am Türpfosten und der Wand festzuhalten.

Maud saß am Tisch und schrieb irgendetwas. Ich konnte ihrem Blick ansehen, dass ich kein schöner Anblick war, aber ich war nicht in der Lage, darüber ein Wort zu verlieren.

»Gib mir bitte meine Medikamente«, sagte ich. »Und hilf mir ins Bett, ich muss eine Stunde schlafen.«

»Aber mein Lieber«, sagte sie. »Was hast du denn gemacht? Warum ...?«

Sie brachte ihren Satz nicht zu Ende. Ich schaffte es, einen Teil meiner Kleidung auszuziehen, sie gab mir meine Tabletten, und ich stieg ins Bett.

»Meinst du wirklich, du schaffst das heute Abend?«, fragte sie, gerade als ich einschlief, das weiß ich noch, aber ich machte mir nicht die Mühe zu antworten. Wozu wäre das alles gut gewesen, wenn ich es heute Abend nicht schaffte?

Und dann kam er zurück, dieser Eindringling. Vermutlich verkehrte ich mit ihm die ganzen neunzig Minuten über, die ich schlief, das Gefühl hatte ich. Wobei *verkehren* das falsche Wort ist, da unsere Identitäten in gleicher Weise wie beim letzten Mal, als wir aufeinanderstießen, ineinanderflossen: er war ich, und ich war er, es war auch dieses Mal ein mindestens genauso unangenehmes Erlebnis wie beim letzten Mal, und ich glaube, es erschreckte mich noch mehr. Vielleicht weil er nähergekommen zu sein schien. Dieser Lars Gustav Selén, dessen Namen ich immer noch nicht aussprechen konnte, er war also identisch mit mir selbst, der große Unterschied dieses Mal war, dass ich, das heißt er sich in London befand. Hier und jetzt, wenn ich mich nicht irre. Er/ich verbrachte beispielsweise eine Weile im Bad im Porchester Centre, er/ich wanderte durch den leisen Nieselregen die Talbot Road entlang und schien nach dieser Wohnung in der Nähe der St. Stephen's Church zu suchen, in der ich vor mehr als dreißig Jahren eine Nacht mit Carla verbracht hatte, und kurze Zeit später befanden wir uns im Covent Garden. Ich weiß nicht, warum ich plötzlich *wir* schreibe, aber plötzlich gab es Momente, in denen ich trotz allem das Gefühl hatte, dass wir getrennt waren. Auf jeden Fall standen wir auf einem vollkommen verlassenen Bahnsteig, es war fast dunkel, nichts geschah, der Geruch nach Kohlenfeuerung war ungewöhnlich intensiv, und das leise Geräusch der Ventilation kam und ging. Als sich endlich ein Zug näherte, man konnte den bekannten Luftzug spüren, wurde ich plötzlich eines jungen Pärchens gewahr, das auf uns zukam, sie gingen Arm in Arm, und für den Bruchteil einer Sekunde glaubte ich, es wären Carla und ich selbst vor langer Zeit, doch ich gab mir alle Mühe, diese bizarre Einbildung beiseitezuschieben. Sie schienen sich ein Stück über dem Boden schwebend vorwärtszubewegen, er und auch sie, doch als der Zug fast eingefahren war, aber noch nicht am Bahnsteig stand, nahmen sie dennoch Anlauf und sprangen auf das Gleis. Sie wurden augenblicklich zermalmt, ihre Knochen, ihre Muskeln, ihre Schädel und alles wurde zu einem einzigen roten Brei, und jetzt war ich allein; ich war einzig und allein *der andere,* und obwohl es außer mir nur noch folgende Größen gab: das unterirdische Gewölbe mit dem Bahnsteig und dem Gleis, den stillstehenden leeren Zug, die beiden zermalmten Jugendlichen unten auf dem Gleis (die also unter keinen Umständen identisch mit Leonard und Carla sein konnten und von denen ich nichts mehr entdecken konnte) sowie meine eigene Person, im Augenblick in Gestalt eines anderen Leonard, wie mir schien – so konnte ich dennoch spüren, wie sich zwei kräftige Hände von hinten um meinen Hals legten und versuchten mich zu erwürgen.

Wahrscheinlich war das der Moment, in dem ich aufwachte, ich hatte offenbar Atemprobleme, und ich erkannte die Frau mittleren Alters nicht wieder, die über mich gebeugt stand und mich mit aufgerissenen, erschrockenen Augen betrachtete.

Aber ich hatte gelernt. Ich wusste, dass ich sie eigentlich kennen müsste, und hielt meine Zunge im Zaum. Ja, ich müsste ihren Namen kennen, ihre Lebensgeschichte und wissen, welche Rolle sie in meinem Leben spielte – aber wie sollte das gehen, wenn ich nicht einmal wusste, wie ich selbst hieß?

Oder wo ich mich befand. Oder welches Jahr wir hatten.

Aber vielleicht war ich ja in der Hölle gelandet. Und dort gibt es keine Jahre.

Trotzdem kann ich mich an den Traum und das Erwachen erinnern. Und an dieses überwältigende, betäubende und lähmende Gefühl steriler Leere.

»Ich bin's, Maud«, sagte die Frau. »Erkennst du mich?«

»Natürlich«, sagte ich. »Du bist Maud.«

Und Stück für Stück füllte sich die Leere. Verkehrsgeräusche draußen von der Straße, die fallenden Linien in ihrem fülligen

Gesicht und diverse Erinnerungen. Ich erklärte ihr, dass ich noch eine Viertelstunde Ruhe brauchte.

Um halb vier wachte ich erneut auf.

Ich hatte keine Schmerzen und war ganz klar im Kopf. Maud saß wieder am Tisch.

»Hast du meine Nachricht gesehen?«, fragte ich.

»Sechs Uhr?«, fragte sie. »Warum müssen wir so früh los? Ich dachte, der Tisch wäre für acht Uhr reserviert?«

»Ich muss mich noch um einiges kümmern«, erklärte ich. »Ist es für dich ein Problem, um sechs fertig zu sein?«

Sie schüttelte den Kopf.

»Sonst könntest du später nachkommen, das geht auch. Aber nicht später als acht. Ich fahre auf jeden Fall wie geplant los.«

»Ich komme mit dir mit«, sagte sie. »Natürlich komme ich mit dir mit, Leonard. Hast du Schmerzen?«

»Nein.«

»Müde?«

»Nein. Ich möchte noch ein bisschen lesen. Und wie gesagt, sieh zu, dass du geschminkt und angezogen bist.«

»Ich fühle mich so nervös«, sagte sie. »Was geht hier eigentlich vor, Leonard?«

»Ich bin dabei zu sterben«, antwortete ich nur.

»Bist du sicher, dass es nicht noch etwas anderes ist?«, fragte sie.

»Das ist alles«, versicherte ich ihr.

50

Das gelbe Notizbuch

Meine Beziehung zu Deborah Simmons dauerte vom Dezember 1971 bis zum Mai 1973. Ich war nie verliebt in sie, und da sie mir, gleich nachdem unsere Verbindung beendet war, mitteilte, dass sie die ganze Zeit einen anderen Freund neben mir gehabt hatte, nehme ich an, dass ihre Gefühle für mich auch nicht besonders stark waren. Der Freund hieß Liam und wohnte noch in Aberystwyth, während Deborah sich fern der Heimat befand und Betriebswirtschaft an der London University studierte. So kann das Arrangement vielleicht als ein praktisches Agreement bezeichnet werden.

Sie war rothaarig, etwas mollig und ein liebes Mädchen, ungefähr so möchte ich sie beschreiben. Außerdem lispelte sie ein wenig, und aus irgendeinem Grund gefiel gerade das mir sehr, besonders wenn wir uns liebten, wobei sie gern redete. Ich habe nie eine Frau getroffen, die so viel während des Liebesakts redete wie Deborah Simmons. Manchmal wie ein Rundfunksprecher, der seinen Hörern auch nicht das geringste Detail vorenthalten wollte; nachdem wir miteinander fertig waren, dachte ich, ich hätte sie auf Band aufnehmen sollen. Wir trafen uns ungefähr jeden zweiten Samstag, gingen in den Pub, ins Kino oder beides, und anschließend ins Bett, entweder bei ihr draußen in Westcombe Park oder bei mir an der Craven Terrace – oder ab Sommer 1972: Kildare Gardens. Vorzugsweise schlief sie lieber bei mir, da es mindestens eine Stunde mit dem Zug bis zu ihrer kleinen Einzimmerwohnung war – doch es kam auch mal vor, dass ich da draußen bei ihr im Suburb aufwachte, und es kam vor, dass wir in Greenwich einen Sonntagsspaziergang machten. Sogar mal auf einer Decke saßen und zwischen Hunden, Hippies und Familien mit Kindern picknickten, zumindest einmal, ja, häufiger war es wohl nicht.

Aber wir bildeten uns nie ein, dass es eine Fortsetzung geben würde, und als sie mit ihrem Examen fertig war und nach Aberystwyth zurückkehrte, trennten wir uns ohne irgendwelche Komplikationen.

Ich zog also im Juli 1972 fort von meinen Tauben und meinen Fledermäusen. Der Grund war, dass der Besitzer, ein gewisser Lord Smithers, renovieren wollte, und da gab es keinen Platz mehr, weder für mich noch für die fliegenden Untermieter. Wohin Letztere zogen, weiß ich nicht, ich selbst kaufte mir eine Wohnung einige hundert Meter weiter westlich, an den Kildare Gardens in Bayswater.

Dass ich mir so etwas leisten konnte, lag wiederum daran, dass ich Anfang Mai Frank Langhorne getroffen hatte, und er hatte meinen Anteil an dem Patent für Hyperstatica für den ansehnlichen Kaufpreis von zweihunderttausend Pfund zurückgekauft. Ich war plötzlich ein vermögender Mann, ohne eigentlich auch nur einen Finger gerührt zu haben, doch mir war klar, dass es für die Begüterten dieser Welt ein alltägliches Erlebnis war. Auf jeden Fall kaufte ich eine Wohnung für zwanzigtausend Pfund und investierte den Rest in einige Wohnungen und Medienunternehmen – genau genommen auf Anraten desselben Frank Langhorne –, und ein paar Jahre später, als ich England endgültig verließ, konnte ich feststellen, dass sich der Wert des Ganzen insgesamt so gut wie verdreifacht hatte.

Doch davon sollten meine Aufzeichnungen gar nicht handeln, aber je länger ich dabei bin, umso unsicherer werde ich über mein eigentliches Ziel. Ich will es ja nicht aus den Augen verlieren, aber vielleicht ist es einfach diese Banalität, die Angst vor der Vergänglichkeit, die mich treibt. Andererseits muss man gar nicht nach Ziel und Beweggründen fragen. Alles, was nicht von Carla handelt, erscheint meistens wie eine unnötige Abweichung, es fällt mir schwer, es aufzuzeichnen, aber ein wenig Information über die Jahre, in denen wir uns nicht sahen, ist vielleicht trotz allem vonnöten. Mehr oder weniger täglich stellte ich mir die Frage, ob ich sie jemals wiedersehen würde, aber deshalb war ich nicht unfähig zu handeln. Offenbar gab es in mir eine andere Art von Triebkraft, vielleicht sogar mehrere Arten. Ich setzte meine Arbeit bei Foyle's bis Januar 1973 fort, nicht, weil ich noch das magere Gehalt brauchte, sondern um diesen festen Punkt, den eine Arbeit ausmacht, zu behalten. Ich las viel, das wurde immer selbstverständlicher, je länger ich von morgens bis abends mit Büchern und Bücherkäufern zu tun hatte. Ich fühlte mich diesem Swinging London immer noch – und immer mehr – entfremdet, dieser verflachten Popkultur und dieser intellektuellen Dekadenz, und mit meinen alten Spiffern, Christopher, Mary und Fjodor, hatte ich immer weniger Kontakt. Ich ging neuerdings in Konzerte mit klassischer Musik. Ich versuchte mich für Kunst zu interessieren. Ein Nachbar nahm mich ein paar Mal mit hinaus nach Twickenham und sorgte dafür, dass ich ein Auge für Rugby bekam, ein Sport, den ich bis dahin nie zu schätzen gelernt hatte, für den ich mich aber mit der Zeit immer mehr begeisterte. Deborah hatte ein paar Studienkollegen, die ich bei fünf oder sechs Gelegenheiten traf, doch als es mit ihr vorbei war, hielt ich den Kontakt zu ihnen nicht weiter aufrecht. Ich erinnere mich, dass ich einen von ihnen ein paar Jahre später in einer Fernsehsendung sah, er hieß Felix Mender und war von der französischen Sicherheitspolizei im Zusammenhang mit irgendeiner Art von Coup im Louvre in Paris angeschossen worden.

Aber nun zu Carla. Genug mit allem anderen.

Das erste Lebenszeichen von ihr, nachdem sie zurück nach Prag gefahren war, kam im März 1973. Zu dem Zeitpunkt hatte ich bereits achtzehn Monate gewartet, ich hatte im Großen und Ganzen die Hoffnung aufgegeben, doch während der ersten acht, zehn Monate hatte ich ein halbes Dutzend Briefe an die Adresse geschickt, die sie mir gegeben hatte. Alle mit dem durchsichtigen Inhalt, den sie mir mehr oder weniger diktiert hatte und der für die gierigen Augen der tschechoslowakischen Zensurbehörden gedacht war.

Ich schrieb, dass ich sie liebte. Dass es mir in dem kapitalistischen, sündigen London überhaupt nicht gefiel. Dass ich mich darauf freute, zu ihr fahren zu können. Dass ich täglich Marx' und Lenins Schriften studierte und subversive sozialistische Aktivitäten im Allgemeinen betrieb – in der korrupten, moralisch bankrotten westlichen Welt. Dass ich sie heiraten und in das sozialistische Paradies ziehen wollte und es kaum erwarten konnte.

Und Ähnliches. Ihre erste Antwort kam also anderthalb Jahre, nachdem ich von ihr getrennt worden war, ich erinnere mich, dass es ein Montag war. Der Brief war in Gütersloh in Westdeutschland abgeschickt worden, ich nahm an, dass ein guter Freund ihn herausgeschmuggelt und dort aufgegeben hatte. Ich habe ihn immer noch und gebe ihn wörtlich wieder.

Liebster Leonard,
verzeih mir, dass du warten musstest, ich habe deine
beiden Briefe erhalten, konnte aber aus bestimmten
Gründen nicht antworten. Ich habe auf die richtige
Gelegenheit warten müssen, und die hat sich erst jetzt
ergeben, es tut mir leid. Glaube nicht, dass ich nicht
versucht hätte, Kontakt zu dir aufzunehmen, aber es
war unmöglich. Ganz einfach unmöglich.
Ich hatte im ersten Jahr nach meiner Rückkehr eine

schwere Zeit, aber jetzt leide ich keine Not mehr. Aber ich
sehne mich nach dir. Mir ist klar, dass unsere Beziehung
in London für deine Seite viel zu wünschen übrig ließ,
ich bitte dich dafür um Verzeihung. Wenn irgendetwas
daran schuld ist, dann sind es die Umstände; es ist nicht
einfach, gegen ein System zu arbeiten, an das man nicht
glaubt, und gleichzeitig gezwungen zu sein, mitten darin
zu leben. Man muss so viel opfern, und man muss sich
einzureden versuchen, dass man auf lange Sicht doch die
richtige Wahl getroffen hat und dass das Urteil der Geschichte eines Tages einfach und gerecht ausfallen wird.
Wofür es natürlich keine Garantie gibt.
Aber ich bin auch eine Frau – mit den Bedürfnissen einer
Frau, ihren Hoffnungen und Träumen. Es ist nicht möglich, länger zu leugnen, wie viel du mir bedeutet hast und
heute noch bedeutest. Du weißt, dass ich andere Männer
hatte, aber jetzt habe ich keinen, und es gibt niemanden,
der mir so viel bedeutet wie du, Leonard. Nicht einmal
ansatzweise. Manchmal, wenn ich nachts wach daliege,
stelle ich mir vor, dass du bei mir bist oder dass ich
daliege und warte, dass du durch die Tür hereinkommst;
das gibt mir ein frustrierendes Gefühl von Lust und Sehnsucht, ich brauche wohl nicht näher ins Detail zu gehen,
wie ich damit umgehe, aber ich sehne mich unglaublich
nach dir. Sollte es so sein, dass du eine andere Frau
gefunden hast und dein Leben in anderer Art und Weise
weiterleben willst, dann habe ich vollstes Verständnis
dafür. Ich habe dich unangemessen vielen Geduldsproben
ausgesetzt, das weiß ich, aber wenn du trotzdem immer
noch zu mir hältst, dann möchte ich wirklich, dass wir
einen Versuch machen. Ich weiß eigentlich selbst nicht,
was ich meine, wenn ich schreibe »einen Versuch«, aber
ich weiß, dass ich dich von ganzem Herzen liebe und dass

ich ein Leben ohne dich nur schwer akzeptieren kann.
Meine politischen Aktivitäten liegen momentan auf Eis,
im Großen und Ganzen seit ich zurück nach Prag gekom-
men bin; seit ein paar Monaten unterrichte ich Englisch
und Französisch an zwei verschiedenen Schulen und erle-
dige einige Übersetzerjobs, damit komme ich, was
das Finanzielle betrifft, einigermaßen zurecht. Ich treffe
meine Schwester und ihre Familie regelmäßig, du weißt,
wie viel sie mir bedeuten. Vielleicht habe ich noch nicht
ganz den Kampf für das Richtige aufgegeben, aber meine
Auftraggeber haben mir zu verstehen gegeben, dass ich
mich, was das angeht, für eine Zeit im Hintergrund
halten soll. Und in diesem Punkt bin ich ganz ihrer Mei-
nung, auch wenn ich mich natürlich zurück nach London
sehne. Und zu dir. Vermutlich wird es aber dauern, bis
ich wieder ausreisen kann, und deshalb möchte ich dich
bitten, dir ernsthaft zu überlegen, herzukommen. Dass du
und ich eine Liebesaffäre haben, das ist unseren neugie-
rigen Behörden natürlich vollkommen klar, aber es ist in
ihren Augen nichts Kompromittierendes. Ganz im Gegen-
teil, dass sich ein Westeuropäer in eine tschechoslowaki-
sche Frau verliebt, ist für sie nur eine Ehre, als wäre das
aus irgendeinem unerklärlichen Grund ihr Verdienst. Ich
bin eine schöne sozialistische Blume, komm und pflück
mich! Nun ja, vielleicht unterschätze ich sie auch, aber
wenn du ein Visum beantragst, bin ich mir sicher, dass
sie dich für ein paar Wochen einreisen lassen, besonders
wenn man bedenkt, dass sie deine Briefe gelesen haben
und wissen, dass dein Herz für unsere paradiesische
Republik brennt, in der alle bekommen, was sie
brauchen, und nur tun müssen, was sie können.
Also schreib mir bitte und sag, was du willst, Leonard.
Und dieses Mal kannst du auf all diesen blauen Dunst

verzichten. Irgendwann im April, allerspätestens im Mai,
wird ein Mann Kontakt zu dir aufnehmen. Er wird sich
Nehmet nennen, und ihm kannst du beruhigt einen Brief
übergeben, den zu lesen ich bereits jetzt gleichzeitig mit
froher Erwartung und Schaudern entgegensehe. Aber vor
allem mit freudiger Erwartung.
Ich liebe dich, Leonard. Ich will mit dir zusammenleben.
Ja, genau so verhält es sich, nun hast du es schwarz auf
weiß.
Deine Carla

Es dauerte dann bis Mitte Mai, bis Nehmet sich zeigte, und ich hatte diverse Stunden mit meinem Brief an Carla verbracht. Ihn immer wieder umgeschrieben, etwas hinzugefügt, etwas gestrichen. Doch an dem Grundtenor änderte ich nie etwas. Die Worte in ihrem Brief waren wie ein unwiderstehliches heißes Liebeselixier in mich hineingesickert und nie wieder herausgeflossen. Es war einfach nicht möglich, sie beiseitezuschieben, und als dieser Nehmet, ein schüchterner junger Mann in einem viel zu großen Anzug, eines frühen Morgens an meiner Tür klingelte, brauchte er nur seinen Namen zu nennen, damit ich ihm sofort den Umschlag mit den zehn Seiten an Liebeserklärungen anvertraute, die ich während meiner Wartezeit zusammengestellt hatte und die vor Eifer brannten, an die richtige Adresse zu gelangen.

Dann hörte ich mehrere Monate lang nichts mehr, Deborah und ich machten Schluss, und als ich im August 1973 eine neue Affäre einging, wusste ich, dass ich Alison eigentlich nur verfiel, weil sie mich von hinten – und aus der Ferne – ein wenig an Carla erinnerte. Ich weiß auch, dass ich, wenn wir uns liebten, fast immer die Augen schloss und mir einzubilden versuchte, dass es Carla war, die mich ritt, nicht Alison.

Es gelang mir nie, mich selbst zu täuschen, aber ich erinnere mich, dass das auch der Grund dafür war, warum die Sache ein Ende nahm. Aus Versehen rief ich während des Akts den falschen Namen, und das störte sie so sehr, dass sie mir am nächsten Morgen erklärte, dass ihr klar war, dass es eine andere gab, und sie genug von mir hatte.

Es war ein Samstag Anfang Dezember 1973 – ich wohnte zu der Zeit unter meiner letzten Adresse in London, 52 Sutherland Place –, und zwei Tage später bekam ich mit der Post einen Brief, in dem stand, dass mein Visumsantrag für die Tschechoslowakei vorläufig bearbeitet worden war. Doch das war nur der erste Schritt, ich hatte mich innerhalb eines Monats mit meinem Pass für ein kurzes Interview in der Botschaft einzufinden.

Im Oktober und November bekam ich zwei weitere Briefe von Carla, abgeschickt in verschiedenen Städten in Westdeutschland, und ihre Aufforderungen, zu ihr zu kommen, waren möglicherweise noch eindringlicher als im ersten Brief. Ich habe natürlich auch diese Briefe noch, aber es gibt keinen Grund, den Inhalt hier wiederzugeben. Wollte ich ihren Einfluss auf mich beschreiben, könnte ich vielleicht behaupten, dass die Temperatur dieses Elixiers anstieg. Ja, ungefähr so.

Es dauerte bis zum 15. Januar, dass sie mich in der tschechoslowakischen Botschaft empfingen. Ich verbrachte eine Stunde mit einem mageren, misstrauischen Herrn in einem Zimmer, und ich hätte schwören können, dass es einer der Männer aus dieser Fotosammlung war, die ich vor vielen Jahren bei Bramstoke and Partners antiquarischem Buchhandel in der Hogarth Road entgegengenommen hatte. Doch als ich die Sache abends überprüfte – ich hatte immer noch alles in einer Mappe in meinem Bücherregal –, kam ich zu dem Schluss, dass ich mich geirrt haben musste.

Auf jeden Fall bekam ich einen Monat später einen neuen Bescheid von der gnädigen Botschaft: Mein Antrag auf Einreise in die sozialistische Republik war bewilligt worden. Ab dem

25. März für einen Monat. Ich kaufte ein Ticket für den Nacht-zug von Waterloo Station bis Paris, Abfahrt am 23. um 23.45 Uhr. Ich hatte einen kurzen Brief an Carlas Schwester geschrie-ben – laut den Instruktionen, die ich erhalten hatte – und ihr mitgeteilt, dass ich am 25. März um halb fünf Uhr nachmittags in Prag ankommen würde.

Ich hatte keine Antwort erhalten, aber für den Fall, dass nie-mand auf dem Bahnsteig stand, um mich zu empfangen, hatte ich eine Adresse und eine Telefonnummer.

Sowie für alle Eventualitäten für fünf Nächte ein Hotelzim-mer reserviert in der Nähe des Vaclavplatzes.

IV.

51

Lars Gustav Selén landete am 23. August um halb sieben Uhr abends Ortszeit auf dem Flughafen Heathrow.

Es war die zweite Flugreise seines Lebens, aber er hatte Filme übers Fliegen gesehen und diverse Bücher gelesen, in denen die Leute sich kreuz und quer über die Erde mit Hilfe dieser modernen Errungenschaft bewegten – wie sie ungeplante Wartezeiten auf fremden Flugplätzen verbrachten, überraschende und schicksalsschwere Begegnungen erlebten, von Frauen, Freundinnen oder Kindern für ewig getrennt wurden, ins Meer stürzten und gerettet oder nicht gerettet wurden, und Ähnliches –, weshalb er mit dem Ablauf an sich relativ vertraut war.

Und die Reise war gut verlaufen. Er hatte gewisse Befürchtungen gehabt, dass sein Rücken sich melden würde, doch es war gut gegangen. Natürlich gab es mal den einen oder anderen Schmerz und die übliche dumpfe Steifheit, aber er hatte ohne Probleme von seinem Sitz aufstehen können, als es an der Zeit war, die Kabine zu verlassen.

Es war ihm auch gelungen, sich auf dem großen Flugplatz zurechtzufinden, sowohl das Gepäckband zu finden als auch anschließend den Zug, den Heathrow Express, und nur eine gute Stunde nachdem das Flugzeug den Boden berührt hatte, befand er sich bereits an der Paddington Station im Herz der Vielmillionenstadt.

Er fühlte sich verhältnismäßig ruhig. Was eigentlich normal

für ihn war, doch er hatte erwartet, dass die Reise und die großen Veränderungen ihn mehr beeinflussen würden. Dass all das Neue, das brausende Leben, der Lärm und all das Fremde seine Sinnesruhe in höherem Grad erschüttern würden. Aber so war es nicht. Er kaufte sich einen Becher Kaffee und eine Zeitung – den *Observer*, da der Name gut zu seinem Auftrag passte – und ließ sich an einem Cafétisch auf dem großen Bahnhof nieder, dort blieb er eine ganze Weile sitzen, um die Atmosphäre an sich langsam in sich aufzunehmen.

Die Atmosphäre und die Menschen; alle diese vollkommen unbekannten Individuen, die an ihm vorbeieilten, auf dem Weg zu oder von etwas. Auf einen bestimmten Punkt zu, wie er dachte, ein Heim mit einer Küche, ein Wohnzimmer und ein Schlafzimmer vielleicht, wo jemand oder niemand auf sie oder ihn wartete. Eine Ehefrau oder ein Ehemann, Kinder, vielleicht ein Haustier, ein eifriger Hund oder eine schläfrige Katze auf dem Fensterbrett – oder, wie gesagt, niemand.

Oder zu einem Termin? Für die meisten war Paddington Station kein Ziel an sich. Nur ein Punkt auf einer Zeitlinie zwischen jetzt und später. Etwas, das man auf seinem Weg zwischen Nachmittag und Abend passierte, zwischen fern und daheim. Er hatte irgendwo gelesen, dass der Begriff Zeit außerhalb unseres menschlichen Bewusstseins eigentlich gar nicht existierte, dass es nur eine vereinfachte Art war, verschiedene Orte im Raum erfassen zu können.

Er holte sein Notizbuch heraus und schrieb diese simple Reflektion nieder. Trank seinen Kaffee aus und suchte sich seinen Weg zu der Reihe schwarzer Taxis, die auf der Rückseite des Bahnhofs warteten.

Das erste Hotel, in dem er ein Zimmer reserviert hatte, lag in Knightsbridge, auf der südlichen Seite der Parks. Er hatte mit dem Gedanken gespielt, das *Rembrandt* aufzusuchen, dann aber doch verworfen. Es war nicht nötig, genau dort zu übernachten, und das *Queen's* in der Walton Street war eine Alternative, die sowohl zu seiner Geldbörse passte als auch zu seiner Suche nach dem Einfachen und dem ungekünstelten Besseren.

Ein glatzköpfiger Mann in den Vierzigern saß in der Rezeption und hieß ihn willkommen. Er kontrollierte seinen Pass drei Sekunden lang und zog seine Kreditkarte durch einen Spalt in einer Maschine, die Lars Gustav an einen Messerschärfer erinnerte, wie ihn Tante Ragnhild immer benutzt hatte.

»Also eine Woche?«

»Erst einmal, ja. Vielleicht auch zehn Tage.«

Das Zimmer lag eine Treppe hoch. Es wies ein Bett auf, einen kleinen Schreibtisch mit einem Stuhl und nicht viel mehr. Das Fenster zeigte auf einen Hinterhof, und die enge Toilette hatte eine Duschecke mit einem rosa und gelben Duschvorhang.

Er fand das in jeder Hinsicht ausgezeichnet. Holte seine Bücher und seinen Laptop heraus, seinen Notizblock und die Stifte – aber nicht die drei Objekte – und legte alles auf den Schreibtisch. Die Reisetasche musste hochkant neben dem Bett stehen, in dem Zimmer gab es weder einen Schrank noch eine Nische, wo er sie hätte hinstellen können. Aber es gab Platz für seine Rückenübungen, und fünfzehn Minuten lang führte er das übliche Programm aus.

Als er fertig war, kontrollierte er, ob die Schreibtischlampe funktionierte, schaute auf die Uhr und beschloss auszugehen, um etwas zu essen.

Der Pub hieß *The Gloucester*, und Lars Gustav Selén fand, es sah haargenau so aus wie die beiden Pubs, mit denen er während seines Besuchs vor sechsunddreißig Jahren Bekanntschaft geschlossen hatte.

Was er zunächst einmal als gutes Zeichen ansah, er bestellte sich einen Fleischauflauf mit Kartoffelbrei, ein Pint Ale und nahm an einem der Fenster zur Straße hin Platz. Konnte sich umsehen und das halbe Bier austrinken, bevor das Essen kam. Es waren nicht besonders viele Menschen im Lokal, gut zehn Leute verschiedenen Alters, ein paar ältere, einzelne Herren an der Bar und zwei kleinere Gruppen, die an den Tischen saßen. Draußen auf dem Bürgersteig gab es noch einige Tische für die Raucher, und dort saßen zwei Frauen jeweils mit einem roten Drink und sorgten dafür, dass der Nikotinpegel auf gewünschtem Niveau blieb.

Was Lars Gustav Selén betraf, so hatte er vor vielen Jahren aufgehört zu rauchen, doch der Gedanke, sich während seines Besuchs in dieser großen Stadt die eine oder andere Zigarette zu gönnen, war ihm nicht ganz fremd. Die Tätigkeit selbst hatte etwas an sich, was ihm zusagte, diese passive Beschäftigung, nachdem man eine Zigarette angezündet hatte, um dann ruhig und methodisch – ohne Hektik, aber auch ohne wirkliche Konzentration – seine fünfzehn, zwanzig Züge zu rauchen, die notwendig waren, bevor man die Kippe ausdrücken und sich wieder dem widmen konnte, das man unterbrochen hatte.

Er beschloss jedoch, diese mögliche Aktion zunächst einmal aufzuschieben. Nachdem er seine Mahlzeit beendet hatte, bestellte er stattdessen ein weiteres Pint und holte seinen Notizblock heraus. Er trank einen Schluck und dachte eine Weile nach, dann schrieb er folgenden Kommentar nieder:

Hier sitze ich jetzt. Es ist zweifellos etwas merkwürdig, aber ich habe erwartet, dass es sich so anfühlt. Nicht so zu empfinden wäre noch merkwürdiger gewesen. Ich bin einen Schritt gegangen, dessen Konsequenzen nicht zu überschauen sind. Ich bin in meinen gut sechzig Jahren auf der Erde nicht viele Schritte gegangen, und mir ist klar, dass mein Leben einem außenstehenden Betrachter als ziemlich dürftig erscheinen muss. Doch so einen Betrachter gibt es nicht. Ich bin nicht viele Kontakte einge-

gangen, war nie mit einer Frau zusammen, habe keine
Kinder, und ich hege den Verdacht, dass es ziemlich lange
dauern wird, bevor überhaupt jemand merkt, dass ich aus
meiner Heimatstadt fort bin. Wer sollte das auch sein?
Meine Abwesenheit wiegt genauso schwer, wie es meine
Anwesenheit tat, so kann man es wohl sagen, aber das
ist keine Erkenntnis, die mich schmerzt. Überhaupt nicht,
es handelt sich um eine bewusst getroffene Wahl, und so
war es die ganze Zeit, und ich weiß ja, dass die meisten
Menschen keine tieferen Eindrücke hinterlassen als ich,
wenn der Kampf einmal vorbei ist. Es gefällt ihnen na-
türlich, sich etwas anderes einzubilden – dass sie Spuren
hinterlassen, mehr oder weniger unauslöschliche Spuren.
Für viele ist es und war es die Lebensluft, die sie jeden
Tag ihres bewussten Lebens eingeatmet haben, was aber
natürlich nicht bedeutet, dass es wahr sein muss oder
dass ihre Anstrengungen irgendeinen Sinn haben müssen.
Der Abdruck, den ich zurücklassen will, das ist mein
Roman. Ich weiß ja nicht, ob mir dieses Ansinnen gelingt,
ob das Buch jemals gedruckt werden wird – doch zu dem
Zeitpunkt, an dem ich das erfahren könnte, werde ich
nicht mehr sein, also entbehrt die Frage jeder praktischen
Bedeutung. Ich werde versuchen, mein Vorhaben wie ge-
plant durchzuführen, auf gewisse Weise habe ich das Ge-
fühl, meinen Figuren das schuldig zu sein; in den Büchern,
die ich im Laufe der Jahre gelesen habe, habe ich genau
diese Beziehung zwischen der Fiktion und ihrem Schöp-
fer erahnen können: eine Art Übereinkommen, manchmal
nur widerstrebend unterzeichnet von beiden Parteien, aber
trotz allem haben die fiktiven Figuren ihr Ticket gelöst und
bei einer der ersten Haltestellen den Zug oder die Fähre
genommen, und sie haben das Recht bis zum aktuellen
individuellen Zeitpunkt mitzufahren – oder abgesetzt zu

werden. Am anderen Ufer, der Endstation, oder wie immer man es nennen will; das Kapitel, in dem man endlich sein Gepäck bekommt und aussteigen kann, es hat natürlich keinen Sinn, sie im Limbo hängen zu lassen.

Zunächst jedoch – bevor ich mich voll und ganz diesem Projekt widme – muss ich mich erst einmal dieser großen Stadt widmen. Natürlich; es sind zweifellos noch einige Recherchen zu leisten, es ist ja fast noch ein Monat, bis sie hier eintreffen werden, und ich bilde mir ein, dass ich noch viel Zeit habe. Was meine eigene Präsenz in dem Werk betrifft, so gibt es da auch den einen oder anderen Beschluss zu fassen, aber ich hege keinerlei Befürchtungen, dass etwas ernsthaft schiefgehen könnte. Zumindest nichts Größeres.

Alles liegt ja nun nicht in meinen Händen, Gott sei Dank; ich habe so viele Bücher in meinem Leben gelesen, und es gibt da etwas, das ich aus ihnen gelernt habe: Das wirklich Wichtige liegt immer außerhalb unserer Kontrolle.

Er las noch einmal durch, was er geschrieben hatte, und klappte dann den Notizblock zu. Ging zum Tresen, um seine Rechnung zu bezahlen, doch der Barkeeper erklärte ihm, dass er das bereits getan hätte. Er bedankte sich und verließ den Pub. Als er auf die Straße traf, merkte er, dass es ein ungewöhnlich warmer und angenehmer Abend war, und er beschloss, noch unten am Fluss einen Spaziergang zu machen, bevor er ins Hotel zurückkehrte.

Erst nach Mitternacht war er wieder in seinem Zimmer im *Queen's,* und seine Füße waren wirklich müde. Der laue Abend hatte ihn nicht nur an die Themse gelockt, sondern auch noch über den Fluss auf die Südseite. Dann war er Richtung Osten weitergegangen, vorbei an all den Kulturbastionen, über die er gelesen und geschrieben hatte, hatte noch ein Pint Bier in einer modernen kleinen Bar in der Nähe der Tate Modern getrunken und dann seinen Weg weiter über die Fußgängerbrücke nach St. Paul's fortgesetzt. Anschließend nach Westen, durch City und Covent Garden – hatte dem Impuls widerstanden, schon jetzt mit seinen Recherchen und Notizen anzufangen –, vorbei am Leicester Square und den Piccadilly entlang zurück nach Knightsbridge. Er hatte einen praktischen Stadtplan in Pocketformat, den er ab und zu, wenn er mal stehen blieb, zu Rate zog, und während seiner langen Wanderung spürte er immer deutlicher, dass er auf diese Art und Weise die Stadt eroberte. Sie hatte zwar schon seit langer Zeit als ein Teil seiner inneren Landschaft existiert, doch was jetzt geschah – die Tür zwischen dem Inneren und dem Äußeren wurde geöffnet. Er hatte ein Erlebnis dieser Art erwartet, aber nicht, dass die Empfindung so stark sein würde. Stark und gleichzeitig vollkommen selbstverständlich.

Was natürlich sehr erfreulich war. Je größer die Überschneidung zwischen dem Erzähler und dem Erzählten war, umso besser, das hatte er bei Bloom wie auch bei Hockstein gelesen, und mit einem Gefühl müder Zufriedenheit kroch er an diesem ersten Abend an der Stätte des Geschehens ins Bett.

Eine Zeit intensiver Recherchearbeit begann. Lars Gustav Selén verließ das Hotel meistens gegen neun Uhr morgens, und er war selten vor neun Uhr abends zurück. Er wanderte durch die Stadt, besonders durch die Stadtteile nördlich der Parks, Paddington, Bayswater und Notting Hill, saß in Cafés und Pubs und notierte sich Details: er fuhr mit der Untergrundbahn, zählte die Treppenstufen in Covent Garden, besuchte das British Museum, die National Gallery und St. Martin-in-the-Fields. Er saß in der Lobby des *Rembrandt*, in Anzug und Schlips, um wie ein adäquater Hotelgast auszusehen, besuchte das neu eröffnete Antiquariat Bramstoke and Partners in der Hogarth Road und ortete die Kemble Street. Eines Tages nahm er den Zug nach Bristol und wieder zurück, an einem anderen nach Oxford. Jede Stunde war angefüllt mit neuen Arbeitsaufgaben, und es gab ihm ein zunehmendes Gefühl von Befriedigung.

Anfang September wechselte er das Hotel. Er stieg im *Lords* in Bayswater ab, und jetzt konnte er spüren, dass sich etwas zusammenbraute. Als wäre er einen Schritt aus einem Zimmer in ein anderes, heller erleuchtetes gegangen; vom Betrachter möglicherweise zum Handelnden, es würde nicht mehr lange dauern, bevor die ersten Figuren in Paddington ankämen, und er spürte eine pulsierende Erregung in sich. Vielleicht auch das Gefühl, als bereitete sich die Umgebung um ihn herum auf etwas vor. Ein paar Nächte lang hatte er Probleme mit dem Schlaf gehabt, und jetzt beschloss er ernsthaft, die Idee in die Tat umzusetzen und mit dem Rauchen anzufangen. Er kaufte sich ein Päckchen Camel, die erste Zigarette ließ ihn ein wenig schwindlig werden, aber bereits nach der zweiten hatte er sich daran gewöhnt.

52

Es dauerte bis Mitte September, bevor er mit einem anderen Menschen in London ins Gespräch kam. Natürlich wechselte er das eine oder andere Wort mit Personen in Servicefunktionen, mit dem Hotelpersonal, Angestellten in Geschäften, in Restaurants oder Cafés, aber erst eines Abends im *Bonaparte*, einem Pub in der Chepstow Road, wurde er in etwas verwickelt, was man ein Gespräch nennen könnte. Es war gegen neun Uhr, er saß an einem Tisch und blätterte in *The Spiff*, der Zeitschrift, die er bei seinem letzten Besuch in London gekauft hatte, mehr als dreieinhalb Jahrzehnte zurück in der Zeit. Es war eine Art Undergroundmagazin – zumindest war das die Warenbezeichnung, die vorn auf dem Titelbild stand, das geschmückt war mit einer Gruppe langhaariger Männer und Frauen in eigentümlicher Kostümierung, draußen im Wald auf einem umgestürzten Baumstamm sitzend.

Da es ein Freitagabend war, befanden sich ziemlich viele Leute im *Bonaparte*, und nach einer Weile kam ein älterer Herr mit einem Glas in der Hand auf ihn zu und fragte, ob er sich setzen dürfte. Lars Gustav nickte, und kaum hatte der Mann sich gesetzt, da hob er auch schon verwundert die Augenbrauen.

»Die Zeitschrift haben Sie aber nicht heute gekauft.«

»Das stimmt«, erwiderte Lars Gustav. »Ich habe sie vor sechsunddreißig Jahren gekauft.«

Der Mann nickte. »Entschuldigen Sie meine Bemerkung. Ich wollte mich nicht aufdrängen.«

Er sprach ein auffallend gewähltes Englisch, und seiner Kleidung nach zu urteilen zog Lars Gustav den Schluss, dass er wohlsituiert sein musste.

»Das macht nichts«, versicherte er. »Aber kennen Sie die Zeitschrift denn?«

Der Mann lachte kurz. »Aber natürlich. Das war eine andere Zeit damals. Sturm und Drang, wenn Sie den Ausdruck kennen?«

Lars Gustav bestätigte, dass ihm der Ausdruck vertraut war. Der Mann hob sein Glas und deutete einen Toast an. Sie tranken beide einen Schluck, der Mann schien zu zögern. »Ich kannte sogar einige von denen, die die Zeitung gemacht haben«, erklärte er dann und zeigte mit der Hand. »Vor allem einen, der Christopher hieß. Aber die anderen auch.«

Lars Gustav Selén spürte, wie der Puls in seinen Schläfen pochte. »Interessant«, sagte er. »Es gibt sogar ein Foto von der Redaktion in dieser Ausgabe.«

Er blätterte ein paar Seiten weiter, fand das Foto und drehte die Zeitschrift, damit der Fremde es mit eigenen Augen betrachten konnte. Dieser holte eine Brille aus der Brusttasche seiner Jacke heraus und musterte das Bild der vier mit offensichtlichem Interesse.

»Ja, tatsächlich«, nickte er dann. »Christopher und Mary und Leonard. Wie der Vierte heißt, fällt mir im Augenblick nicht ein. Christopher lebt nicht mehr, ich war vor ein paar Jahren auf seiner Beerdigung. Aber sagen Sie mir, wie kommt es, dass Sie hier sitzen und sich eine so alte Zeitschrift angucken?«

»Es geht genau genommen um diesen Leonard«, erklärte Lars Gustav nach kurzem Zögern. »Es ist eine etwas sonderbare Geschichte.«

»Tatsächlich?«, fragte der Fremde. »Nun ja, ich will ja nicht aufdringlich sein. Aber wenn Sie sie mir erzählen wollen, höre ich gern zu. Auf meine alten Tage glaube ich so langsam, dass das der eigentliche Grund ist, warum wir hier sind.«

»Entschuldigung, jetzt verstehe ich nicht richtig«, sagte Lars Gustav.

»Nun, um miteinander zu reden«, sagte der Mann mit einem hastigen, entschuldigenden Lächeln. »Gott hat uns die Sprache geschenkt, damit wir uns unterhalten und unsere Gedanken austauschen, das ist der Sinn des Ganzen. Nun ja, sei es, wie es sei. Sie kannten also diesen Leonard … wie hieß er noch mit Nachnamen?«

»Vermin«, sagte Lars Gustav. »Nein, ich kann nicht behaupten, dass ich ihn gekannt habe. Aber ich kannte einen anderen Leonard in meiner Jugend, und er glich diesem Leonard Vermin bis aufs i-Tüpfelchen. Tatsächlich. Vollkommen. Deshalb habe ich die Zeitschrift gekauft, als ich das letzte Mal in London war. Mir war sie durch Zufall in die Hände gekommen.«

»Das letzte Mal?«, wunderte der Mann sich. »Das muss schon ziemlich lange her sein, oder?«

»Ein Menschenalter ungefähr«, sagte Lars Gustav. »Aber sagen Sie mir, wie war er, dieser Leonard Vermin? Entschuldigen Sie meine Frage, aber ich habe sozusagen ein persönliches Interesse daran.«

Der Mann blieb eine Weile schweigend sitzen, schien mit sich selbst zu Rate zu gehen, während er seine Brille mit seiner Krawatte putzte. »Ich weiß es nicht so genau«, sagte er schließlich. »Ich erinnere mich, dass er die Zeitschrift verlassen hat, und ich glaube, er kam zu einigem Vermögen. Aber über seinen Charakter wage ich nichts zu sagen, ich war eher mit ein paar von den anderen bekannt. Mary und Christopher, aber es ist auch schon lange her, dass ich von denen einen gesehen habe. Ja, Christopher ist ja inzwischen tot, wie schon gesagt. Aber jetzt entschuldigen Sie mich bitte, ich glaube, ich muss erst einmal eine rauchen.«

»Darf ich Ihnen Gesellschaft leisten?«, fragte Lars Gustav.

»Aber natürlich. Lassen Sie uns unsere Gläser mitnehmen, das Wetter sieht ja gar nicht so schlecht aus.«

Sie gingen gemeinsam auf die Straße. Dort war gerade ein Tisch frei geworden, sie ließen sich nieder, zündeten jeweils ihre Zigarette an und prosteten sich verhalten zu.

»Und er ähnelte also einem Freund von Ihnen?«

Lars Gustav nickte. »Bis zur Verwechslung. Zumindest auf diesem Foto hier.«

Er zeigte auf die Zeitschrift. Der Mann dachte erneut nach. »Es gibt so viele Gesichter auf der Erde«, sagte er. »Eigentlich gar kein Wunder, dass es Doubletten gibt.«

»Da stimme ich Ihnen zu«, sagte Lars Gustav. »Übrigens starb er sehr jung, mein Freund. Und auch noch hier in London.«

»Das ist traurig zu hören«, sagte der Mann.

»Er und seine Freundin. Sie sind unten in der U-Bahn umgekommen.«

»Wie schrecklich«, sagte der Mann.

»Ja«, sagte Lars Gustav. »Das war wirklich schrecklich.«

Sie saßen eine Weile schweigend beieinander und rauchten, dann unterhielten sie sich über andere Dinge, über das Wetter, über die umfassenden Bauarbeiten, die in dem Viertel vor sich gingen, über die ersten Monate der neuen Regierung und das drakonische Sparpaket. Es war in erster Linie der Fremde, der zu diesen Themen seine Ansichten äußerte, während Lars Gustav Selén interessiert zuhörte und das Gespräch mit dem einen oder anderen Einwurf am Laufen hielt, und so saßen sie noch eine ganze Stunde zusammen.

An einem sonnigen Vormittag ein paar Tage später saß er draußen in einem Café auf der Westbourne Grove und schrieb folgenden Kommentar:

Zeit ist eine relative Erscheinung, das ist kaum etwas
Neues. Zumindest nicht für mich, aber mir ist klar gewor-
den, dass andere ab und zu das Gleiche erleben: wie ge-
wisse Zeitabschnitte unglaublich langgezogen erscheinen,
obwohl sie laut unseren Uhren und Chronometern doch
nur wenige Stunden umfassen – während es andererseits
vorkommt, dass ganze Tage, vielleicht auch Wochen und
sogar Jahre wie ein stetig fließender Strom vorbeirinnen
können, ohne dass man es wirklich bemerkt. Ja, in vielen
Büchern bin ich auf diese Beobachtung gestoßen.
Was den Unterschied zwischen Dichtung und Wirklich-
keit betrifft, so verhält es sich hier genauso, hier gibt es
den gleichen Typ von Relativität, aber nach allem, was
ich weiß, ist das eine weniger bekannte Tatsache. Dass
die Grenze zwischen dem, was tatsächlich passiert, und
dem, was nur erdichtet wurde, so dünn ist, meine ich.
Doch um einzusehen, dass es so ist, muss man ja nur
überlegen, dass alles, was in der sogenannten Wirklich-
keit einen Platz einnimmt, einen Beobachter erfordert,
um überhaupt registriert zu werden, und dieser Beob-
achter ist immer ein Mensch. Oder es sind mehrere, aber
jeder Einzelne mit seinen individuellen Sinnen, seinem
subjektiven Gehirn und seiner persönlichen Art, das auf-
zufassen, was er gesehen, gehört und erlebt hat. Worin
besteht dann eigentlich der Unterschied? Wir sind alle in
unserem Bewusstsein gefangen, und ich wiederhole:
Worin besteht der Unterschied?
Mein Onkel Gudmar, der im Gegensatz zu seinem Bruder
nie mit der Unwahrheit gespielt hat, erzählte einmal fol-
gende Geschichte: In dem kleinen nordländischen Markt-
flecken, in dem er und mein Vater geboren wurden und
aufwuchsen, gab es einen trinkenden Friseur mit Namen
Adamsson. Die eine Woche schnitt er Haare und rasierte,

die andere widmete er sich dem Trinken, das war eine
akzeptierte Ordnung, und niemand schien etwas Merk-
würdiges daran zu finden, dass er seinen Salon in regel-
mäßigen Abständen geschlossen hielt. Adamsson schaffte
es auch so, sämtliche Schädel vor Ort zu frisieren, und
es gab nie eine Klage über seine handwerklichen Fähig-
keiten. Eines Nachts im Monat Mai 1919 – im selben
Jahr, in dem übrigens mein Vater geboren wurde, Gud-
mar war neun Jahre älter – bekam Adamsson in seinem
Schlafzimmer unerwarteten Besuch von drei äußerst
schönen und äußerst nackten Damen, es war in einer
seiner Besäufniswochen. Sie unterbreiteten ihm einen
Vorschlag, der darauf hinauslief, dass er einige Stun-
den lang mit ihnen alles machen durfte, was ihm einfiel,
wenn er dem aber zustimmte, dann würde den Ort ein
schweres Unheil ereilen.

Adamsson beschloss nach reiflicher Überlegung, den
Vorschlag abzulehnen, die Damen verschwanden, und
das Unheil blieb aus. Danach dachte der Barbier, ihm
stünde ja wohl eine Art Belohnung dafür zu, dass er das
Wohl und Wehe des Ortes über seine eigenen Triebe und
Bedürfnisse gestellt hatte. Schließlich hatte er alle vor
einem großen Unglück gerettet. Als er das dem Bürger-
meister vortrug, erntete er ein glattes Nein. Es war
ausgeschlossen, das Geld der Steuerzahler für so einen
Einfall zu verwenden.

Einige Zeit später ereignete sich das Gleiche noch einmal,
und wieder lehnte Adamsson dankend ab und brachte
seine Forderung auf Erstattung für sein moralisches
Handeln erneut vor. Auch dieses Mal wurde sie wieder
entschieden abgelehnt. Während Adamsson schnitt und
rasierte, erzählte er seinen Kunden von den drei Damen,
von seiner Standhaftigkeit und der knauserigen Einstel-

lung der Würdenträger, aber es gab wahrscheinlich nicht
viele, die ihm das mit den nächtlichen Besuchen glaub-
ten. Nach Verlauf weiterer Wochen tauchten die Schön-
heiten ein drittes Mal in seinem Schlafzimmer auf, und
dieses Mal verwarf Adamsson seinen früheren Stand-
punkt und vergnügte sich ausschweifend mit ihrem
weichen Fleische bis in die frühen Morgenstunden.

Auch mit dieser Geschichte unterhielt er seine Kunden
in der folgenden Woche, doch kurz darauf, nach nur
wenigen Tagen, wurde der Ort von der Spanischen Grippe
heimgesucht. Bis dahin war die kleine Gemeinde von
dieser schrecklichen Epidemie immer verschont geblie-
ben, doch im Laufe weniger Herbstmonate starben nun
einhundertachtundneunzig Personen daran, Alte wie
Junge, Männer, Frauen und Kinder, ja, fast zwanzig Pro-
zent der Bevölkerung starb auf diese Art – einer der höchs-
ten Prozentsätze im ganzen Land –, und jetzt geschah
etwas Unerwartetes. Im ganzen Ort gab es wohl keinen
einzigen Menschen, der nicht von Adamssons Geschichte
gehört hatte, und plötzlich ging man nicht mehr in sei-
nen Salon. Bevor das Jahr vorüber war, hatte er alle seine
Kunden verloren, und er ging dazu über, jede Woche zu
trinken und nicht mehr nur jede zweite. Ein neuer Friseur
mit Namen Pettersson etablierte sich schnell. Zwei Jahre
später war Adamsson tot.

So beendete Onkel Gudmar seine Erzählung, er
schmückte sie nie irgendwie aus und versuchte auch nie,
eine Art Moral anzufügen, trotzdem dachte ich immer
wieder über sie nach. Es war mir auch gelungen, die To-
deszahlen für den betreffenden Ort herauszufinden und
dass es tatsächlich dort zwischen 1905 und 1920 einen
Barbier namens Adamsson gegeben hatte.

Aber wie dachten nun diese Kunden, die ihn im Stich

ließen, das ist die Frage. Was glaubten sie eigentlich? Ich
habe darüber schon früher in meinen Aufzeichnungen
geschrieben, habe aber das Bedürfnis, das Thema noch
einmal aufzugreifen – und wenn nur, um zu illustrieren,
wie leicht es ist, zwischen Wahrheit und Lüge hin- und
herzuschwanken, zwischen Fiktion und Wirklichkeit.
Auch wenn wir glauben und darauf bestehen, dass wir
mit beiden Füßen fest verwurzelt auf der richtigen Seite
der Grenze stehen.
Es ist ein sonniger Vormittag in Westbourne Grove.
Ich sitze an einem Cafétisch und schreibe das hier auf.
Morgen ist der Tag, an dem meine ersten Akteure am
Bahnhof Paddington eintreffen werden. Ich werde an
einem anderen Cafétisch sitzen und sie beobachten.

Solange er im *Queen's Hotel* in Knightsbridge gewohnt hatte,
hatte Lars Gustav Selén sich nicht die Mühe gemacht, seine drei
magischen Gegenstände aus der Reisetasche auszupacken, doch
jetzt im *Lords* tat er das.

Das Foto. Den Zeitungsausschnitt. Die rückwärtslaufende
Uhr. Über dem winzigen Schreibtisch in seinem Zimmer gab
es eine Fensterbank, und genau wie daheim in K. platzierte er
alles dort. Der Blick aus dem Fenster bestand zu Dreivierteln
aus Grün, zu einem Viertel aus Himmel. Ein paar Mal versuchte
er seine übliche Konzentrationsübung durchzuführen, bevor er
sich der abendlichen Schreibarbeit widmete, doch seine Utensilien schenkten ihm nicht die Hilfe, die er erwartet hatte. Er
nahm an, dass es an der veränderten Situation lag, der große
Schritt und die große Stadt, und als er versuchte, mit Carla auf
dem Foto einen Blickkontakt herzustellen, hatte er fast das Gefühl, als wiche sie seinem Blick aus. Er wusste nicht, ob es daran lag, dass er mit höchster Wahrscheinlichkeit diesen Pub in
Soho gefunden hatte, in dem sie gearbeitet und über dem sie

gewohnt hatte – er hatte dort eine halbe Stunde mit einem Pint Bier verbracht –, aber vielleicht gab es da ja einen Zusammenhang. Den Zeitungstext kannte er sowieso in- und auswendig, der brachte nichts in ihm in Bewegung. Was die rückwärtslaufende Uhr anging, so war sie eines Morgens stehen geblieben, obwohl er wusste, dass er sie aufgezogen hatte, bevor er einschlief, genau wie er es immer tat, auch im *Queen's Hotel*. Als er sie schüttelte, fing sie wieder an zu ticken, die Zeiger begannen mit ihrer langsamen Rückwärtswanderung über das Zifferblatt, aber er ahnte trotzdem, dass dieses Objekt seine Bedeutung und Ausstrahlung verlor. Es hatte einfach seinen Dienst erfüllt. Inwieweit das gut oder schlecht war, das konnte er nicht sagen, aber er ließ sie trotzdem auf dem Fensterbrett liegen, und wenn nur aus Gründen der Dekoration.

Nach drei Wochen in der großen Stadt war er seinen dicken Roman von der ersten bis zur letzten Seite durchgegangen, nun ja, nicht die allerletzten Seiten, das war natürlich nicht möglich. Aber so weit, wie er gediehen war; er hatte alle notwendigen Korrekturen gemacht, und da man nun an dem Tag angelangt war, an dem drei neue Akteure auf dem Spielfeld eintreffen sollten, fand er, dass ihm die Synchronisierung doch gut gelungen war. Während er in einem kleinen Café an der Hereford Road frühstückte, konstatierte er, dass ab jetzt alles in das, was manchmal zu Unrecht als Realzeit benannt wurde, wechselte. Außerdem spürte er eine hohe Nervenanspannung, es war an der Zeit, den ersten physischen Kontakt aufzunehmen – die psychische Seite erforderte natürlich bei weitem nicht die gleiche vorsichtige Behandlung –, und in den letzten Tagen hatte er seinen Plan ganz genau skizziert.

Sie fand die Brieftasche. Von seinem Aussichtspunkt auf der gegenüberliegenden Ecke Gloucester Road und Cornwall Gardens aus, geschützt von einer klassischen roten Telefonzelle, beobachtete er sie und seufzte vor Erleichterung, als sie die Beute aufhob. Er hatte natürlich gewusst, dass sie es tun würde, und es war natürlich nicht seine richtige Brieftasche, nur eine Attrappe, die er sich in einem Laden in der Portobello Road besorgt hatte. Aber trotzdem, er spürte eine Erleichterung, die der eines Dirigenten nicht unähnlich war, wenn dieser nach den ersten Takten feststellt, dass das gesamte Orchester sich wirklich so verhält, wie er es erwartet hat. Die Kreditkarte war übrigens nicht zu gebrauchen, da er sie bereits gesperrt hatte, bevor er von zu Hause losgefahren war, aber es war sein richtiger Ausweis und auch die Scheine waren echt. Und die Telefonnummer war richtig. Natürlich.

Er eilte The Broad Walk entlang quer durch die Kensington Gardens und war erst seit einer Viertelstunde wieder im *Lords*, als sie anrief. Er gab sich alle Mühe, ausgesucht langsam zu sprechen, wobei er sein Englisch auf Idiotenniveau herunterschraubte, und als er den Hörer aufgelegt hatte, war er sich sicher, dass sie ihn nicht durchschaut hatte.

Und wie hätte sie das auch? Das war eine gute Frage, über die er selbst schmunzeln musste. Außerdem begriff er, dass Irina Miller kein Problem darstellen würde. Er hielt dieses Buch für sie bereit, und wenn man ihren Hintergrund bedachte, ihr Verhalten an diesem Herbstabend auf der regnerischen Landstraße, dann konnte man wohl behaupten, dass sie ungefähr das bekam, was sie verdient hatte.

Als er dann am selben Nachmittag in einem Pub am *Strand* saß und Gregorius Miller alias Paul F. Kerran im Blick hielt, las er in der Zeitung zum ersten Mal über einen Mörder, der »The Watch Killer« genannt wurde.

V.

53

Das gelbe Notizbuch

Am Morgen des 23. März, demselben Tag, an dem ich den Nachtzug nach Paris nehmen sollte, klingelte es an meiner Tür am Sutherland Place. Obwohl es erst halb acht war, war ich bereits hellwach und angezogen. Ich hatte noch einiges zu erledigen, was man so vor einer Reise zu erledigen hat, deshalb war ich zu dieser ungewöhnlichen Zeit bereits aufgestanden.

Es war ein Mann in den Fünfzigern. Er stellte sich als Mr. Kovak vor, hatte einen deutlichen Akzent, und ich meinte sofort, ihn wiederzuerkennen. Es dauerte jedoch ein paar Stunden – lange nachdem er mich wieder verlassen hatte –, bis es mir gelang, ihn zu identifizieren.

»Mr. Vermin«, begann er. »Ich habe eine Kleinigkeit für Sie. Würden Sie so nett sein und mich kurz hereinlassen?«

Er trug wieder einmal einen abgetragenen schwarzen Anzug. Schwarze Schuhe, weißes Hemd, am Hals aufgeknöpft. Dunkles, schütteres Haar, tief liegende Augen und eine krumme Nase, die einmal etwas abbekommen hatte. In einer Hand hielt er eine Aktentasche.

Ich zögerte einen Moment, dann ließ ich ihn herein. Wir setzten uns in die Küche. Er legte die Aktentasche zwischen uns mitten auf den Tisch.

»Mr. Vermin«, sagte er. »Wir wissen ja, dass Sie sich heute Abend auf eine Reise begeben werden.«

»Wir?«, fragte ich.

Er ignorierte meine Frage. Öffnete das Schloss der Tasche, aber nicht die Tasche.

»Ich glaube, ich brauche keine großen Erklärungen vorauszuschicken«, sagte er und zog kurz die Oberlippe zu einer Art Lächeln hoch. Ich registrierte, dass er ungleichmäßige, leicht verfärbte Zähne hatte.

»Sie waren ja schon früher mit dabei.«

»Ich verstehe nicht, wovon Sie reden«, sagte ich.

»Wie gesagt, es handelt sich nur um einen einfachen kleinen Auftrag.«

Er öffnete die Tasche und holte etwas heraus. Schloss die Lasche und den Verschluss wieder. Sorgfältig verbarg er vor mir, was er in seiner geballten Hand hielt, während er mit der Tasche beschäftigt war und sie anschließend auf den Boden stellte. Er erinnerte an einen fernen, unerwünschten Verwandten, der zu Besuch gekommen war und seine Nichten und Neffen mit einem Geschenk aus einem fremden Land überraschen wollte. Irgendwelchem Schnickschnack, den er in aller Eile auf dem Flughafen oder Bahnhof gekauft hatte. Ich wollte schon aufstehen und ihn bitten, mich in Ruhe zu lassen, wahrscheinlich ahnte er das, denn er hob seine leere Hand, und sein Gesichtsausdruck veränderte sich. Ein wenig entschuldigend, glaube ich, wobei ich nicht weiß, was er entschuldigen wollte.

»Also«, sagte er. »Du machst das für deine Freundin, und wir wollen doch nicht, dass etwas schiefgeht mit deiner Reise. Nicht wahr?«

Plötzlich ganz familiär. Meine Widerstandskraft brach ebenso schnell zusammen, wie sie vorher gewachsen war.

»Worum geht es?«

»Nur um diese Kleinigkeit«, sagte er einfach und öffnete die Hand. »Es ist eine Lappalie, die dich ein Wimpernzucken kostet.«

Es war ein Deodorantstift. So eine Roll-on-Geschichte einer Marke, die ich kannte, aber selbst nie benutzt hatte.

»Du packst das in deine Kulturtasche, und wenn du in Prag eingetroffen bist, dann kommt jemand und holt es ab.«

Ich war seit zwei Jahren nicht mehr in solche Transaktionen involviert gewesen, und jetzt fühlte es sich an wie sauer aufzustoßen. Ich betrachtete ihn, während ich mir eine Zigarette anzündete, und versuchte, ruhig und desinteressiert auszusehen. Er stellte den Stift vor mir auf den Tisch.

»Eine äußerst einfache Transaktion.«

»Ich habe mit solchen Sachen aufgehört«, sagte ich.

Wieder zeigte er mir seine schlechten Zähne.

»Dann lass uns sagen, dass du hier und jetzt damit aufhören wirst.«

Ich zog an meiner Zigarette und überlegte. Er holte ein Päckchen Chesterfield heraus und zündete sich auch eine an. Es verging eine halbe Minute, vielleicht sogar eine ganze, ich dachte, es war wie bei einer Schachpartie, bei der beide glauben, der andere wäre am Zug.

»All right«, sagte ich schließlich. »Und was bekomme ich für meine Mühe?«

Wenn es tatsächlich eine Schachpartie war, dann war das ein sinnloser Zug.

»Das muss ich dir nicht erklären«, sagte er, und jetzt klang er fast amüsiert. »Du bekommst einen wunderschönen Aufenthalt in Prag, reicht das nicht? Das ist eine alte Stadt. Sie ist ein wenig in Ungnade gefallen, aber das wird schon vorbeigehen.«

Sie? Das war eine Erklärung, so doppelbödig, dass er sie einstudiert haben musste.

»Ich verstehe«, sagte ich. »Aber ich denke nicht daran, noch einmal mitzumachen.«

»Das haben wir doch schon abgemacht«, sagte Mr. Kovak und stand auf. Er streckte mir über den Küchentisch die Hand entgegen, bedankte sich für das Gespräch und ließ mich allein.

Als ich meinen Platz im Liegewagen des Zugs einnahm, war ich nervös, natürlich war ich das.

Nicht wegen des neuen Deodorants in meinem Gepäck, sondern aus anderen Gründen. Fast zweieinhalb Jahre waren vergangen, seit Carla und ich getrennt worden waren, und auch wenn wir in den letzten Monaten miteinander kommuniziert hatten, so lag doch eine lange Zeit und ein ganzes Meer an Unsicherheit zwischen uns.

In einem der unzensierten Briefe hatte sie versichert, dass sie mich liebte und wirklich ihr Leben mit mir teilen wollte, aber was das bedeuten sollte, das wusste ich nicht. In meinen Gedanken sprang ich von einer Interpretation zur nächsten, von dem einen möglichen Zukunftsszenarium zum anderen. Konnte ich mir vorstellen, in Prag zu bleiben? Konnte ich das wirklich? Sie heiraten, Kinder mit ihr bekommen und eine richtige Familie gründen? In einem Land, in das ich noch nie meinen Fuß gesetzt hatte und in dem eigentlich keiner von uns leben wollte. War es das, was sie sich wünschte? Oder sollte es möglich für sie sein, wieder auszureisen? Ohne dass es eine Gefahr für ihre Familie bedeutete?

Diese Dinge waren nicht einzuschätzen, und ich ahnte, wie sehr ich auch versuchte, abzuwägen, zu spekulieren und mich vorzubereiten, alles würde in dem Moment, in dem ich sie wiedersah, wie ein Kartenhaus in sich zusammenfallen. Dann würde ich es wissen, redete ich mir ein. Und wenn nicht sofort, dann zumindest nach einer Weile. Nach ein paar Tagen oder Wochen. Mein Visum war für einen Monat gültig, bis zum 25. April. Ich hatte keine Rückreise gebucht, da… ja, da ich nicht einmal wusste, ob ich zurückfahren würde.

Diese Gedanken hielten mich wach, während der Zug durch die Nacht fuhr. Über den Ärmelkanal, durch Nordfrankreich auf Paris zu, wo ich früher in meinem Leben schon einmal einen Tag und eine Nacht verbracht hatte.

Es gab noch eine neue Komplikation, und die betraf natürlich das Deodorant in meiner Kulturtasche. Ich hatte es nicht untersucht, vielleicht enthielt es eine Art Mikrofilm, das war zumindest eine qualifizierte Vermutung, aber ich wusste es nicht. Der dunkelblaue Zylinder war ungeöffnet und zugeschweißt, wenn ich mir also den Inhalt näher hätte ansehen wollen, dann wäre es kaum möglich gewesen, ohne entdeckt zu werden. Und ich war mir ziemlich sicher, dass ich mich so einem Risiko nicht aussetzen wollte.

Aber nicht das Deodorant selbst war die Komplikation, sondern der Mann, von dem ich es entgegengenommen hatte. Ein paar Stunden, nachdem er mich verlassen hatte, war mir eingefallen, woher ich ihn kannte, und ich brauchte nicht lange, die Sache zu überprüfen. Mr. Kovak war schlicht und einfach identisch mit der letzten Person – dem allerletzten Menschen, der noch übrig war – aus dieser Fotosammlung, die ich an einem Donnerstag vor tausend Jahren im Bramstoke and Partners Antiquariat in der Hogarth Road entgegengenommen hatte.

Alle anderen waren – auf unterschiedliche Art und Weise – von der Bildfläche verschwunden. Mehrere waren als Spione entlarvt worden, hatten mit Namen und Foto in englischen Zeitungen gestanden und waren ausgewiesen worden; einige saßen im Gefängnis, und ein paar von ihnen waren tot, nicht aufgrund ihres hohen Alters oder einer Krankheit, was mir auf verschiedene Weise zur Kenntnis gebracht worden war, und ich hatte natürlich versucht, aus diesen Verlusten meine Schlüsse zu ziehen.

Der gemeinsame Nenner für all diese Menschen war, dass sie auf der falschen Seite gestanden hatten. So war das. Ich erinnerte mich an diesen Mann, der vor meinen Augen im Holland Park ermordet worden war, ich erinnerte mich an das Haus in Hampstead – und ich wusste, dass Carla irgendwie mit diesen Dingen einverstanden gewesen war. Es waren diese achtzehn

Gestalten gewesen, die Gegner waren – gewesen waren; es gab noch einige Unklarheiten, Details, von denen ich mir nicht erklären konnte, wie sie zusammenhingen, mein Besuch in dem Haus an der Woodstock Road in Oxford beispielsweise, wie die Ereignisse unten in der Untergrundbahn am Covent Carden –, aber ich hatte keinen Zugang zu dem grundlegenden Muster. Ich hatte nie versucht, zu verstehen, wie alles zusammenhing, Carla war mein Motor und meine Motivation für alles gewesen, und sie hatte mir auch mehrere Male erklärt, dass es so sein musste. Ich musste mich damit zufriedengeben, keinen Überblick zu haben, die einzelnen Spielfiguren durften nicht zu viel wissen, nur so funktionierte das Spiel.

Das war mir logisch erschienen, sogar im Nachhinein musste ich das zugeben. Aber das neue Fragezeichen blieb. Was bedeutete es, wenn ich für Mr. Kovak etwas erledigte? War Carla selbst immer noch aktiv? Aus ihren Briefen hatte ich geschlossen, dass dem nicht so war. Und wenn sie nicht mehr dabei war, konnte es dann nicht so sein, dass die andere Seite ganz einfach die Gelegenheit nutzte, sich meiner zu bedienen? Wieso nicht, ich konnte ja wohl kaum eine unbekannte Karte für sie sein? Und worin bestand das Problem, das durfte man sich doch wohl fragen? Darin, das Deodorant aus England herauszubringen oder es in die Tschechoslowakei hineinzuschmuggeln?

Oder war diese Frage zu simpel? Diese Gefühle, nicht zu begreifen, in welchen Zusammenhängen man eigentlich agierte – Gefühle, die während der ersten Zeit mit Carla eigentlich mein täglich Brot gewesen waren, aber seitdem sie London verlassen hatte, war es mir so ziemlich gelungen, sie abzuschütteln –, sie waren erneut dabei, Besitz von mir zu ergreifen, während ich auf der schmalen Pritsche im Zug lag und nicht schlafen konnte. Früher, besonders während des Zeitabschnitts, den ich als die blaue Epoche und die der roten Liebesflut beschrieben habe, hatte ich das als eine Art notwendiger und unvermeidbarer Zutat zu unserer Beziehung akzeptiert; jetzt, im März 1974, war es plötzlich sehr viel schwerer, sich diesen Bedingungen zu fügen.

Aber Spekulationen waren sinnlos, das wusste ich. Bevor ich sie nicht wiedergesehen hatte, konnte ich überhaupt nichts mit Sicherheit sagen. Wie sehr Carla immer noch mein Inneres dominierte, trotz meiner vermeintlichen Befreiung, das hatte ich eines Abends im September begriffen, also ein halbes Jahr, bevor ich mich in den Zug an der Waterloo Station setzte. Ich hatte eine Verabredung mit einer jungen Frau namens Rose gehabt, sie kam aus Vancouver in Kanada, studierte ein paar Semester lang irgendetwas an der London University und war zweifellos eine Schönheit.

Außerdem begabt und charmant, doch als wir nach einem langen, angenehmen Essen in bestem Einvernehmen in einem Lokal in Portobello in meine Wohnung kamen, überfiel mich bei dem Gedanken, was jetzt folgen sollte, ein plötzliches Ekelgefühl. Ich konnte mir ganz einfach nicht vorstellen, mit ihr ins Bett zu gehen, kaum dass ich sie in meiner Nähe ertrug, und wir trennten uns unter den peinlichsten Umständen.

Und ich weiß, es war Carla, die dem einen Riegel vorschob, die Gedanken an sie. Das hatte sie noch nie zuvor getan, aber dieses Mal war es Tatsache. Ich lag den Rest der Nacht hellwach da und bekam sie nicht aus meinen Gedanken, und seitdem, ja während der gesamten sechs Monate, die seit diesem Schiffbruch vergangen waren, hatte ich kaum eine andere Frau auch nur angeschaut.

Die Besessenheit hatte mich also gepackt, wie man wohl behaupten konnte. Vielleicht hätte ich professionelle Hilfe suchen sollen, statt nach Prag zu fahren, aber das tat ich nun einmal nicht.

Ich kam frühmorgens am Gare du Nord an, mietete mich in einem kleinen Hotel in der Rue du Montparnasse ein und schlief ein paar Stunden. Dann wanderte ich nachmittags und abends einige Stunden durch ein regengraues und kaum frühlingshaftes Paris, aß in einem einfachen Lokal gleich neben dem Hotel etwas und ging früh zu Bett. Am nächsten Morgen setzte ich mich in einen neuen Zug, stieg zweimal um, kam aber ohne Probleme durch den Eisernen Vorhang, und am 25. März verließ ich den Zug kurz nach halb fünf Uhr an Hlavní Nádraží in Prag.

Sie war nicht da, um mich abzuholen, das sah ich gleich. Es standen überhaupt nur wenige Menschen auf dem Bahnsteig, ich ging mit meinem Gepäck und meiner Ratlosigkeit in die Wartehalle und setzte mich auf eine Bank. Dort roch es nach gekochtem Kohl und altem Tabakrauch; nach diesem billigen Oststaatentabak, ich kann mich an diese Geruchsmischung noch genau erinnern. Ich hatte gerade meinen Stadtplan herausgeholt, als eine junge Frau vor mich trat. Einen Moment lang hielt ich sie für Carlas Schwester, doch da sie kaum älter als zwanzig sein konnte, verwarf ich den Gedanken wieder.

Sie sprach mich in unsicherem Englisch an.

»Please Sir, come with me.«

Ich steckte den Plan ein und folgte ihr hinaus zu einem wartenden Wagen. Eine Art unter Lizenz hergestellter Fiat, wenn ich mich nicht irre, er war unglaublich klein, aber es gelang mir, mich selbst und meine große Tasche auf den Rücksitz zu bugsieren. Das Mädchen hüpfte auf den Beifahrersitz und sagte etwas zu dem bulligen rauchenden Mann, der hinter dem Lenkrad saß. Die gleiche Tabaksorte wie in der Wartehalle, nur etwas frischer. Nur gut, das hinter mich gebracht zu haben, dachte ich.

Sofern ich überhaupt etwas dachte.

Wir fuhren eine breite Straße mit Trolleybussen, aber fast keinen anderen Autos entlang. Bogen in eine schmalere Straße ab und hielten vor einem kleinen Lebensmittelladen. Das Mädchen und ich, wir stiegen aus, der Laden war geschlossen, sie klopfte an die Glasscheibe, und nach einer halben Minute und einem weiteren Klopfen wurden wir von einem Mann in einer Art Militäruniform hereingelassen. Doch ohne Dienstgradabzeichen; wir durchquerten den Laden und gelangten in einen Hinterraum, und dort, an einem kleinen runden Glastisch, saß er und wartete. Der Wolf. Der Mann mit der Tätowierung.

Ich weiß nicht, ob ich das erwartet hatte oder nicht. Auf jeden Fall war ich kaum überrascht. Er erhob sich kurz und schüttelte mir die Hand. Bat mich, mich doch hinzusetzen. Das Mädchen verschwand nach verrichteter Arbeit durch eine Hintertür.

Zwei kleine Gläser und eine Flasche Wodka standen auf dem Tisch. Ohne etwas zu sagen, schenkte er ein, hob sein Glas und nickte mir zu. Ich setzte mich, nahm mein Glas und leerte es.

»Das ist das letzte Mal, dass wir uns sehen«, sagte er. »Wenn ich dich jemals wieder treffe, dann werden wir Feinde sein.«

»Ich habe nicht um dieses Treffen gebeten«, erinnerte ich ihn.

Er verzog kurz den Mund und streckte die Hand aus.

»Übergabe.«

Ich holte das Deodorant heraus und reichte es ihm. Er nahm es entgegen und steckte es in die Jackentasche, ohne es zu untersuchen.

»Muss ich dir die Regeln noch erklären?«, fragte er.

Ich dachte nach. »Ich weiß nicht, wovon du redest«, sagte ich.

»Gut«, sagte er. »Ausgezeichnet. Dann verabschieden wir uns voneinander.«

Er schenkte noch einmal ein, und wir tranken. Dann rief er in den Laden hinaus: »Ratz!«

Ich hatte keinen anderen Menschen bemerkt, als wir zu dem Hinterraum gegangen waren, aber jetzt tauchte ein junger Mann auf. Zu meiner Freude konnte ich feststellen, dass er weder Militärkleidung noch einen schwarzen Anzug trug. Einfach nur

Jeans und ein weißes T-Shirt. Aber er stellte sich fast in Habacht auf. Wolf gab ihm ein zweimal gefaltetes Blatt Papier und nickte ihm zu. Schüttelte noch einmal meine Hand, und dann verließen der junge Mann und ich den Laden.

54

Es war ein Albtraum.

Sie konnte es nicht mit anderen Worten beschreiben, und das Schlimmste: Sie war hellwach. Sie saß in diesem hellgrauen Sessel vor dem Fenster ihres Zimmers 323 im *Rembrandt Hotel* in der Zehnmillionenstadt London und las genau dieses Buch. *Bekenntnisse eines Schlafwandlers*. Sie lag nicht im Bett und schlief. Sie halluzinierte nicht. Sie war nicht verrückt geworden.

Obwohl das im Rahmen der Möglichkeiten lag. Wenn man auf eine realistische Antwort aus war, dann war Wahnsinn, der psychische Zusammenbruch, die plausibelste Erklärung.

Irina Miller schätzte plausible Erklärungen. Der kürzeste Weg von A nach B ist eine gerade Linie. Regen verwandelt sich in Schnee, wenn die Temperatur unter null Grad sinkt. Setzt man sich in einen Bus voller erkälteter Menschen, erkältet man sich.

Aber das hier? Einer, der nachts umherirrt? Steven G. Russell. Wie konnte er das wissen? Wie um alles in der Welt war das möglich? Und was bedeuteten seine Vorhersagen für die Zukunft? Für *ihre* Zukunft? Dass eine unmittelbare Gefahr drohte. Sie las die letzte Seite noch einmal.

So gesehen bin ich nicht der rechtmäßige Steven G. Russell. Ich bin nur ein Wanderer, der sich seinen unruhigen Geist angeeignet hat, das ist nicht ungewöhnlich in unseren Kreisen. Aber sein

Geist wünscht sich Ruhe, und du bist es, Irina Miller, die ihm dazu verhelfen kann. Allein du; du hast ihn einmal sterbend zurückgelassen, und deine Untat muss gesühnt werden. Doch dazu ist es nötig, dass du selbst nicht dabei verloren gehst, deshalb will ich dir helfen, am Leben zu bleiben. Vertraue mir. Nimm dich vor dieser Geburtstagsfeier in Acht, dir droht große Gefahr; wenn du nur die geringste Möglichkeit hast, nicht hinzugehen, dann nutze sie.

Eine andere Sache, die du machen solltest, sobald sich die Gelegenheit bietet: Statte dem Pub Phoenix in der Moscow Road in Bayswater einen Besuch ab. Dort wartet in der Bar ein Brief auf dich, von deiner Kindheitsfreundin Clarissa, ich weiß nicht, was sie auf dem Herzen hat, aber soweit ich verstanden habe, ist sie vor vielen Jahren gestorben. Auch sie ist ein Wanderer in der Nacht, auf diese Art und Weise bin ich in Kontakt mit ihr gekommen.

Ich schlage dir vor, dass du jetzt nicht weiterliest. Wenn du den Abend mit heiler Haut überstehen solltest, können wir uns morgen unter neuen Voraussetzungen wiedertreffen. Solltest du jedoch sterben, bevor ein neuer Tag graut, ja, dann hat der Rest dieses Buchs ja keinen Sinn mehr. Niemand wird ihn lesen, nie.

Anschließend folgte eine leere Seite, dann ein neuer Abschnitt mit der Überschrift »Wege der Versöhnung«. Das, was sie bisher gelesen hatte, die zwanzig einleitenden Seiten, hatten keine Überschriften gehabt.

Sie klappte das Buch zu und spürte, wie sie am ganzen Körper zitterte. Ihre Hände waren kalt und schweißig. Gleichzeitig gestand sie sich ein – mit einem kleinen, aber noch unbeschadeten Teil ihres Gehirns –, hätte es sich hier um einen Film und nicht um ihre eigene aktuelle Wirklichkeit gehandelt, dann wäre das jetzt vermutlich der Punkt, an dem sie nicht mehr hingeguckt hätte. Dass sie sich durch eine Reihe hätte zwängen und den Saal hätte verlassen müssen, davon konnte nicht die Rede sein, da sie Filme nur zu Hause auf ihrem eigenen Fernseher ansah. Aber zu diesem Zeitpunkt hätte sie von dem Blödsinn genug gehabt, dessen war sie sich sicher.

Junge Frau erhält aus einem Buch, das sie zufällig vor einer Reise gekauft hat, eine Botschaft, die direkt an sie und nur an sie gerichtet ist!

Denn genau so war es ja; sie hatte es nicht einmal geplant gehabt. War zufällig an Lippmanns Buchhandel vorbeigekommen, stehen geblieben und aufgrund einer Eingebung hineingegangen – und sie hätte ebenso gut nach einem anderen Buch greifen können. Nein, sie hatte wirklich keine Lust, die Fortsetzung einer so verqueren und wirklichkeitsfremden Geschichte zu sehen.

Und Clarissa Hendersen? Was um alles in der Welt hatte sie damit zu tun? Vermutlich gar nichts, das deutete der Schreiber ja selbst an. Es stimmte, sie waren Spielkameraden gewesen, sogar mal beste Freundinnen, aber eines Winters war Clarissa auf dem Kerranzee ins Eis eingebrochen und ertrunken. Zumindest wurde das von allen behauptet, es gab Fußspuren bis zu dem Punkt, an dem das Eis gebrochen war, aber ihren Körper hatte man trotz umfangreicher Suche nie gefunden. Der Kerranzee war ein tiefer See, bekannt für seine unberechenbaren Strömungen. Das Unglück hatte sich an einem Januartag ereignet, als Irina zwölf Jahre alt war. Es war kurz nachdem Leonard Vermin in ihr Leben getreten war.

Sie stopfte das Buch wieder in die Plastiktüten, verzichtete aber auf das Klebeband. Legte das Päckchen in die Reisetasche. Dann wusch sie sich die Hände, blieb anschließend eine Weile am Fenster stehen und schaute hinaus, wobei sie einen verwirrenden Gedanken verjagte, der besagte, Gregorius doch zu bitten, ein paar Seiten zu lesen, um seinen Kommentar dazu zu erhalten. Stattdessen beschloss sie noch einmal, was sie schon vorher beschlossen hatte.

Zu verdrängen. Zu vergessen. Keinen Gedanken mehr daran zu verschwenden. Vielleicht das Buch in einen Müllcontainer werfen? Clarissa Hendersen?

Sie schaute auf die Uhr. Es war kurz nach eins. Schnell entschied sie sich, nicht einmal einen Versuch zu machen, Kontakt zu ihrem Bruder aufzunehmen. Sie war seiner müde, unsäglich müde.

Ebenso wie ihrer Mutter. Ihr wurde klar, dass sie eigentlich überhaupt keine Lust hatte, irgendeinen Menschen zu treffen. Aber in gut sechs Stunden würde ein Wagen kommen und sie abholen. Ins Restaurant *Le Barquante* an der Great Portland Street fahren, und dort würde sie gezwungen sein, den ganzen Abend zusammen mit Menschen zu verbringen. Sechs Personen? Ihre Mutter hatte erzählt, dass sich ein halbes Dutzend um den Tisch versammeln würde. Wer waren die beiden Unbekannten?, fragte Irina sich. Was war der Sinn dieser ganzen Aktion? Wollte Leonard tatsächlich seine Millionen verteilen, oder hatte er noch andere Karten im Ärmel?

Eine neue Art von Schauer überfiel sie, als sie daran dachte, und sie verfluchte sich noch einmal, dass sie sich zu dieser idiotischen Reise hatte überreden lassen.

Eine drohende Gefahr?

Ich muss raus, an die frische Luft, dachte Irina Miller. Sonst werde ich wirklich noch verrückt.

Genau das. Erst ein langer Spaziergang, dann eine ebenso lange Dusche.

Aber nicht zu diesem Pub an der Moscow Road. Wie hieß es noch, Phoenis? Nein, mein Gott, Phoenix musste es sein.

Leya saß in dem japanischen Restaurant im Barkers Building und wartete. Es war fast halb zwei, und sie wusste nicht, was passiert war. Dreimal hatte sie Milos' Handy angerufen, und dreimal war er nicht drangegangen.

Wollte er sie plötzlich nicht mehr treffen? Hatte er mit einem Mal kalte Füße bekommen?

Das konnte sie nicht glauben. Zwar hatten sie nie direkt über diese Dinge gesprochen, und es waren erst zwei Tage vergangen, seit sie sich wiedergesehen hatten, aber trotzdem... Dass er einfach so in London aufgetaucht war, ohne Vorwarnung, das hatte sich so verdammt richtig angefühlt. Sie hatte das gespürt, und auch er hatte das gespürt. Wenn er nicht irgendeine Art avancierten Verstellungskursus an der NYU oder Columbia in den letzten zehn Jahren, in denen sie sich nicht gesehen hatten, belegt hatte. Schließlich hatten sie einander die halbe Nacht in seinem Hotelzimmer in den Armen gelegen. Hätte sie nicht ihre Menstruation gehabt, dann hätten sie sich richtig geliebt, und was sie betraf, so wäre es das erste Mal seit mehr als einem Jahr gewesen. Als sie sich morgens eilig ins Taxi gesetzt hatte, hatte sie sich selbst gesagt, dass ihr Leben jetzt endlich wieder richtig anfing. Ein Leben, das eingesperrt und hoffnungslos erschienen war, seit es mit Richard zu Ende war – ja, eigentlich schon viel länger, denn die letzten Jahre mit ihm hatten wahrlich nicht viel mehr als Unruhe und Quälerei bedeutet.

Aber warum kam Milos nicht? Sie waren für ein Uhr verabredet, er wusste, wo Barkers Building lag. Schräg über die Straße von ihrer Bank, sie hatte es ihm mehr als einmal gezeigt. Und er hatte nichts anderes vor als dieses eigenartige Geburtstagsessen später am Abend, dessen war sie sich sicher.

Konnte es etwas damit zu tun haben?, überlegte sie. Hatte dieser merkwürdige Gönner einen neuen Zug getan? Es war unmöglich, auszumachen, wie wahrscheinlich so etwas sein mochte, aber es konnte ja wohl trotz allem nicht erklären, dass Milos nicht ans Telefon ging? War sein Akku leer? Hatte er kein Ladegerät? Konnte es so einfach sein? Handys gingen in regelmäßigen Abständen kaputt, da war sie die Erste, die das bestätigen konnte, aber dass er gleichzeitig nicht zu ihrer Mittagsverabredung kam – nachdem sie ihre erste gemeinsame Nacht nach zehn Jahren verbracht hatten –, nein, daran glaubte sie nicht.

Die erste Nacht einer langen Reihe kommender Nächte, dieser Gedanke war ihr während des Vormittags in der Bank tatsächlich durch den Kopf gegangen, und es hatte angenehm im Körper dabei geprickelt. Milos gefiel sein Leben in New York nicht, das hatte er mehrere Male betont, und auch wenn er vielleicht für eine kürzere Zeit wieder zurückfliegen musste – aus praktischen Gründen –, so gab es nichts, was ihn daran hinderte, nach London zu ziehen. Sie hatten das noch nicht ernsthaft besprochen, aber das war doch… das war doch wohl bereits durchgeklungen?

Oder hatte er sie ganz einfach reingelegt? Vielleicht hatte er daheim in Manhattan Frau und Kinder und sie nur für ein kleines Abenteuer ausgenutzt?

Sie spürte, wie sie zwischen Unruhe und Misstrauen hin- und herschwankte. Zwei Tage waren nun einmal nur zwei Tage, konnte man einem Menschen wirklich vertrauen?

Oder war ihm etwas zugestoßen?

Sie schaute auf die Uhr. Es waren noch zwanzig Minuten ihrer Mittagspause übrig. Sie hatte sich nichts zu essen bestellt, hatte aber auch keinen Hunger. Ich warte noch fünf Minuten, beschloss sie. Dann rufe ich ihn noch einmal an. Und wenn er nicht drangeht, dann rufe ich im Hotel an.

Über die Rezeption des *Rembrandt* erfuhr sie zwei Dinge. Zum einen ging Mr. Skrupka nicht an sein Telefon in seinem Zimmer, das war unbestreitbar. Zum anderen hatte er das Hotel gegen halb zwölf Uhr verlassen, das war nicht ganz unbestreitbar, aber die Frau, mit der Leya sprach, war sich vollkommen sicher, dass er ungefähr um diese Zeit bei ihr vorbeigekommen war. Und sie hatte ihn nicht zurückkommen sehen.

Leya bedankte sich für die Informationen und verließ ihren

Tisch. Ging die Treppen hinunter, hinaus auf die Kensington High Street. Lenkte ihre Schritte zurück in die Bank.

Er weiß ja, wo ich arbeite, dachte sie. Und er hat ja meine Nummer.

Und den ganzen Nachmittag über schwankte sie zwischen Unruhe und Enttäuschung.

55

Paula McKinley fuhr in London normalerweise nicht mit dem Taxi, doch an diesem Tag tat sie es. Sie war viel zu aufgeregt, um es zu ertragen, sich zwischen Menschen in U-Bahn oder Bus zu quetschen.

Sie bezahlte den Fahrer, gab ihm viel zu viel Trinkgeld und eilte zum Eingang. Die Wut kochte in ihr, aber sie wusste, dass es dazwischen auch einige Angstblasen gab.

»Paul F. Kerran«, erklärte sie dem blonden Mädchen an der Rezeption. »Können Sie ihn zu fassen kriegen? Er wohnt hier im Hotel.«

Das Mädchen tippte auf ihrer Tastatur und schaute auf den Computerbildschirm. Schüttelte ihre blonden Locken.

»Tut mir leid. Wir haben keinen Gast dieses Namens.«

»Doch, das haben Sie. Treiben Sie hier keine Spielchen mit mir.«

»Tut mir leid. Kerran war der Name?«

»Paul F. Kerran«, wiederholte Paula McKinley. »Und ich weiß, dass er hier wohnt.«

»Kerran mit K?«

»Wie soll er denn sonst buchstabiert werden? Mit Q?«

Das Mädchen ruckte mit dem Kopf, tippte erneut auf die Tasten und starrte auf ihren Schirm.

»Es tut mir wirklich leid. Es gibt niemanden hier, der so heißt. Weder mit K noch mit C und auch nicht mit Q.«

»Verdammte Scheiße«, sagte Paula McKinley.

Ein zierlicher Herr in dunklem Anzug tauchte hinter dem Tresen auf. Er sah aus wie eine Art Chefrezeptionist.

»Worum geht es? Darf ich Sie bitten, sich ein wenig zu beruhigen?«

Paula McKinley holte tief Luft, doch als sie versuchte, Balsam auf ihre Empörung zu legen, spürte sie, wie stattdessen Tränen in ihr aufstiegen. Es gelang ihr jedoch, sie zu unterdrücken, indem sie sich auf die Unterlippe biss und die Fäuste ballte.

»Er hat meinen Hund gestohlen«, erklärte sie. »Ich war gezwungen, nach Irland zu fahren, um meine Mutter zu besuchen. Sie liegt im Krankenhaus. Paul Kerran hat sich um meinen Hund gekümmert, und jetzt ... jetzt sind beide verschwunden.«

»Hund?«, sagte der Chefrezeptionist und bekam eine Falte auf der Stirn.

»Ein Schäferhund«, führte Paula aus, »zumindest das meiste von ihm. Ich bin vor einer Stunde in meine Wohnung zurückgekommen, und da gab es keine Spur von den beiden. Nun ja, bis auf ... nein, da war nichts.«

»Und woher wissen Sie, dass er hier wohnt?«

»Weil er das gesagt hat«, antwortete Paula.

»Er hat behauptet, er wohne im *Rembrandt*?«

»Ja.«

Das blonde Mädchen räusperte sich. »In diesem Hotel sind Haustiere nicht erlaubt. Und wir haben keinen Gast mit dem von Ihnen genannten Namen. Deshalb glaube ich ...«

»Einen Augenblick«, unterbrach ihr Vorgesetzter und strich sich mit einem Zeigefinger über den dünnen Schnurrbart. »Können Sie die beiden beschreiben ... ich meine Hund und Mann?«

»Sie beschreiben?«

»Ja, bitte.«

Paula McKinley räusperte sich und begann mit einer genauen Beschreibung aller Charakteristika des Hundes, doch der Mann hinter dem Tresen unterbrach sie schon nach wenigen Sekunden.

»Entschuldigen Sie, aber ich weiß ungefähr, wie ein Schäferhund aussieht. Aber dieser Mann – an seiner Beschreibung bin ich eher interessiert.«

Sie überlegte. »Mittelgroß. In den Dreißigern... braunes Haar, so halblang...«

»Wie war er gekleidet?«

»Gekleidet? Nun, warten Sie... schwarze Jeans, glaube ich. Hellblaues Hemd und eine Jacke... die war auch schwarz. Und ein Halstuch, so ein helles, kariertes...«

»Ich verstehe«, sagte der Chefrezeptionist, und sein Mund wurde ganz verkniffen. »Ja, ich glaube, dass ich hier einen Zusammenhang ahne.«

»Sie ahnen einen Zusammenhang?«, wunderte Paula McKinley sich. »Wovon reden Sie?«

»Wovon um alles in der Welt redest du, Lionel?«, wollte auch seine Kollegin wissen und schüttelte erneut ihre Locken. »Jetzt sei so gut und rück mal damit raus.«

Der gute Mann war anscheinend etwas verärgert darüber, dass er mit seinem Vornamen angesprochen wurde, doch es gelang ihm, seine Empörung hinunterzuschlucken. Er klickte mit sorgfältig manikürtem Zeigefinger auf drei Tasten und schaute auf den Schirm.

»Zimmer dreihunderteinundzwanzig«, sagte er.

Das Mädchen schaute ihm über die Schulter.

»Miller?«, fragte sie.

»Genau. Und ich denke, wir sollten gleich die Polizei anrufen.«

»Ich will nur Fingal zurückhaben«, erklärte Paula McKinley.

»Fingal?«, fragte das Mädchen verwundert.

»So heißt er. Mein Hund.«

»Ungewöhnlicher Name für einen Hund«, sagte das Mädchen.

440

»Er ist nach dem Helden aus Ossians Gesängen benannt worden«, sagte Paula.

»Ossian…?«

»Wir machen es jetzt folgendermaßen«, entschied Chefrezeptionist Lionel.

»Du, Dolores, rufst die Polizei an. Bitte sie, für alle Fälle einen Wagen herzuschicken. Der kann solange draußen auf der Straße warten. Und in der Zwischenzeit gehe ich hinauf und sondiere die Lage.«

»Was hat das alles zu bedeuten?«, fragte ein dicker Mann mit starkem Akzent, der an den Tresen getreten war und die letzten Sätze mitangehört hatte. »Wird das Hotel von Terroristen bedroht?«

56

Der Pub hieß tatsächlich *Phoenix* und lag in der Moscow Road ein Stück vom Queensway entfernt. Irina ging zweimal an ihm vorbei, bevor sie all ihren Mut zusammennahm und eintrat.

Es gibt keinen Brief für mich an der Bar, und wenn ich wieder im Hotel bin, werde ich dieses Schlafwandlerbuch wegschmeißen, beschloss sie, als sie die Tür öffnete. Ganz einfach.

Aber es gab einen Brief. Der junge Mann am Tresen holte ihn sofort hervor, als hätte er nur dort gestanden und darauf gewartet, dass sie komme, und als sie sich wieder auf dem Bürgersteig befand, mit dem weißen, länglichen Umschlag in der Hand, fürchtete sie einen Moment lang, sie könnte das Bewusstsein verlieren. Ihr Blickfeld schrumpfte kurz ein, aber dann dehnte es sich wieder, und sie starrte auf den Umschlag.

Ihr Name war mit runden, etwas kindlichen Versalien geschrieben. IRINA MILLER. Als hätte Clarissa ihre Handschrift aus der Kindheit behalten, dachte Irina. Und warum nicht? Warum sollte man seine Handschrift verändern, nachdem man gestorben war?

Dieser Gedanke kam ihr wie jeder andere Gedanke in den Kopf. Einfach als logische Feststellung, und die Erkenntnis dieser haarsträubenden Normalität verursachte einen erneuten Schwindel.

Ich werde nicht wahnsinnig, dachte sie. Ich bin es bereits.

Sie kam auf den Queensway, doch das plötzliche Gedränge

erschreckte sie: diese Unmenge von Menschen, von fremden Körpern, kleinen unhygienischen Restaurants aus allen Ecken der Welt – indische, chinesische, libanesische, italienische –, bärtige Männer, die breitbeinig dasaßen und Wasserpfeife rauchten, Touristen mit Stadtplänen, Fotoapparaten und Plastiktüten, überfüllte Papierkörbe, Tauben, die im Zickzack herumliefen und mit ihren trägen Köpfen Essensreste aufpickten; all dieses ungeregelte, brodelnde Wirrwarr erfüllte sie mit einer Welle des Ekels; bedrohlich, erstickend, fast tödlich. Sie hastete die Moscow Road zurück, wohl wissend, dass sie diesem widerwärtigen Mischmasch entkommen musste, bevor es zum Bersten kam, eine Ecke der Stille finden musste, in der sie in aller Ruhe sitzen und sich sammeln konnte, zumindest für ein paar Minuten. Nach ein paar hundert Metern kam sie zu einer Kirche, dem Text auf der Außenwand konnte sie entnehmen, dass es eine griechisch-orthodoxe war, und eines der beiden Portale stand offen. Die Stimmen eines gemischten Chores waren von innen zu hören, sie stolperte die kurze Treppe hinauf und gelangte in einen hohen, kühlen Vorraum. Dort stand ein Aufseher, er nickte ihr zu und hielt ihr einen dunkelroten Vorhang offen. Sie senkte den Blick und trat in den eigentlichen Kirchenraum. Abgesehen von dem Chor, der auf einer gut verborgenen Empore stand und übte, war es vollkommen menschenleer. Reichlich Ornamentik, Gold und Schnitzereien und viele brennende Kerzen, doch kein Mensch. Ein leichter Duft nach Räucherwerk. Sie ließ sich auf eine Bank sinken, stützte den Kopf in die Hände und blieb mehrere Minuten lang reglos sitzen. Die gemischten Stimmen des Chors fuhren mit ihrem Wechselgesang fort. Steigend und fallend. Fallend und steigend. Sie hielt immer noch den Brief in der Hand, und als sie meinte, ihr Puls und ihr Atem hätten sich langsam wieder dem normalen Rhythmus genähert, hob sie ihn hoch, um ihn zu betrachten.

Sie spürte ungemein starken Widerstand, ihn zu öffnen, und fragte sich noch immer, was sie dazu gebracht hatte, in diesen Pub zu gehen. Es schien, als hätte jemand anderes ihre Schritte gelenkt, und wahrscheinlich war es derselbe, der dafür gesorgt hatte, dass sie diese Kirche fand. Genau das: eine Kraft außerhalb ihrer Kontrolle. Aber vielleicht ist es ja so, wenn man verrückt wird, dachte sie. Wenn man seinen Sinnen und seinem Urteilsvermögen nicht mehr trauen kann. Man entschließt sich, etwas zu tun, und dann tut man etwas vollkommen anderes. Kopf und Körper hängen nicht mehr zusammen. Man ist wie das Schilf im Wind.

Und dann bemerkte sie, dass der Umschlag nicht einmal zugeklebt war. Der Briefschreiber, oder vielleicht auch eine andere Person, hatte die Lasche einfach nur eingesteckt. Sie musste ihn nicht einmal aufreißen.

Ich warte, bis ich zurück im Hotel bin, beschloss sie, und dann holten ihre Hände den Brief heraus.

Sie gehorchten ihr nicht, genau wie sie festgestellt hatte, und als sie ihre Augen ermahnte, nicht zu lesen – sondern sich so fest zuzukneifen, wie sie nur konnten –, da lasen sie.

Du hast dafür gebetet, dass ich verschwinde.
Und da bin ich verschwunden.
Ich wollte nicht in dem kalten Wasser landen.
Warum hast du meinen Tod gewünscht?
Wegen Arno?
Hilf mir, nach Hause zu kommen.
Ich friere.

Nur diese sieben Zeilen. Sie zählte die Worte. Sechsunddreißig. Warum zähle ich die Worte?, dachte sie. Um nicht darüber nachzudenken, was da steht?

Denn sie verstand es nicht. Noch nicht.

444

Aber sie wusste, dass sie es bald tun würde. *Verstehen.* Es war sonderbar. Eine Erinnerung hatte sich aus dem Bodenschlamm des Vergessens gelöst und wirbelte schnell an die Oberfläche. Vor ihrem inneren Auge konnte Irina sehen, wie sie sich dort unten im schwarzen Wasser näherte, fast wie ein weißer Schmetterling, und sie wollte es gar nicht wissen.

Nicht erinnern. Nicht begreifen.

Doch es war nicht aufzuhalten. Natürlich war es nicht aufzuhalten, plötzlich war der Schmetterling an der Oberfläche, und sie sah ihr altes Kinderzimmer mit der Blümchentapete in der Barins allé. Sie lag in ihrem Bett, die kleine Lampe mit dem roten Schirm war eingeschaltet, und sie hatte ihre Hände unter der Decke gefaltet.

Lieber Gott, mach, dass Clarissa stirbt.

Und zwei Tage später war Clarissa im Eis eingebrochen.

Sie starrte auf den Text. Dieselbe kindliche Handschrift wie bei ihrem Namen draußen auf dem Umschlag. Aber keine Versalien. *Arno?,* dachte sie. *War es wegen Arno?*

Ja, es war wegen Arno. Clarissa und sie hatten sich in denselben Jungen aus der Parallelklasse verliebt, das hatten sie sich gegenseitig erzählt. Er hieß Arno, er hatte dunkles, lockiges Haar, und er hatte Clarissa Hendersen Irina Miller vorgezogen. Durch irgendetwas hatte sie das an diesem Tag herausbekommen, und deshalb sprach sie ihr einfaches Gebet: *Lieber Gott, mach, dass Clarissa stirbt.*

Das hatte sie tatsächlich gebetet. Hatte genau diese Worte benutzt. Aber das war doch nicht ernst gemeint gewesen! Es war ihr zwei Tage später eingefallen, damals, als es tatsächlich passiert war, aber sie hatte kein schlechtes Gewissen gehabt. Zumindest nicht nennenswert; dass Gott derartigen Gebeten Gehör schenkte, das konnte sie ganz einfach nicht glauben, es war wirklich nicht üblich, dass er auf so lockere Art und Weise Dinge für sie regelte. Und später hatte Arno sich in ein blondes, albernes Mädchen namens Elsbeth Bollmeyer verguckt, also hatte es noch nicht einmal etwas gebracht.

Doch an diesem Tag, zwanzig Jahre später, in einer griechisch-orthodoxen Kirche in London, da erinnerte sie sich trotz allem daran, dass sie dieses Gebet gesprochen hatte. Dass sie tatsächlich Clarissas Tod gewünscht hatte.

Erinnerte sich, nachdem sie daran erinnert worden war.

Erinnert durch sechsunddreißig kleine, handgeschriebene Worte, die in einem Brief standen, den sie im Pub *Phoenix* in der Moscow Road bekommen hatte.

Wohin sie auf Anweisung eines gewissen Steven G. Russell in einem Buch gegangen war, das *Bekenntnisse eines Schlafwandlers* hieß.

So war es. Genau so sah momentan die Wirklichkeit aus, und jetzt begann der Chor wieder zu singen.

Hilf mir, nach Hause zu kommen. Ich friere. Was bedeutete das?

Ich sollte Hilfe suchen, dachte Irina Miller. Ich sollte mit jemandem über das hier reden.

Sie blieb noch weitere zehn Minuten in der Kirche sitzen. Die Gedanken jagten ihr wie hungrige Schakale durch den Kopf. Noch so ein schreckliches Bild. *Hungrige Schakale?* Dann stopfte sie den Brief in die Manteltasche, erhob sich auf wackligen Beinen und machte sich auf den Rückweg nach Knightsbridge.

Als sie die Lobby des *Rembrandt* betrat, war es halb fünf, und an der Rezeption war eine große Diskussion im Gange. Intuitiv wandte sie sich so schnell es ging den Fahrstühlen zu, um möglichst umgehend auf ihr Zimmer zu kommen, doch gerade als sie das große Blumengesteck umrundet hatte, stellte sie fest, dass eine der aufgeregten Stimmen Gregorius gehörte.

Nach einer Sekunde des Zögerns drehte sie sich um und versuchte sich einen Überblick darüber zu verschaffen, was da eigentlich vor sich ging. Eine bunte Schar von sieben, acht Personen stand vor – und hinter – dem Empfangstresen und diskutierte. Eine rothaarige junge Frau mit einem großen Hund war darunter – ziemlich viel Schäferhund, wenn Irina es richtig sah, aber nicht hundert Prozent. Des Weiteren zwei hundertprozentige Polizeibeamte in Uniform, eine schmächtige kleine Japanerin, die aussah, als wäre sie am falschen Platz, sowie ein paar andere Herren in strengen grauen Anzügen und gleichen rotgestreiften Krawatten; vermutlich Hoteldirektoren oder etwas in der Art, jedenfalls sahen sie sehr bedeutungsvoll aus. Und dann die beiden von der Rezeption, die sie wiedererkannte.

Und wie gesagt Gregorius.

»Mein Name ist Gregorius Miller«, erklärte er gerade mit lauter Stimme. »Es handelt sich hier um einen Irrtum. Einen bedauerlichen Irrtum, das ist alles.«

»Paul F. Kerran«, sagte die junge Frau mit dem Hund noch lauter. »Du willst also leugnen, dass du dich so genannt hast?«

»Nie im Leben«, versicherte Gregorius, »den Namen habe ich noch nie gehört.«

»Aber du hast Fingal gestohlen!«

»Nicht gestohlen!«, protestierte Gregorius. »Wir wurden ausgesperrt.«

»Nun hören Sie«, sagte einer der Direktoren, »Sie kommen hier mitten in der Nacht an und schmuggeln diesen … diesen Köter hier ins Haus. Das ist gegen unsere Hausordnung. Unsere Gäste haben das Recht auf …«

»Fingal ist kein Köter«, sagte das Mädchen.

Der Hund gähnte und sah unglücklich aus.

»Er muss mal raus«, erklärte das Mädchen.

»Das ist Tierquälerei«, sagte der Mann hinter dem Tresen, der mit dem albernen Schnurrbart.

»Er ist ein Betrüger«, sagte das Mädchen, »er hat den Unfall meiner Mutter ausgenutzt, um …«

»Lassen Sie uns das hier zu einem Ende bringen«, unterbrach der andere Direktor und wedelte verärgert mit der Hand. »Wir können doch nicht den ganzen Tag hier stehen und palavern. Das ist ein sehr angesehenes Hotel, wir können das nicht dulden.«

»Genau«, stimmte einer der Polizisten zu, und jetzt sah Irina, dass er ihren Bruder in einem festen Griff um den Oberarm hielt. »Sie sind jetzt so gut und kommen mit, dann können wir das alles in aller Ruhe auf dem Revier klären.«

Worauf er sich dem Mädchen zuwandte. »Es wäre gut, wenn es Ihnen möglich wäre mitzukommen, damit Sie Ihre Zeugenaussage machen könnten.«

»Ich setze mich mit diesem Gangster nicht in ein Auto«, erklärte das Mädchen.

»Wir regeln die Sache«, erklärte der andere Polizeibeamte. »Also, kommen Sie freiwillig mit, oder müssen wir Sie härter anpacken?«

»Das ist ein Komplott«, rief Gregorius. »Ich will mit einem Journalisten reden!«

Irina stand immer noch zehn Schritte Abstand entfernt. Einer der Polizisten sprach jetzt in ein Handy, gab irgendeinem Untergebenen Anweisungen. Irina dachte, dass sie eigentlich irgendwie eingreifen sollte – und normalerweise hätte sie das auch getan –, aber in den letzten Tagen war so viel aus der Bahn geraten, dass sie es einfach nicht über sich brachte.

Und wozu wäre es auch gut gewesen? Was hätte sie sagen sollen? Er ist mein Bruder, ich bürge für ihn?

Das hätte diese Leute doch nicht die Bohne interessiert.

»Ich habe heute Abend einen wichtigen Termin«, informierte Gregorius die Beamten jetzt mit einer Stimme, die wohl verantwortungsvoll und überzeugend klingen sollte, aber eher zittrig und jämmerlich daherkam. »Es ist von größter Wichtigkeit, dass ich den nicht verpasse.«

»Je eher wir hier fortkommen, umso größer ist die Chance, dass Sie rechtzeitig wieder hier sind«, erklärte der Polizist, der ihn festhielt, und dann machte sich die ganze Gesellschaft, bis auf die beiden an der Rezeption und die Japanerin, auf den Weg zum Ausgang.

»Irina!«, rief Gregorius, als er sie entdeckte. »Gott sei Dank, erkläre doch diesen Leuten hier, dass alles nur ein Missverständnis ist!«

»Sie ist meine Schwester«, fügte er hinzu.

Der andere Polizist ging zu Irina. »Stimmt das? Sind Sie die Schwester dieses Mannes?«

Irina nickte und konnte endlich die Zunge vom Gaumen lösen, an dem sie schon seit einer ganzen Weile klebte. »Ja… das stimmt. Und er… er hat wirklich heute Abend einen wichtigen Termin. Wir werden um halb acht Uhr hier am Hotel abgeholt. Es ist… deshalb sind wir überhaupt hier in der Stadt.«

Der Polizist schaute auf die Uhr. »Wenn er kooperiert und uns erklärt, was er getan hat, dann kann er rechtzeitig wieder hier sein.«

»Scheiße, ich bin unschuldig«, stöhnte Gregorius.

Der Polizist ließ Irina nicht aus den Augen. »Sagen Sie ihm, dass ihm seine Flüche nicht helfen. Absolut nicht.«

Sie starrte ihren Bruder an und schüttelte den Kopf. Er starrte zurück, öffnete den Mund, aber ihm fiel offenbar nicht ein, was er eigentlich sagen wollte, denn er schloss ihn wieder. Sie dachte, dass er aussah, als säße er bereits im Gefängnis.

Dann führten sie ihn hinaus zu dem wartenden Wagen. Das Mädchen und der Hund krochen auf die Rückbank eines anderen Autos, das soeben vor dem Eingang hielt. Aber erst, nachdem der Hund sein Bein am Hinterreifen gehoben hatte.

Irina Miller blieb stehen und schaute ihnen hinterher. Als sie verschwunden waren, lief sie hoch in ihr Zimmer und dachte, dass sie das Spiel nicht mehr mitspielen wollte.

57

Leya beendete ihre Arbeit bei der Bank um halb sechs Uhr. Bis dahin hatte sie für sich auch die Frage beantwortet, was sie tun sollte, und als sie auf die Kensington High Street trat, winkte sie sich sofort ein Taxi heran, bat den Fahrer, zum *Rembrandt* am Thurloe Place zu fahren, und zehn Minuten später stand sie vor dem Hoteleingang.

Bevor sie eintrat, versuchte sie es noch einmal auf Milos' Handy. Es war das siebte oder achte Mal, und wieder bekam sie keine Antwort. Sie hatte drei SMS geschickt, aber auch auf die gab es keine Reaktion.

Wenn er mich reingelegt hat, dann ist es halt so, dachte sie. Aber ich muss es wissen.

Sie ging zur Rezeption, wartete geduldig, während die blonde junge Frau hinter dem Tresen einem älteren Mann und einer noch älteren Frau, die einen einen Quadratmeter großen Stadtplan vor sich ausgebreitet hatten, das eine und das andere erklärte.

»Entschuldigung«, sagte sie, als das Paar endlich zufrieden war und sich zum Ausgang getrollt hatte, »ich mache mir Sorgen wegen eines Ihrer Gäste. Milos Skrupka. Wenn er nicht auf seinem Zimmer ist, fürchte ich, dass ihm etwas zugestoßen sein könnte.«

Die junge Frau sog die Wangen ein und schien zu überlegen, ob sie Leya abspeisen sollte oder nicht. Erst einmal kontrollierte sie, ob Mr. Skrupka wirklich im Hotel wohnte.

»Möchten Sie, dass ich auf seinem Zimmer anrufe?«

»Ja, bitte.«

Sie tat es, wartete einige Freizeichen ab und legte dann auf.

»Tut mir leid. Er scheint nicht im Hause zu sein.«

»Könnten wir einmal hochfahren und nachsehen?«

Die Frau von der Rezeption räusperte sich und überlegte erneut.

»Wer sind Sie? Ich muss Sie bitten ...«

»Ich bin seine Freundin«, erklärte Leya und zeigte ihren Ausweis. »Ich glaube, es ist ihm etwas zugestoßen. Aber es scheint mir dumm zu sein, die Polizei anzurufen, bevor wir nicht in seinem Zimmer nachgesehen haben.«

»Die Polizei?«, fragte die junge Frau und klang plötzlich ganz erschöpft. »Ja, doch, natürlich. Warten Sie kurz, ich rufe einen Kollegen.«

Innerhalb von weniger als einer Minute tauchte ein Mann im Anzug mit einem augenbrauengroßen Schnurrbart auf. Leya erkannte ihn vom Morgen wieder, als sie das Hotel verlassen hatte.

»Mr. Skrupka? Dreihundertfünfundzwanzig, oder?«

Leya nickte, und sie fuhren gemeinsam mit dem Fahrstuhl hoch.

Plötzlich überfiel sie ein Gefühl der Scham, als er ihr die Tür aufhielt, schließlich hatte sie in dem schönen Doppelbett da drinnen die Nacht verbracht, und etwas sagte ihr, dass er davon wusste. Aber meine Güte, dachte sie, wir sind ja wohl erwachsene Menschen, oder?

Das Zimmer war leer. Und die Peinlichkeit schnell verschwunden. Die Frage war, wodurch sie ersetzt wurde. Erleichterung? Und wenn ja, worüber?, dachte sie. Darüber, dass er zumindest nicht tot im Bett lag? Jedenfalls schien der Zimmerservice seinen Job gemacht zu haben. Alles sah ordentlich und sauber aus, kein Kleidungsstück war zu sehen, und sie dachte, dass sie ihn nie hätte allein lassen sollen.

451

Sie hätte am Morgen bei der Bank anrufen sollen und sich krankschreiben lassen, das hatte sie sich sogar überlegt. Denn in diesem Fall, wenn sie es getan hätte, dann müsste sie jetzt nicht hier mit diesem Langweiler von Chefrezeptionist stehen – denn sie war sich sicher, dass er das war – und keine Ahnung haben, was sie bloß machen sollte.

»Mr. Skrupka scheint nicht da zu sein«, konstatierte er nur und strich sich über den Schnurrbart.

»Nein, das sehe ich auch«, nickte Leya und fand ihre Tatkraft wieder. »Könnten Sie mir helfen, die Polizei anzurufen?«

»Ich bin mir nicht sicher, ob…«, setzte der Chefrezeptionist an und sah plötzlich fast erschrocken aus. Aber er brachte seinen Satz nicht zu Ende, denn Leya holte ihr Handy heraus.

»Schon gut, ich mache es selbst. Danke, wären Sie so nett, mich jetzt allein zu lassen.«

Er zögerte eine Sekunde, dann schlug er die Hacken zusammen und verließ das Zimmer.

Die Metropolitan Police war insgesamt hilfsbereit und zuvorkommend. Eine Frau, die anscheinend Raucherin und spätes Mittelalter war, hörte konzentriert zu und nahm Leyas Angaben entgegen.

»Was mache ich jetzt?«, fragte Leya, als alles notiert war.

»Sie müssen warten. Wir melden uns, sobald wir etwas erfahren. Es ist ja trotz allem nicht sicher, dass Ihrem Freund etwas zugestoßen ist.«

»Ich bin mir sicher«, sagte Leya.

»Wir werden tun, was wir können«, versprach die Frau.

»Gibt es… gibt es etwas, was ich währenddessen tun kann? Entschuldigen Sie, aber es fällt mir schwer, nur einfach zu warten.«

»Wenn Sie wollen, können Sie die Krankenhäuser anrufen«, schlug die Frau vor. »Das werden wir natürlich auch tun, aber wenn ich Sie wäre, würde ich das auch selbst in die Hand nehmen.«

»Danke«, sagte Leya, »vielen, vielen Dank. Aber Sie lassen auf jeden Fall von sich hören? Ich meine…«

»Das werden wir tun«, versicherte ihr die Frau, und dann legten sie auf.

Krankenhäuser?, dachte Leya. Wie ging man da vor? Konnte man einfach anrufen und fragen?

Sie zog ihre Jacke aus und beschloss, jedenfalls erst einmal im Hotel zu bleiben. Offenbar hatten die sich mit ihrem Wort zufriedengegeben und glaubten, dass sie Milos' Freundin war. Es schien nicht so, dass sie Leya aus seinem Zimmer vertreiben wollten.

Und wenn es trotz allem die andere Alternative war, die zutraf – dass er sie angelogen und ausgenutzt hatte und nicht mehr an ihr interessiert war –, ja, dann würde er ja ganz einfach früher oder später hier auftauchen. Wahrscheinlich sogar ziemlich bald, da diese Feier um acht Uhr beginnen sollte, und inzwischen war es bereits fünf nach sechs.

Denn das würde er ja wohl nicht auch erlogen haben?

Es lag ein altmodisches Telefonbuch zwischen den Broschüren auf dem Schreibtisch; sie setzte sich und begann nach Krankenhäusern in London zu suchen. Sie vermutete, dass sie in einer besonderen Rubrik aufgelistet waren, und dem war auch so.

Sie schluckte, holte tief Luft und wählte die erste Nummer.

Musste aber wieder auflegen, bevor jemand antworten konnte, weil sie ganz unvermutet zu weinen anfing.

58

Es dauerte bis Viertel nach sechs, erst dann erwischte Maud endlich ihre Tochter, und eigentlich hätten sie zu diesem Zeitpunkt bereits im Auto auf dem Weg zum Restaurant sitzen müssen. Leonard hatte jedoch – aus unbekanntem Grund – die Abfahrt auf halb sieben verschoben. Das war zwar immer noch anderthalb Stunden vor dem vereinbarten Termin, also gab es genügend Zeit, aber sie hatte aufgehört, sich in seine Tricksereien einzumischen.

Irina kam gerade aus der Dusche, wie sie erklärte. Deshalb war sie bis jetzt nicht drangegangen. Maud dachte, dass sie diese Entschuldigung nicht zum ersten Mal hörte, kommentierte es aber nicht weiter. Es gab keinen Grund, in dieser Situation noch Öl ins Feuer zu gießen. Und auch sonst nichts.

»Wie geht es euch?«, fragte sie stattdessen einfach. »Seid ihr dabei, euch fertig zu machen? Ich glaube, es wird ein netter Abend. Ich weiß natürlich nicht, was Leonard wirklich im Schilde führt, aber wir anderen können doch trotzdem unseren Spaß haben, nicht wahr?«

Es kostete sie Kraft, einen so vollkommen sinnlosen Sermon von sich zu geben, das spürte sie selbst. Und wahrscheinlich spürte Irina das ebenso, denn sie antwortete nur knapp:

»Ja, natürlich, Mamilein.«

»Ähm«, fuhr Maud fort, »ja, es ging ihm die letzten Tage nicht so gut. Hoffen wir nur, dass er es durchsteht.«

»Das schafft er bestimmt«, sagte Irina.

»Er hat nicht mehr lange, weißt du.«

»Ja, ich weiß.«

»Ähm«, wiederholte Maud, »und wie geht es Gregorius? Was hat er die letzten Tage gemacht?«

»Da musst du ihn fragen«, erklärte Irina.

»Wie meinst du das?«

»Genau so, wie ich es sage«, antwortete Irina »Dass du ihn danach fragen musst. Ich bin nicht sein Hüter.«

»Sein Hüter?«, rief Maud aus. »Wieso um alles in der Welt benutzt du dieses Wort?«

»Ich weiß nicht, Mama«, seufzte Irina. »Ich will mich jetzt fertig machen. Wir sehen uns dann, ja?«

»Das tun wir«, bestätigte Maud. »Ja, ich habe nur angerufen, um zu hören, ob alles in Ordnung ist, kurz vor so einem…«

Ihr fiel kein gutes Wort ein, deshalb brach sie nach *einem* ab, und Irina half ihr auch nicht auf die Sprünge. Ein paar Sekunden lang war es still in der Leitung.

»Gut, dann lassen wir es erst einmal dabei«, begann Maud sich zu verabschieden und spürte, wie plötzlich Wut in ihr aufstieg. Es gehören zwei dazu, um ein zivilisiertes Gespräch zu führen, dachte sie. Was zum Teufel ist nur mit ihr los?

»Ja, tschüs dann, Mama«, sagte Irina.

»Tschüs, meine Kleine. Bis gleich… wie gesagt. Und lass uns für einen erfrischenden Regen beten.«

Das war ein altes Ritual. Etwas, das sie aus einem Film über Afrika hatten, den hatten sie gesehen, als Irina und Gregorius nicht älter als fünf oder sechs waren, und die Worte waren viele Jahre lang wie eine Art Mantra zwischen ihnen hin- und hergetragen worden.

Für einen erfrischenden Regen beten. Ausgerechnet heute erschien ihr das seltsam fehl am Platze, und sie bereute, es gesagt zu haben.

Bereute, dass sie überhaupt angerufen hatte, wenn sie ehrlich sein sollte. Aber ab und zu muss man doch mal mit seinen Kindern sprechen, das ist wie zum Zahnarzt gehen oder sich die Zehennägel schneiden.

In dem Moment, als sie ihre Tochter weggedrückt hatte, kam Leonard aus dem Bad. Am liebsten würde ich ihnen eine runterhauen, dachte sie. Beiden, Irina und Leonard. Gregorius übrigens auch, wenn sie schon einmal dabei war, der hatte sich sicher eine verdient – doch dann riss sie sich zusammen und betrachtete ihren Lebensgefährten.

Er sah nicht besonders gut aus.

Zusammengesunken, mit grauer Haut wie ein toter Fisch. Das schüttere Haar klebte auf dem Schädel, als hätte er versucht, eine Art von Gel anzuwenden. Die Hände zitterten, ja, der ganze Mann zitterte, und er atmete schwer mit halb geöffnetem Mund. Das ist fast das Schlimmste, dachte sie, dass er den Mund gar nicht mehr zumacht. Als hätten seine Kiefermuskeln aufgegeben, ein für alle Mal, vielleicht bekam er durch die fleischige Nase auch nicht genug Sauerstoff. Die war übrigens in den letzten Wochen deutlich fleischiger geworden, und wenn das auf der Innenseite genauso ungehindert wuchs wie außen, dachte sie, dann war es vielleicht etwas kritisch mit der Luftzufuhr.

Er war angezogen und bereit. Zumindest sah es so aus; er hatte seinen hellgrauen Anzug angezogen, und wenn sie sich richtig erinnerte, dann hatte sie den während ihres Londonaufenthalts noch nicht gesehen. Das Problem war nur, dass er ungefähr zwei Nummern zu groß geworden war. Sie dachte, dass seine Nase durch die Krankheit gewachsen war, der Rest von ihm dafür aber umso mehr verloren hatte. Sein Körper hatte genug von der Wanderung durch das Jammertal, das war deutlich zu sehen. Ein Bügel aus Haut und Knochen, um die Kleider aufzuhängen, viel mehr war da nicht.

Ein weißes Hemd. Ein dunkelblauer Schlips, von dem sie annahm, dass er neu war, und den er nicht ordentlich hatte binden können. Aber das war normal. Der oberste Hemdknopf geöffnet, auch das war normal.

Man sollte ihn in dieser Kleidung begraben, dachte sie. Dann würde er sich zu Hause fühlen. Aber sie fragte ihn nicht, was er von der Sache hielt.

Die Schuhe waren geputzt, aber nicht zugebunden. Auch daran hatte sie sich gewöhnt, wenn er ausnahmsweise einmal Schuhe mit Schnürsenkeln trug, dann war sie diejenige, die sie zubinden musste.

Was sie auch jetzt tat, ohne dass er sie darum bitten musste. Er saß auf der Bettkante und atmete schwer, und als sie fertig war, tätschelte er ihren Kopf.

Wie einem Hund, dachte sie. Ganz so, als wäre ich in all diesen Jahren sein treues altes Cockerspanielmädchen gewesen. Verdammte Scheiße.

Es war kein gutes Zeichen, dass Flüche auf diese Art in ihr aufstiegen. Absolut nicht. Wenn dieser Abend auf welche Weise auch immer sicher in den Hafen geschippert werden sollte, dann war es notwendig, dass sie ruhig und gefasst blieb. Dass sie dem inneren Druck nicht nachgab. Denn dann konnte was auch immer passieren, ja, was auch immer.

Umso mehr Fragezeichen gab es hinsichtlich anderer Dinge – aber eigentlich, so redete sie sich selbst ein, eigentlich ging es doch nur darum, die Zeit durchzustehen. In sechs, sieben Stunden war alles vorbei, sie würden hoffentlich wieder hier in diesem Zimmer zurück sein, und alle Fragezeichen würden geklärt sein. Genau, betrachte die Zeit und halte durch, genauso sah das Rezept aus.

Was am meisten an ihr nagte, dachte sie, während sie sich aufrichtete und ihr Kleid abbürstete, was wie ein Splitter oder ein Nagel in der Seele bohrte, das war die Überlegung, dass

sie sich seit zwanzig Jahren genau so verhielt. Oder seit dreißig oder vierzig. *Durchhalten.* Aber in diesen Wochen in London war etwas passiert. Eine Art Einsicht war ihr gekommen.
Schwer zu sagen, worum es sich dabei genau handelte und welche Konsequenzen sich möglicherweise daraus ergaben, aber
sie hatte das Gefühl, eine Grenze überschritten zu haben. Oder
vielleicht durch eine Schleuse gegangen zu sein? Aus einem
düsteren, muffigen Zimmer herausgetreten zu sein, in dem sie
sich viel zu lange aufgehalten hatte und in das zurückzukehren
sie nicht einmal im Traum dachte.

Aber was war das für ein Zimmer? War es nicht nur wieder
eine dieser albernen therapeutischen Konstruktionen? Sie verabscheute diese billigen Bilder. Dieses läppische Psychogelaber.
*Zimmer der Seele. Orientierungspunkte der Zeit. Erinnerungs-
gebilde.* Es gab nur eine Wahrheit: alle Menschen sind in ihrem
eigenen Bewusstsein gefangen. Das hatte sie bereits von Ralph
deLuca gelernt. Doch was beinhaltete das wiederum? Was bedeutete es eigentlich?

Und wie sie schon dieses Wort hasste: *eigentlich.* Das war der
verräterischste aller Begriffe, da er andeutete, dass es noch etwas anderes gab. Vorspiegelte, dass hinter allem, was geschah,
allem, was gesagt, erlebt oder nur geradebrecht wurde, etwas
Richtiges versteckt war, etwas Gediegenes. Etwas *Eigentliches;*
eine Wirklichkeit, die tatsächlich die Wirklichkeit an sich war,
die diesen vollkommen ungerechtfertigten Anspruch stellte und
in die wir mit Hilfe unseres gesunden Verstandes und heilsamer
Therapie unsere Füße setzen sollten, statt in unseren üblichen
verlogenen Flusen von Metaphern, Konventionen und Fiktionen
herumzuschwimmen.

Aber so war es nicht. Es gab keine derartige Wirklichkeit, es
gab kein *eigentlich,* und vielleicht war es auch nur so, dass diese
Wahrheit – die in keiner Weise neu oder überraschend für sie
war – im Laufe dieser Tage in dieser fremden Stadt so deutlich

geworden war. Dass es diese Grenze war, die sie überschritten hatte.

Aber wenn es kein *eigentlich* gab, was war dann der Sinn ihres Ausharrens? Sich tapfer einzureden, dass es bereits ein Ziel an sich sei, würde heißen, das letzte Handtuch zu werfen, das wusste sie, und das gedachte sie nicht zu tun. Unter keinen Umständen, es war Leonard, der dabei war, das Handtuch zu werfen, nicht sie.

Und die Einsicht, dass er tatsächlich in nur kurzer Zeit fort sein würde, überfiel sie mit voller Wucht.

»Hast du deine Medikamente genommen?«, fragte sie, als sie das Zimmer verlassen wollten.

»Ja.«

»Hast du Schmerzen?«

»Nein.«

»Bist du müde?«

»Hör auf zu nerven. Lass mich bitte sterben ohne dein Generve.«

Wie du willst, Leonard, dachte sie und zupfte einen schwarzen Fussel von seinem Jackenaufschlag. Dann nahm er seine Aktentasche, und sie gingen los.

Wie du willst.

59

Endlich.

Klapprig bin ich. Vielleicht klappriger als je zuvor, aber wenn Jesus von Nazareth einen ganzen Tag am Kreuz hängen konnte, dann wäre es ja wohl gelacht, wenn ich mich nicht auch durch das letzte Kapitel schleppen könnte. Die entscheidenden Stunden.

Und der Kopf fühlt sich relativ klar an. Auf dem Weg heute Vormittag zurück von Prendergast bin ich schnell in einen kleinen Laden auf der Garway Road gegangen. Habe zwei Dosen von etwas gekauft, das Black Booster heißt, das ist so eines dieser modernen Powergetränke, die das Blut schneller durch die Adern fließen lassen, zumindest wird das behauptet. Ich habe eine dieser Dosen geleert, bevor wir losgegangen sind – natürlich ganz im Geheimen, Maud würde diese Art von Mumbo-Jumbo nicht zulassen –, und ich spüre jetzt schon, wie das Elixier in mir wirkt. Die andere Dose habe ich in der Aktentasche, zusammen mit Fjodors Tinktur, ja, ich kann wohl behaupten, dass ich alles unter Kontrolle habe.

Ich habe meine Medizin nicht genommen. Ich bin die Schmerzen inzwischen so gewohnt, dass ich hoffe, sie eine Weile in Schach halten zu können. Sie verhalten sich wie eine alte, streitsüchtige Vettel, man sollte sich nicht auf einen Nahkampf mit ihnen einlassen.

Das Taxi biegt jetzt in die Bayswater Road ein. Maud malt

sich die Fingernägel an und ist so in ihre eigene Welt vertieft, dass sie gar nicht merkt, dass wir in die falsche Richtung fahren.

Ich muss heute Nachmittag fast zwei Stunden geschlafen haben, nachdem ich die letzten Seiten meiner Aufzeichnungen gelesen habe, diese traurigen Notizen – und ich glaube nicht, dass ich etwas geträumt habe.

Aber als ich aufwachte, es war kurz vor fünf, da tauchte ganz plötzlich eine Episode in meinem Kopf auf; sie war sonderbar deutlich in ihren Konturen, vielleicht hatte ich bereits im Schlaf mit ihr zu tun. Diese Grenze wird übrigens immer undeutlicher.

Es ging um meinen Vater und mich. Ich glaube, ich war wohl so acht oder neun Jahre alt. Ende der 1940er, ein paar Jahre, nachdem meine Mutter gestorben war. Wir waren in unserer Heimatstadt unterwegs, ich erinnere mich, dass wir Hand in Hand gingen, es war abends, aber noch nicht dunkel, es muss also im Sommer gewesen sein. Aber es spielt natürlich keine Rolle, welche Jahreszeit es war.

Aus irgendeinem Grund befanden wir uns in einem Teil der Stadt, in dem ich vorher noch nie gewesen war. Ich weiß nicht, warum wir dort waren, aber ich glaube, wir waren irgendwo zu Besuch gewesen und jetzt auf dem Heimweg. Dann bogen wir um eine Ecke und entdeckten ein Haus, das gerade gebrannt hatte. Es stand wie ein schwarzes Skelett dort, die Grundmauern und der Schornstein waren noch da, aber nur noch zwei der Wände. Verrußt und traurig sah das aus; ich erinnere mich, dass es auch merkwürdig roch, und obwohl ich noch klein war, war mir klar, dass es erst vor kurzer Zeit gebrannt haben musste. Dann fragte ich meinen Vater, was denn passiert sei.

»Weißt du das nicht?«, erwiderte er. »Das war doch das Haus vom Barbier Bodelsen. Es ist letzte Woche abgebrannt.«

Und während wir unseren Heimweg fortsetzten, erzählte er mir die Geschichte: Bodelsen hatte seinen Friseursalon am

Markt gehabt, solange man denken konnte. Zumindest bereits seit lange vor dem Krieg. Das Merkwürdige an dem Salon war, dass er nur jede zweite Woche geöffnet war. Was daran lag, dass Bodelsen soff. Eine Woche soff er, die andere schnitt er den Leuten die Haare und rasierte sie. Aber er vermischte das nie, entweder er machte das eine oder das andere.

So ist es immer gelaufen, erklärte mein Vater, und es gab niemanden, der das merkwürdig fand.

Dann hatte der Barbier vor ein paar Monaten einen nächtlichen Besuch bekommen, während einer seiner Saufwochen. Es war eine Frau, jung und schön seiner Beschreibung nach, und sie bat ihn um Hilfe, um ihre drei hungrigen Kinder zu füttern – und da sie magische Kräfte hatte, versprach sie ihm, dass die Stadt reich belohnt werde, wenn er ihr etwas gab.

Bodelsen gab ihr ein paar Groschen, sie bedankte sich und verschwand, und bereits am nächsten Tag bekam eine der kleinen Fabriken im Ort, Zeemanns Teknik A/S, vom Staat einen Auftrag in Millionenhöhe. Was viel bedeutete: Alle Arbeiter bekamen eine Lohnerhöhung, man musste neue Mitarbeiter einstellen, und es wurde der Anfang eines allgemeinen Aufschwungs für die ganze Stadt.

Bodelsen berichtete seinen Kunden von dem nächtlichen Besuch, und er erklärte auch den örtlichen Politikern, dass man ihm doch zumindest einen öffentlichen Dank oder eine Auszeichnung für seinen Einsatz schulde, aber auf dem Ohr war man taub. Ein besoffener Barbier und ein armes Weib mit Versorgungsproblemen und magischen Kräften? Nein, über so etwas konnte man in einem Friseursalon lachen, aber auf politischer Ebene ernst nehmen? Unter keinen Umständen.

Hier unterbrach mein Vater seine Erzählung und fragte, ob ich alles verstanden hätte. Ich bekräftigte, dass ich alles verstanden hätte.

Nun gut, nahm mein Vater den Faden wieder auf, ein paar

Wochen später ereignete sich die gleiche Sache noch einmal. Die Frau kam zu Bodelsen mit dem gleichen Wunsch, er war ebenso besoffen wie beim letzten Mal, obwohl es dieses Mal bereits vier Uhr morgens war, und er gab ihr auch dieses Mal ein Almosen. Wie viel, das weiß niemand, das hat er nie erzählt. Zwei Tage später wurde bekannt, dass die staatlichen Behörden beschlossen hatten, dass ein neuer Flugplatz, über den schon seit Jahren diskutiert wurde, am Rande der Stadt gebaut werden sollte. Was das für die Entwicklung der Stadt bedeutete, das begriff jeder, und im Rathaus stieß man mit Champagner an.

Der Barbier unterhielt auch dieses Mal seine Kunden mit der Geschichte von der nächtlichen Besucherin, und er bekräftigte auch dieses Mal seinen Anspruch auf einen öffentlichen Dank und die Anerkennung durch die Führungskräfte – und bekam auch dieses Mal ein glattes Nein als Antwort.

Und dann geschah es zum dritten Mal, erklärte mein Vater mit ernster Stimme, während er mich ansah, um sicherzugehen, dass ich auch ordentlich zuhörte. Vor ein paar Wochen besuchte die Dame Bodelsen erneut, sie hatte den gleichen Wunsch wie immer, aber jetzt war der Barbier es leid geworden und gab ihr kein Geld. Nicht einmal, als sie erklärte, dass seine Weigerung böse Konsequenzen für die ganze Stadt haben würde. Da scheiß ich drauf, soll der Barbier gesagt haben. Diese Stadt ist sowieso nur ein Misthaufen.

Und Bodelsen erzählte auch das seinen Kunden. Sie lachten und schüttelten den Kopf; bis auf den, der gerade auf dem Stuhl saß, denn man schüttelt nicht den Kopf, wenn einem die Haare geschnitten werden. Sagte mein Vater. Oder?

Nein, bestimmt nicht, bestätigte ich. Das tut man nicht.

Aber am dritten Tag, fuhr mein Vater fort, fast zur gleichen Zeit, ereigneten sich drei Dinge: der Auftrag für Zeemanns wurde annulliert, das Verteidigungsministerium verschob die Entscheidung für einen Flughafenbau aufgrund plötzlicher

Streitigkeiten auf unbestimmte Zeit, und im Rathaus schlug der Blitz ein. Es herrschte eine gedrückte Stimmung in der ganzen Stadt, alle Hoffnung auf die Zukunft war mit einem Schlag fortgewischt, und dann letzte Woche... ja, du hast es ja selbst gesehen, nicht wahr?, sagte mein Vater.

Was denn?, fragte ich, obwohl ich die Antwort ahnte.

Brandstiftung, sagte mein Vater, als wir gerade in unsere Straße einbogen. Jemand hat Benzin auf sein Haus geschüttet und es angezündet. Er ist da drinnen gestorben, der Barbier Bodelsen. Er war betrunken und ist nicht rechtzeitig aufgewacht, wie man annimmt. Ja, das war's dann ja wohl.

Ich erinnere mich, dass ich an dem Abend noch lange wach im Bett lag und an den verbrannten Barbier dachte. Am nächsten Tag hörte ich mich unter den Schulfreunden um und erfuhr, dass die Geschichte wohl wahr war. Einige der anderen Eltern hatten ungefähr das Gleiche wie mein Vater erzählt, aber viele hatten außerdem gesagt, dass man das nicht weitertragen sollte. Besonders nicht an Leute, die nicht hier am Ort wohnten.

Und wer hinter der Brandstiftung steckte, das wurde nie geklärt. Gleichzeitig wurde uns, mir und meinen Freunden, deutlich, dass die meisten meinten, es wäre ihm nur recht geschehen. Zumindest die meisten Erwachsenen. Er hätte ihr doch ein bisschen Geld geben können, dieser geizige Alte?

Ich weiß nicht, warum diese alte Geschichte ausgerechnet heute in meinem Hirn aufgetaucht ist. Wenn man dem Tod so nahe ist wie ich, dann bildet man sich gerne ein, dass die Fragmente und Erinnerungen, die im eigenen Kopf auftauchen, etwas zu bedeuten haben. Etwas Prägnantes sagen wollen darüber, was der Sinn gewesen ist, oder einen Hinweis darauf geben, was einen auf der anderen Seite erwartet, wenn der Kampf vorüber ist.

Aber das sind sicher nur eitle Hoffnungen. Das meiste, dem wir unsere Gedanken widmen, bedeutet im Gesamtzusammenhang nicht die Bohne. Man hascht nach dem Wind, und dann stirbt man, das ist das Leben in kurze Worte gefasst.

Deshalb bin ich froh, dass ich einen Plan habe.

Und ich bin froh, dass es mir gelungen ist, diese traurigen Notizen zu Ende zu lesen.

Auf jeden Fall waren wir fast schon in Hammersmith, als Maud sich langsam wunderte, ob wir denn wirklich auf dem richtigen Weg waren. Ihre Nägel sahen schön aus, aber ich glaube, sie waren noch nicht ganz trocken, denn sie wedelte mit den Händen wie ein Seehund auf einer Meeresklippe.

Natürlich sind wir auf dem richtigen Weg, versicherte ich ihr.

60

Das gelbe Notizbuch

Ich dachte, es würde eine weitere Autofahrt auf mich warten. Doch stattdessen fuhren wir mit der Straßenbahn und dem Trolleybus, stiegen zweimal um, und es dauerte mehr als eine Stunde, bis wir angekommen waren.

Wir standen in einem Vorort. Große, hohe Mietskasernen in grauem Beton auf offenem Gelände. Der Film, dieser immer wiederkehrende Fluchtgedanke, war plötzlich schwarzweiß; es gab keine Farben, soweit das Auge reichte, abgesehen vom Dach des Unterstands an der Haltestelle, das in einem toten Grünton gehalten war, pigmentfrei irgendwie. Aber vielleicht lag es auch an der Dämmerung, ich weiß es nicht; der Eindruck von Resignation und Trostlosigkeit war zumindest greifbar. Wir überquerten einen kahlen Marktplatz, gingen auf zwei Telefonzellen zu. Der junge Mann machte mir ein Zeichen, davor zu warten, während er hineinging und telefonierte; wir hatten auf der ganzen Fahrt nicht ein Wort gewechselt, es war offensichtlich, dass er keine anderen Sprachen als Tschechisch und Russisch sprach. Nach einer Minute kam er aus der Zelle heraus, gab mir zu verstehen, dass ich hierbleiben und warten sollte. Er schaute auf seine Armbanduhr und hielt fünf Finger in die Luft.

Dann überquerte er den Platz wieder, ging zurück zur Haltestelle, sprang auf eine Straßenbahn, die Richtung Zentrum fuhr, und war verschwunden. Ich blieb vor der Telefonzelle stehen und dachte, das Leben könnte nicht erbärmlicher werden als hier.

Ja, genau das dachte ich, und es gab nichts in der Zeit oder dem Raum, was diesen Gedanken Lügen strafte, absolut nichts. Noch sechs Jahre später, während ich diese Aufzeichnungen mache, kann ich dieses Gefühl der Nichtigkeit in mir hervorrufen: die zunehmende Dämmerung, der Mangel an Licht, der Mangel an Farben, der Mangel an Leben; die kranken, blattlosen Bäume, die vereinzelten Menschen, die über den Platz huschten oder vor einer kleinen Reihe schlecht beleuchteter Geschäfte hingen. Keine Waren in den Schaufenstern, die abgeblätterten Telefonzellen, der raue Wind, der über alles hinwegfegte, ja, das ist kein Bild, das es verdient, in irgendeiner Art von Erinnerungsgebilde aufbewahrt zu werden, aber es lässt sich auch nicht ausradieren.

Vielleicht wäre dennoch alles anders gekommen, wenn Carla wirklich nach fünf Minuten aufgetaucht wäre, wie mein Begleiter mir zu verstehen gegeben hatte. Aber es dauerte fünfundzwanzig, und das war genug, um einen Stachel in mir festzusetzen. Etwas, um dieses jämmerliche Bild in mir festzuätzen. Damals war mir das nicht klar, absolut nicht, aber später spielte es offensichtlich eine entscheidende Rolle.

Sie kam aus einem der hohen Betonhäuser angelaufen, sie trug eine flatternde gelbe Regenjacke, und sie umarmte mich mit einer Glut und einem Eifer, den ich nicht erwartet hatte, ein wunderbarer Kontrast zu der Umgebung und meinem verzagten Herzen. Aber ich wusste auch nicht, was ich eigentlich erwartet hatte, wenn überhaupt etwas.

»Leon, entschuldige, dass ich mich verspätet habe. Bitte, bitte entschuldige!«

»Kein Problem, ich habe ja hier nichts auszustehen gehabt.«

Vielleicht habe ich auch etwas anderes gesagt, etwas ebenso Inhaltsleeres, ich erinnere mich nicht mehr.

»Dass du hier so allein und verlassen warten musst, das war nicht geplant. Aber jetzt komm, das Essen ist fertig, der Wein ist geöffnet, das Bett ist frisch bezogen!«

Sie lachte. Ich lachte, was hätte ich auch sonst tun sollen? Und ich dachte, dass ich wirklich bereit war, dieser Frau bis ans Ende der Welt zu folgen.

Wenn ich die Möglichkeit hätte, zwölf Stunden meines Lebens noch einmal zu leben – nicht sechs Wochen, wie ich es in einem früheren Absatz gewünscht habe –, dann würde ich vielleicht diesen Abend und diese Nacht aussuchen. Bereits während sie verstrichen, war mir das klar. Während wir in ihrer einfachen Küche saßen und ihr schmackhaftes, gut gewürztes Gulasch aßen und den fantastischen Amaronewein tranken, von dem ich nicht weiß, wo sie den hatte besorgen können. Während wir auf dem roten Sofa im Wohnzimmer saßen, mit Calvados und Zigaretten, und langsam und behutsam das ernsthafte Spiel begannen.

Während wir uns liebten natürlich, wie zwei Verdurstende nach einer langen Zeit in der Wüste. Während wir hinterher ausgestreckt auf dem Bett lagen und weitere Zigaretten rauchten und miteinander redeten. Während die Dämmerung sich langsam einschlich und während wir uns von Neuem liebten.

Ja, natürlich war es so, dass ich bereits damals wusste, dass es eine Wanderung auf dünnem Eis war, es war die schönste und wichtigste Wanderung in unserem Leben, sowohl in ihrem als auch in meinem, aber als wir das andere Ufer erreicht hatten, kurz bevor das Eis brach, kurz bevor ein neuer Alltag anbrach, war es auch schon vorbei.

War es das wirklich? Ich versuche alles nach sechs Jahren der Sehnsucht zu verstehen, und bereits während ich das Wort *Sehnsucht* schreibe, weiß ich, dass ich die Arena der Lügen betrete. Ich habe mir dieses Notizbuch besorgt, weil ich plötzlich das dringende Bedürfnis hatte, alles aufzuzeichnen. Meine deutsche Geliebte Gisela hat vor einem Monat Schluss gemacht, und ich bin in Berlin geblieben, nur um diese Geschichte niederzuschreiben. Gisela ist bereits verschwunden, wie so viele andere Frauen, aber ich weiß, dass Carla nie verschwinden wird. Nicht auf diese Art; kurz und schmerzlos, sechs Jahre zu spät wird mir das klar.

Aber ich schweife ab. Zurück nach Prag, in den März 1974.

»Also, so leben wir hier«, sagte sie am folgenden Morgen, als wir Arm in Arm am Küchenfenster standen und auf die erzgraue Wohnlandschaft blickten. »So sieht es hier aus. Man muss lernen, den Blick nach innen zu richten. Man muss sein eigenes Leben sorgfältig aufbauen. Man muss *privat* sein, verstehst du, was ich damit meine?«

»Aber du hast gesagt, Prag sei eine wunderbare Stadt.«

»Das hier ist ein Vorort von Prag, das ist der Unterschied.«

»Das sehe ich.«

»Siehst du das etwas höhere Haus hinter dem Marktplatz, ein Stück weiter links? Da wohnt meine Schwester mit ihrer Familie. Die Schule, an der ich unterrichte, liegt vier Stationen mit der Straßenbahn entfernt. Es gibt hier auch einen Park, der wirklich schön ist, besonders im Frühling. Wenn du am Nachmittag mit mir kommst, kannst du dort spazieren gehen. Ich habe nur eine Doppelstunde. Macht es dir Angst?«

»Warum fragst du, ob es mir Angst macht?«

»Weil es mir vielleicht Angst machen würde, wenn ich in deinen Schuhen steckte. Das hier ist meine Welt, Leon. Das hier ist das sozialistische Paradies.«

Wir verließen das Fenster und setzten uns an den Küchentisch. Ich hatte ein taubes Gefühl in den Adern, und ich wusste, dass es Carla genauso ging. Wobei das kaum überraschend war, wir wussten beide, dass es an so einem Morgen so sein musste.

Wir hatten vier Wochen Zeit, die Stimmungen würden kommen und gehen, was wir genau in dem Moment spürten, war nicht wichtig, wichtig war, was wir in zehn, fünfzehn oder zwanzig Tagen fühlen würden. Trotzdem fragte ich:

»Ich habe Wolf getroffen, wusstest du das?«

Sie hob eine Augenbraue, aber ich konnte nicht sagen, ob ihre Verwunderung echt war oder gespielt.

»Das wusste ich natürlich nicht. Ich weiß überhaupt nicht, wer dieser Mann ist. Ich habe nicht gedacht, dass er wieder auftauchen würde.«

»Ich auch nicht«, sagte ich. »Aber er hat versprochen, dass es das letzte Mal war.«

Sie saß schweigend da und überlegte. Ich dachte, dass sie so schön und geheimnisvoll war wie immer, unsere Beziehung aber auf gewisse Weise eine neue Schwere bekommen hatte. Sie war nicht nur die Frau, die ich liebte, sie war ein Teil meines Lebens und meiner selbst geworden. Es kam mir in den Sinn, dass wir sehr wohl in zwei, fünf oder zehn Jahren genau an diesem Küchentisch sitzen konnten – wenn wir uns dazu *entschieden,* das zu tun –, und das war ein Gedanke, mit dem ich nicht so recht umgehen konnte. Da sie nichts sagte, fragte ich:

»Werde ich überwacht? Ich habe gestern niemanden gesehen…«

»Die wissen, dass du hier bist, da kannst du sicher sein. Aber es gibt keine Wanzen in den Wänden, wenn es das ist, was du meinst.«

»Das habe ich nicht gemeint… aber woher kannst du das wissen?«

»Ich habe es überprüft«, antwortete Carla. »Kommst du heute Nachmittag mit mir?«

»Ja«, sagte ich, »natürlich tue ich das.«

Nein, welche Worte wir an diesem Morgen benutzten, mich daran zu erinnern, das fällt mir nicht schwer.

Der Park begann direkt hinter ihrer Schule, und ich sollte noch viele Stunden in ihm verbringen. Ehrlich gesagt kann ich die einzelnen Male nicht voneinander unterscheiden, Carla unterrichtete vier oder fünf Tage in der Woche, und jeden Tag fuhr ich mir ihr mit der Straßenbahn zur Schule. Ich spazierte im Park herum, bis sie fertig war, dann fuhren wir gemeinsam zurück zu ihrer Wohnung. Wir kauften in verschiedenen Läden in der Nähe ein, einer war leerer als der andere, aber Carla hatte meistens schon etwas bestellt, was aus dem Hinterzimmer geholt wurde. Fleisch, Gemüse und Fisch. Ich stellte Fragen zu dieser Prozedur, aber sie erklärte mir nur, dass es hier halt so ablief.

Ein paar Mal hatte sie doppelte Arbeitsschichten, und ich strich dann vier, fünf Stunden lang im Park herum. Aber das störte mich nicht, er war langgezogen und teilweise wirklich schön, ging nach einer Weile in ein kleines Waldstück über, das in einen breiten, reißenden Fluss mündete. Es war Frühling und meistens schönes Wetter, jede Menge Blumen waren bereit zu erblühen, Krokusse, Narzissen, sogar einige große Magnolienbüsche zeigten ihre Knospen. Der Vogelgesang war zeitweise fast betäubend, und mit dem tristen Vorstadtgebiet auf der anderen Waagschale fiel die Wahl nicht schwer. Auf meinen Wanderungen begegnete ich nur selten anderen Menschen, was mich verwunderte, aber dadurch hatte ich viel Zeit zum Nachdenken. Vielleicht allzu viel Zeit.

Abends kochten wir zusammen, tranken Wein und liebten uns. Zweimal traf ich Carlas Schwester, ihren Schwager und deren Sohn Bobik; das eine Mal fuhren wir zusammen ins Zentrum von Prag und aßen in einem Restaurant nahe am Fluss. Die Schwester und der Schwager sprachen nur schlecht Englisch, und die Konversation lief die ganze Zeit auf Krücken. Bobik war sechs Jahre alt und unglaublich schüchtern, er sollte Ende des Sommers ein Geschwisterchen bekommen.

Carla und ich fuhren natürlich auch allein ins Zentrum; sie zeigte mir alle Sehenswürdigkeiten: den Vaclavplatz, die Karlsbrücke, die berühmte astronomische Uhr, den jüdischen Friedhof, die Kathedrale und die berühmte Burg. An einem Sonntag mietete sie ein Auto, wir fuhren nach Karlsbad und badeten in den Heilquellen.

Doch der noch heute vorherrschende Eindruck dieser vier Wochen, die wir zusammen waren, bestand darin, dass eigentlich nichts passierte. Es war der absolute Gegensatz zu der Zeit in London, in der eine plötzliche Veränderung nach der anderen unsere Erkennungsmelodie war. Oder genauer gesagt, Carlas Erkennungsmelodie. Auftrag, unerwarteter Abschied, Geheimniskrämerei und frustrierende Ungewissheit. Bewegung und plötzliche Entscheidungen.

Jetzt hatte diese Bewegung aufgehört, und stattdessen waren unsere Tage von einer starken *Nähe* erfüllt, ich finde kein besseres Wort dafür. Wir widmeten unglaublich viel unserer Aufmerksamkeit vor allem uns selbst. Ziel und Sinn jeder wachen Minute war es, dass wir zusammen waren, was mich betraf, so war es eine Art von Selbstverständlichkeit, da ich kaum etwas anderes hatte, auf das ich meine Aufmerksamkeit hätte richten können. Woran ich mich im Nachhinein am deutlichsten erinnere, was die äußere Landschaft angeht, so sind dies triste Mietskasernen und meine Wanderungen durch den Park – wobei es natürlich jeder beliebige Park auf der Welt hätte sein können.

Ein Park ist ein Park ist ein Park, und es ist vielleicht symptomatisch, dass ich mir nie die Mühe gemacht habe herauszufinden, wie er hieß. Ich lebte in einem Niemandsland mit einem einzigen Schwerpunkt: Carla. Und wenn wir zusammen waren, was wir die ganze Zeit waren, abgesehen von den Stunden, die sie in der Schule unterrichtete, so lebten wir auf einer isolierten Insel, die von welchem unbekannten Meer auch immer umgeben sein mochte. Und wir waren gezwungen, unsere Wirklichkeit *zu erfinden.* Ja, so war es.

Heute ist ein sonniger Spätsommertag. Ich sitze im Tiergarten in Berlin und versuche Worte für diese Wochen zu finden, aber ich fühle mich immer verzagter. Ich sollte unsere Gespräche wiedergeben, sie zumindest beschreiben, aber sie sperren sich dagegen. Wir redeten so viel miteinander, doch gleichzeitig weiß ich, dass wir wie die Katzen um den heißen Brei herumschlichen. Die große Frage, die entscheidende, berührten wir gar nicht erst. Das war das verbotene Vakuum, um das sich alle unsere Worte, alle unsere Liebesbeteuerungen drehten, doch wir steckten nie die Hand hinein, um zu fühlen. Wir schoben es immer wieder auf. *Morgen vielleicht. Nach dem Wochenende. Nächste Woche, nachdem wir in Karlsbad gewesen sind.* So dachte ich, und ich gehe davon aus, dass auch sie so dachte.

Es ging um unser Leben, und wir taten so, als ob dem nicht so wäre. Vielleicht habe ich sie auch falsch eingeschätzt und damit alles andere auch.

Aber drei Tage, bevor mein Visum ablief, sagte ich ihr:

»Carla, ich komme morgen nicht mit zur Schule. Ich fahre zum Bahnhof und kaufe mir eine Fahrkarte.«

Es war am Abend. Wir hatten gegessen und abgewaschen. Hatten uns mit dem Rest der täglichen Weinflasche aufs Sofa gesetzt. Sie hatte einen Vorrat an italienischen Weinen, von dem ich nicht wusste, wie sie dazu gekommen war, auf jeden Fall waren sie nicht in der Tschechoslowakei gekauft worden. Eine Platte mit Bessie Smith drehte sich auf dem Plattenteller. Eine ganze Weile blieb sie stumm, ein leiser Regen klopfte ans Fenster.

»Bist du dir sicher?«, fragte sie.

»Nein«, antwortete ich. »Ich bin mir nicht sicher.«

»Sag jetzt nichts weiter«, sagte sie, »lass uns lieber ins Bett gehen. Ich bin müde. Vielleicht hast du es dir ja morgen früh anders überlegt.«

Doch am folgenden Morgen wiederholte ich, was ich gesagt hatte. Wir hatten uns in der Nacht still, intensiv und lange geliebt, und eigentlich konnte ich selbst nicht begreifen, wie es mir gelingen konnte, diese Worte noch einmal hervorzubringen.

Zuerst erwiderte sie nichts. Sie saß auf der anderen Seite des Küchentischs, den Kopf in eine Hand gestützt.

»Du wagst es nicht, mir zu vertrauen«, sagte sie.

»Doch«, widersprach ich, »aber ich weiß nicht so recht, was das bedeutet.«

Sie schaute aus dem Fenster. Ich erinnere mich, dass es immer noch regnete, das tat es bereits die ganze Nacht.

»Es gibt eine Episode in der Bibel, die kein moderner Mensch begreift«, sagte sie.

»Welche?«, fragte ich.

»Die über Abraham, der seinen Sohn Isaak opfern soll. Du kennst sie doch, oder?«

Ich nickte.

»Genau davon handelt alles. Du bist kein Abraham.«

Ich versuchte zu verstehen, was sie sagte, aber es gelang mir erst später. Viel später, nicht an diesem letzten Morgen in ihrer Küche, als es notwendig gewesen wäre. Ich glaube nicht, dass ich etwas erwiderte oder fragte, und nach einer Weile stand sie auf.

»Wenn du gehst, dann nimm deine Sachen mit. Wenn heute kein Zug mehr fährt, dann wirst du problemlos in der Stadt ein Hotel finden. Lebe wohl, Leon, ich werde jetzt duschen. Sei so gut und sei verschwunden, wenn ich fertig bin.«

Sie beugte sich vor und gab mir einen flüchtigen Kuss auf die Wange. Dann verschwand sie im Badezimmer, und ich suchte meine Sachen zusammen.

Zwanzig Minuten später saß ich in der Straßenbahn.

Ich lese diesen Absatz noch einmal durch. Immer noch sitze ich im Tiergarten. Seit Prag sind sechseinhalb Jahre vergangen. Zwölf seit Trafalgar Square.

Morgen werde ich Berlin verlassen. Ich weiß nicht, wohin ich auf dem Weg bin.

Ich bin kein Abraham.

VI.

61

Mittwoch, den 24. September – den vorletzten Tag, wenn nicht alle Zeichen trogen –, verbrachte Lars Gustav Selén in seinem Zimmer im *Lords Hotel* in Bayswater. Alle Recherchen waren gemacht, alle Straßennamen und Gebäude kontrolliert, alle Zugfahrpläne, U-Bahn-Stationen und Treppenstufen streng geprüft, bestätigt und nachgerechnet; was jetzt noch vor der Auflösung nötig war: ein Tag konzentrierte Schreibarbeit. Er wachte früh auf, trank Kaffee und versorgte sich draußen auf dem Westbourne Grove mit ein wenig Proviant, doch von neun Uhr morgens bis halb zehn Uhr abends saß er mit all seinen Notizen an dem wackligen Schreibtisch vor dem Fenster, das zum Leinster Square zeigte. Da draußen war ein angenehmer Herbsttag, er hatte das Fenster einen Spalt geöffnet, und die leisen Verkehrsgeräusche und die Stimmen der vorbeieilenden Passanten störten ihn in keiner Weise.

Er näherte sich einem Punkt, einer Art Stunde der Wahrheit, das hatte er während der letzten Wochen immer deutlicher gespürt, und während er jetzt mit all seinen Worten, seinen Notizbüchern und seinen Stiften dasaß, schien es wieder, als würde sich das Dasein um ihn verdichten. Während er schrieb und korrigierte, konnte er registrieren, wie seine Figuren, diese konstruierten Individuen, die zu sezieren und genau zu untersuchen er so lange versucht hatte – aber die auch ihn seziert und genau untersucht hatten, mittels des ungeschriebenen Vertrags, der zwischen dem Regisseur und den Rollen immer eingegangen wird –, wie diese fiktiven, doch in seinen Augen vollwertigen Menschen sich also in gewisser Weise hinter seinem Rücken im Zimmer befanden. Ja, genau so war es: Sie standen da und hielten den Atem an. Hielten den Atem an und warteten ab. Es gibt viele verschiedene Arten von Stille in der Welt, und es kann schwer sein, sie zu unterscheiden, aber diese Stille, die eine Gruppe von Menschen ausströmt, deren Existenz in Frage gestellt ist, und die dasteht und in gespannter Erwartung den Atem anhält, die ist nicht zu verwechseln. Der Erzähler lenkt den Leser, die Erzählung lenkt den Erzähler.

Er schrieb nicht nur, er redigierte auch. Den ganzen langen Abschnitt darüber, wie er den Pub an der Wardour Street in Soho gefunden hatte – wie er den stotternden Barkeeper interviewte und wie es ihm schließlich gelungen war, den Besitzer aufzuspüren, einen gewissen Jonathan Stiller (der tatsächlich derselbe Stiller war, den es bereits seit Mitte der Sechziger dort gegeben hatte, und der tatsächlich zwei schwedischen Jugendlichen für gut ein Jahr ein Zimmer vermietet hatte) –, und dann beschloss er, diese sechs Seiten voll und ganz zu streichen. Mr. Stiller lebte in einem Heim in Chelsea (das ursprünglich für Kriegsveteranen eingerichtet worden war, aber es wurde ein wenig knapp mit alten Kriegern); er war über neunzig, und es war unklar, ob er in seinem Inneren verstand, worum das Gespräch eigentlich ging. Vielleicht wollte er einfach nur behilflich sein, wenn da schon einmal ein scheinbarer Schriftsteller auf der anderen Seite des schönen alten Teetisches saß, mit Gloucestershireporzellan, warmen Scones, Cornish Clotted cream und Brombeerkonfitüre, die Mr. Stiller das Kinn hinunterlief und von der Krankenschwester in hellblauer Tracht in regelmäßigem Abstand mit Hilfe einer Serviette, farblich zu ihrer Tracht passend, abgewischt wurde. Lars Gustav Selén wusste um die Gefahr, an falscher Stelle zu fabulieren, das hatte er bereits auf dem Schulhof gelernt. Wovon bereits berichtet wurde.

Doch andererseits: Langsam fiel alles an Ort und Stelle, wo es hingehörte. Dieser dunkle Abend auf der Straße zwischen Saaren und Oostwerdingen beispielsweise, der leichte Stoß und das nur Sekunden dauernde Wirbeln durch die Luft, ebenso wie Zigeuner-Tonys nie aufgeklärtes Verschwinden draußen auf dem Eis – und im Laufe der späten Nachmittagsstunden bekam Lars Gustav allmählich ein immer deutlicheres und teilweise neues Bild davon, wovon das alles handelte. Wie der oft gesungene Tango der Worte und des Fleisches sich eigentlich darstellte und wie viel seines eigenen Lebens eigentlich aus Um- und Irrwegen bestand.

Gleichzeitig erkannte er, dass er sich einer Art Leere näherte oder eine Art von Leere sich ihm näherte. Die Tage waren gezählt, die Stunden, Minuten und Sekunden tickten unerbittlich auf den Punkt der Entscheidung zu, und obwohl alles choreographiert, geplant und bis zum letzten Buchstaben in seinem Kopf berechnet war, so schien es dennoch – am Rande dieser wachsenden Leere – etwas anderes zu geben, etwas, das sozusagen aus einer anderen Richtung her tickte.

Vielleicht war ihm sogar klar, dass es so sein musste. Dieser Unsicherheitsmoment konnte sehr wohl der Motor des gesamten Prozesses sein, es gab Forscher, die das behaupteten. Der weiche Kern, der Riss in der Mauer, durch den das Licht oder die Dunkelheit eindringen oder hinaussickern konnte. Die Arena der Verwandlung, das Grenzland oder wie immer man es auch nennen wollte.

Doch über diese Reflexionen und dunklen Vorahnungen brachte er kein Wort zu Papier. Es gab sie, und insoweit, als sie irgendwelche Bedeutung für die Erzählung an sich hatten, mussten sie sich anpassen und versuchen, sich zwischen den Zeilen bemerkbar zu machen, nicht auf ihnen.

Erst gegen sechs Uhr abends schaltete er seinen Computer ein und fing an, den endgültigen Text abzuschreiben. Das ging problemlos, fast verdächtig leicht, und als er schließlich mit dem letzten Durchlesen fertig war, war es fünf Minuten nach halb zehn. Er schaltete den Laptop aus, legte Papier und Stifte ordentlich beiseite, absolvierte seine üblichen Rückenübungen und beschloss in einem der Pubs im Viertel ein Pint Bier zu trinken. Es war ein langer Arbeitstag gewesen, der Abend schien mild zu sein, und er hatte immer noch diverse ungerauchte Zigaretten in der Tasche.

Es wurde das *Prince Edward*. Das lag am nächsten, und es gab draußen auf dem Bürgersteig einen freien Tisch. Lars Gustav kaufte sich ein Bier, setzte sich und zündete sich eine Zigarette an. Nach nur wenigen Minuten kam ein Mann in seinem Alter heran und fragte, ob der andere Stuhl am Tisch noch frei sei.

Lars Gustav Selén nickte. Der Fremde stellte sein Glas ab und setzte sich. Er trank einen großen Schluck, lehnte sich dann zurück und seufzte zufrieden.

»Ein schöner Abend.«

»Ja«, sagte Lars Gustav. »Das Gefühl habe ich auch.«

»Es sind solche Augenblicke, die man mit sich in den Himmel nehmen sollte.«

»Sind Sie dorthin auf dem Weg?«, fragte Lars Gustav.

»Vielleicht, vielleicht auch nicht«, antwortete der Fremde. »Im Augenblick bin ich nirgendwohin auf dem Weg. Das ist es eigentlich, was ich damit sagen wollte.«

»Ich verstehe«, sagte Lars Gustav Selén.

Eine Weile saßen sie schweigend da, während der Fremde Pfeife und Tabak aus seiner Jackentasche holte. Er kratzte die Pfeife aus, stopfte sie und zündete sie an. Lars Gustav dachte, dass der Mann etwas Bekanntes an sich hatte, etwas, das er wiedererkennen sollte, aber er wusste nicht, was es hätte sein können. Er kannte keinen Menschen hier in der Stadt – und um ehrlich zu sein auch sonst niemanden. Aber es war etwas mit dieser hohen Stirn, mit den tiefliegenden Augen und dem Gesichtsausdruck abwartenden Spotts, das ihm vertraut und heimisch erschien. Vielleicht handelte es sich auch gar nicht um Spott, sondern eher um eine Art Leichtigkeit, eine desillusionierte, offene Attitüde dem Leben und der Umgebung gegenüber. Bald brannte die Pfeife, der Mann blies eine Rauchwolke in die Luft und trank erneut.

»Ich nehme an, dass Sie nicht hier auf Dauer in diesem Viertel wohnen?«

»Das stimmt«, antwortete Lars Gustav, »nicht auf Dauer, wie Sie sagen, nur für ein paar Wochen. Ich bin beschäftigt mit diversen… Recherchearbeiten.«

»Tatsächlich?«, fragte der Fremde interessiert nach. »Und um was für Recherchen handelt es sich, wenn ich fragen darf?«

Hier zögerte Lars Gustav Selén einen Moment, aber da er bereits A gesagt hatte, beschloss er, auch B zu sagen. Es handelte sich ja trotz allem nur um die Unterhaltung zwischen zwei Kneipenbesuchern, die zufällig am selben Tisch gelandet waren. Nichts, was gesagt wurde, würde auf der anderen Seite der Nacht noch von Bestand sein, davon war er überzeugt, und dieser Fremde hatte etwas an sich, das dazu aufforderte, ihm zu vertrauen. Ja, so war es zweifellos, und in Anbetracht der Tatsache, dass ein Gedankenaustausch in dieser Form sein ganzes Leben lang Mangelware gewesen war, fiel es ihm nicht schwer, darauf einzugehen.

»Es geht um einen Roman«, erklärte er. »Ich arbeite seit vielen Jahren daran, aber jetzt wage ich zu behaupten, dass ich ihn in den nächsten Tagen zu Ende bringen werde.«

Der Fremde betrachtete ihn mit neu erwachtem Interesse.

»Sie sind Schriftsteller?«

»In gewisser Weise, ja«, antwortete Lars Gustav Selén.

»Aber das ist doch nichts, dessen man sich schämen müsste.«

»Vielleicht nicht«, nickte Lars Gustav, »aber es ist ein empfindlicher Prozess. Womit beschäftigen Sie sich?«

Der Fremde lachte kurz und rätselhaft.

»Was tippen Sie denn?«

Lars Gustav nahm die Frage ernst und versuchte den Mann zu durchschauen, wie er so zufrieden zurückgelehnt dasaß, die Pfeife im Mund und mit einem Gesicht, das ihm immer bekannter vorkam – aber er hatte keine Idee, welcher Beruf logischer für den Mann erschien als andere. Höchstwahrscheinlich arbeitete er nicht körperlich; vielleicht irgendeine Art von Beamter, vielleicht auch Geschäftsmann. Möglicherweise war er bereits pensioniert, er schien ungefähr in Lars Gustavs Alter zu sein, kurz über Sechzig, und da er so entspannt dasaß, konnte man zu dem Schluss kommen, dass er von keiner Arbeit beschwert wurde.

»Schwer zu sagen«, erklärte Lars Gustav Selén schließlich. »Zumindest sehen Sie so aus, als ob Ihnen Ihr Beruf Spaß macht. Was immer das auch sein mag.«

Der Mann nahm die Pfeife aus dem Mund und lachte kurz auf.

»Ich weiß nicht, ob ich behaupten kann, dass es mir Spaß macht. Aber man muss eine Art finden, wie man die Gegebenheiten akzeptieren kann. Es hat ja keinen Sinn, sein ganzes Leben lang verärgert und wütend herumzulaufen.«

»Also, wo arbeiten Sie?«

»Ich bin Polizist«, sagte der Mann, »Chief Intendent bei Scotland Yard, um genau zu sein.«

»Chief Intendent?«

Der Mann nickte. »Genau. Aber in gut einem Jahr werde ich pensioniert, dann wird die Londoner Unterwelt erleichtert aufseufzen.«

Wieder lachte er und trank von seinem Bier. Dann streckte er seine Hand über den Tisch. »Arthur McEvans, angenehm.«

»Selén. Lars Gustav Selén.« Er dachte einen Moment lang nach. »Dann nehme ich an, dass Sie ...«

»Ja?«

»Dass Sie schon so einiges gesehen haben? Die Hinterhöfe der Gesellschaft, die dunklen Seiten des Menschen und so? Entschuldigen Sie meine Frage.«

»Auf jeden Fall«, antwortete McEvans und sah plötzlich sehr ernst aus. »Zweifellos habe ich so manches gesehen. Wenn es darum geht, wozu Menschen in der Lage sind, was sie sich gegenseitig antun können, da habe ich aufgehört, mich zu wundern.«

»Tatsächlich?«, fragte Lars Gustav, konnte aber keine Frage anfügen, da McEvans gleich fortfuhr:

»Aber Sie als Schriftsteller sollten doch einiges von diesen Dingen verstehen. Das ist doch wohl der Witz mit der Literatur, oder? Den Deckel anzuheben und nachzusehen, an welchen Krankheiten wir so leiden? Ich war bei vielen Obduktionen dabei, wie Sie sich denken können, aber mit steigendem Alter ist mir klar, dass es tatsächlich nur einen Körperteil gibt, der es wert ist, unters Messer zu kommen. Unsere Seele.«

»Eigentlich bin ich gar kein Schriftsteller«, sagte Lars Gustav, nachdem er kurz überlegt hatte, ob er das wirklich sagen sollte. »Den größten Teil meines Lebens war ich Taxifahrer. Aber ich glaube, ich verstehe, wovon Sie reden.«

»Natürlich verstehen Sie das«, erwiderte der Fremde, hob sein Glas und leerte es. »Aber ich fürchte, ich muss jetzt los. Es ist noch einiges an Papierkram zu erledigen, bevor ich die Nachttischlampe ausschalten kann. Es geht um diesen verfluchten Uhrenmörder, von dem Sie sicher schon gehört haben. ›The Watch Killer‹. Wir sind ihm auf der Spur, wirklich kurz davor, ihn zu schnappen. Vielen Dank für die nette Unterhaltung.«

Und als er um die Ecke beim Dawson Place verschwunden

war, wusste Lars Gustav Selén plötzlich, was ihm so bekannt vorgekommen war.

Chief Intendent McEvans war genau genommen eine Kopie seiner selbst.

Er war kurz nach halb zwölf zurück im *Lords*. Sein Plan war gewesen, sofort ins Bett zu gehen und tief und lange zu schlafen vor dem bevorstehenden Tag. Doch der Schlaf ließ auf sich warten. Die Nachbarn im Zimmer nebenan hatten offensichtlich Gäste, sie spielten Musik, eine Art munterer slawischer Volksmusik, wie es sich anhörte, und sie unterhielten sich mit lauten Stimmen. Besonders die Stimme einer Frau durchschnitt in regelmäßigen Abständen die Stille der Nacht. Es schien, als wiederhole sie jedes Mal genau die gleichen Worte, und nach einiger Zeit konnte Lars Gustav sie auswendig, obwohl er keine Ahnung hatte, in welcher Sprache sie geäußert wurden:

»Jeji vira, nadaje a vytrvalost jsou nevycerpatelne!«

Falsche Aussprache vorbehalten. Aber eigentlich waren nicht die Geräusche aus dem Nachbarraum der Hauptgrund, dass er Probleme hatte einzuschlafen. Es waren die Gedanken an den folgenden Tag, die ihm keine Ruhe ließen, alle Details, die verschiedenen Aktivitäten vom Morgen bis zum Abend betreffend und die letztendliche Auflösung im Restaurant in der Great Portland Street. Er hatte dort bereits an einem der ersten Tage in der Stadt einen Tisch reserviert, hatte dort auch ein teures Mittagessen verzehrt, wahrscheinlich das teuerste seines Lebens, und alles war zu seiner größten Zufriedenheit verlaufen.

Natürlich war es nicht einfach zu sagen, welche Bedeutung dieser Ausdruck – zu seiner größten Zufriedenheit – in diesem Zusammenhang hatte, aber das Essen war außerordentlich gut und das Personal entgegenkommend gewesen. Aufgrund seines eintönigen Lebens hatte Lars Gustav Selén keine größeren Erfahrungen mit Restaurants, aber derartige Variablen waren für die Beurteilung auch nicht besonders wichtig. Während er jetzt in seinem zerwühlten Hotelbett lag, in dieser letzten Nacht, und sich drehte und wendete, um in das vielversprechende Land des Schlafs zu finden, dachte er, dass es doch ziemlich viel war, was ihm während seiner Zeit auf Erden entgangen war. Aber das war nichts, was er bereute oder als Unglück ansah; sicher lag alles an den Umständen, aber die waren nichtsdestotrotz von ihm selbst so gewollt gewesen. Das reiche innere Leben, das er dank der Literatur und seinem Schreiben gehabt hatte, hatte alles andere kompensiert, nein, nicht *kompensiert,* das war das falsche Wort, es hatte *den Sinn übernommen* (den unbewussten?) – und die beliebige Anhäufung von Erfahrungen, die die innerste Triebkraft und das Leiden jedes Menschen auszumachen schienen. So hatte er zumindest dreißig Jahre lang gedacht, aber in letzter Zeit, ja, seitdem er in der Zeitung von Madeleine Wilders Tod gelesen hatte, da waren ihm gewisse Zweifel daran gekommen. Er hatte sie nicht bekämpft, sondern einfach nur in Ruhe gelassen, ungefähr wie man eine leichtere Erkältung oder eine Schürfwunde ignoriert, wohl wissend, dass so etwas von alleine heilt. Er wusste auch nicht, worin dieser Zweifel eigentlich bestand, wie er in seinem Kern aussah, doch als er Irina Miller vor zwei Tagen von seinem Fenster aus betrachtet hatte, wie sie den Bürgersteig entlanggegangen kam, mit seiner Brieftasche in einer Plastiktüte – und wie sie das Hotel wieder verließ, nachdem sie ihre Aufgabe erledigt hatte –, ja, obwohl diese wichtige Grenzüberschreitung tatsächlich so gut funktioniert hatte, wie man es sich nur hatte wünschen können, so war dadurch doch etwas verschoben worden.

Ja, genau: *verschoben.* Auch jetzt, anderthalb Tage später, dachte er an sie und an das Schicksal, das sie ereilen sollte. War es wirklich angemessen? War es gerecht? Gleichzeitig wusste er, dass man nicht auf diese Art darüber denken durfte, denn wenn Leben und Literatur in dieser Form Hand in Hand gehen sollten, wie er es immer voraussetzte, dann gab es keinen Spielraum für alternative Handlungsabläufe. Das, was sich wirklich ereignete, geschah, weil es geschehen musste, das galt für Irina Miller, das galt für alle anderen Figuren in dem Roman, und das galt auch für ihn selbst. Insoweit es einen freien Willen gab, durfte der auf genau die gleiche Art und Weise auf beiden Schauplätzen agieren. Komplizierter war es nicht.

»Jeji vira, nadaje a vytrvalost jsou nevycerpatelne!«, rief die Frau auf der anderen Seite der Wand. Lars Gustav Selén seufzte und drehte sich im Bett. Drückte sich das Kissen auf den Kopf und ließ seine Gedanken in den Mai 1968 zurückwandern. Das war die beste Art, diese Zweifel zu verdrängen.

Und ganz gewiss lag dieses Kissen wie ein Schalldämpfer eine ganze Weile später immer noch auf seinem Kopf, denn Lars Gustav Selén war einer der wenigen Menschen in Zentrum Londons, der nicht aufwachte, als die große Glocke in der St. Matthew's Church am Petersburgh Place in Bayswater um Viertel vor vier Uhr morgens von fast sechzehn Trillionen Kilowatt getroffen wurde. Wovon schon berichtet wurde.

62

Irina Miller stand unter der Dusche.

Sie stand dort bereits seit gut und gern fünfundzwanzig Minuten. Normalerweise half das, spülte den größten Teil des Schmutzes von ihrem Körper und ihrer Seele, aber dieses Mal funktionierte es irgendwie nicht. Die Physis war wohl so sauber, wie sie unter diesem zweifelhaften fremden Großstadtwasser werden konnte, zumindest musste man davon ausgehen, wenn man es aushalten wollte, aber an den inneren Schmutz kam es nicht heran. Es funktionierte einfach nicht, was um alles in der Welt sollte sie nur machen?

Wäre sie dem lautesten Impuls gefolgt, dann hätte sie schlicht das Feld geräumt. Ihre Tasche gepackt und heimlich ausgecheckt. Wäre hinter das Lenkrad des Mietwagens geschlüpft, der unten in der Garage stand, und hätte Kurs Südost eingeschlagen, Richtung Folkstone und Ärmelkanal. Hätte alles andere seinem Schicksal überlassen: Leonards verfluchte Feier, Mauds nerviges Gequatsche, Gregorius' verdrehtes Scheingefecht mit der Polizei, Steven G. Russells eitle Schlafwandlerbekenntnisse und ... und diesen ganzen unangenehmen Aufenthalt, zu dem sie sich hatte überreden lassen, obwohl sie bereits von Anfang an gewusst hatte, dass ... ja, was hatte sie gewusst? Was hatte sie bereits im Gefühl gehabt? Wobei diese Frage in der augenblicklichen Situation natürlich keine Rolle spielte. Momentan war es nur wichtig, mit der jetzigen Situation zurechtzukommen.

Was nicht so einfach war. Irina Miller mochte keine Dinge, die sie nicht verstand. Was derartige Scherereien anging, so war es meist das Beste, nicht daran zu rühren. Wenn komplizierte Phänomene und Beziehungen verstanden und gehandelt werden mussten, dann war es von Vorteil, das anderen zu überlassen. Oft funktionierte das, aber nicht immer. Und in diesem Moment funktionierte es nicht. Wie schon gesagt.

Wie schon gesagt, wie schon gesagt. Die Gedanken drehten sich im Leerlauf in ihrem Kopf, aber *Der, der wandert durch die Nacht, Der sterbende Mann im Straßengraben* und *Clarissa Hendersen* an jemand anderen weiterzugeben, daran war natürlich nicht zu denken. Und was sollte weitergeben heißen? Es gab keinen, der das übernehmen konnte, aus dem einfachen Grund, dass alles einzig und allein sie selbst betraf. Die Frage, ob... ob diese unangenehmen Größen ertragen oder ignoriert werden sollten. Konnte sie, ohne sich um die Konsequenzen zu kümmern, alle bedrohlichen Merkwürdigkeiten einfach ignorieren? War das ein möglicher Weg? Durfte man das?

Sie hatte die eitle Hoffnung gehegt, dass eine halbe Stunde neununddreißig Grad heißes Duschwasser eine positive Antwort auf diese Überlegungen bringen würde – zumindest einen Fingerzeig –, aber dem war nicht so. Ganz und gar nicht; das Chaos in ihrem Inneren hatte Bestand, und diese andere Stimme, die ebenso laut tönte wie die Auf-und-davon-Stimme, aber deutlich beharrlicher war, sie war einfach nicht zum Schweigen zu bringen:

Öffne das Buch!, forderte sie. Lies ein paar Seiten weiter. Das wird deine Rettung sein!

Wieso?, fragte sie. Warum zum Teufel?

Weil du Kräften ausgesetzt bist, die so viel stärker sind als du selbst, antwortete die Stimme nüchtern. Sie zu ignorieren, das wäre der größte Fehler!

Ich bin dabei, den Verstand zu verlieren, dachte sie und stellte das Wasser ab. Ich befinde mich am Rande eines Nervenzusammenbruchs. So wird es wohl sein.

Irgendwie schien ihr diese Schlussfolgerung ein wenig Trost zu spenden. Zumindest war es eine einfache, logische Erklärung der gesamten Angelegenheit.

Und wenn sie tatsächlich verrückt war, dann konnte sie ebenso gut ein paar Seiten weiterlesen. Dann spielte das sowieso keine Rolle mehr. Sie fühlte einen merkwürdigen Anflug von Erleichterung angesichts dieser Feststellung und begann sich mit dem neuen Badelaken vom Wholefood Market abzutrocknen. Denn nichts ist mehr von Bedeutung, wenn man seinen Halt voll und ganz verloren hat, so war es nun einmal.

Sie zog sich einen sauberen Slip, einen neuen BH und das Kleid an, das sie an diesem Abend tragen wollte. Schaute auf die Uhr. Es war halb sieben. Noch eine Stunde, bis ein bestellter Wagen Gregorius und sie vor dem Hoteleingang abholen sollte.

Inwieweit ein Gregorius sich rechtzeitig einfinden würde, das musste man natürlich erst einmal sehen.

Doch das war nicht ihr Problem. Ihr Problem war ein ganz anderes. Sie zog das Buch wieder aus der Reisetasche hervor, setzte sich in den Sessel, schaltete die Stehlampe ein und fuhr mit ihrer Lektüre dort fort, wo sie vor ein paar Stunden aufgehört hatte.

Es ist vollkommen normal, dass du dich mittlerweile fragst, ob du wahnsinnig geworden bist. Ich versichere dir: Es hat keinerlei Bedeutung. Die Begeisterung der lebenden Menschen, diese Linie zu ziehen – zwischen dem Normalen und dem Paranormalen, zwischen gesund und krank –, ist in unserer Welt (die so unendlich viel komplexer ist, bedenke nur, wie viele wir sind) fast lächerlich. Lass dich von dieser Nichtigkeit also nicht stören. Denn es geht um Versöhnung, und um diese Versöhnung zustande zu bringen, ist es äußerst wichtig, dass du am Leben bleibst. Ich besitze nicht viele dieser Gaben, die ihr, die ihr am Tage wandelt, gern als übernatürlich anseht – aber ab und zu ist es mir gestattet, einen Blick in die Zukunft zu werfen. Ob x oder y oder z eintreffen wird, wenn du dich für a, b oder c entscheidest. Welche Wege zum Tod führen und welche in andere Richtungen. Ich möchte, dass du einen Umweg einschlägst, und ich möchte dich hiermit erneut und auf das Schärfste ermahnen, dich vor dieser Feier in Acht zu nehmen. Wenn es wirklich deine Absicht ist, dorthin zu fahren, aus irgendwelchen familiären Gründen, die ich nur schwer erkennen und noch schwerer verstehen kann, dann sorge zumindest dafür, dass du in dem Zeitraum, nachdem die Teller und das Besteck für das Hauptgericht abgeräumt werden, und dem Zeitpunkt, bevor die Käseplatte auf dem Tisch steht, nicht am Tisch sitzt. Es sollte sich dabei um nicht mehr als ein paar Minuten handeln, geh auf die Toilette, geh hinaus, um kurz Luft zu schnappen oder was immer dir einfällt, aber halte dich vom Tisch fern. Die Regeln, denen unsere Kontakte mit den noch nicht Toten unterliegen, verbieten mir mehr zu sagen, aber ich bitte dich: glaube meinen Worten.

Damit du dir klar darüber wirst, wie wichtig das ist, möchte ich dir folgende kleine Geschichte erzählen. In der Stadt K. im Land S. lebte und arbeitete vor langer Zeit einmal ein Barbier mit Namen Cederson. Er war ein tüchtiger Handwerker, aber er war auch Alkoholiker. Jede zweite Woche …

Hier unterbrach sie ihre Lektüre, weil das Telefon klingelte. Eine Minute lang zögerte sie, bevor sie abnahm.

Es war ihr Bruder. Seine Stimme klang blass, ungefähr wie damals, als er mit dem Fahrrad gestürzt und sich seinen Pimmel fast an der Querstange gequetscht hatte. Im Alter von sechseinhalb, wenn sie sich nicht irrte.

»Du musst mir helfen, Irina.«

»Ja? Wo bist du denn?«

»Auf dem Polizeirevier.«

Sie schaute auf die Uhr. »Wir werden hier unten in fünfundvierzig Minuten abgeholt.«

»Deshalb musst du mir ja helfen.«

»Haben sie dich verhaftet?«

»Ich weiß nicht. Nein, das haben sie wohl nicht, aber sie lassen mich nicht gehen, wenn sie nicht die Nummer von meinem Pass kriegen.«

»Aber dann gib sie ihnen doch.«

Er stöhnte. Oder schluchzte. Oder eines nach dem anderen oder beides zugleich. »Ich weiß nicht, wo ich ihn habe. Vielleicht liegt er auf meinem Zimmer. Oder ich habe ihn gestern Abend verloren, als ich … Hundesitter war.«

»Gregorius, ich kann nicht behaupten, dass mich das wundert.«

»Die Passnummer reicht ihnen, Irina. Glaube ich jedenfalls. Kannst du nicht mit Inspektor Thomas reden, er sitzt mir hier gegenüber? Ich habe ihm die Situation erklärt, dass ich um jeden Preis zu dieser Zusammenkunft muss und dass ich gerne morgen wieder hier auftauche. Aber er will unbedingt …«

»… eine Passnummer. Ich verstehe. Einen Moment, Greg.«

Zusammenkunft?, dachte sie. Zumindest war er ein erfindungsreicher Lügner, das musste man ihm lassen. *Zusammenkunft* klang deutlich wichtiger als *Geburtstagsfeier*. Sie holte ihren Pass aus der Handtasche und ging zum Telefon zurück. Jetzt war es eine dunkle Männerstimme, die mit ihr sprach, kein sechseinhalb Jahre alter Junge, der auf seinen Pimmel gefallen war.

»Ihr Bruder hat so einige Schwierigkeiten, Fräulein Miller.«

»Das ist mir klar.«

»Wir sind bereit, ihn für heute Abend auf freien Fuß zu setzen. Wir haben begriffen, dass er einen wichtigen Termin hat.«

»Danke«, sagte Irina. »Ja, das stimmt.«

»Wenn Sie für ihn bürgen und uns Ihre Passnummer geben, dann kann er in einer halben Stunde wieder im Hotel sein. Aber dann muss er sich morgen früh um zehn Uhr wieder bei uns einfinden, um das Verhör zu beenden.«

Irina Miller las ihre Passnummer vor, bedankte sich bei Inspektor Thomas und bat ihn, ihren Bruder ohne weitere Verzögerung loszuschicken.

»Abgemacht«, sagte Inspektor Thomas. »Dann darf ich Ihnen einen erfolgreichen Abend wünschen.«

Er bietet zumindest Zerstreuung, dachte sie, nachdem sie den Hörer aufgelegt hatte. Das Leben wird nie langweilig mit meinem Bruder in der Nähe. Eine Zeitlang überlegte sie, ob sie noch einige Seiten in den Bekenntnissen des Schlafwandlers lesen sollte, beschloss jedoch nach reiflicher Überlegung, es sein zu lassen.

Sie hatte sich die Warnung eingeprägt, und das sollte reichen.

Gregorius Miller alias Paul F. Kerran kam um achtzehn Minuten nach sieben zurück ins Hotel *Rembrandt*. Exakt dreizehn Minuten später durchquerte er zusammen mit seiner Schwester das Foyer und bestieg ein wartendes schwarzes Auto der Marke Bentley. Er hatte es nicht mehr geschafft, sich zu rasieren, aber zumindest unter den Achseln gewaschen und sich ein neues hellblaues Hemd unter seine zerknitterte Jacke gezogen. Nachdem sie nebeneinander auf dem komfortablen Rücksitz Platz genommen hatten, registrierte Irina, dass sein Geruchsbild eine Dreieinigkeit aus Rasierwasser, Deodorant und altem Whisky bildete. Sie sagte ihm, er solle sich einmal kämmen.

»Ich habe keinen Kamm. Muss ich verloren haben.«

Sie reichte ihm einen, und als er ihn ihr zurückgab, ließ sie ihn diskret auf den Boden fallen und schob ihn mit der Zehenspitze eines ihrer weichen Wildlederschuhe unter den Fahrersitz.

»Warum fahren wir nicht los?«, wollte Gregorius wissen, der inzwischen fast seine normale Stimme wiedergefunden hatte. Aber da lag noch etwas anderes darin, was sie nicht wiedererkannte. Er klang... resigniert? Sie fragte sich, ob das eine richtige Beobachtung war. Viel konnte man über ihren Bruder sagen, aber resigniert war er normalerweise nie.

Der Fahrer, ein korrekter Mann in den Fünfzigern in schwarzem Anzug, drehte den Kopf.

»Entschuldigung. Aber wir warten noch auf einen dritten Fahrgast.«

»Was?«, sagte Gregorius.

Irina räusperte sich. »Einen dritten Fahrgast? Jetzt verstehe ich gar nichts mehr. Wer soll das denn sein?«

Der Fahrer schaute in einer Mappe nach, die neben ihm auf dem Beifahrersitz lag. »Ein Mr. Skrupka. Sie sind doch das Paar Miller, nicht wahr?«

Das Paar?, dachte Irina, machte sich aber nicht die Mühe, dieses Missverständnis zu korrigieren.

»Skru...?«, fragte sie nach.

»Mr. Skrupka, ja«, nickte der Fahrer und gab sich alle Mühe, jeden Buchstaben deutlich auszusprechen. »Nach meinen Anweisungen soll ich um sieben Uhr dreißig drei Personen im *Hotel Rembrandt* abholen. Das Paar Miller und Mr. Skrupka.«

»Ich verstehe«, sagte Irina, was hundertprozentig gelogen war.

»Wir kennen so einen nicht«, sagte Gregorius. »Pfeifen wir auf ihn und fahren einfach los.«

»Ähm«, räusperte sich der Fahrer. »Ich denke, wir sollten Mr Skrupka noch ein paar Minuten eine Chance geben. Sicherheitshalber.«

»Dieser Tag ist ein einziger Misthaufen«, sagte Gregorius.

»Entschuldigung«, sagte Irina und stieß ihrem Bruder den Ellbogen in die Rippen. »Natürlich. Lassen Sie uns noch fünf

Minuten warten. Aber wenn er dann nicht auftaucht, dann möchte ich Sie bitten, dass Sie mich und meinen Bruder an das angegebene Ziel bringen.«

»Wie Sie wünschen«, antwortete der Fahrer etwas beleidigt, schaute auf seine Armbanduhr und holte eine *Evening Standard* heraus.

»Was ist denn nur mit dir los?«, zischte Irina ihren Bruder an. »Du übertriffst dich ja selbst, das muss ich schon sagen.«

»Skrupka?«, zischte Gregorius zurück und rieb sich seine Rippen. »Klingt wie ein russischer Fluch. Ach, soll doch alles den Bach runtergehen, es ist sowieso schon egal.«

»Sorry, Greg«, sagte Irina. »Ich verstehe nicht, wovon du redest.«

»Dafür solltest du dankbar sein«, erwiderte Gregorius, verschränkte die Arme vor der Brust und schloss die Augen.

Innerhalb der vereinbarten Minuten tauchte kein Mr. Skrupka auf, und um 7.40 Uhr fuhr der schwarze Bentley vom Hotel los. Bald war man auf der Kensington Road, doch statt nach rechts zum Hyde Park abzubiegen, fuhr der Fahrer nach links und dann weiter Richtung Westen nach Kensington. Der Verkehr war zu dieser Abendstunde nicht besonders dicht, bald hatte man die Parks passiert, und als Irina das Barkers Building wiedererkannte, beugte sie sich vor und fragte:

»Entschuldigen Sie, aber ich verstehe nicht so recht, warum wir in diese Richtung fahren. Wir sind doch auf dem Weg nach Marylebone, oder?«

»Marylebone?«, antwortete der Fahrer und schüttelte den Kopf. »Nein, nach Marylebone sind wir nicht auf dem Weg, ganz und gar nicht.«

63

Leonard, wo sind wir denn?«

Mauds Fingernägel waren einigermaßen trocken, und sie konnte ihre Aufmerksamkeit wieder auf die Umwelt richten. Sie wusste nicht, wie lange sie schon unterwegs waren, aber es erschien ihr wie mindestens zwanzig Minuten. Vielleicht sogar mehr. Sie schaute durch das Seitenfenster hinaus und sah Reihen ziemlich niedriger Klinkergebäude, kleine Geschäfte, Cafés, Dienstleistungsläden und Ähnliches.

»Wir sind auf dem Weg«, antwortete Leonard.

»Auf dem Weg?«

»Ja.«

»Das ist ja wohl keine Antwort. Ich weiß gar nicht, wo wir hier sind. Warum dauert das so lange?«

»Der Verkehr«, sagte Leonard.

Maud lehnte sich an die Scheibe und schärfte ihren Blick, indem sie blinzelte. Draußen hatte die Dämmerung eingesetzt, die Straßenbeleuchtung wurde eingeschaltet, und es waren viele Menschen unterwegs, besonders vor der U-Bahn-Haltestelle, an der sie gerade vorbeifuhren. Sie versuchte deren Namen zu lesen, aber das gelang ihr nicht.

»So schrecklich viel Verkehr ist doch gar nicht, oder? Wie geht es dir?«

»Gut«, sagte Leonard.

»Müde?«

»Nicht besonders.«

»Schmerzen?«

»Hör auf zu nerven. Ich werde diesen Abend schon überstehen.«

»Natürlich wirst du das, mein lieber Leonard.«

In ihrer Stimme lag eine unerwartete Zärtlichkeit. Das verwunderte sie selbst, und sie legte eine ihrer frisch manikürten Hände auf sein Knie.

»Aber sind wir wirklich auf dem richtigen Weg, Leonard? Irgendwie erscheint mir dieses Viertel vollkommen unbekannt.«

»Das ist es auch. Zumindest dir.«

»Was sagst du da?«

»Ich sage, dass dieses Viertel dir nicht bekannt ist.«

»Und was meinst du damit?«

»Dass du, soweit ich weiß, noch nie zuvor hier gewesen bist.«
Sie zog ihre Hand weg. »Aber wir haben doch ...?«

»Ich habe das Restaurant gewechselt.«

»Was?«

»Ich habe das Restaurant gewechselt. Wir fahren nicht in die Great Portland Street.«

»Aber mein Gott, Leonard. Warum denn? Ich dachte ...«

»Ich habe meine Gründe.«

»Was für Gründe?«

»Darüber brauchst du dir nicht den Kopf zu zerbrechen. Bitte sei jetzt still, damit ich mich konzentrieren kann.«

»Dich konzentrieren? Warum musst du dich konzentrieren?«

»Meine Rede. Unter anderem. Ich werde bald sterben, und ich möchte nicht, dass etwas vergessen wird.«

»Musst du die ganze Zeit vom Tod reden?«

»Die ganze Zeit? Ich rede doch nicht die ganze Zeit vom Tod! Was ist das für ein infantiles Weibergeschwätz?«

»Nenn mich nicht infantil.«

»Das habe ich nicht. Ich habe gesagt, dieses Weibergeschwätz ist infantil.«

»Ich begreife nicht, was mit dir los ist, Leonard.«

»Dafür kann ich nichts.«

»Hast du deine Medikamente genommen?«

»Natürlich.«

»Ich mache mir nur Sorgen um dich, verstehst du das nicht?«

»Nein.«

»Aber warum hast du so Hals über Kopf das Restaurant gewechselt? Du hättest doch etwas sagen können, oder?«

»…«

»Warum, Leonard?«

»Verflucht, Maud, lass mich dieses Treffen so arrangieren, wie ich will, und dann in Frieden sterben. Ist das zu viel verlangt?«

»Wie fühlst du dich?«

»…«

»Du kannst mir doch wenigstens sagen, wohin wir fahren?«

»Richmond.«

»Richmond? Was ist das?«

»Das ist ein Stadtteil im südwestlichen London. Grafschaft Surrey, genau genommen.«

»Surrey? Das klingt ziemlich weit weg, finde ich.«

»Quatsch.«

»Aber du fühlst dich nicht verwirrt, Leonard?«

»Kein bisschen. Und jetzt sei still.«

»Ich bin einfach besorgt, Leonard.«

»…«

»Versprich mir, dass du mir sagst, wenn du dich verwirrt fühlst.«

»…«

»Mein Lieber, was haben wir in Richmond zu suchen?«

64

Es war nicht leicht, die Schweigepflicht in den Krankenhäusern zu umgehen, aber mit der Zeit lernte sie es. Man gab sich nicht damit zufrieden, wenn sie erklärte, dass sie eine Freundin oder eine nahe Verwandte war. Behauptete, man dürfte keine Auskünfte über Patienten geben; man wollte nicht einmal sagen, ob man jemanden mit diesem Namen überhaupt aufgenommen hatte.

Zumindest nicht so ohne weiteres. Denn das System war biegsam, das spürte sie. Wenn sie nicht lockerließ, stellte man sie weiter durch. *Milos Skrupka, ja. Musste irgendwann im Laufe des Tages eingeliefert worden sein. S-k-r-u-p-k-a, ja, genau.*

Sie wurde ungeduldig wartend in der Warteschleife hängen gelassen, sprach mit neuen Krankenschwestern, Sekretärinnen und Angestellten. Aber zum Schluss wurde sie dann doch abgewimmelt. Zweimal erfuhr sie, dass niemand mit dem entsprechenden Namen oder mit dem Aussehen, das sie angegeben hatte, eingeliefert worden war. Weder auf der Notaufnahme noch sonst wo. In keinem der kleinen Krankenhäuser in Kensington und Chelsea, mit denen sie angefangen hatte.

Erst bei ihrem vierten Versuch – dem St. Mary's Hospital in Paddington – landete sie einen Treffer. Nach zehn Minuten und nachdem sie dreimal weitergereicht worden war, erklärte eine müde Frauenstimme, dass man tatsächlich einen Patienten dieses Namens im Hause hatte. *Wer fragt danach? Ach, seine Ver-*

lobte? Na gut, ja. Der entsprechende Patient war ungefähr um ein Uhr auf der Unfallstation eingeliefert worden und wurde momentan auf Station 128 versorgt.

»Versorgt?«, brachte Leya mit Mühe hervor.

»Mehr weiß ich nicht«, erklärte die Frau. »Ich lese das nur vom Computerschirm ab.«

»Aber was ist ihm denn passiert?«

»Das kann ich nicht sagen«, erklärte die Frau.

»Darf ich … ich kann ihn doch wohl besuchen?«

»Sie können es auf jeden Fall versuchen«, sagte die Frau. »Das entscheidet die Station. Wenn Sie eine nahe Verwandte sind oder so?«

»Verlobte«, sagte Leya. »Wie gesagt. Hundertachtundzwanzig war es noch mal?«

»Genau«, bestätigte die Frau, und es klang tatsächlich, als zündete sie sich eine Zigarette an. »Milos Skrupka, Station eins zwei acht, das ist alles, was ich hier habe.«

»Vielen, vielen Dank«, sagte Leya. »Vielen, vielen Dank. Ich komme sofort.«

Im Taxi sprach sie drei Gebete mit ansteigendem Dringlichkeitsgrad. Zum Ersten, dass der Fahrer etwas schneller fahren würde. Zum Zweiten, dass man sie ins Krankenhaus ließe. Und zum Dritten, dass Milos nichts Ernsthaftes passiert sei.

Und wenn er nun schwer verletzt war? Wenn er von einem Bus angefahren worden oder auf das Gleis in einer U-Bahn-Station gefallen war? Vielleicht schwebte er zwischen Leben und Tod? Vielleicht hatte er einen Ziegelstein auf den Kopf bekommen? Würde er jemals wieder aus der Bewusstlosigkeit erwachen?

Angst und Unruhe nagten an ihr, während sie ganz vorn auf dem Autositz saß und mentale Signale an den phlegmatischen Fahrer sandte, damit er schneller fuhr. Was um alles in der Welt war nur passiert? Warum hatte Milos nichts von sich hören lassen? War er… war er bewusstlos? Lag er im Koma? Wurde beatmet? Oder lag er schon im Kühlraum unten in einem Kellergang, da er bereits…

Nein, das nicht, dachte sie. Natürlich lebte er. Die Frau, mit der sie geredet hatte, hatte gesagt, er werde *versorgt*. Man wurde nicht versorgt, wenn man tot war.

Es dauerte eine Weile, sich bis zur Nummer 128 durchzufragen, der Station, die nach allem, was sie aus den verschiedenen Schildern ersehen konnte, eine Station für Akutfälle war. Leute, die aus irgendeinem Grund den Tag über eingeliefert wurden, wie sie annahm. Beinbruch, Thrombose und Darmkrämpfe. Sie drückte eine milchfarbene, geriffelte Glastür auf und gelangte in einen kleinen Aufnahmeraum, in dem ein Mann und eine Frau in weißen Kitteln hinter einem Tresen saßen. Der Mann schien ein Inder oder Pakistani zu sein, die Frau sah blass und übergewichtig aus.

Leya erklärte, worum es ging. Die Frau trank einen Schluck Tee aus einem Becher mit einem Herzen darauf, während sie Leya kritisch von Kopf bis Fuß musterte. Dann fragte sie:

»Sie sind nicht zufällig Leya?«

»Doch«, bestätigte Leya, »das bin ich.«

»Oh«, sagte die Frau, »gut, dass Sie da sind. Kommen Sie mit.«

Sie kam hinter dem Tresen hervor, schüttelte Leya die Hand und erklärte, sie sei Schwester Britney. Dann ging sie mit schnellem Schritt einen langen, halbdunklen Flur entlang.

»Wir haben auf Sie gewartet.«

»Wieso das?«

»Weil er die ganze Zeit von einer Frau redet, die Leya heißt.«

»Tut er das?«

»Oh ja.«

»Was … was ist mit ihm passiert? Ich weiß von nichts.«

Sie blieben vor einer geschlossenen Tür mit der Nummer 128 G6 in Rot auf weißem Grund stehen.

»Sie wissen nicht, warum er hier ist?«

»Nein.«

»All right«, sagte Schwester Britney, legte die Hand auf die Türklinke, öffnete aber nicht. »Nein, das können Sie ja auch gar nicht. Also, er wurde heute gegen ein Uhr eingeliefert. Wegen einer Art von Überfall. Er hat eine Schädelverletzung, aber die ist nicht ernst.«

»Eine Schädelverletzung?«

»Ja.«

»Und weiter?«, sagte Leya.

»Es waren zwei junge Frauen, die haben gesehen, wie er überfallen wurde, sie halfen ihm hierher und haben erzählt, was passiert ist. Es war offenbar irgendwo in Bayswater. Er bekam einen kräftigen Schlag auf den Kopf, blutete aus der Wunde und wurde für kurze Zeit ohnmächtig – aber der Arzt sagt, er hat keine inneren Verletzungen. Nur eine leichte Amnesie.«

»Eine Amnesie?«

»Ja, eine Gedächtnislücke.«

»Ja?«

»Er ist offenbar nur zu Besuch hier in London. Für eine Woche oder so, das behauptet er jedenfalls. Aber ihm fällt der Name des Hotels nicht ein, in dem er wohnt. Deshalb haben wir ihn nicht entlassen können. Er kann ja nicht so auf den Straßen herumirren und suchen.«

»Hotel Rembrandt«, sagte Leya. »Er wohnt im Rembrandt in Knightsbridge.«

Schwester Britney öffnete die Tür. »Ja, natürlich, Sie wissen das. Bitte schön, hier haben Sie ihn. Ich denke, er wird sich freuen, Sie zu sehen.«

Milos saß auf einem Sessel an einem Tischchen vor dem Fenster. Er hatte eine Zeitung auf den Knien liegen, einen Verband um den Kopf, und er bemerkte nicht gleich, dass die Tür sich öffnete. Vielleicht lag es auch daran, dass noch ein zweiter Patient im Zimmer lag, der bei voll aufgedrehter Lautstärke Fernsehen guckte. Schwester Britney ging zum Apparat und drehte die Lautstärke leiser. Der Patient, der um die hundert zu sein schien, reagierte gar nicht.

»Leya!«

Milos sprang aus dem Sessel auf und kam ihr mit ausgestreckten Armen und einem breiten Strahlen, das von einem Ohr bis zum anderen reichte, entgegen.

Danke, gütiger Gott, dachte sie und umarmte ihn.

»Milos, was um alles in der Welt ist denn mit dir passiert?«

»Ich weiß es nicht. Ich glaube, ich bin überfallen worden.«

»Überfallen?«

»Ja, das behaupten sie.«

»Wer?«

»Die Mädchen, die mich hierhergebracht haben... Judith und Pamela, sie haben gesagt, ein Mann hätte mich von hinten angesprungen und mir irgendetwas auf den Schädel geschlagen.« Er löste sich aus der Umarmung und strich sich vorsichtig über den Verband. »Aber ich kann mich nicht mehr daran erinnern. Ich war auf dem Weg zu unserer Mittagsverabredung, welch ein Glück, dass du mich gefunden hast! Ich weiß einfach nicht mehr, wo ich wohne.«

»*Hotel Rembrandt*«, sagte Leya. »Ich habe mir deinetwegen solche Sorgen gemacht, Milos. Ich habe einfach nicht verstanden, wieso du nicht zum Lunch gekommen bist.«

»Das *Rembrandt,* ja, natürlich«, rief Milos aus. »Wie konnte ich das nur vergessen? Aber Doktor Murray behauptet, dass solche Gedächtnislücken nicht ungewöhnlich sind, wenn man eins auf den Schädel gekriegt hat. Aber sonst kann ich mich an so ziemlich alles erinnern, da fehlt mir nichts. Aber mein Handy ist verschwunden, deshalb konnte ich dich nicht anrufen. Ich weiß nicht, ob ich es verloren oder im Hotelzimmer liegen gelassen habe.«

»Und die Geburtstagsfeier?«, fragte Leya.

»Ich weiß«, stöhnte Milos. »Die ist ja heute Abend. Um halb acht kommt ein Wagen zum Hotel, um mich abzuholen, aus irgendeinem Grund kann ich mich daran genau erinnern … aber ich weiß nicht, ob wir das noch schaffen?«

Leya schaute auf die Uhr. »Jetzt ist es zehn nach sieben.«

Milos breitete die Arme aus. »Wir müssen los hier, Leya. Schließlich ist diese Geburtstagfeier ja überhaupt der Grund, warum ich hier bin!«

Schwester Britney, die sich ein wenig im Hintergrund gehalten hatte, aber dem Gespräch doch gefolgt war, trat zu ihnen und legte Milos eine Hand auf den Arm. »Doktor Murray hat Sie bereits gesundgeschrieben. Wir waren nur gezwungen, zu warten, bis die Dinge sich klären, verstehen Sie? Es hindert Sie nichts daran, umgehend das Krankenhaus zu verlassen.«

»Vielen Dank, Schwester Britney«, sagte Leya. Ergriff Milos' Hand und zog ihn mit sich zur Tür. »Entschuldigen Sie, aber wir haben es eilig.«

»Wie heißt das Restaurant, in dem dein Gönner seinen Geburtstag feiert?«, wollte Leya wissen, als sie auf dem Weg hinunter im Fahrstuhl waren.

»Keine Ahnung«, antwortete Milos.

»Hast du das auch vergessen?«

»Das habe ich nie gewusst«, erklärte Milos.

»Das bedeutet, dass wir in einer Viertelstunde am *Rembrandt* sein müssen«, sagte Leya.

»Das wäre nicht schlecht«, stimmte Milos zu, »sonst weiß ich nicht, was wir machen sollen.«

»Aber das ist doch total absurd«, stöhnte Leya. »Du kommst hierher nach London und verbringst nur aus einem einzigen Grund vier Tage hier, und dann... dann verpasst du das eventuell auch noch. Wie sollen wir denn erfahren, welche Pläne dein Gönner hat, wenn du es nicht schaffst...?«

»Nun, das ist sicher nicht die Welt«, unterbrach Milos sie.

»Was?«, wunderte Leya sich, »was sagst du?«

Milos lächelte. »Das Wichtigste an dieser Reise war nicht diese Feier. Das Wichtigste ist, dass ich dich wiedergetroffen habe.«

»Aber Milos...«

Er umarmte sie und küsste sie, doch genau in dem Moment öffneten sich die Fahrstuhltüren, und so bekamen sie eine ganze Reihe unerwünschter Zuschauer.

»Dreizehn Minuten«, informierte Leya ihn, als sie zu der wartenden Reihe von Taxis liefen. »Ich glaube nicht, dass wir das schaffen. Aber vielleicht liegt ja eine Nachricht für dich dort... oder sie warten? Du hast doch keine Kopfschmerzen?«

»Überhaupt nicht«, versicherte Milos. »Wie sehe ich aus?«

»Du siehst aus wie jemand, der heimgekommen ist und einen Krieg gewonnen hat«, sagte Leya.

»Genauso fühle ich mich auch«, strahlte Milos.

Es war zehn Minuten nach acht, als das Taxi vor dem *Rembrandt* hielt. Es stand kein Auto vor dem Haus und wartete auf Mr. Skrupka, und es gab keine Nachricht für ihn in der Rezeption. Der Mann mit dem lächerlichen Schnurrbart, der eine Art Chefrezeptionist zu sein schien, hob die Handflächen zur Decke und drückte sein Bedauern aus.

»Tut mir leid. Die Geschwister Miller wurden wie vereinbart abgeholt. Was wir übrigens nicht bedauern. Aber es stimmt, Sie sollten mit demselben Wagen fahren, Mr. Skrupka. Zumindest haben wir diese Information... ich glaube, sie haben sogar noch

506

eine Weile länger gewartet, aber als Sie nicht aufgetaucht sind, da sind sie ohne Sie losgefahren. Ja, offensichtlich.«

Er strich sich über den Schnurrbart und zuckte mit den Schultern, als ob damit die Sache erledigt wäre.

»Und wohin sind sie gefahren?«, fragte Milos.

Erneutes Achselzucken. »Das wurde nicht gesagt.«

»Haben Sie darüber keine Information?«

»Nein.«

»Aber was zum Teufel machen wir jetzt?«, rief Leya verärgert aus. »Könnten Sie nicht versuchen, uns etwas zu helfen? Es ist von äußerster Wichtigkeit, dass mein Verlobter zu diesem Treffen kommt. Es geht um Millionen, und es geht... um das Leben von Menschen.«

Milos errötete und war kurz davor zu protestieren, aber er konnte sich noch zurückhalten.

»Und wie genau wünschen Sie, dass meine Hilfe aussieht?«, wollte der Chefrezeptionist mit säuerlichem Tonfall wissen. »Wir sind selbstverständlich bereit, zu tun, was wir können, damit...«

»Dieses Auto«, unterbrach Leya ihn, »war das ein normales Taxi oder ein bestellter Wagen?«

»Der war bestellt.«

»Und von welchem Unternehmen?«

»Einen Augenblick.« Der Chefrezeptionist blätterte in einem Block. »Ja, das stimmt. Es war ein Wagen von Fox Black Cars and Limos, hier steht es. Halb acht, Zimmer dreihunderteinundzwanzig, dreihundertdreiundzwanzig und dreihundertfünfundzwanzig.«

»Und es ist kein Ziel angegeben?«

»Nein. Das ist für uns ja auch nicht von Interesse. Und es kann eine Frage der Diskretion sein.«

»Ja, sicher«, sagte Leya. »Nun ja, wären Sie dann so freundlich, um Fox oder wie immer die heißen, anzurufen, damit ich kurz mit denen reden kann.«

Der Chefrezeptionist zögerte einen Moment, während er sich mit Daumen und Zeigefinger über den Schnurrbart strich. Dann nahm er einen Telefonhörer, schaute noch einmal auf seinem Block nach und wählte eine Nummer. Als er eine Antwort erhielt, reichte er den Hörer Leya.

Es dauerte nicht einmal eine Minute, dann wussten sie, zu welcher Adresse der 7.30-Uhr-Wagen vom *Hotel Rembrandt* gefahren war. Oder wohin er auf dem Weg war, falls er noch nicht angekommen sein sollte. Der Fahrer hieß übrigens Phillips, aber das war vielleicht nicht von Interesse?

Leya erklärte, dass dem so sei. Mr. Phillips war absolut nicht von Interesse. Aber sie bat darum, die Adresse noch einmal zu wiederholen, schrieb sie auf und bedankte sich.

»So«, stellte sie dann fest und drehte sich zu Milos um, der sich während des gesamten Gesprächs im Hintergrund gehalten hatte. »Jetzt fahren wir zu der Geburtstagsfeier und lernen einen Gönner kennen.«

»Wir?«, fragte Milos, »ich meine…«

»Ich komme mit und bleibe in der Nähe«, erklärte Leya. »Ich will dich nicht noch einmal verlieren.«

»Ich bräuchte vorher eine Dusche«, sagte Milos.

»Dafür ist keine Zeit mehr«, entschied Leya und schaute auf die Uhr. »Wir sind bereits eine halbe Stunde zu spät.«

»Ich nehme an, ich habe keine andere Wahl?«, fragte Milos.

»Stimmt«, sagte Leya. »Du hast nicht den Zipfel einer Wahl. Aber ich habe noch ein paar Fragen, die werden wir im Taxi klären.«

»Was für Fragen?«, wollte Milos wissen, während sie auf die Straße liefen.

»Im Taxi«, wiederholte Leya. »Ich will wissen, was du noch vergessen hast.«

65

Vergessen? Was denn zum Beispiel?«

Leya gab dem ersten von drei Fahrern, die mit ihren Wagen vor dem Hotel warteten, ein Zeichen. Er kurbelte sein Fenster herunter und bekam den Zettel mit der Adresse.

»Nun?«, fragte Milos, nachdem sie auf der Rückbank Platz genommen hatten und der Wagen losgefahren war. »Was sind das für Fragen?«

Leya räusperte sich. »Ich möchte es nur überprüfen.«

»Was möchtest du überprüfen?«

»Dass … dass du nicht vergessen hast, was wir letzte Nacht gemacht haben, beispielsweise.«

Milos ergriff ihre Hand. »Mach dir keine Sorgen, ich erinnere mich an jede Sekunde.«

»Sicher?«

»Ganz sicher.«

»Gut«, nickte Leya. »Aber warum hast du dich nicht bei mir gemeldet? Im Laufe des Nachmittags, meine ich, das dürfte doch nicht unmöglich gewesen sein. Ich habe mir schreckliche Sorgen gemacht. Du weißt doch noch, wo ich arbeite?«

Milos biss sich auf die Lippen und überlegte. »Ich habe im Krankenhaus ein paar Stunden geschlafen«, sagte er. »Ich glaube, ich habe auch eine Art Schlafmittel gekriegt … als sie meinen Kopf untersucht haben. Ich war erst eine Stunde wach, als du gekommen bist … höchstens.«

»Hm«, sagte Leya. »Ich verstehe.«

»Ich habe versucht, mein Handy zu finden, aber es ist weg, deshalb hatte ich deine Nummer nicht. Aber es stimmt schon, dass... dass ich mich nicht an alles erinnern kann. Als ich aufgewacht bin, habe ich darüber nachgedacht... natürlich vor allem darüber, wie das Hotel heißt und wo es liegt. Dein Arbeitsplatz, der ist doch irgendwo hinterm Central Park, oder?«

»Das stimmt«, bestätigte Leya. »Aber es heißt Kensington Gardens.«

»Ach so?«, sagte Milos. »Ja, ehrlich gesagt fühle ich mich ein wenig schwindlig. Aber das geht sicher vorbei. Was glaubst du, was werden die sagen, wenn ich zu der Feier mit einem Verband um den Kopf komme?«

»Die?«, fragte Leya nach, »wir wissen doch nicht einmal, wer *die* sind, oder?«

Milos seufzte. »Nein, da hast du auch wieder Recht. Weißt du, wenn ich darüber nachdenke, dann habe ich fast das Gefühl, als würde ich die ganze Zeit nur träumen. Und als ich im Krankenhaus lag und schlief, da habe ich wirklich etwas Merkwürdiges geträumt.«

»Was denn?«

»Ich habe geträumt, dass ein Mensch in meinem Kopf saß... ein anderer Mensch. Er hat über alles bestimmt, was mit mir passiert... alles, was ich denken, sagen und tun sollte, und es war... ja es schien fast, als würde er mein ganzes Leben lenken. Darüber bestimmen, es lenken und sich mit allem beschäftigen.«

Leya dachte eine Weile nach. »Aber warst du das nicht selbst, der da saß?«

»Über diese Möglichkeit habe ich auch nachgedacht«, sagte Milos. »Aber ich hatte den Eindruck, es war jemand anderes. Das war wirklich ein bisschen unheimlich.«

»Vielleicht lag es an dem Schlafmittel, das sie dir gegeben haben«, schlug Leya vor und drückte seine Hand. »Es kann Stunden dauern, bis das wieder aus dem Körper ist.«

»Das wird es wohl sein«, sagte Milos. »Weißt du, Leya, ich liebe dich, habe ich dir das schon gesagt?«

»Das hast du letzte Nacht gesagt«, erinnerte Leya ihn. »Ich liebe dich auch, Milos.«

Er wollte gerade seinen Arm um sie legen und sie küssen, da wurden sie von dem Piepsen ihres Handys unterbrochen. Sie entschuldigte sich und zog es aus der Manteltasche.

»Wie merkwürdig…« Sie schaute aufs Display.

»Was ist merkwürdig?«, fragte Milos.

»Ich habe gerade eine SMS gekriegt, von… dir!«

»Von mir?«, fragte Milos. »Aber ich habe es doch verloren…«

»Lass sie mich erst einmal lesen«, sagte Leya. »*Hallo, Leya. Ich habe dieses Handy gefunden, und ich nehme an, dass du den kennst, dem es gehört. Wo kann ich es abgeben? Wohne in Richmond. Karen.*«

»Das ist ja toll«, sagte Milos. »Ich muss es verloren haben, als ich niedergeschlagen wurde. Schlau, meine letzten Gespräche zu überprüfen. Wir rufen sie an und verabreden uns mit ihr.«

»Ich glaube, eine SMS reicht«, sagte Leya. »Ist ja witzig, dass sie in Richmond wohnt, schließlich sind wir gerade auf dem Weg dorthin.«

Sie beugte sich vor, öffnete das kleine Fenster und bat den Fahrer, die Zieladresse zu wiederholen. Dann schrieb sie Karen eine Nachricht, dass der Besitzer des Handys sich den ganzen Abend im *Terracotta Restaurant* am Paved Court befinden würde und dass sie sie gern irgendwo in der Nähe treffen würden oder wo es ihr passte.

»Dann habe ich auch etwas zu tun, während du auf der Feier bist.«

»Willst du denn nicht mitkommen?«

»Nie im Leben«, wehrte Leya ab. »Ungebeten auf eine Geburtstagsfeier kommen, bist du nicht ganz gescheit? Aber es gibt in Richmond ja wohl auch Cafés und Kneipen.«

»Sag ihr, dass es einen Finderlohn gibt!«, sagte Milos.

»Okay«, stimmte Leya zu und tippte ein: *Verspreche eine Belohnung für die Mühen, vielen Dank!*

Und bevor Milos endlich seinen Arm um sie legen konnte, war die Antwort schon da:

Wie witzig. Ich wohne gleich um die Ecke. Lasse von mir hören. K.

»Das ist ja merkwürdig«, sagte Milos. »Fast zu schön, um wahr zu sein.«

Und Leya hatte inzwischen eine Falte zwischen den Augenbrauen bekommen. »Finde ich auch«, sagte sie. »Fast zu schön. Dieser Mann, der dich niedergeschlagen hat, hast du irgendwas von ihm sehen können?«

»Kein bisschen«, sagte Milos. »Aber die Mädchen haben gesagt, dass er einen langen Mantel trug und dass er sofort weggerannt ist, als er merkte, dass er beobachtet worden war.«

»Hm«, überlegte Leya, und die Falte glättete sich. »Weißt du, ich finde, du siehst richtig flott aus mit deinem Verband. Wie ein Scheich oder so.«

66

Das *Terracotta Restaurant* war nicht groß, hatte aber den Ruf, ein Lokal für Feinschmecker zu sein. Da es nur Platz für zirka fünfzehn Gäste bot, hatte Leonard das ganze Etablissement gemietet, und als er zusammen mit Maud hereinkam und den schön gedeckten Tisch mit sechs Gedecken, vier Gläsern an jedem Teller, steifen Leinenservietten und zwei Kandelabern mit gerade entzündeten Kerzen sah, seufzte er zufrieden und beglückwünschte sich selbst zu einem perfekten Schachzug.

Prendergast traf nur wenige Minuten später ein, und da die übrigen Gäste wie erwartet etwas verspätet waren, gab es genügend Zeit, sowohl für einen Martini an der Bar als auch dafür, die Planung mit dem Oberkellner, Mr. Barolli, durchzusprechen – während Maud im Raum für die Damen war und sich die Nase puderte oder was immer sie dort auch tat.

Leonard war im Auto die letzten fünf, zehn Minuten eingenickt, doch jetzt fühlte er sich erfrischt und stark. Ich bin ein Schwergewichtsboxer, der in die letzte Runde geht, dachte er. Ich lasse mich nicht zu Boden schicken, bevor ich nicht selbst entscheide, dass es an der Zeit ist, die Deckung zu öffnen.

Er wunderte sich selbst, warum er so dachte, *the noble art of self defence* hatte ihn nie besonders interessiert, aber vielleicht war das ja die Art, wie das Gehirn gegen Ende reagierte. Er schob diese Überlegungen beiseite, als Prendergast ihm den korrigierten Text zeigte. Er ging ihn in zwei Minuten noch einmal durch, nickte zustimmend und erklärte dann Mr. Barolli die Prozedur mit den Getränken vor der Käseplatte. Der Chefkellner war eine lange, hagere Nippesfigur unbestimmten Alters und nach allem zu urteilen ein Mann von Welt. Er versicherte, verstanden zu haben.

»Ausgezeichnet«, stellte Leonard fest. »Und ich bin hier der Kapitän an Bord, vergessen Sie das nicht. Ich will nichts von irgendeiner Meuterei hören. Es ist möglich, dass es nach der kurzen Rede meines Notars kleinere Tumulte gibt, doch die werden sich mit den Wolken verziehen.«

Boxer? Kapitän an Bord? Nippesfigur? Mit den Wolken verziehen?

Was waren das für Ausdrücke? War er diese verfluchten Wortschmierereien immer noch nicht los, die in seinem Schädel herumirrten? War er wirklich Urheber dieser Plattitüden? Er schüttelte sich, und es gelang ihm, Maud ein Lächeln zuzuwerfen, als sie endlich aus der Damentoilette herauskam. Vielleicht wurde es auch nur eine Fratze.

»Wie fühlst du dich, Leonard?«, fragte sie.

Die gleiche Frage hätte sie gern auch ihrem Sohn gestellt, biss sich aber auf die Zunge. Irina und Gregorius tauchten kurz vor halb neun Uhr auf, und sofort konnte sie sehen, dass etwas nicht stimmte. Irina sah blass, aber gefasst aus, Gregorius war unrasiert und schien unter einem Kater zu leiden. Um es elegant auszudrücken, jedenfalls steuerte er sofort die Bar an, um dort einen kleinen Whisky zu kippen. Erst danach begrüßte er höflich seine Mutter, seinen Stiefvater und Mr. Prendergast.

»Bin ein bisschen krank gewesen«, erklärte er. »Eigentlich sollte ich im Bett liegen, aber das geht ja nicht an so einem Abend.«

Er machte eine halbherzige Geste, als wollte er Leonard auf den Rücken klopfen, konnte sich aber gerade noch zurückhalten. Leonard Vermin war kein Mensch, dem man auf den Rücken klopfte, niemals, und schon gar nicht jetzt, wo er mit einem Fuß im Grab stand.

»Wie geht es dir, Leonard?«, fragte Irina. »Ich finde, du siehst frisch aus.«

»Frisch?«, keuchte Leonard. »Ja, eines will ich dir sagen, meine Kleine, wenn es etwas gibt, was ich nicht bin, dann frisch. Aber darauf scheißen wir. Du selbst siehst etwas blass aus, das kann aber auch an dem Licht hier drinnen liegen. Von deinem Bruder wollen wir gar nicht reden.«

»Danke, dass ihr gekommen seid«, sagte Maud.

Leonard schaute sich um. »Da sollte noch einer kommen. Was habt ihr mit dem dritten Mann gemacht?«

»Ich denke, wir sind vollzählig«, erklärte Gregorius. »Deine Familie und dein Notar, warum sollten noch mehr Leute kommen?«

»Skrupka«, sagte Leonard. »Warum ist er nicht mit euch gefahren? Es war doch so geplant.«

Irina zuckte mit den Schultern und schaute desinteressiert drein. Maud spürte, dass sie am liebsten angefangen hätte zu weinen. »Wer um alles in der Welt ist Mr. Skrupka, Leonard?«, fragte sie und putzte sich die Nase in einem Papiertaschentuch. »Warum erzählst du uns nie etwas?«

»Im Laufe des Abends werde ich alles erklären, keine Sorge«, antwortete Leonard, und für einen Moment – während er kurz auflachte oder vielleicht eine Schmerzattacke bekämpfte – dachte sie, er sähe aus wie Graf Dracula. Wie hieß noch dieser alte Schauspieler? Bela Lugosi?

Und dann dieser merkwürdige Prendergast, ließ Maud ihre Gedanken weiterwandern. Sieht er nicht auch aus, als wäre er einem Film entsprungen? Mit dieser Augenklappe und allem. Ein Seeräuber oder ein alter Nazi? Was tut er eigentlich hier?

»Du hast doch keine Schmerzen, Leonard?«, fragte sie.

515

Man ging zu Tisch, ohne noch auf einen Mr. Skrupka zu warten. Leonard und Mr. Prendergast saßen jeweils an der Stirnseite, Maud und Gregorius an der einen Längsseite, Irina und dem leeren Stuhl gegenüber. Irina fühlte sich kurz schwindelig, als sie sich setzte, der Raum war nur von den leicht flackernden Kerzenlichtern beleuchtet – auf dem Tisch und in vier schmiedeeisernen Kerzenhaltern an den Wänden. Es könnte eine Grabkammer sein, dachte sie, und das ist sicher kein Zufall.

Leonard stieß an sein Glas.

»Da das Menü aus sechs Gängen besteht, denke ich, Mr. Skrupka wird es uns nicht übel nehmen, wenn wir uns den ersten ohne ihn gönnen«, erklärte er. »Eine kleine Spatzenbrust aus der Toskana, wenn ich mich nicht irre. Aber dann muss er bald auftauchen, sonst platzt das Programm.«

Irina schien, das klang, als gäbe er ihnen die Schuld, Gregorius und ihr, dass der unbekannte Gast nicht rechtzeitig gekommen war. Sie spürte, wie ihre übliche Antipathie erwachte, und beschloss, das als Zeichen für ihre Gesundheit anzusehen.

»Spatzenbrust«, sagte Gregorius, »lange her, dass ich das gegessen habe.«

Halt die Schnauze, Bruder, dachte Irina. Du bist hier, um dich ordentlich zu benehmen und um ein Erbe anzutreten, hast du das vergessen?

Die toskanische Spatzenbrust wurde unter Schweigen serviert (mit einem Klecks Zypressengelee darauf und zwei kreuzweise angerichteten Liebstöcklzweigen darunter) und konsumiert. Ein moussierender roter Langobresiwein dazu. Chefkellner Barolli fragte, was er mit der sechsten Brust machen sollte, und Leonard schlug vor, sie so lange in Folie einzuschlagen. Oder sie dem Hund zu geben, falls es einen gab.

Oder dem Koch.

Teller und Bestecke wurden ausgetauscht. Eine Uhr in einem

hinteren Raum ließ neun spröde Schläge vernehmen, und nur wenige Sekunden nach dem letzten Schlag klopfte es an der Tür, und ein Mann mit einem weißen Turban um den Kopf betrat den Raum.

Nein, bei näherem Hinschauen begriff Maud, dass es sich nicht um einen Turban handelte, sondern um einen Verband. Der Mann schien jedenfalls so um die fünfunddreißig zu sein, und er zwar zweifellos ein wenig nervös. Außerdem stellte sie fest, dass er aufs Haar einer Figur aus einer bekannten Comicserie im Fernsehen ähnelte, an deren Namen sie sich aber nicht mehr erinnern konnte.

Der Mann räusperte sich und trat von einem Fuß auf den anderen.

»Mein Name ist Milos Skrupka. Es tut mir leid, dass ich zu spät komme, aber ich bin überfallen worden.«

Er ließ seinen Blick über den Tisch und die um ihn Versammelten schweifen, dann ging er auf Prendergast zu. »Mr. Leonard, wie ich annehme? Ich freue mich, Sie endlich kennenzulernen.«

»Was für ein bescheuerter Hanswurst«, brummte Gregorius seiner Mutter ins Ohr. »Was zum Teufel hat er hier zu suchen?«

Doch Maud hörte ihrem Sohn gar nicht zu. Ihre Aufmerksamkeit konzentrierte sich stattdessen auf Leonard. Etwas passierte mit ihm; in dem Moment, als der Fremde sich vorstellte, schien er zu schwanken. Obwohl er saß; er schob sich die Hand in die Jacke und fasste sich ans Herz.

Jetzt, dachte Maud, jetzt stirbt er.

Doch das tat er nicht. Nach ein paar Sekunden zog er die Hand wieder heraus, legte sie umständlich auf die weiße Tischdecke vor sich und klärte den Irrtum auf: »Nein, mein Freund. Ich bin Leonard Vermin. Bitte schön, nimm doch Platz. Ja, dann sind wir jetzt vollzählig, das Spiel kann beginnen.«

67

Lars Gustav Selén saß im Restaurant *Le Barquante* in der Great Portland Street und schaute auf die Uhr.

Es war Viertel nach acht. Irgendetwas war schiefgelaufen.

Er versuchte seine zunehmende Nervosität zu bekämpfen, indem er zwei Gläser Rotwein trank. Das hatte beim ersten Glas und bis zehn vor acht geholfen, aber jetzt hatte er das Gefühl, ersticken zu müssen. In letzter Minute waren ihm die Dinge aus der Hand geglitten. Es gab keine Möglichkeit mehr für alternative Erklärungen; der Tisch, an dem Leonard Vermin und seine Geburtstagsgäste hätten sitzen sollen, wurde soeben von einem halben Dutzend eifrig plaudernder und gestikulierender Damen unterschiedlichsten Alters eingenommen. Eine von ihnen erinnerte ziemlich an die alte Premierministerin Thatcher, aber Lars Gustav Selén meinte sich zu erinnern, dass sie entweder tot oder schwer dement war, also war sie es wahrscheinlich nicht. Wobei das keine Rolle spielte, absolut keine.

Er leerte sein zweites Glas und rief den Kellner zu sich. Erklärte, dass er es sich anders überlegt habe, und bat um die Rechnung.

»Ich habe noch eine kleine Frage.«

Der Kellner legte den Kopf schräg und lächelte ihm entgegenkommend zu.

»Eigentlich hatte ich erwartet, heute Abend eine Gruppe Bekannter hier zu sehen. Ist nicht ein Tisch von einem Mr. Vermin reserviert worden?«

Es fiel ihm schwer, so eine lange Frage hervorzubringen, wo er doch kaum genug Luft zum Atmen hatte, er musste geradezu mit dem Magen von unten nachpressen, damit die Worte aus der Kehle herauskamen, und für einen Moment fürchtete er, seine letzte Stunde sei gekommen. Dass er in diesem trügerischen Restaurant im Herzen Londons an innerlichem Druck sterben sollte.

Doch so schlimm war es nicht. Der Kellner behielt sein professionelles Lächeln auf dem Gesicht.

»Warten Sie einen Moment bitte, ich werde nachsehen.«

Damit ging er zu einem hohen Tisch am Eingang und schaute in einer schwarzen Mappe nach. Anschließend kam er zurück mit der Rechnung für zwei Glas Wein und einem lächerlich kleinen Karamellbonbon in schwarzweißem Papier.

»Mr. Vermins Tisch ist vor zwei Tagen abbestellt worden.«

»Abbestellt?«

»Ja.«

»Von wem denn? Ich meine …«

»Das geht nicht aus den Unterlagen hervor. Vielleicht von Mr. Vermin selbst. Wenn Sie wünschen, kann ich …«

»Nicht nötig«, unterbrach Lars Gustav und legte einen Zwanzig-Pfund-Schein auf den kleinen Silberteller, ohne die Rechnung anzuschauen. »Danke. Aber das … ist wirklich … nicht … nötig.«

Er hastete aus dem Restaurant. Brechreiz schoss ihm das Rückgrat hinauf, doch als er draußen auf dem Bürgersteig stand, kam eine Windböe und verbesserte die Lage ein wenig. Er lehnte sich an eine Wand und holte mehrmals tief Luft; schob sich zwei Finger unter den Hemdkragen, um die Luftzufuhr zu erleichtern, und versuchte sich zu beruhigen.

Wie war das möglich?

Wie konnte so etwas überhaupt…?

Es *war* nicht möglich, das war die einzig denkbare Antwort. Es war *außerhalb aller denkbaren Möglichkeiten*. Zwar hatte er weder seinen Laptop noch irgendein Notizbuch mit ins Restaurant genommen und konnte deshalb den letzten Text nicht überprüfen, aber warum hätte das auch notwendig sein sollen? Er hatte Schlupflöcher gelassen, das war ganz auf einer Linie mit der Philosophie des weichen Kerns, aber doch nicht so. Dass sich das gesamte Sextett weigerte, zu dem entscheidenden Kapitel zu erscheinen, das konnte doch nur bedeuten, dass…? *Dass was, bitte schön?*, fragte Lars Gustav Selén sich und machte sich langsam auf den Weg den Bürgersteig entlang zur Oxford Street. War es überhaupt möglich, rationale Fragen bei einem so ausgeklügelten, emotionalen Plan zu stellen?

Zumindest konnte es sich nicht um eine Art von kollektivem Beschluss handeln, dessen war er sich sicher. Es musste Leonard sein, der dahintersteckte, dieser verfluchte Leonard Vermin, dem er so viel Leben, Leiden und Leidenschaft geschenkt hatte, es musste seine Idee gewesen sein! Auf irgendeine Art und Weise hatte er sich am Rande seines Grabs losgerissen, eigentlich hätte es nicht möglich sein sollen, so ein Manöver durchzuführen, aber nichtsdestotrotz war es passiert. Was sonst? Oder doch nicht?

Und wo befanden sie sich? Bald war das die Frage, die auftauchte und alle anderen Frustrationen verdrängte. *Wo waren sie hingegangen?* Sie konnten sich doch nicht in Rauch auflösen. Aufhören zu existieren. Das war vollkommen undenkbar, noch weiter von dem Fassbaren entfernt. Solange Lars Gustav Selén existierte, solange existierte auch sein Roman. Das war eine Binsenwahrheit, nichts, was in Frage zu stellen war.

Er gelangte auf die Oxford Street und ging automatisch weiter nach rechts, Richtung Westen. Versuchte, sich an den letzten Gedanken zu klammern. Sie befanden sich irgendwo anders.

Irgendwo, vermutlich in einem anderen Restaurant in dieser Zehnmillionenstadt, saß das ganze Sextett und ... und wenn es trotz allem eine Art Muster in dem Geschehen gab, dann müssten sie sich jetzt genau mit dem beschäftigen, was der Sinn des Ganzen gewesen war. Oder? Sie hatten einfach nur das Lokal gewechselt!

Er spürte, wie ihm der kalte Schweiß ausbrach, und die Menschen, die ihm auf dem Bürgersteig entgegenkamen, schienen unscharfe Konturen zu haben. Wie viele Restaurants gab es hier in der Stadt? Zehntausend? Vermutlich, wenn nicht noch mehr.

Er überquerte Oxford Circus und ging ohne zu zögern weiter westwärts. Die Gedanken, die Fragen und seine Nervosität summten wie geile Hornissen in seinem Kopf, und er hatte keine Ahnung, wohin er eigentlich auf dem Weg war. Aber Bewegung war besser als Stillstand, das wusste er; deshalb zogen neun von zehn Lesern Erzählungen der Lyrik vor. Ohne zu wissen, warum, bog er nach links in eine Straße ein, die Woodstock Street hieß, und schon nach wenigen Metern tauchte hier ein Pub auf. Er begriff, das war kein Zufall, nichts konnte mehr irgendwelchen Zufällen zugeschrieben werden, er trat ein, kaufte sich ein Pint und einen kleinen Whisky und ließ sich an einem Tisch hinter einer altmodischen und seit Langem verstummten Jukebox nieder.

Ich muss mich beruhigen, dachte er und kippte den Whisky hinunter. Das hat einen Sinn. Jede Erzählung hat eine innere Logik, einen roten Faden, es geht nur darum, ihn zu entdecken.

Bier und Whisky erfüllten ihren Zweck. Als er die Kneipe zwanzig Minuten später verließ, hatte er sowohl eine Theorie als auch einen Plan. Auf der Oxford Street winkte er ein Taxi heran und bat den Chauffeur, so schnell es ging zum *Hotel Rembrandt* am Thurloe Place in Knightsbridge zu fahren.

Es dauerte eine Viertelstunde, es hätte schneller gehen können, wenn es keine Probleme am Marble Arch gegeben hätte. Durch das Taxifenster meinte Lars Gustav erkennen zu können, dass es sich wohl um eine Demonstration, welcher Art auch immer, handelte, er entdeckte Fackeln und Spruchbänder, und für den Bruchteil einer Sekunde tauchte ein rot angemaltes Männergesicht direkt vor der Autoscheibe auf und ein Mund, der irgendetwas schrie. Was, das konnte er nicht verstehen, aber er war sich sicher, dass es nicht freundlich gemeint war.

Er bezahlte mit einem weiteren Zwanziger, obwohl fünfzehn gereicht hätten, eilte durch das Hotelfoyer zum Rezeptionstresen, hinter dem zwei junge Frauen standen, die Hände ruhig auf dem kühlen Marmortresen gefaltet, und aussahen, als würden sie nur auf ihn warten. Die eine war blond, die andere dunkel, beide trugen fein gestreifte Uniformen und zeigten gepflegte Zähne. Er entschied sich für die Dunkle, aber das war nicht so wichtig, er nahm an, dass der Chefrezeptionist das hier sowieso würde regeln müssen.

»Ein Chefrezeptionist?«, fragte sie freundlich und mit leichter Verwunderung. »So etwas haben wir hier nicht.«

Lars Gustav Selén forderte sie auf, diese merkwürdige Behauptung zu wiederholen, was sie auch augenblicklich tat. Er erklärte, dass er ihren männlichen Kollegen mit dem kleinen schwarzen Schnauzer meinte und dass die Sache höchste Priorität hatte. Noch während er das vortrug, wurde er von einer vorübergehenden Schwindelattacke überfallen und war gezwungen, sich mit beiden Händen an der Marmorplatte festzuhalten, um nicht das Gleichgewicht zu verlieren. Als sich alles wieder stabilisiert hatte, konnte er eine deutliche Klimaveränderung im Verhalten der beiden Frauen feststellen. Ihre Zähne waren hinter strammen Lippen verschwunden, beide betrachteten ihn mit leicht hochgezogenen Augenbrauen, ein Paar hellbraun, ein Paar schwarz, und er erfuhr erneut, dass er sich irrte.

»Natürlich haben Sie einen Chefrezeptionisten«, erklärte er, wollte das Handtuch nicht zu früh werfen. »Ich habe persönlich mehrere Male mit ihm gesprochen, ich kann mich nur nicht mehr daran erinnern, wie er heißt.«

Augenblicklich sah er ein, dass das ein dummer Zug gewesen war. Es wäre besser gewesen, gleich zur Sache zu kommen, sein Anliegen zu erklären und herauszubekommen, wohin die Gäste aus den Zimmern 321, 323 und 325 gegangen waren. So kostete es nur Zeit, und er hatte seine Karten verspielt.

»Ich bin auf der Suche nach einigen Ihrer Gäste«, beeilte er sich, hinzuzufügen. »Es ist wichtig. Es geht um Leben und Tod.«

Während er das sagte, versuchte er freundlich zu lächeln, doch es hatte nicht den erwünschten Effekt. Die eine Frau nahm einen Telefonhörer hoch, wandte sich ein wenig ab, und es sah so aus, als würde sie jemanden herbeirufen. Lars Gustav Selén spürte plötzlich einen Stich von Hoffnungslosigkeit, gleichzeitig wurde ihm etwas klar. Bis jetzt war es nicht mehr als eine diffuse Ahnung, aber er begriff, dass es wichtig war. Eine Sekunde lang überlegte er, dann entschuldigte er sich und verließ den Tresen. Er drängte sich durch eine Gruppe jovialer Damen und Herren, die sich mit lauten Stimmen in einer ihm unbekannten Sprache unterhielten, und ließ sich auf einem der cremefarbenen Ledersessel in der großzügig angelegten Lobby nieder – hinter einer Glasvitrine voll mit alten Krickettrophäen und außer Sichtweite der gefühllosen Empfangsdamen.

Denn die Lage musste analysiert werden. Ihm kam die Einsicht – die möglicherweise erklären konnte, was mit den verschwundenen Figuren passiert war –, dass es … ja, was genau? Eine neue Grenzlinie zwischen Fiktion und Wirklichkeit gab? Ja, etwas in der Art; das heißt, die mögliche Existenz einer anderen Art von Linie als die, mit der er die ganze Zeit gearbeitet hatte und die zu perforieren ihm gelungen war. Mit Türen, die *von der anderen Seite geöffnet werden konnten.* Genau, und außerdem war es ja so, konstatierte er mit bittersüßer selbstkritischer Schärfe, dass sowohl der Chefrezeptionist als auch sein alberner Schnurrbart nur Schöpfungen des Autors selbst waren, während die beiden unsympathischen Damen auf der anderen Seite des Kricketzylinders – genau wie das ganze Hotel übrigens – überprüfte Wirklichkeit waren. Um es so auszudrücken, und ohne der Ordnung halber in Details zu gehen, aber diese verwirrende Unterscheidung existierte, das war nicht zu leugnen. Außerdem war er sich ziemlich sicher, dass die betreffenden Damen sich beharrlich weigern würden, ihm Informationen über die Hotelgäste zu geben; zum einen fehlten die notwendigen Informationen wahrscheinlich sowieso – sie existierten einzig und allein bei ihren fiktiven Kollegen, zu denen der Autor momentan keinen Kontakt bekam, da er sie ganz einfach aus der Geschichte herausgeschrieben hatte; zum anderen hatte sein eigenes Verhalten gerade eben in ihren Augen einiges zu wünschen übrig gelassen. Es würde ihn nicht wundern, wenn gleich ein verkniffenes Muskelpaket auftauchen würde, ihm eine Hand auf die Schulter legte und ihn bat, sich aus dem Hotel zu entfernen, aber pronto.

Das zu tun, hatte er selbst auch vor, deshalb konnte er sich in dieser Beziehung sicher fühlen, aber er brauchte vorher noch ein paar Minuten, um in Ruhe und Frieden über eine Folgefrage nachzudenken, die im Kielwasser dieses unerwünschten Schützengrabens, nein, *Wallgrabens,* zwischen Fiktion und Wirklichkeit aufgetaucht war. Sie betraf diese Brücke, die man *von beiden Seiten aus betreten konnte.* Also, dachte Lars Gustav Selén, also... was ist es dann, was da am Rande meiner Wahrnehmung flimmert?

Natürlich! Die verlorene und wiedergefundene Brieftasche! Wie viel war diese infame Episode eigentlich wert – im Licht der überraschenden Entwicklung des Abends? Was hatte dieser Kontakt zwischen Irina Miller und ihm eigentlich wirklich bewiesen? Schnell ließ er den Handlungsablauf noch einmal im Kopf durchlaufen: wie er die Beute präpariert hatte, d. h. die Brieftasche, wie Fräulein Miller sie gefunden hatte, genau wie er es vorgeschrieben hatte, wie sie angerufen hatte, wie sie kurz miteinander gesprochen hatten – er in einem außerordentlich verdrehten und primitiven Englisch, um sich nicht zu entlarven – und wie sie sich hinsichtlich der Übergabe geeinigt hatten. Dann hatte er sie durch das Fenster beobachtet, auf dem Weg zum und auf dem Weg vom Hotel, und anschließend… ja, nachdem sie die Brieftasche zurückgebracht hatte, war da nichts mehr. Aber einmal angenommen… und hier war er gezwungen, ein paar Mal tief Luft zu holen, um seine Nerven zu beruhigen… *angenommen,* dass es sich gar nicht um Irina Miller gehandelt hatte, sondern um einen ganz anderen – nicht fiktiven – Menschen! Hatte sie während des Telefongesprächs jemals ihren Namen genannt? Konnte es sich nicht um Emma Farting aus Putney oder Priscilla ffolliot-Pym auf zufälligem Besuch aus Derby oder um welche x-beliebige Frau auch immer gehandelt haben?

Hatte er überhaupt die Grenze perforiert? Oder sie? Er spürte, wie die Atemnot, die ihn im Restaurant überfallen hatte, sich wieder näherte, doch bevor alles vollkommen verwirrt und verzweifelt erschien, wurde ihm klar, wie er sich verhalten musste, um weiterzukommen. Als gingen sie auf sonderbare Weise miteinander Hand in Hand – die Atemnot und der Durchblick. Wie dem auch war, er musste zu dem Einfachen und Selbstverständlichen zurückfinden. Ohne weiteres Zögern zurück zum *Lords*! Zu den Notizbüchern und dem Computer! Es war ein großer Fehler gewesen, an diesem Abend ohne sie auszugehen, aber es war noch nicht zu spät, diesen Schnitzer zu korrigieren. Alle Antworten auf alle unangenehmen Fragen und alle Zweifel, die ihn plötzlich ansprangen wie Ägyptens Grashüpfer oder Kröten oder was auch immer – die Antwort auf die Frage, wohin seine verschwundenen Figuren gegangen waren beispielsweise –, fanden sich natürlich in den Texten; wenn nicht im Computer, dann in den handgeschriebenen Aufzeichnungen. Dort und vielleicht nirgendwo sonst, und wenn man sich damit so intensiv beschäftigte, wie es überhaupt nur möglich war, dann konnte er die verlorene Verbindung wiederherstellen. Verborgen in dieser destillierten, fabulierten Wirklichkeit fand sich auch der Name des verfluchten Taxiunternehmens, das die drei Personen vom *Rembrandt* zu einem Restaurant in der Great Portland Street in Marylebone hatte bringen sollen, das aber, statt diesen einfachen Auftrag auszuführen, irgendwo ganz woanders hingefahren war – und auch wenn dieser Name sich irgendwo in seinen Unterlagen archiviert befinden musste, so war es doch nicht in Stein gemeißelt und unter den jetzigen, ihn bedrängenden Umständen unmöglich, ihn herauszufinden. Er erinnerte sich nicht. Verfluchter Mist.

Zehn Minuten später war er auf dem Weg die Park Lane hinauf, halb laufend in der Dämmerung, den dunklen Park dicht an seiner linken Seite und deutlich von neuer Hoffnung erfüllt. Diese Geburtstagsfeier würde ja nicht in einem Handumdrehen beendet sein, Lars Gustav Selén war immer noch im Rennen, und es gab hoffentlich niemanden, der sich auch nur eine Sekunde lang etwas anderes eingebildet hatte?

Vielleicht hätte er versuchen sollen, sich ein Taxi heranzuwinken, aber er hatte genug von all dem Stillsitzen, und wenn er in einem Taxi gesessen hätte, dann hätte er nie dieses junge Paar an der Ecke Edgware Road und Sussex Gardens gesehen – nie Carla erblickt –, und das Geschehen hätte eine ganz andere Richtung genommen.

Doch da alternative Handlungsabläufe nicht miteinbezogen werden, wie schon früher entschieden worden war, kam es, wie es kommen musste. Entweder weil es einfach so ablaufen sollte oder weil ein freier Wille oder mehrere sich dafür entschieden, dass es so war. Die Erzählung lenkt den Erzähler.

68

Der Gang Nummer zwei im *Terracotta Restaurant* in Richmond bestand an diesem milden Septemberabend aus einer einfachen, aber schmackhaften Suppe aus Muscheln, Dorschwangen und Schnittlauch. Die gesamte Gesellschaft aß schweigend; Maud konnte deutlich spüren, wie eine Stimmung abwartenden Misstrauens über dem Tisch ruhte. Sie nahm an, dass es an dem plötzlich aufgetauchten bandagierten Fremden lag, dass er die Hauptursache dafür war – aber es war ja schon anstrengend gewesen, bevor er aufgetaucht war, das musste im Namen der Ehrlichkeit zugegeben werden.

Nachdem sie die Hälfte ihrer Suppe verzehrt hatte, machte sie eine Pause, wandte sich Mr. Prendergast zu und fragte, ob in den letzten Wochen nicht außergewöhnlich gutes Wetter in London gewesen sei – abgesehen von der Sintflut und dem Gewitter in der letzten Nacht natürlich –, aber Mr. Prendergast hörte schlecht und glaubte, sie fragte nach der Qualität der Ledermöbel im Lokal. Er wischte sich sorgfältig mit der Serviette die Mundwinkel ab, schob seine Augenklappe zurecht und antwortete in einem gedämpften Tonfall, dass sie vermutlich vollkommen Recht mit ihrer Beobachtung habe. Leder sei nun einmal Leder.

Was nicht zu weiterer Konversation einlud, zumindest nicht in dieser Richtung. Maud widmete sich wieder ihrer Suppe, wobei sie verstohlen die Übrigen am Tisch musterte. Der Fremde, wer immer es sein mochte, schien nicht besonders davon beeindruckt zu sein, sich in einer unbekannten Gesellschaft zu befinden, wie sie registrierte. Ja, genau genommen schien er der Einzige zu sein, der mit der Situation zufrieden war, wobei sie schwer verstehen konnte, wieso. Er sah eigentlich in erster Linie überrascht und etwas erwartungsvoll aus, und sie fragte sich, wer er wohl war. Das taten ihre Kinder auch, das war mehr als offensichtlich. Irina sah fast erschrocken aus, und Gregorius hatte ein tiefes V zwischen den Augenbrauen. Das war ungewöhnlich; sie vermutete, dass es ein Zeichen dafür war, dass er intensiv über etwas nachdachte, was normalerweise nicht der Fall war.

Aber was machte dieser Fremde hier? Milos Skrupka? Allein der Name war merkwürdig. Und warum trug er diesen sonderbaren Verband? Er hatte erklärt, dass er überfallen worden war, aber niemand hatte nach Details gefragt, und nach Leonards kurzen Einleitungsworten, beim Auftritt der Muscheln und Dorschwangen, hatte sich Stille über den Tisch gesenkt.

Obwohl von absoluter Todesstille nicht die Rede sein konnte, wie Maud konstatierte, da ihr Gehirn und ihr Observationsradar schon einmal eingeschaltet waren. Gregorius hatte nie gelernt, seine Suppe zu essen, ohne zu schlürfen, und so war es auch jetzt. Sie dachte, dass leise, stimmungsvolle Musik im Hintergrund gar nicht schlecht gewesen wäre, etwas, was sie normalerweise in Restaurants überhaupt nicht schätzte – aber an diesem Abend, in dieser Gesellschaft und unter diesen unklaren und leicht bedrohlichen Aussichten wäre es schön gewesen, hätte etwas dieses Gefühl von Schicksalsschwere kontrapunktieren können.

Aber vielleicht wollte es das Geburtstagskind ja genau so haben? Seit seinem kleinen Präludium, als Mr. Skrupka eingetroffen war, hatte er kein Wort mehr gesagt, und sie fragte sich, ob er wirklich die Kontrolle über die Dinge hatte. Ob er wirklich *anwesend* war. Er saß über seinen Suppenteller gebeugt, ungefähr wie ein eifersüchtiges Pandaweibchen, das sein einziges Junges bewacht; sie hatte das vor nicht allzu langer Zeit in einer Natursendung im Fernsehen gesehen, und seine Gesichtsfarbe erschien ihr beunruhigend blass. Im flackernden Schein der Kerzen sah sie graublau und leblos aus, wie etwas Totes, Blutleeres, das monatelang in schmutzigem Wasser gelegen hatte; sie war sich nicht sicher, ob sie das auch im Fernsehen gesehen hatte, aber vermutlich schon – und falls es möglich war, Stück für Stück zu sterben, so schien dieser Prozess in Leonards Fall von außen nach innen und von oben nach unten zu verlaufen.

Sie fragte sich, warum sie dasaß und sich diesen makabren Überlegungen hingab, nahm aber an, dass es daran lag, dass sie sich für die für sie ungewohnte Taktik entschieden hatte, zu schweigen. Leonard hatte das Wort »Weibergeschwätz« im Taxi benutzt, das konnte sie nicht so schnell vergessen, und einen neuen Versuch mit dem einäugigen und halbtauben Notar zu unternehmen erschien nicht besonders sinnvoll zu sein.

Aber warum ihre eigenen beiden Kinder am Tisch hocken und aussehen mussten wie zwei mundfaule Verwandte vom Lande, das zu begreifen fiel ihr schwer. Sie konnten doch zumindest ein wenig zur Unterhaltung beitragen? Irgendwelche Banalitäten von sich geben, war das zu viel verlangt? Den mysteriösen sechsten Gast beispielsweise fragen, ob sein verdammter Kopf ihm weh tat?

Jetzt habe ich schon wieder geflucht, stellte Maud Miller fest und legte den Suppenlöffel hin. Wie sollen wir diesen Abend nur überstehen? Es ist ein Gefühl, als ob… es ist wirklich ein Gefühl, als stünden wir am Rande einer Katastrophe.

Doch als die Suppenteller hinausgetragen worden waren und man auf den dritten Gang wartete, Thunfischpasteten mit Steinbeißerrogen und pochierten Wachteleiern, da räusperte Leonard sich umständlich und laut vernehmbar. Kam auf seine wackligen Füße, zog ein paar zusammengefaltete Papierbögen aus der Innentasche seiner Jacke und ergriff das Wort:

»Das Ende ist nahe!«

Er machte eine Pause, hustete zehn Sekunden lang und entfaltete seine Papiere. Dann bat er um ein paar Minuten elektrisches Licht, damit er gut lesen könnte. Ein unsichtbarer dienstbarer Geist, vermutlich Mr. Barolli, erfüllte seinen Wunsch, und ein Spotlight in der Decke wurde eingeschaltet. Niemand sagte etwas. Irina Miller schloss die Augen und atmete mit offenem Mund, wie ihre Mutter registrierte.

»Es ist kein Geheimnis, warum wir uns heute Abend hier versammelt haben. Dies ist keine Geburtstagsfeier, dies ist die Ouvertüre für ein Begräbnis!«

Er ließ seinen Blick schweifen wie ein gealterter General, der seine Truppen vor dem Angriff im Morgengrauen musterte. Dem letzten Kampf. Gregorius Miller hatte sein Weinglas gehoben, stellte es aber wieder hin. Milos Skrupka tastete über seinen bandagierten Kopf, und Prendergast lehnte sich auf seinem Stuhl zurück. Ein kurzes Lachen huschte über sein Gesicht, wie der Schatten eines Raubvogels über einem Steinbruch, und vielleicht gelang ihm auch noch ein aufmunterndes Nicken in Richtung Geburtstagskind.

»Innerhalb nur weniger Stunden werde ich tot sein, nein, ich will jetzt keinen Chor hohlklingender Proteste hören!«

Es waren wirklich keine Proteste zu hören, weder von einem Chor noch von hohlklingenden Solisten, aber das schien Leonard nicht zu bekümmern; er fuhr fort, von seinem Papier abzulesen: »Ich möchte euch freundlich, aber entschieden darum bitten, den Mund zu halten und mich zu Ende reden zu lassen. Die Sache ist nämlich die …«

Hier wurde er von einer Hustenattacke unterbrochen, doch

es gelang ihm, sie zu stoppen, indem er sich zweimal mit geballter Faust auf die Brust schlug. »…die Sache ist die, dass keiner von euch hier sitzen würde ohne die folgenden zwei Voraussetzungen. Zum einen, weil ihr glaubt, dass ich reich bin wie sonst was. Zum anderen, weil ihr damit rechnet, dass ich bald sterben werde. Wie es um die erste Frage steht, das wird euch Notar Prendergast während der Käseplatte im Detail erörtern, wie es um meinen Tod steht, das habe ich bereits erklärt. Ich werde vor Mitternacht nicht mehr sein…«

»Aber mein lieber Leonard, du kannst doch nicht wollen, dass…?«, versuchte Maud es, doch er winkte ihren zögerlichen Einwand mit einer einfachen Handbewegung vom Tisch. Als ginge es um eine Fliege oder eine Rußflocke.

»Prendergast wird mein Testament in allen Details vortragen«, fuhr er fort, »genau wie meine Motive, die dahinterstecken, doch bis dahin haben wir noch zwei Gänge vor uns wie auch ein paar auserlesene Weine. Mein Leben ist in keiner Weise so verlaufen, wie ich es haben wollte, aber es bereitet mir ein gewisses Vergnügen, trotz allem meine letzten Stunden so gestalten zu können, wie ich es möchte. Ähm! Eine gute Lüge eilt von Beirut nach Damaskus, während die Wahrheit noch nach ihren Sandalen sucht, wie es im Koran heißt. Das versteht natürlich keiner von euch, aber ich rate euch trotzdem, gute Miene zum bösen Spiel zu machen. Ich rate euch außerdem, die Getränke heute Abend zu genießen. Meine eigene Zunge ist nicht mehr viel mehr als ein sinnloses Stück Leder und hat ihre vitalsten Geschmacksfunktionen verloren, aber dennoch möchte ich, dass ihr wisst, dass keiner der Weine an diesem Abend weniger als einhundertfünfzig Pfund pro Flasche gekostet hat. Prost und lasst es euch schmecken, ihr Glücksritter!«

Er trank, faltete seine Papiere zusammen und ließ sich schwer auf den Stuhl fallen. Das Spotlight erlosch.

Stille kehrte wieder ein; wie ein Tuch, so dachte Maud, legte sie sich über die gesamte Gesellschaft, dann ergriff Prendergast die Initiative zu einem einsamen, zögerlichen Applaus, und in dessen Folge wurden prompt die genannten Pasteten serviert.

Sowie ein bereits gepriesener Sancerre in neuen Gläsern.

69

Leya saß an einem Fenstertisch im Pub *The Ox and the Plough* schräg gegenüber dem *Terracotta Restaurant* und dachte nach. Es waren zwanzig Minuten vergangen, seit sie eine SMS an Karen geschickt hatte, und bis jetzt hatte sie noch keine Antwort erhalten.

Sie hatte einfach geschrieben, dass sie sich hier in diesem Pub aufhielt, dass es nett wäre, wenn Karen herkommen und das Handy hier abliefern könnte. Da Milos selbst beschäftigt war, wäre das die beste Lösung. Ein Finderlohn war versprochen.

Es war ein langer und aufregender Tag gewesen, und sie spürte, dass ihr Kopf nicht mehr ganz so funktionierte wie sonst. Die Sorge um Milos den Nachmittag über, der Besuch bei St. Mary's, der schnelle Beschluss, dass er zum anberaumten Fest müsse, und die hektische Anspannung, die all das erforderte, ja, das hatte ihrem ansonsten so wachen und klar denkenden Kopf wirklich alle Kraft abverlangt – und erst jetzt, als sie hier eine halbe Stunde in aller Ruhe mit einem Sandwich und einer großen Tasse Ingwertee sitzen durfte, konnte er seine normale Kapazität wiedererlangen.

Und deshalb fing sie an, nachzudenken. Da gab es etwas, das sie übersehen hatte. Etwas, das sie hätte bemerken müssen; einen Gedankenfaden, den sie zwar erahnt hatte, aber sie hatte sich nicht die Mühe gemacht, ihn aufzuwickeln, da es so vieles anderes gab, um das sie sich hatte kümmern müssen.

Da war dieser Überfall. Dieses verlorene und wiedergefundene Handy. Diese Karen.

Ja, genau, dachte sie, da irgendwo saß der Knoten.

Sie ging zur Bar und bestellte sich noch eine Tasse Tee. Der Barkeeper fragte sie, ob sie nicht lieber ein Bier oder zumindest ein Glas Wein haben wolle, trotz allem saß sie ja in einem Pub, doch sie schüttelte nur den Kopf. Grüner Tee mit Ingwer und Zitrone, das war genau das, was sie brauchte.

Als sie an ihren Platz am Fenster zurückgekehrt war, warf sie einen Blick auf das Restaurant schräg gegenüber und beschloss, den Weg des geringsten Widerstands zu gehen. Sie trank einen Schluck Tee und wählte die Nummer.

Keine Antwort. Nur Milos Mitteilung, dass man nach dem Piepton gern eine Nachricht hinterlassen konnte.

Sie drückte ihn weg. Was hatte das zu bedeuten?

Nichts? Oder war das eine Bestätigung ihres Verdachts? Was für eines Verdachts?

Sie trank noch einen Schluck und wählte eine andere Nummer.

Auch hier keine Antwort. Nur Richards dunkle Stimme, die ungefähr das Gleiche mitteilte, wie Milos es getan hatte.

Was bedeutete das also?

Sie runzelte die Stirn und konzentrierte sich. Angenommen, dachte sie, angenommen, ein und dieselbe Person ist in Besitz beider Handys, die ich gerade versucht habe anzurufen.

Weiter angenommen, dass diese Person Richard ist … nun ja, das war viel mehr als nur eine Annahme, das war ihr klar. Es konnte ja kaum eine andere Person in Frage kommen, die beide Handys in ihrem Besitz hatte. Oder?

Mit anderen Worten: Angenommen, es war Richard, der Milos niedergeschlagen hatte, und schließlich und letztendlich angenommen, er steht im Begriff, einen weiteren Versuch zu unternehmen!

Sie nickte sich entschlossen selbst zu. Ihr Gehirn funktionierte wieder, wie es sollte. Eine Kontrollfrage: Gab es irgendeinen Grund für Richard – wenn das skizzierte Szenarium denn zutraf –, auf ihre Anrufe zu antworten? Nur einen?

Natürlich nicht, zu dem Ergebnis kam sie sehr schnell. In beiden Fällen wusste er, dass sie es war, die anrief, und in beiden Fällen hätte er sich durch seine Antwort verraten.

Oder?

Sie trank mehr Tee. Drängte die Panik beiseite, die langsam von ihr Besitz ergreifen wollte.

Gesetzt den Fall, dass mein Verdacht falsch ist, fuhr sie stattdessen fort. Gesetzt den Fall, dass es tatsächlich eine Karen gibt. Warum reagiert sie dann nicht? Weder auf meinen Anruf noch auf meine SMS?

Weil sie in der Badewanne liegt?

Weil sie einkaufen ist und das gefundene Handy zu Hause in der Küche hat liegen lassen?

Weil der Akku leer ist und sie kein Ladegerät hat?

Weil sie das gefundene Handy ausgeschaltet hat? Sie weiß doch bereits, wo der Besitzer sich befindet, wo sie es abliefern und sich ihren Finderlohn abholen kann? Im *Terracotta Restaurant* am Paved Court in Richmond.

Oder?, fragte sich Leya wortlos selbst noch einmal. Es gibt Unmengen von akzeptablen Antworten für beide Alternativen. Sowohl dafür, dass es Richard war, der hinter dem Überfall steckte – als auch dafür, dass ein anderer Milos den Schädel hatte einschlagen wollen. Es konnte sehr wohl eine vollkommen unschuldige Karen geben, die sich heute Vormittag zufällig in Bayswater befunden hatte und die ganz zufällig ganz hier in der Nähe wohnte … aber das Problem, entdeckte Leya plötzlich, das Problem war natürlich, wie immer die Situation auch sein mochte, welche Alternative immer auch die richtige war, dass es keinen Grund für den betreffenden Handyfinder gab, sie als Erstes zu kontaktieren.

Oder? Wenn man wusste, dass Milos und der Finderlohn sich im *Terracotta* befanden – erneut warf sie einen Blick zu den nur schwach erleuchteten Fensterrechtecken dort drüben, es sah aus, als würde das Restaurant tatsächlich nur von Kerzenlicht erhellt –, so musste man ja nur dorthin gehen und die Sache erledigen. Karen oder Karen alias Richard Mulvany-Richards. Wobei im letzten Fall die Sache wahrscheinlich eine andere war. *Eine ganz andere Sache.*

Warum war sie nicht früher auf ihn gekommen?, fragte sie sich jetzt mit gespaltenen Gefühlen aus Wut und Angst. Er hatte ihr am Vormittag eine interne Mitteilung an die Bank geschickt und sich für sein Auftreten vor dem Tate Modern entschuldigt. Hatte erklärt, dass er jetzt zurück in Edinburgh wäre und es ihm leidtäte, was vorgefallen war.

Sie hatte ihm geglaubt, so einfach war das.

Einfach? Nein, nichts war einfach. Als sie sich in diesem Pub niedergelassen hatte, hatte sie sich eingebildet, dass sie irgendwie die Kontrolle hätte, jetzt, nach zwei großen Tassen Tee mit Ingwer und Zitrone, begriff sie, dass dem absolut nicht so war.

Irgendwo tickte eine Bombe. Eine Lunte war entzündet worden.

Und sie hatte diese verwirrenden Doppelgedanken kaum zu Ende gedacht, als ihr Blick wieder aus dem Fenster wanderte und sich an eine ungewöhnlich große und ungewöhnlich kräftige Frau heftete, die draußen mit schnellem, entschlossenem Schritt den Bürgersteig entlanglief.

Lieber Gott, dachte sie. Das sieht doch wohl nicht aus wie...? Das kann doch wohl nicht...?

Sie sprang auf und lief aus dem Lokal.

70

Irina Miller war nie besonders versessen auf teure Weine gewesen, doch als der vierte Gang auf den Tisch kam – mit Grappa flambiertes Rehfilet mit Morchelsauce und Kartoffeln à la Pompadour –, wurde ihr klar, dass auch sie bei ihrem vierten Glas Wein war. Er war dunkelrot, hieß irgendetwas mit Cheval, und obwohl die Umstände nun einmal waren, wie sie waren, stellte sie fest, dass er unerhört gut schmeckte. Wie der Kuss eines arabischen Prinzen, dachte sie, und vielleicht ließ sie gerade diese Formulierung etwas nüchterner werden.

Was für ein arabischer Prinz? Sie rief sich in Erinnerung, dass sie am Rande eines Nervenzusammenbruchs stand – aber gleichzeitig nicht daran dachte, ihn in voller Blüte ausbrechen zu lassen. Nicht in dieser Gesellschaft, weiß Gott nicht. Sie hatte keine Ahnung, auf welche Weise sieben, acht Glas Wein à hundertfünfzig Pfund pro Flasche den Prozess des Wahnsinns beeinflussen würden. Ihn beschleunigen oder abbremsen? Erst einmal beschloss sie, sich mit dem Konsum ein wenig zurückzuhalten und sich selbst im Auge zu behalten.

Immer noch stand es schlecht um die Konversation am Tisch, doch das störte sie nicht. Der Mann mit dem Verband, Mr. Skrupka, zu ihrer Linken aß mit gutem Appetit, aber er hatte sich erst zweimal direkt an sie gewandt. Zuerst hatte er nach den Verwandtschaftsbeziehungen der Gruppe gefragt, und darüber hatte sie ihn in einfachen, direkten Worten informiert.

Dann, anderthalb Teller später, hatte er wissen wollen, ob sie etwas über Gedächtnisverlust wüsste, und darauf hatte sie verneinend geantwortet.

Aus irgendeinem Grund, den sie selbst nicht richtig benennen konnte, hatte sie ihn nicht danach gefragt, warum er eigentlich hier war. Wer er war. Aber vielleicht hing es in irgendeiner Weise mit diesem Schlafwandler zusammen, vielleicht hatte Steven G. Russell auch hier seine Finger im Spiel, und es war eigentlich auch egal, ob sie es wusste oder nicht.

Gregorius war nicht wiederzuerkennen, obwohl auch er seinen Teil Wein konsumiert hatte. Sie hatte ihn selten oder sogar nie so niedergeschlagen erlebt, sein unerschütterlicher Optimismus von der gemeinsamen Autofahrt war in alle Winde verweht. Es sah aus, als brütete er etwas Saures, Finsteres und Hoffnungsloses aus, und sie nahm an, dass es das erwartete Erbe und dieser bandagierte Fremdling waren, die in seinem Schädel rumorten. Wobei übrigens genau die gleichen Dinge auch in ihrem Kopf rumorten, aber trotz allem waren es die Worte des Schlafwandlers, die ihre Gedanken am meisten beschäftigten.

Versöhnung hatte er geschrieben, er, der des Nachts wanderte und dessen Hauptgrund dafür, sich ihr auf diese unbegreifliche Art und Weise zu nähern, darin bestand, dass diese zustande kommen sollte.

Aber wie? Und warum? Wer sollte mit wem versöhnt werden? Oder *mit was*?

Es konnte sich ja wohl bei dem einen Part um keinen anderen als sie selbst handeln, und der andere Part... ja, das waren natürlich der Mann im Graben und Clarissa Hendersen.

Aber jedes Mal, wenn sie versuchte, sich diesen beiden – diesen schon vor langer Zeit verstorbenen – Menschen in ihren Gedanken anzunähern, wurde es irgendwie nur schwarz in ihrem Kopf. Es war etwas, was sie nicht begreifen konnte. Sich nicht einmal vorstellen konnte. Dieses Buch und diese Nachricht

539

im Pub an der Moscow Road und alles. Es ist nicht zu fassen, dachte Irina Miller. Und was nicht zu fassen ist, das will ich gar nicht wissen. *Wir, die wir durch die Nacht wandern?*

Und seine Warnungen? Sie schwebe in großer Gefahr bei diesem Essen, hatte Steven G. Russell behauptet. Sie solle sich in Acht nehmen, sonst würde sie sterben, und seine Anstrengungen wären damit vergebens. Zwischen dem Hauptgang und dem Käse.

Jetzt befanden sie sich beim Hauptgang. Der Augenblick der Gefahr näherte sich. Obwohl sie sich größte Mühe gab, alles aus einer nüchternen Distanz heraus zu betrachten, spürte sie, wie ihre Hand zitterte, als sie einen kleinen Bissen Pommes de Pompadour auf ihre Gabel schob.

Sie trank einen Schluck Wein, um sich zu beruhigen.

Milos fühlte sich schwindlig.

Schwindlig und verwirrter, als er zugeben wollte, irgendwie hatten seine Gedanken einen ziemlichen Stoß abbekommen. Er hatte es bereits gespürt, als er im Krankenhaus aufgewacht war, wollte Leya aber nicht beunruhigen. Außerdem war es ja wichtig gewesen, dass er dort fortkam, deshalb hatte er dieses Gefühl lieber etwas im Dunklen gelassen.

Und wenn es etwas gab, das sich problemlos im Dunklen verbergen ließ, dann waren es genau diese dunklen Flecken. Die Dunkelheit in seinem Schädel. Zumindest zu Anfang, bevor sie für jeden sichtbar würde. Denn um ehrlich zu sein, gab es eine ganze Menge, an das er sich nicht mehr erinnerte; beispielsweise an den Namen seiner beiden Schwestern, und das war natürlich kein gutes Zeichen. Ihm fiel alles Mögliche sonst ein, wenn es um sie ging, ihr albernes Lachen, ihr fliehendes Kinn und dass sie fast nie ein freundliches Wort für ihn gehabt hatten, aber wie sehr er sich auch anstrengte, er kam nicht darauf, wie sie hießen.

Er wusste auch nicht so recht, was er eigentlich in diesem Restaurant zu suchen hatte, aber das hatte er ja wohl nie gewusst, oder? Leya und er hatten darüber auf dem Weg hierher gesprochen, und möglicherweise war es ja der Gönner himself – der also Leonard Vermin hieß, diese junge Dame mit den exzellenten Tischmanieren rechts von ihm hatte ihn über den Nachnamen informiert –, der alles so geheimnisvoll gestalten wollte. Es gab Zeichen, die darauf hindeuteten. Auf jeden Fall wäre es dumm, zu viel zu fragen, wie Milos Skrupka fand. Dumm, seine Lücken zu zeigen.

Doch trotz aller Probleme im Schädel fühlte er sich nicht besonders beunruhigt. Nur schwindlig, wie gesagt, und dass es unter allen Umständen gute Gründe für ihn gab, sich in dieser Gesellschaft zurückzuhalten, das war ja offensichtlich. Wenn es etwas gab, womit alle hier am Tisch beschäftigt zu sein schienen, dann das: sich zurückzuhalten.

Das Essen war übrigens ausgezeichnet. Ganz zu schweigen vom Wein. Milos war sich sicher, dass er nie in seinem Leben etwas so Wohlschmeckendes getrunken hatte. Es war, als würde ein völlig neuer Bereich auf seiner Zunge zum Leben erweckt, als er diese Goldtropfen in seiner Mundhöhle kreisen ließ. Er schickte einen Gedanken zu Leya, die sich ja schräg gegenüber auf der anderen Straßenseite in einem Pub befand, die Ärmste, und er dachte, dass er irgendwann einmal – und hoffentlich ziemlich bald – in einen gut sortierten Weinladen gehen und eine Flasche für… was hatte dieser Leonard gesagt? Hundertfünfzig Pfund?… kaufen würde. Und dann… dann würden sie ganz wunderbar speisen und sie gemeinsam austrinken, Glas für Glas, Tropfen für Tropfen, und dann würde er… um ihre Hand anhalten?

Ja, genau das. Ganz gleich, wie es sich mit diesem Verband auch verhielt, so musste es sein. So sah die Zukunft aus; hatte er ihr das nicht schon gesagt? Dass die Hauptsache an dieser

Reise ganz und gar nicht diese merkwürdige Geburtstagsfeier war, sondern die Tatsache, dass sie sich wiedergetroffen hatten. Er und Leya. Leya und Milos. Wunderbar.

Er trank einen Schluck Wein, schloss die Augen und dachte, dass er glücklich war.

Gregorius Miller war verzweifelt.

Mein Leben ist eine Wanderung auf einen Abgrund zu, dachte er. Und jetzt sind wir da.

Jetzt bin ich angekommen.

Nichts konnte ihn mehr retten. Er erinnerte sich nur vage an den Optimismus und die Hoffnung auf die Zukunft, die er bei der Ankunft in London in sich getragen hatte. Die Hoffnungen bezüglich der Feier und die ausgefeilten Pläne bezüglich eines Identitätswechsels.

Paul F. Kerran?

Inzwischen erschien das so weit weg – alberne Fantasiemonster unter Einfluss des Alkohols –, aber gleichzeitig wusste er ja, sollte er irgendwann in seinem Leben eine neue Identität benötigen, dann jetzt.

Heute. An diesem Abend. In einer halben Stunde! Ja, in der besten aller Welten wäre er von seinem pupsvornehmen Stuhl aufgestanden, hätte das Lokal verlassen, hätte die Straße überquert und sich mit Hilfe seiner neuen Kreditkarte und seines neuen Passes ein Zimmer in einem Hotel genommen und hätte nie wieder zurück nach Hause fahren müssen und sich nie wieder kümmern müssen um …

Er trug den Umschlag mit dem kurzen Fax noch in der Innentasche seiner Jacke. Dort lag er und brannte, direkt auf seinem Herzen, so fühlte es sich an, und er wünschte, er hätte es nie gelesen. Nie gesehen. Aber es hatte ein Stück hinter seiner Zimmertür auf dem rostroten Teppich gelegen, es war unmöglich gewesen, es zu übersehen.

Er hatte nur zehn Minuten gehabt, um zu Irina und dem wartenden Wagen zurückzukehren, doch nach einer schnellen Wäsche, dem Deodorant und dem Hemdenwechsel hatte er trotz allem den Umschlag aufgerissen und die Mitteilung gelesen.

Lieber Gregorius! Ich habe Eric alles erzählt, von dir und mir und dass ich ein Kind erwarte. Er ist verrückt geworden, du musst dich vor ihm in Acht nehmen, wenn du heimkommst. Ich habe Angst, ich liebe dich. Sylvia

Diese einfältige Kuh! Er konnte es einfach nicht glauben. Nicht, als er es gelesen hatte, und nicht jetzt, zwei Stunden später bei diesem hochvornehmen Essen.

Aber es stimmte, sie hatte alles erzählt! Was immer du willst, dachte er, was immer du willst, Stierrennen in Pamplona oder Bergsteigen in kurzen Hosen im Himalaja, aber man erzählt doch einem Eric Perhovens nicht die Wahrheit! Dem lebensgefährlichsten Mann auf der Welt.

Es hatte auch noch ein kleines PS gegeben: *Ich habe versucht, dich über Handy zu erreichen, aber das ist mir nicht geglückt.*

Das war typisch. Unerhört typisch; hätte er nur vorher mit ihr reden können, bevor sie diesen unglaublich idiotischen Beschluss gefasst hatte, dann hätte er sie natürlich zur Vernunft bringen können. Aber sein Handy war auf die Straße geknallt und kaputtgegangen, als er gestern Nachmittag mit Paula zusammengestoßen war. Und genau das, dieser verfluchte Zusammenstoß, war der Ursprung allen Elends. Er hatte zu diesem blöden Köter geführt, zu dem blöden Missverständnis und dazu, dass er morgen früh bei der Metropolitan Police vorstellig werden musste.

Aber im Vergleich zu dem, was diese dumme Kuh Sylvia angestellt hatte, war das nur ein Furz im Sturm.

Ich wünschte, der gestrige Tag hätte nie stattgefunden, dachte Gregorius und legte seine Serviette auf einen Weinfleck, den jemand neben seinem Teller produziert hatte. Hätte genau dieser siebenmal verfluchte Tag nie das Licht der Welt erblickt, dann wäre alles vollkommen anders. Er hätte keine Probleme, sich ein Treffen mit seinem Chef vorzustellen (seinem *ehemaligen Chef*, musste man wohl annehmen) – oder besser gesagt, er konnte sich diverse verschiedene Varianten dieses Treffens vorstellen, aber keine trug auch nur einen Funken von Hoffnung oder Licht in sich.

Am besten wird es sein, wenn er mich gleich totschlägt, dachte Gregorius.

Aber wahrscheinlich würde er das nicht tun. Er würde ihn stattdessen lieber langsam zu Tode quälen. *Revenge is a dish best eaten cold* – wenn Eric Perhovens einen Wahlspruch in seinem Leben hatte, dann sicher einen von dieser Qualität. Ihn zu feuern, das war zweifellos die erste Aktion und sicher bereits jetzt eine Tatsache. Dann würde er mit den Unregelmäßigkeiten in den Büchern zur Polizei gehen, seine Beziehungen ausnutzen, Sylvia die Geschichte erzählen, er würde es sicher fertigbringen, dass Gregorius an allem die Schuld tragen würde, etcetera, etcetera... um dann letztendlich, mittels all seiner Kontakte mit allen möglichen Rechtsverdrehern und Winkeladvokaten dafür zu sorgen, dass ihm eine lange Strafe aufgebrummt und er in eines der schlimmsten Gefängnisse geschickt wurde, die überhaupt existierten – wo er bei Wasser und Brot sitzen und langsam, aber sicher zu einem menschlichen Wrack verkommen würde, einem pathetischen Wrack und einem Schatten seiner selbst. Und die dumme Kuh Sylvia würde zweimal im Monat zu den Besuchszeiten mit ihrem rotznäsigen Balg im Schlepptau kommen, sie würde auf der anderen Seite des Gitters sitzen, schluchzen und jammern und ihm erzählen, wie sich ihr jämmerliches Leben dort draußen ab-

544

spielte. Während Eric Perhovens ihm auf verschiedene Arten zu verstehen geben würde, dass die Strafe, Gregorius Millers wirkliche Strafe, erst an dem Tag auf ihn wartete, an dem sich für ihn die Tore öffneten.

Ja, ungefähr so sah die Zukunft aus, und das wohlschmeckende Essen und die hochgelobten Weine, die Leonard so gepriesen hatte, konnten daran auch nichts ändern.

Selbst die Hoffnung darauf, einen Teil von seinen Millionen abzukriegen, war verschwunden. Das wird sicher auch schiefgehen, dachte Gregorius Miller, dumm, etwas anderes zu erwarten. Das Leben ist ein Misthaufen, und ich stehe an seinem Rand, oder was habe ich vorhin noch gedacht?

Aber sollte er heute Nacht sterben, würde er diesem verfluchten Perhovens die lange Nase zeigen – und ihr auch, der jämmerlichen Ehebrecherin! –, und das war im Großen und Ganzen der freundlichste Gedanke, den er an einem Abend wie diesem hervorbringen konnte.

Und jetzt, was passierte jetzt? Ach so, jetzt räusperte sich das siebzigjährige Geburtstagskind. Gregorius leerte seufzend sein Glas. Der alte Kerl, dachte er, würde mich nicht wundern, wenn all seine Millionen in den Händen irgendwelcher bleichgesichtiger Krebsforscher oder anderer frömmelnder Schurken in der Wohltätigkeitsbranche landen würden.

»Ähm! Es sieht so aus, als ob alle das Reh verspeist hätten. Der nächste Gang im Menü ist eine einfache Käseplatte, während der Notar Prendergast mein Testament verlesen wird … wie schon gesagt. Doch bevor die Käseplatte hereingetragen wird, lasst uns symbolisch anstoßen, mir zur Erinnerung und auf mein Treiben hier auf Erden. Zu diesem Anlass werde ich mir selbst einen passenden, vitalisierenden Cocktail mischen, und bevor es so weit ist, ist es allen, die es wollen, erlaubt, fünf Minuten die Beine auszustrecken. Ähm!«

Und im selben Moment war plötzlich ein Tumult aus dem

angrenzenden Eingangsbereich zu hören. Einer dunklen Männerstimme folgte eine helle Frauenstimme, ein Möbelstück fiel um, und ein Kellner gab einen Schrei von sich.

71

Sie kam direkt auf ihn zu, und er irrte sich nicht.

Bevor der Mann in dem weißen Hemd sie zu packen bekam und an ihrem Arm ziehen konnte, war sie bereits bis zur südwestlichen Ecke der Kreuzung Sussex Gardens und Edgware Road gekommen. Lars Gustav Selén kam von Süden, Marble-Arch-Richtung, und sie wären sicher Brust an Brust aufeinandergeprallt. Wenn nicht das Weißhemd sie daran gehindert und zur Seite gedreht hätte.

Doch für den Bruchteil einer Sekunde – die außerdem klar und eindeutig von der Straßenlaterne an der Ecke erleuchtet wurde – war ihr Gesicht nicht mehr als einen halben Meter von seinem eigenen entfernt. Sie sahen einander direkt in die Augen, es war gar nicht zu vermeiden.

In den direkt darauf folgenden Sekunden, in denen das Paar die Sussex Gardens entlang zurückging, in die Richtung, aus der sie gekommen waren, auf Paddington zu, blieb er an der Straßenecke stehen und hielt sich an der Laterne fest. Der Abend hatte bereits mehrere unerwartete Veränderungen enthalten und ihm mehr Überraschungen geboten, als er jemals hätte ahnen können, aber dass so etwas im Rahmen der Möglichkeiten war... dass Carla Carlgren nach so vielen Jahren wie ein Blitz aus diesem dunklen Londoner Himmel auftauchen konnte, ja, das war ein Ereignis und eine Entwicklung jenseits jeden Vorstellungsvermögens.

Und auch wiederum nicht, dachte er, während er die Verfolgung aufnahm. *Auch wiederum nicht.* Jede Erzählung gebiert ihre eigene Logik, je näher dem Ende, umso kompromissloser, und wenn sie schließlich voll und ganz sichtbar wird, dann kann sie plötzlich als die selbstverständlichste aller Selbstverständlichkeiten erscheinen – auch wenn man noch einen Moment zuvor nicht die geringste Ahnung davon hatte. Obwohl man die magisch-realistischen Konsequenzen unmöglich hätte vorhersehen können, und genau deshalb möchte man, wenn man sie plötzlich vor Augen hat, einfach nur ausrufen: Ja, sicher! Natürlich!

Aber er musste alle Überlegungen über epische Bedingungen in die Zukunft verschieben, denn jetzt ging es darum, dem Paar zu folgen und es nicht aus den Augen zu verlieren. Ihnen zu folgen und bereit zur Handlung zu sein; plötzlich begriff er, dass es genau diese Entwicklung war, die zur letztendlichen Lösung führte. Das war der Sinn der Erzählung an sich (beabsichtigt, in höchstem Grade beabsichtigt), dass er auf diese Art und Weise auf Carla stoßen sollte, nach all diesen Jahren; deshalb war es gelaufen, wie es gelaufen war, deshalb hatte Leonard Vermin das Restaurant gewechselt, deshalb saß der Erzähler selbst nicht scheinbar gleichgültig in diskretem Abstand in einem Restaurant und beobachtete, wie Irina Miller sich genau in diesem Moment von ihrem Stuhl erhob, wie die versammelten Festgäste ihre Aufmerksamkeit auf das richteten, was dort draußen im Eingangsbereich des Restaurants passierte und wer dort tatsächlich vor der Tür stand … nein, der Platz des Erzählers war hier, bei den Sussex Gardens im Herzen von Paddington – wo das betreffende Paar, das weiße Hemd und Carla, gerade die Straße überquerte, auf eine lange Reihe billiger Hotels in einer Parallelstraße zuging, wie es aussah, diese Gasse lief nur einige Meter weiter Richtung Norden, war wohl eigentlich gar keine richtige Straße, nicht einmal eine *mews.* Vielleicht wohnten sie in einer dieser kärglichen Herbergen? Waren sie dorthin auf dem Weg? Nein, das waren sie nicht, sie gingen an allen Eingängen vorbei und bogen um die Ecke auf den Norfolk Place. Lars Gustav folgte ihnen in sicherem Abstand. Er registrierte, dass das weiße Hemd Carla die ganze Zeit fest am Arm gepackt hielt, es bestand kein Zweifel, dass sie gegen ihren Willen mit ihm ging, es war zu sehen, dass sie immer mal wieder versuchte anzuhalten, aber er war der Stärkere. Unbestreitbar der Stärkere; in regelmäßigen Abständen riss er hart an ihrem Arm, Lars Gustav Selén konnte spüren, wie Wut auf diesen bis jetzt noch anonymen Mistkerl in ihm aufstieg. Er zwang doch Carla tatsächlich zu etwas, was sie nicht wollte, etwas, was sie in keiner Weise wünschte, Lars Gustav konnte deutlich hören, dass sie sich stritten.

Man kam zum Eingang des St. Mary's Hospital und bog nach links in die Praed Street ein. Plötzlich wimmelte es von Menschen; Lars Gustav war sich nicht ganz sicher hinsichtlich der Geographie in diesem Stadtteil, aber wenn er sich nicht irrte, dann würden sie bald Paddington Station erreicht haben. Waren sie dorthin auf dem Weg?, fragte er sich. Zu einem Zug? Zur U-Bahn? Oder zu einer Wohnung?

Und wer war der Mann? Er hatte kein richtiges Bild von ihm. Nur die dunkle Hose und ein weites weißes Hemd. Dunkles, kurz geschnittenes Haar. Carla trug eine gelbe Strickjacke und Jeans, er meinte die Strickjacke wiederzuerkennen, sich an sie aus dem Unterricht im Gymnasium zu erinnern, und ihr Haar trug sie genau wie vor zweiundvierzig Jahren, registrierte er außerdem, ja, insgesamt sah sie aus wie… wie aus dem Monat Mai 1968 ausgestiegen und in den Monat September 2010 hineingesprungen. Vielleicht war es auch der Monat Mai 1970, den sie verlassen hatte, schließlich hatte sie ja ihre Tage nicht weit von hier in dieser Stadt beendet – im Frühling, nicht im Herbst, aber er hatte keine Zeit, über derartige Spitzfindigkeiten nachzudenken, denn in diesem Moment bog das Paar unerwartet nach links ab. Er wusste nicht, warum es unerwartet war, doch es schien ihm so. Man wollte nicht zur U-Bahn-Station; die neue Straße hieß ganz einfach London Street, wie Lars Gustav auf einem Schild an einer Hauswand las. Dann bog man gleich wieder nach rechts ab und gelangte eine halbe Minute später auf die Spring Street, wo man ohne Vorwarnung im Halbdunkel zwischen einem kleinen indischen Restaurant und einem Friseursalon stehen blieb. Der Mann ließ Carlas Arm los, sie blieben einen Meter voneinander entfernt stehen, und er begann sie mit Beschimpfungen zu überschütten.

Lars Gustav seinerseits blieb sieben, acht Meter entfernt hinter einem Motorroller und einem Papierkorb stehen, und er konnte nicht hören, worum es sich bei den Beschimpfungen handelte. Aber dem Tonfall war zu entnehmen, worum es ging. Der Mann schimpfte in einem fort. Carla stand mit gesenktem Kopf, die Arme hingen seitlich herab, es sah fast so aus, als weinte sie. Nachdem sie ungefähr eine Minute lang die Schelte entgegengenommen hatte, legte sie eine Hand auf den weißen Ärmelarm des weißen Hemds und bat ihn, zu schweigen.

Zumindest nahm Lars Gustav an, dass sie darum bat. Der Mann machte eine Pause und zündete sich eine Zigarette an. Lars Gustav schlich sich vorsichtig ein paar Meter näher, und jetzt konnte er ihre Stimme hören. Dieselbe Stimme wie 1969, dieselbe Stimme wie immer.

»Ich will, dass du mich in Ruhe lässt«, sagte sie. »Bitte, Lenny, lass mich in Ruhe.«

Das weiße Hemd zog zweimal an seiner Zigarette und sah sie höhnisch an. Jetzt konnte Lars Gustav auch sein Gesicht erkennen, und es war kein sympathisches Gesicht. Ganz im Gegenteil: dicht sitzende, stechende Augen, grobe Kiefer, breite, sybaritische Lippen und – wie gesagt – ein ekliger Gesichtsausdruck voller Hohn dazu. Er ließ die Zigarette in einem Mund-

550

winkel hängen, stemmte die Hände in die Seiten und schüttelte den Kopf.

»Du verdammte Hure«, sagte er.

Das reichte. Das war das Zeichen. Lars Gustav Selén ging vier schnelle Schritte vor, ungefähr wie der Anlauf zu einem Bowlingwurf, holte alle Kraft tief unten aus den Zehen und landete eine glockenreine Rechte auf der Kinnspitze des weißen Hemds.

Dieser fiel auf die Straße, als wäre er von einer Bombe getroffen worden. Oder von einem Balkon im achten Stock geworfen.

Carla schlug sich die Hände vor den Mund und betrachtete ihn erschrocken. Sie betrachtete beide Männer, den liegenden und den aufrecht stehenden. Lars Gustav schlug sich auch die Hand vor den Mund, da es sich ziemlich anfühlte, als wären mehrere Knochen gebrochen.

Doch der jähe Schmerz bedeutete nichts. Sie standen still da und schauten einander an. Die Straße war fast menschenleer, niemand schien bemerkt zu haben, was vor sich gegangen war, und das weiße Hemd lag dort, wo es lag. Die Zeit verging, vielleicht zehn Sekunden, vielleicht zweiundvierzig Jahre. Er ließ ihren Blick nicht los, sie seinen nicht. Vom Himmel war ein dumpfes Grollen zu hören, eine erste Information darüber, dass es auch in dieser Nacht regnen würde.

»Danke«, sagte sie schließlich. »Er hat genau das gekriegt, was er verdient hat.«

»Ich bin froh, dass ich helfen konnte«, sagte Lars Gustav.

»Ich wohne gleich hier um die Ecke«, sagte Carla, »aber ich glaube, eine Einladung wäre keine gute Idee.«

»Das macht nichts«, sagte Lars Gustav. »Ich wollte nur für einen sicheren Heimweg sorgen.«

»Danke«, wiederholte sie. Trat dicht an ihn heran und drückte ihm einen Kuss auf die Wange. Der war warm und herzlich, und der sollte für den Rest seines Lebens dort bleiben.

Dann drehte sie sich um und verschwand durch die blaue Tür mit der Nummer 37.

Das weiße Hemd begann sich auf dem feuchten Bürgersteig zu bewegen. Nach einigen Sekunden des Zögerns beschloss Lars Gustav Selén seinen unterbrochenen Weg zum *Lords Hotel* in Bayswater wiederaufzunehmen. Seine rechte Hand schickte ihm Schmerzwellen bis in den Ellenbogen, aber er sah es als ein Zeichen von Leben an.

72

Leya verfluchte sich für ihre Unentschlossenheit.

Ihr Zögern und ihre Trägheit. Im Nachhinein war ihr klar, dass sie natürlich anders hätte handeln müssen – schneller und entschlossener –, es war unverzeihlich, aber das Nachhinein macht einen Menschen selten glücklich.

Als sie aus *The Ox and the Plough* gekommen war, hatte sie sofort die große Frau erblickt, war sich aber immer noch unsicher gewesen. Die Frau war vor einem ziemlich hell erleuchteten Schaufenster stehen geblieben und hatte etwas in ihrer Handtasche gesucht.

Sollte diese Gestalt Richard sein?, fragte sie sich. Oder aber Karen? Was hatte sie dazu gebracht, so instinktiv zu reagieren? Jetzt stand sie in zehn Meter Entfernung, und während die Frau weiterhin in ihrer Tasche kramte, versuchte sie Zeichen zu entdecken, die darauf hindeuten könnten, dass es sich trotz allem um einen Mann handelte. Das Haar war dunkelbraun, ein Pagenkopf, das Gesicht konnte sie nicht sehen, aber vielleicht lag es an den großen Schultern und Armen, denen die natürliche Weichheit fehlte. Andererseits: Es gab genügend grob gebaute Frauen, besonders hier in diesem Land. Leya mit ihrem schmalen, asiatischen Körperbau traf fast täglich Kundinnen in der Bank, die sicher doppelt so viel wie sie selbst wogen – aber Gewicht und Größe waren natürlich nicht entscheidend.

Die Person trug jedenfalls einen hellen Mantel, wahrscheinlich ein Kleid oder einen Rock darunter, da die Beine nackt waren, und dann solche Sportschuhe, die für alles zu benutzen waren.

Richard, bist du das?, dachte sie, doch gerade, als sie ihr Zögern entschlossen weggeschoben und beschlossen hatte, einfach hinzugehen und nachzusehen – die Sache mit einer regelrechten Konfrontation zu klären –, da verließ sie/er das Schaufenster, ging mit schnellen Schritten zum zehn Meter entfernten Zebrastreifen und weiter über die Straße.

Direkt aufs *Terracotta* zu.

Ein oder zwei Sekunden lang fühlte Leya sich wie gelähmt. Die Frau/der Mann war bereits am Restauranteingang, als sie endlich in Bewegung kam. Sie kümmerte sich um keinen Fußgängerübergang, schaffte es mit heiler Haut auf die andere Straßenseite, zwischen bremsenden Autos hindurch und begleitet von einer Symphonie wütender Hupen – aber das dauerte weitere Sekunden, und die Frau/der Mann war inzwischen bereits hinter der schwach angeleuchteten, rot gebeizten Tür verschwunden.

Es gab natürlich nichts, was gegen den Gedanken sprach, dass es sich immer noch um die vollkommen unschuldige Karen handeln konnte, sie war dort im Licht vor dem Schaufenster stehen geblieben, um – beispielsweise – das gefundene Handy in ihrer Handtasche zu suchen. Doch dieser Gedanke und diese Möglichkeit konnten Leya nicht mehr bremsen, ihre Ambivalenz hatte sie schon viel zu lange aufgehalten, und sie brauchte nur einen Augenblick, um zur Tür zu gelangen und sie aufzureißen.

Es war eine Art Garderobe. Geschlossene Türen links und rechts, der Speisesaal geradeaus. Dorthin waren die Doppeltüren geöffnet, die Frau/der Mann war einen Meter vor der Türöffnung stehen geblieben und drehte Leya den Rücken zu. Ein Kellner, vielleicht war es auch der Oberkellner, kam gerade aus der Tür rechts, die Frau/der Mann drehte den Kopf und schaute ihn kurz an, und jetzt, jetzt endlich, in dem sanften Licht der hübschen Deckenlampe, konnte Leya sehen, dass er es war.

Ja, es war wirklich Richard, der dort stand – und er war es wirklich, der seine rechte Hand mit einer Waffe hob, der zwei große Schritte hin zum Speisesaal machte, und es gab keinen Zweifel, was seine Absicht war.

Sie rief etwas – vielleicht seinen Namen, vielleicht etwas anderes –, während sie sich gleichzeitig mit all ihrem lächerlichen Gewicht auf ihn warf. Trotzdem brachte sie ihn aus dem Gleichgewicht, er fluchte, eine Säule kippte um, ein Kellner schrie auf, und ein Schuss löste sich.

Milos Skrupka saß auf seinem Platz und betrachtete die Ereignisse in der Türöffnung, als drehte es sich dabei um eine Szene aus einem Theater. Genau so drückte er sich etwas später der Polizei gegenüber aus. *Eine Theaterszene.* Die Pistolenkugel traf mitten in die Rückenlehne des Stuhls neben ihm, auf dem noch zwei Sekunden zuvor Irina Miller gesessen hatte. Sie war in dem Moment aufgestanden, als das siebzigjährige Geburtstagskind erklärt hatte, dass man sich jetzt die Beine vertreten dürfte, und es war jedem ziemlich klar – ganz besonders ihr selbst –, hätte sie das nicht getan, dann wäre sie mitten in der Brust getroffen worden. Denn es war ebenfalls klar, dass es sich um eine ziemlich schwere Waffe handelte, da die Kugel quer durch die Rückenlehne gedrungen war, ein großes Loch auf der Rückseite gerissen hatte, um sich schließlich ungefähr fünf Zentimeter tief in die harte Holzwand zu bohren, direkt unter einem der beiden Fenster, die auf den Hof zeigten.

Die Frau, die geschossen hatte und die, wie mehrere auch gesehen hatten, im Augenblick des Abdrückens von hinten von einer anderen, bedeutend kleineren Frau attackiert worden war, hatte daraufhin geschwankt und die Pistole verloren, die nach einem weiten Bogen durch die Luft auf dem Boden ent-langrutschte und unter einem Geschirrschrank verschwand. Aber die große Frau verlor nicht ganz ihr Gleichgewicht, sie schaffte es, auf den Beinen zu bleiben, doch als sie sah, dass es ihr nicht gelungen war, ihre Beute zu treffen, und dass sie nicht mehr im Besitz ihrer Waffe war, schüttelte sie die kleinere Frau ab, machte eine Kehrtwendung und rannte auf demselben Weg, auf dem sie gekommen war, aus dem Lokal hinaus. Niemand schaffte es, sie aufzuhalten.

Die kleinere Frau, die asiatischer Herkunft war (laut Polizei-bericht) und offenbar eine Art Verbindung mit dem bandagier-ten Restaurantgast Mr. Skrupka hatte (laut demselben Bericht), blieb jedoch im Raum. Nicht im Speisesaal direkt, sondern im angrenzenden Raum, wo sie nach und nach und so genau wie möglich den Inspektoren Lewis und Conolly vom Thames Val-ley Police District berichtete, was eigentlich vorgefallen war. Dass mit höchster Wahrscheinlichkeit nicht Miss Miller das an-visierte Opfer war, sondern Mr. Skrupka, ihr eigener Verlobter. Der mit dem Kopfverband.

Eine polizeiliche Fahndung nach Mr. Richard Mulvany-Richards, möglicherweise als Frau verkleidet, wurde noch vor Mitternacht im ganzen Land versandt. Und für alle Eventualitä-ten sollten zwei routinierte Polizeibeamte in unmittelbarer Nähe des *Terracotta Restaurants* postiert werden, für die unwahr-scheinliche Möglichkeit, dass der Täter zurückkehren würde.

Die Ereignisse hatten dem Verlauf der Geburtstagsfeier so ei-nige Knüppel in den Weg geworfen, sie aber nicht bremsen kön-nen. Nach diversem polizeilichen Hin und Her – Fragen und Antworten und Fragen und Antworten – konnten der verspro-chene Cocktail und die darauf folgende Käseplatte mit gut und gern einer halben Stunde Verspätung serviert werden.

Ungefähr zur selben Zeit bekam Leya Yun Se die Erlaubnis,

das Terracotta Restaurant zu verlassen. Aber erst, nachdem sie an den Tisch gegangen und ihrem bandagierten Verlobten vor der gesammelten Mannschaft einen Kuss auf den Mund gegeben hatte, setzte sie sich in ein Taxi und fuhr heim nach Ravenscourt, um ins Bett zu gehen.

Es war ein langer Tag gewesen, und sie verfluchte immer noch ihre Unentschlossenheit. Aber lieber spät als nie.

73

Der grün schimmernde Drink – das Wichtigste beinhaltend und mit einem starken Geschmack nach Limone, Gin und Tabasco – war ausgetrunken. Die Musik, *The Triumph of Time and Truth* von Händel, war verklungen und die beeindruckende Käseplatte angerichtet. Der Stuhl mit dem Schussloch war ausgetauscht.

Es war zwanzig Minuten vor zwölf. Notar Prendergast klopfte an sein Glas, zog eine schwarze Mappe aus der Aktentasche und erhob sich.

»Meine Damen und Herren. Wie bereits angekündigt, werde ich nun das Testament verlesen, das der Jubilar Leonard Vermin selbst verfasst hat und das von zwei unparteiischen Personen eidesstattlich bezeugt wurde. Es ist nicht üblich, ein Testament bereits vor dem Tode des Erblassers zu verlesen, aber es ist in keiner Weise ungesetzlich. Außerdem wird Leonard, wie er bereits mitgeteilt hat, verschieden sein in…«

Er machte eine kurze Pause und schaute auf seine Armbanduhr.

»…in ungefähr einer halben Stunde. Der Drink, den er vor wenigen Minuten im Beisein aller zu sich genommen hat, enthielt nämlich das starke Gift Penophenosyrin, das innerhalb von zwei Stunden unvermeidlich zu Herzstillstand und zum Tode führt. In Leonards Fall sollte es, wenn man seinen Allgemeinzustand bedenkt, schneller gehen. Es ist hinzuzufügen, dass es sich um einen durch und durch schmerzlosen Prozess handelt; das Gift hat sich bereits jetzt in seinem Blutkreislauf verteilt, und es gibt keine Gegenmittel. Um jedes Missverständnis im Vorhinein auszuräumen, möchte ich darauf hinweisen, dass es in den anderen Drinks kein Gift gab, nur in dem von Leonard Vermin...«

»Aber meine Güte, Leonard...«, rief Maud aus. »Was um alles in der Welt hast du gemacht?«

Leonard wedelte irritiert mit der Hand. Prendergast räusperte sich erneut und fuhr fort.

»Ich möchte Sie außerdem darüber informieren – bevor ich mit der Testamentseröffnung beginne –, dass ich Vorsitzender in einem Londoner Verein bin, der für die Legalisierung aktiver Sterbehilfe eintritt. Es ist meine allgemein bekannte Auffassung und die des Vereins, dass jeder Mensch das Recht haben sollte, selbst über sein Leben und seinen Tod zu bestimmen. Wenn mein Freund Leonard Vermin gezwungen würde, weitere drei, sechs oder zwölf Monate zu leben, würde das eine letzte Zeit voller Qualen und in Unwürde bedeuten, nichts sonst. Er hat sich selbst das tödliche Gift verabreicht, und meiner Meinung nach ist alles verdammt nach Recht und Gesetz abgelaufen. Jetzt zum Testament. Der Grund, dass ich es vorlese und nicht er selbst, liegt darin, dass Penophenosyrin einschläfernd wirkt, bevor es zum Tode führt, und möglicherweise wird er sich nicht die ganze Zeit über wach halten können. Hm.«

Er öffnete die Mappe, klemmte sich ein Monokel vor sein gesundes Auge und trank einen Schluck Wasser. Dann ließ er seinen Blick über die Versammelten wandern, aber niemand schien einen Kommentar abgeben zu wollen. Leonards Gesichtsfarbe war im Schein der Kerzen ins Graugrüne gewechselt, aber nachdem er den irritierenden Einwurf von Maud weggewischt hatte, saß er jetzt zurückgelehnt auf seinem Stuhl, mit einem friedlichen Lächeln auf den Lippen, die Hände vor dem Bauch gefaltet, und etwas, was vielleicht als amüsiertes

Aufblitzen interpretiert werden konnte, in den immer noch offenen Augen.

»Das ist mein letzter Wille und mein Testament«, begann Prendergast, nachdem Oberkellner Barolli beflissentlich wieder ein Spotlight eingeschaltet hatte. »Es hat lange Zeit in Anspruch genommen, zu ihm zu gelangen, aber ich habe all meine Anstrengung hineingelegt, um es so gerecht zu machen, wie es nur möglich ist. Jeder soll das bekommen, was er oder sie verdient hat, diese einfache Regel war meine Richtschnur.«

Er machte erneut eine kurze Pause und trank einen Schluck, dieses Mal aus dem Glas mit Portwein, das zum Käse serviert worden war.

»Mein Leben war ein schwieriger Segeltörn um viele Untiefen und Klippen. Es ist ganz und gar nicht so verlaufen, wie ich es mir gewünscht hätte, das Einzige, was mir wirklich erfolgreich gelungen ist: Ich habe ein ansehnliches Vermögen ansammeln können, obwohl ich eigentlich nie danach gestrebt habe. Vor meinem Tode habe ich alle meine Wertpapiere verkauft, es hat mehrere Monate gedauert, aber es hat geklappt. Eine Woche, bevor dieses Testament aufgesetzt wurde, betrug mein gesamtes Vermögen mehr oder weniger um die 49 Millionen Euro, und das ist also die Summe, die ich jetzt unter meinen Hinterbliebenen verteilen möchte.

Aber ein Problem dabei war, dass ich fast mein gesamtes Leben lang geglaubt habe, ich hätte keine Nachkommen, keine Erben von meinem Fleisch und Blut, doch das war ein Irrtum. Vor knapp einem Jahr erfuhr ich, dass ich einen Sohn in New York habe. Sein Name ist Milos Skrupka, und wenn alles nach meinem Plänen gelaufen ist, dann ist er hier vor Ort, wenn das Testament verlesen wird.«

»Was?«, rief Milos Skrupka laut, ließ das Kinn fallen und legte eine Hand auf den Verband, »ich meine … Vater?«

Er starrte Leonard an, der in derselben Haltung dasaß, die

Hände vor dem Bauch gefaltet, aber jetzt mit geschlossenen Augen. Sein Brustkorb hob und senkte sich langsam, so dass er nach allem zu urteilen noch am Leben war. Die anderen im Raum starrten ihn auch an... und dann Mr. Skrupka... und dann wieder Leonard, als würden sie tatsächlich nach irgendwelchen Ähnlichkeiten suchen.

»Das ist nicht wahr«, sagte Maud. »Das darf ganz einfach nicht wahr sein.«

Gregorius schien für einen Moment aus seiner Depression gerissen zu werden. Er starrte Milos Skrupka an und ließ eine geballte Faust einen unregelmäßigen Kreis über der Käseplatte beschreiben. »Du... du... du verfluchter Betrüger!«

Er presste die Worte zwischen fest zusammengebissenen Kiefern hervor, und wenn Irina ihn nicht sofort ermahnt hätte, den Mund zu halten und sich ausnahmsweise einmal wie ein zivilisierter Mensch zu verhalten, gut möglich, dass die Faust eigene Wege gegangen wäre. Jetzt ging ihr Besitzer stattdessen dazu über, seine Schwester anzustarren, dann seine Mutter und nach einer Weile seinen Teller.

»Bitte Ruhe!«, ermahnte Prendergast, trank noch einen Schluck Portwein, wischte sich die Lippen mit seiner Serviette ab und nahm die Verlesung des Testaments wieder auf. »Dieser Milos Skrupka ist die Frucht meines Zusammenseins in Prag 1974 mit der einzigen Frau, die ich jemals geliebt habe, Carla Pladnikova, und ich bereue zutiefst, sie jemals verlassen zu haben. Es ist der größte Fehler meines Lebens gewesen, aber es bereitet mir eine unglaubliche Freude, dass uns ein Sohn geschenkt wurde, auch wenn sie es mir bis kurz vor ihrem Tod verschwiegen hatte. Diesem Milos Skrupka schenke ich außerdem die Erzählung über unsere Liebe, die ganze Geschichte, die ich vor dreißig Jahren in Berlin aufgeschrieben habe. Auf diese Weise bekommt er die Chance, seine Eltern besser kennen zu lernen. Danke, Carla, ich weiß, dass ich dich bald im Himmel wiedersehen werde! Hm!«

Der Notar machte eine Pause und warf Leonard einen Blick zu – der immer noch mit anscheinend gleichmäßigen, ruhigen Zügen atmete – und zog dann ein Notizheft in A4-Format aus seiner Aktentasche. Es war ein dickes, etwas abgenutztes Buch mit einem festen gelben Umschlag, und dieses überreichte er mit einer leichten Verbeugung Mr. Skrupka.

»Ich fahre fort. Jetzt zur Verteilung meines Geldes. Wie ich erwähnt habe, habe ich alle Wertpapiere vor ungefähr einem Monat in bare Münze verwandelt, und diese 49 Millionen Euro sollen jetzt verteilt werden. Die Hälfte dieses Vermögens fällt nach meinem letzten Willen meinem Sohn Milos Skrupka zu.«

Drei Seufzer waren am Tisch zu hören – sowie ein laut vernehmliches Luftholen, gefolgt von einem unterdrückten Fluch –, aber Prendergast nahm davon keinerlei Notiz.

»Die restlichen vierundzwanzigeinhalb Millionen werden in drei gleich große Anteile aufgeteilt und fallen der Reihe nach meiner Lebensgefährtin in den letzten Jahren, Maud Miller, sowie ihren beiden Kindern aus einer früheren Ehe mit diesem Idioten Ralph deLuca zu, Irina und Gregorius Miller. Aber!«

»Was für ein *Aber*?«, rief Maud Miller aus, die Leonards graugrüne Hand gefasst hatte und nach seinem Puls tastete.

»Was für ein *Aber*?«, rief auch Irina Miller aus.

»*Aber*?«, rief Gregorius Miller und vergaß seinen Mund wieder zu schließen.

»Ich träume«, rief Milos Skrupka dazwischen, »ich muss zurück ins Krankenhaus. Etwas ist in meinem Kopf ernsthaft kaputtgegangen.«

»Interessant«, ließ sich auch Oberkellner Barolli vernehmen, der in der Türöffnung stand und zugehört hatte, während der Notar vorlas. »Das muss ich schon sagen. Fahren Sie doch bitte fort.«

Prendergast richtete sein Monokel. »Aber es gibt dieses Geld nicht mehr in liquiden Mitteln. Damit es von meinen Erben nicht aufgrund aller möglichen Dummheiten verschleudert wird, habe ich es investiert.«

»Es investiert?«, wiederholte Gregorius und schloss endlich den Mund.

»Da ich starke Zweifel an der Fähigkeit meiner Erben hege, mit größeren Summen umzugehen – möglicherweise mit Ausnahme von Milos, den ich nicht kenne –, habe ich das Geld auf zehn Jahre festgelegt.«

Er machte eine kurze Pause. Das einzige Geräusch, das im Raum zu hören war, war Leonards Atem, jetzt deutlich angestrengter. Ungefähr wie eine alte Säge, die sich an einem hoffnungslos zu großen Eichenstamm versuchte.

»Ich habe für die gesamte Summe eine Rugbymannschaft gekauft.«

Prendergast blätterte um.

»Rugby?« Maud hob ihr Portweinglas, stellte es aber wieder hin, ohne getrunken zu haben. »Warum, um alles in der Welt...?«

»Bitte Ruhe«, sagte Prendergast und las weiter: »Die Mannschaft heißt *The Harlequins*, sie waren nach einigen schlechten Spielzeiten im Angebot, und ich habe zugeschlagen. Die Kaufsumme, inklusive dem Stoop Stadium draußen in Twickenham, betrug exakt 47,5 Millionen Pfund, das heißt 48,97 Millionen Euro nach dem aktuellen Kurs. So bleiben nur noch dreißigtausend Euro übrig, die dazu gedacht sind, die Reisen meiner Erben nach London, ihren Aufenthalt hier sowie dieses Essen zu bezahlen, das mit dieser Testamentsverlesung seinem Ende zugeht.«

Gregorius Miller war aufgestanden, aber seine Schwester umrundete den Tisch und drückte ihn wieder auf seinen Sitz. »Eine Rugbymannschaft«, zischte er. »Eine bescheuerte Rugbymannschaft, und das für zehn Jahre!«

»Ein Sechstel einer Rugbymannschaft«, korrigierte Irina, »übertreibe nicht.«

»Die Harlequins dürfen also unter keinen Umständen vor 2020 verkauft werden«, fuhr Prendergast unbeirrt fort. »Da mein Sohn Milos nach den Vereinbarungen fünfzig Prozent des Clubs besitzt, soll er außerdem als ihr Präsident fungieren. Ich möchte euch allen gratulieren! Ich bin der festen Überzeugung, dass jeder einzelne meiner Erben das bekommen hat, was er oder sie verdient hat, nicht mehr und nicht weniger. Das ist mein letzter Wille und mein Testament. London, den 25. September 2010. Unterzeichnet: Leonard Vermin. Bezeugt etcetera etcetera.«

Prendergast klappte die Mappe zu und nahm sein Monokel heraus. Maud hob die rechte Hand. Mit der linken hielt sie Leonards Handgelenk vorsichtig umklammert.

»Hört bitte alle her«, sagte sie. »Er hat keinen Puls mehr. Ich glaube, er ist tot.«

Aus dem hinteren Raum begann die Uhr zwölf Mal zu schlagen. Und trotz der traurigen Todesnachricht erklang plötzlich ein unterdrücktes Lachen im Lokal. Es kam vom Oberkellner Barolli.

74

Das Taxiunternehmen hieß *Fox Black Cars and Limos*, und nach einer halben Stunde energischer Telefonate aus seinem Zimmer im *Lords Hotel* in Bayswater wusste Lars Gustav Selén endlich, wohin seine sechs Figuren verschwunden waren.

Ins *Terracotta Restaurant* am Paved Court draußen in Richmond.

Es war Viertel nach elf, als er Richmond und die Straße auf einem Stadtplan gefunden hatte. Vielleicht schaffe ich es ja noch, dachte er. Wie weit können sie gekommen sein? Ich muss es auf jeden Fall versuchen.

Er nahm zwei Tabletten gegen die Schmerzen in der rechten Hand und lief auf die Westbourne Grove hinaus. Die Luft war immer noch warm, aber der Himmel schien in Bewegung zu sein, und zweifellos war Regen zu erwarten. Es ging darum, so schnell wie möglich ein Taxi zu finden, aber nach fast zehn Minuten war nicht ein einziges freies Fahrzeug vorbeigekommen, in keine der beiden Richtungen, und er beschloss, es lieber unten an der Bayswater Road zu versuchen.

Immer noch klang dieses unbegreifliche Treffen mit Carla in ihm nach. Ihr Kuss fühlte sich wie ein pulsierender warmer Fleck auf seiner Wange an, und er dachte, was immer auch passieren mochte, wie immer sich der Rest dieses Abends und sein großer Roman auch entwickeln würden, so hatte das keine Bedeutung mehr. Man kann wünschen, dass ein Leben und ein

Roman geradlinig verlaufen, wie ein Zug auf den Eisenbahnschienen, und es ist leicht, sich einzubilden, dass der Endpunkt, die Ankunft im letzten Kapitel oder an der Endstation, Ziel und Sinn des Ganzen war. Sinn und Zweck der gesamten Reise scheint sich hier zu versammeln, aber ganz so primitiv verhält es sich nicht. Nicht unbedingt, es ist die Reise, die die Mühe wert ist, warum beeilen wir uns so mit dem Leben, wenn die Ankunft trotz allem doch nur den Tod beinhaltet? Während er hinunter zur Bayswater Road ging, fühlte er, wie die Zwischenstopps wie eine muntere Möbiusschleife im Wind in seinem Kopf tanzten: Hlavní Nádraží in Prag, Temple Meads in Bristol, der Schulhof daheim in K., Trafalgar Square und St. Martin-in-the-Fields, Bramstoke and Partners, Paddington Station, die Bushaltestelle in Håverud, Kopper Car Splendid Service and Wash, Rembrandt, das Zimmer in der Badhusgatan, die drei Objekte Woodstock Road in Oxford und Woodstock Street in London, die Wohnung in der Kemble Street, die Wohnung in der Talbot Road, die unvergessliche Mischung gewisser Abende und die dunkle Herbststraße zwischen Oostwerdingen und Saaren, die Cafeteria im British Museum, Covent Gardens U-Bahn-Station und die Tauben und Fledermäuse in J.M. Barries Haus an der Craven Terrace. Überall dort konnte er anhalten und aussteigen, das war die einfachste aller Aktionen, als würde er in einem Buch zurückblättern, es war möglich, zu allem zurückzukehren, und alles befand sich dort, wo es sich immer befunden hatte.

Dennoch war es natürlich sein Ziel, sich nach Richmond hinaus zu begeben – in die Richtung der Tangente und mangels anderer Alternativen während dieses speziellen Zeitabschnitts –, und als er von der Moscow Road in die Ossington Street einbog, tat er das mit einem neu erwachten Gefühl von Optimismus und innerer Gewissheit. Er hatte getan, was er hatte tun können, sein eigenes Leben und sein großer Roman hatten ihn zu diesem Abend geführt, teilweise parallel, aber meistens auf getrennten Wegen, und die Stunden und Seiten, die noch zu schreiben, zu lesen oder zu leben blieben, waren gezählt. Vielleicht war es auch gar nicht zwingend notwendig, sie durchzustehen; die Begegnung mit Carla zu erhalten und zu hüten – all die verschiedenen Begegnungen mit Carla –, das war von viel größerer Bedeutung, es hatte lange gedauert, ein Abraham zu werden, und die Wärme ihrer Lippen auf seiner Wange, dieser pulsierende Fleck, das war wirklich ein Zwischenstopp, so gut wie jeder andere.

Er hatte erst wenige Schritte auf der Ossington Street zurückgelegt, als plötzlich ein fremder Mann vor ihm auftauchte. Dieser trug eine Art Umhang und einen altmodischen Schlapphut, der den größten Teil seines Gesichts verbarg. Lars Gustav konnte nicht sagen, wo er überhaupt herkam, vielleicht hatte er hinter einem Auto gehockt. Plötzlich stellte er sich ihm auf dem schmalen Bürgersteig in den Weg, mit ausgebreiteten Armen und in einer Haltung, die keinen Raum für Interpretationen ließ.

Lars Gustav Selén blieb zwei Meter vor dem Fremden stehen. Autos parkten in Reih und Glied auf dieser Straßenseite, aber ansonsten war es menschenleer. Ein Stück entfernt meinte er die Bayswater Road mit der massiven Mauer vor der russischen Botschaft erkennen zu können. Die spärlich platzierten gelblichen Straßenlaternen waren nicht in der Lage, das Dunkel zu bezwingen, und zwei Tauben, die sich halb schlafend oder vielleicht auch gurrend auf dem Bürgersteig zwischen Lars Gustav und dem Fremden befunden hatten, suchten schnell in einer Fensternische Zuflucht.

Ein paar Sekunden lang passierte gar nichts, außer dass Lars Gustav seine Wange mit der Hand berührte. Mit seiner gesunden Hand; langsam strich er mit zwei Fingerspitzen über Carlas Fleck, wobei er feststellte, dass der Mann, der ihm den Weg versperrte, zwei Dinge bei sich trug, in jeder Hand eines. Das eine war ein langer Dolch, das andere eine Armbanduhr.

Eine Minute später war alles vorbei. Der Mann war verschwunden, Lars Gustav Selén lag auf dem Rücken auf dem Bürgersteig und verblutete. Um sein rechtes Handgelenk trug er die billige Armbanduhr, die eine Minute vor zwölf stehen geblieben war. Sein Bewusstsein wurde langsam jeglichen Inhalts entleert, sein Blick war geradewegs auf den unruhigen Himmel gerichtet, daneben konnte er aber auch noch Teile einer Hausfassade aus dunklen Ziegelsteinen rechts in seinem sich verengenden Blickfeld erahnen, die Zweige eines Baums sowie den schwachen Schein einer der Straßenlaternen in einigem Abstand.

Er hatte keine Schmerzen. Er bereute nichts, und er hatte keine Angst. Bevor alles vorbei war, gelang es ihm noch, das Geräusch davonlaufender Füße zu erfassen, und ungefähr dreißig Sekunden, bevor das Leben endgültig aus ihm rann, meinte er plötzlich in einen Spiegel zu schauen. Sein eigenes Gesicht schwebte über ihm, verdeckte einen großen Teil des Himmels, einen kleineren Teil der Häuserfassade und den ganzen Baum. Warum das?, fragte er sich verwundert. Warum ist das Letzte, was ich sehe, mein eigenes Gesicht? Das hätte ich nicht gedacht.

Doch es war nicht sein eigenes Gesicht, das begriff er augenblicklich, als der Mund sich öffnete.

»Es tut mir schrecklich leid, dass ich zu spät gekommen bin. Aber wir haben ihn, endlich haben wir ihn geschnappt. Es tut mir so leid, dass ich es nicht mehr geschafft habe, Sie zu retten, Mr. Selén.«

Arthur McEvans, natürlich, mit dem er am gestrigen Abend diese nette Unterhaltung im *Prince Edward* geführt hatte. Und in den langgezogenen – geradezu zögernden und unschlüssigen – Sekunden, in denen das Bild des Kriminal-Intendenten verwischte und von Dunkel und einer Art Wirbel ersetzt wurde, konnte er hören, wie die Kirchenglocken einsetzten. Er dachte, dass es jedenfalls nicht die St. Matthew's sein konnte, denn die Glocken dort zu reparieren, das würde noch einige Zeit dauern.

Vielleicht spürte er auch, wie einige Regentropfen auf seinem Gesicht landeten, bevor sich alles auflöste, aber das kann auch Einbildung gewesen sein.

75

In Anbetracht dessen, was sich an diesem Abend ereignet hatte, beschloss Maud Miller, das Dessert im *Terracotta Restaurant* abzubestellen.

Sie fasste diesen Entschluss allein, während die Glockenschläge noch aus dem hinteren Raum zu vernehmen waren, aber niemand protestierte. Schon gar nicht Oberkellner Barolli.

Sie saßen noch am Tisch, auch der Tote, und Sekunden, nachdem der Oberkellner in der Küche verschwunden war und die zwölf spröden Schläge verklungen waren, geschah etwas.

Es war nicht so einfach zu sagen, was es eigentlich war, aber es war das Gefühl einer intensiven, plötzlichen Abwesenheit.

Sie warf Leonard, der natürlich in allerhöchstem Grad abwesend war, einen Blick zu – aber da war noch mehr. Etwas anderes, etwas im innersten Wesen anderes. Als sie vorsichtig, ohne wirkliches Interesse, die anderen musterte, sah sie bei allen das Gleiche. Ihre Gesichter hatten sich verändert, jeder Einzelne war geprägt von… einer Leere?, fragte Maud Miller sich. Von einem plötzlichen Verlust von etwas, das sie nicht begreifen konnte.

Aber es spielt keine Rolle, dachte sie. Es ist nichts, worüber ich mir Sorgen machen müsste. Überhaupt fällt mir nichts mehr ein, was überhaupt noch eine Rolle spielt.

Sie betrachtete ihre Hände und dachte, dass diese ebenso gut einem ganz anderen Menschen gehören könnten.

Irina starrte auf die drei Gläser vor sich auf dem Tisch. Hier sitze ich und starre auf drei Gläser, dachte sie. Es ist eine Weile vergangen, seit ich gestorben wäre, wenn ich nicht auf den Rat aus einem Buch gehört hätte, das ich niemals wieder aufschlagen werde. Ich habe die Grenze überschritten. Ich habe endlich meinen großen Zusammenbruch gehabt, ich bin verrückt, aber es ist überhaupt nicht so, wie ich es mir vorgestellt habe.

Wobei ich auch nicht weiß, was ich mir eigentlich vorgestellt habe. Es erscheint nicht bedrohlich, und es erscheint nicht angenehm. Es fühlt sich nur leer an. Vielleicht habe ich mich ja mit meinem Schicksal versöhnt. Eins, zwei, drei… drei, zwei, eins.

Eine Frage kreiste in Gregorius' Kopf, aber er bekam sie nicht zu fassen. Vielleicht war es auch nur ein Surren ohne ein Fragezeichen dahinter, er wusste es nicht. Er dachte, dass er darüber nachdenken müsste, was man mit einem Sechstel einer Rugbymannschaft anstellt, aber er brachte es nicht über sich.

Selbst derartige Überlegungen erfordern ein gewisses Maß an Energie, und zu so etwas hatte er keinen Zugang mehr.

Nicht zu dem Ansatz eines Tropfens von Energie. Mein Leben ist ein verfluchter Luftballon gewesen, stellte er müde fest. Und jetzt ist ihm die Luft ausgegangen.

Obwohl Notar Prendergast sein Monokel in die Westentasche gesteckt hatte, konnte er seinen alten toten Freund nicht aus den Augen lassen. Heute du, morgen ich, dachte er.

Immer und immer wieder, wie eine alte Grammophonscheibe, die sich verhakt hatte.

Heute du, morgen ich.

Milos Skrupka hatte die Augen geschlossen. Er konnte sich immer noch nicht an die Namen seiner beiden Schwestern erinnern, aber da sie im Handumdrehen zu Halbschwestern reduziert worden waren, fand er das nicht mehr so dramatisch.

Etwas ist soeben passiert, dachte er. Gerade eben, vielleicht kurz nachdem mein Vater gestorben ist, oder kurz davor. Etwas ist verschwunden, zurückgeblieben ist eine Leere.

Vor ihm auf dem Tisch lag das gelbe Notizbuch. Eines Tages würde er es lesen, das wusste er, die Geschichte seines Vaters und seiner Mutter. Aber nicht jetzt, denn etwas war kaputt in seinem Kopf, und wenn es dort noch andere Gedanken geben sollte, dann bekam er sie jedenfalls nicht zu fassen.

Aber warum sich darüber Sorgen machen? Seine Sorgen waren vorbei.

In ihrem Bett daheim an der Ravenscourt Road lag Leya Yun Se und schlief, tief und traumlos – und als Oberkellner Barolli im Restaurant *Terracotta* in Richmond die Tür zur Straße öffnete, um ein wenig frische Luft hereinzulassen, konnte er feststellen, dass der Himmel endlich seinen Regen geboren hatte.

Und es war ein guter Regen.

Anmerkung

Aufgrund der Anforderungen der Geschichte sind einige Teile der Geographie von London – wie auch gewisse Innenansichten – verändert worden. Doch zu neun Zehnteln stimmt die sogenannte Wirklichkeit mit der sogenannten Dichtung überein.

September 2010 LGS

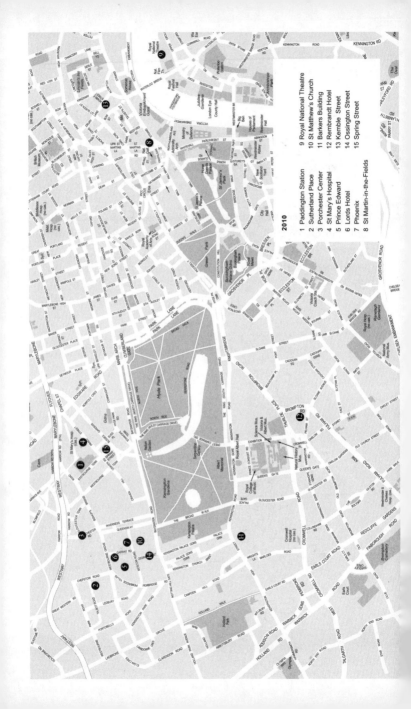

1970

1 Paddington Station
2 Sutherland Place
3 Prince Edward
4 Lords Hotel
5 Craven Terrace
6 Foyle's
7 Covent Garden Opera
8 Broad Court
9 British Museum
10 Coleherne Mews
11 Kemble Street
12 St Martin-in-the-Fields
13 Garway Road
14 Talbot Road
15 Bramstoke and Partners
16 Lord Holland

Håkan Nesser

bei btb

Die Kommissar-Van-Veeteren-Serie
Das grobmaschige Netz. Roman
Das vierte Opfer. Roman
Das falsche Urteil. Roman
Die Frau mit dem Muttermal. Roman
Der Kommissar und das Schweigen. Roman
Münsters Fall. Roman
Der unglückliche Mörder. Roman
Der Tote vom Strand. Roman
Die Schwalbe, die Katze, die Rose und der Tod. Roman
Sein letzter Fall. Roman

Weitere Kriminalromane
Barins Dreieck. Roman
Kim Novak badete nie im See Genezareth. Roman
Und Piccadilly Circus liegt nicht in Kumla. Roman
Die Schatten und der Regen. Roman
In Liebe, Agnes. Roman
Die Fliege und die Ewigkeit. Roman
Aus Doktor Klimkes Perspektive. Erzählungen
Die Perspektive des Gärtners. Roman
Die Wahrheit über Kim Novak. Roman
Himmel über London. Roman
Die Lebenden und Toten von Winsford. Roman

Die Inspektor-Barbarotti-Serie
Mensch ohne Hund. Roman
Eine ganz andere Geschichte. Roman
Das zweite Leben des Herrn Roos. Roman
Die Einsamen. Roman
Am Abend des Mordes. Roman